D0969871

Jésus-Christ
l'unique
Médiateur

Bernard Sesboüé s.j.

Jésus-Christ
l'unique
Médiateur

Essai sur la rédemption et le salut

TOME II

Les récits du salut :
Proposition de sotériologie narrative

Collection
« Jésus et Jésus-Christ »
dirigée par Joseph Doré
n° 51

Desclée

IMPRIMI POTEST
Paris, le 17 avril 1991
Jacques Gellard s.j.
prov.

IMPRIMATUR
Paris, le 6 mai 1991
Maurice Vidal
v. é.

BQT
1106
S47
1988
v.2

Coédition DESCLÉE/LES ÉDITIONS DE LA COUPOLE

© GEDIT S.A. Tournai et LES ÉDITIONS DE LA COUPOLE Paris, 1991

ISBN : 2.7189.0497.6

Dépôt légal : septembre 1991

Deuxième édition

PRÉSENTATION

Voici donc le second tome de *Jésus-Christ, l'unique médiateur,* du Père Bernard Sesboüé, s.j. Faisant dûment suite au premier, qui se constituait de deux parties respectivement consacrées à la définition d'une *problématique générale* et à une esquisse *d'histoire doctrinale,* il propose une troisième et dernière partie dont l'intention est de présenter une *synthèse théologique* très conséquemment élaborée sur la base des recherches et des réflexions antérieurement développées.

Cela précisé, on peut considérer que, bien connus, le souci de clarté et les qualités d'exposition de l'auteur sont telles qu'à l'évidence ils déchargent cette « Présentation » de toute autre obligation spécifique tant dans l'ordre de l'acheminement du lecteur au sujet traité, que quant à la mise en valeur de l'intérêt qu'il présente pour la collection qui accueille l'ouvrage. Ce n'est pas à dire, pour autant, que soient totalement superflues quelques brèves remarques ou suggestions « apéritives »...

1. On relèvera tout d'abord qu'il s'agit non plus d'une enquête mais d'une « **proposition** » : ayant parcouru toute l'histoire de la tradition chrétienne, le théologien en vient maintenant à tracer son *propre* itinéraire, sur lequel il invite son lecteur à le suivre.

A ce premier égard doit être indiqué un trait qui apparaît très significatif de la manière de l'auteur lui-même et, assez largement aussi, du mouvement général de la théologie contemporaine : c'est précisément dans une relecture de l'*Écriture* que, en deçà même des siècles de la tradition chrétienne quoique sous leur éclairage, sont ici recherchées les voies d'une proposition renouvelée et *actualisante* du mystère du salut.

2. On soulignera ensuite que l'essai ici tenté se présente comme une sotériologie dont l'expression et l'exposé discursifs sont de genre *narratif.*

Il y a évidemment là un trait qui apparaît tout à fait cohérent avec le précédent. S'il mérite d'être signalé d'entrée de jeu, ce n'est pas seulement parce que (sur la base, donc, de ce qui a été signalé en 1.), il traduit bien la caractéristique propre de la visée théologique qui est ici mise en œuvre. C'est surtout qu'il y a, à cette façon de procéder, un avantage éminent. Elle permet à l'auteur de ne pas quitter *l'événement* du salut dans le moment où, comme c'est l'office de la théologie, il le porte pourtant au *concept*. Elle permet de faire apparaître la *structure doctrinale* « à même » *l'histoire du salut* dont elle a pour seule fonction de procurer la juste intelligence, mais que la dynamique même de la conceptualité qu'elle met en œuvre risque toujours de faire verser dans l'abstraction.

3. On attirera enfin l'attention sur un souhait de l'auteur (souhait qui n'est du reste, à son tour, que la conséquence du point précédent, comme celui-ci l'était lui-même du tout premier) : Bernard Sesboüé émet le vœu que, devant cette « sotériologie narrative » dont il lui fait « proposition », son *lecteur* puisse se dire : « c'est bien de moi qu'il s'agit en tout cela ». Telle est bien d'ailleurs la raison pour laquelle l'intention dernière du discours est ici de manifester comment le récit total du salut chrétien peut, tant au plan individuel qu'au plan collectif, *croiser* « le nôtre ».

Ainsi s'avère-t-il que si notre auteur est fondé à vouloir mettre « la catégorie de *communication* (avec ses deux corollaires que sont la révélation et la réconciliation) au centre de la perspective », il ne se contente pas de disserter sur ladite communication et d'en exprimer la teneur ou le contenu : il tend incessamment, pour son lecteur, à la mettre en acte.

Joseph DORÉ

> « *L'amour consiste en*
> *une communication mutuelle.*
> *C'est-à-dire que l'amant*
> *donne et communique à l'aimé*
> *son bien ou une partie de son bien ou de son pouvoir ;*
> *de même, en retour, l'aimé à l'amant.*
> *De la sorte, si l'un possède la science,*
> *il la donnera à l'autre qui ne l'a pas ;*
> *de même pour les honneurs ou pour les richesses ;*
> *et cela mutuellement.* »
> Ignace de Loyola,
> *Contemplation pour obtenir l'amour,*
> Exercices spirituels, nº 230

INTRODUCTION

Le premier tome de cet ouvrage a longuement instruit le dossier doctrinal de la sotériologie chrétienne. Il ne s'achevait cependant pas sur une conclusion mais sur une transition. Il n'est pas concevable, en effet, de limiter la tâche de la théologie à la relecture de la tradition passée et récente. Aussi bien ce tome s'achevait-il sur un constat d'insatisfaction, tant devant un relatif éclatement des discours recueillis que devant l'inévitable abstraction des catégories employées pour viser la réalité du salut, ou encore devant le caractère dépassé ou lacunaire de certaines problématiques. Sans doute le discours humain restera-t-il toujours en deçà de la richesse du mystère qu'il ne peut jamais étreindre dans des mots ; et je n'ai pas la prétention que celui-ci franchira une telle barrière.

Pourtant le théologien ne peut, sans se renier lui-même, renoncer à approcher davantage et inlassablement la réalité qui est, selon saint Thomas lui-même, le terme de notre acte de foi. Jésus-Christ nous sauve et il est le seul à nous sauver.

Soit. *Mais comment nous sauve-t-il ?* Telle est la question
qui rejaillit aujourd'hui dans la pensée de nombre de chrétiens.
C'est pourquoi dire notre foi au salut apporté par Jésus-
Christ, l'unique Médiateur, exige un effort sans cesse recom-
mencé qui cherche à répondre aux interrogations de notre
culture et de notre temps, en mettant si possible à profit les
découvertes et les procédures nouvelles dont nous disposons
dans notre approche de l'Ecriture et de la tradition.

C'est pourquoi ce second tome a pour but de présenter
une « proposition sotériologique », analogue à ce que fut la
« proposition christologique » qui constituait la 3° partie de
l'ouvrage précédent, *Jésus-Christ dans la tradition de
l'Eglise*[1]. Comme dans le premier cas, il s'agit de réconcilier
l'*intuition* et le *concept,* c'est-à-dire de « dégager des phases
de l'événement l'organicité du mystère ». Notre époque en
effet a non seulement redécouvert la nécessité d'une mise en
œuvre concrète nouvelle de l'Ecriture dans l'effort de la
théologie systématique, mais encore a centré son attention
sur l'originalité absolue d'un événement (constitué d'une suite
d'événements) auquel nous nous rapportons par la médiation
du récit. C'est ainsi que la problématique de « l'histoire du
salut » est devenue centrale en théologie. Aussi, dans un
prolongement de la même visée, la proposition de sotériologie
qui suit sera-t-elle « narrative ». Notre salut est une longue
histoire qui se déploie en une série d'étapes et donne lieu à
des récits. Notre salut se dit dans un récit de récits. Il est le
lieu privilégié d'une théologie narrative. Notre credo lui-
même n'est il pas un récit très résumé ?

Déjà le premier tome tenait compte de cette donnée,
puisqu'il consistait pour l'essentiel en un « récit de la
tradition ». Mais cette histoire et les récits auxquels elle donne
lieu ont aussi une structure et une intelligibilité ; ils donnent
à penser et à comprendre. L'analyse des grandes catégories
historiques de la rédemption et du salut l'a déjà montré. Il
ne s'agit plus ici de les reconsidérer formellement pour

---

1. Paris, Desclée, 1982.

elles-mêmes, mais de nous en servir comme d'une grille d'intelligence de l'événement ou, pour prendre une autre image, d'en reverser la lumière polychrome sur le récit de l'événement. Les données positives et critiques qui concernent chacune d'entre elles ayant été suffisamment exposées, on n'y reviendra pas ici.

Le centre de perspectives sera encore une fois la médiation exercée par le Christ entre le mystère éternel du Dieu trois fois saint, Père, Fils et Esprit et l'humanité créée et pécheresse, afin d'établir entre les deux une relation d'amour partagé et de vie communiquée. Cette médiation, nous l'avons vu, s'exerce selon deux mouvements, descendant et ascendant. Elle se prophétise en acte dans l'Ancien Testament, elle se réalise dans l'événement de Jésus, sa vie, sa mort et sa résurrection. Elle se poursuit dans l'Eglise par le don de l'Esprit. Ces trois temps de notre histoire du salut nous font plonger dans les deux extrêmes, son inauguration lors de la création de l'homme à l'image et à la ressemblance de Dieu, par la médiation de son Verbe, et son accomplissement définitif lors du retour du Christ, dont l'humanité demeurera éternellement médiatrice de la vision bienheureuse des élus de Dieu.

Telle sera la structuration de cette sotériologie narrative à ambition systématique. Comme la proposition christologique précédente, elle présentera une vision moderne de la théologie de la récapitulation de toutes choses dans le Christ, avec sa correspondance profonde entre l'Alpha et l'Omega. Mais alors tout était centré sur l'*identité* de Jésus Sauveur. Cette fois-ci, ce point étant acquis, je viserai formellement son rôle de *Médiateur* et de *Sauveur,* sans oublier la solidarité des deux points de vue. S'il est permis de donner ici par anticipation une orientation générale, je dirai que la catégorie de *communication,* avec ses deux corollaires que sont la révélation et de réconciliation, sera au centre de toute la perspective.

J'avais dit l'incapacité d'une formule brève à rendre compte de l'identité du Christ. Pour le salut nous ne disposons pas

d'autre formule brève que celle des confessions de foi, qui
ont déjà la forme du récit. Ce sont elles qui constitueront
notre point de départ.

En voulant mettre le récit biblique au centre de cette
proposition sotériologique, je ne pouvais que greffer ma
réflexion sur celle des auteurs, théologiens et exégètes, qui
ont travaillé dans ces dernières décennies sur la nature, les
fonctions et la portée doctrinale du récit [1]. Je ne prétends

1. K. Barth est l'un des premiers à avoir senti que la problématique de
l'histoire du salut conduisait à celle du récit : « Qui est et ce qu'est Jésus-
Christ, cela ne peut être que raconté et non pas saisi et défini comme
système » (*Dogmatique,* vol 8, Genève, Labor et Fides, 1958, p. 198).
Pour lui, « l'acte de raconter » est « la forme décisive du discours sur
Dieu » (P. Corset, « Le théologien face au conteur évangélique. A la
recherche d'une théologie narrative », *R.S.R.* 73, 1985, p. 81). E. Jüngel
a poursuivi dans la même voie : « L'humanité de Dieu, comme toute
histoire d'amour exige d'être racontée », *Dieu mystère du monde,* Paris,
Cerf 1983, t. 1, p. XVIII. Du côté catholique, Jean-Baptiste Metz a écrit
un manifeste, aujourd'hui classique, en la matière sous le titre « Petite
apologie du récit », dans *Concilium,* (85, mai 1973, p. 57-69), où il formule
la thèse suivante : « Une théologie du salut qui ne conditionne ou ne
suspend pas l'histoire du salut, ni n'ignore la non-identité de l'histoire de
la souffrance, c'est-à-dire ne la traverse pas dialectiquement, ne peut pas
être développée seulement avec des arguments, elle doit toujours l'être d'une
manière narrative ; foncièrement elle est une théologie commémorative et
narrative » (p. 66). Ce texte a été repris dans l'élaboration plus large du
livre *La foi dans l'histoire et dans la société. Essai de théologie fondamentale
pratique,* Paris, Cerf, 1979. — En France Paul Ricœur a réfléchi, à la fois
en philosophe et en théologien, sur l'enjeu interprétatif de tout récit. Paul
Beauchamp a lui aussi apporté d'importantes contributions à la théologie
du récit à partir de la lecture de la Bible avec *L'un et l'autre Testament,* t.
1 et 2, Paris, Seuil 1976 et 1990, *Le récit, la lettre et le corps, Essais
bibliques,* Paris, Cerf 1982 ; « Le récit et la transformation du peuple de
l'Alliance », in *Dieu, Eglise, Société,* (sous la direction de J. Doré, Paris,
Centurion, 1985, p. 191-230.) Tout récemment on retiendra Jean-Noël
Aletti, *L'art de raconter Jésus-Christ. L'écriture narrative de l'Evangile de
Luc,* Paris, Seuil 1989. On lira enfin avec fruit le gros dossier des
Recherches de science religieuse, « Narrativité et théologie dans les récits
de la passion », 73, (1985), p. 7-244 (avec des contributions de P. Ricœur,
P. Beauchamp, P. Corset, J. Delorme, J. Calloud, F. Genuyt, J.N. Aletti,
C. Turiot, A. Delzant, E. Haulotte).

donc pas apporter du neuf sur ce plan. Mon propos est de mettre en œuvre la perspective du récit dans une construction théologique aussi cohérente que possible. J'espère seulement ouvrir une piste en ce domaine. Sans pouvoir nommer ici tous les auteurs dont je me suis inspiré, je tiens cependant à exprimer ma dette particulière vis-à-vis des travaux de Paul Beauchamp et de Jean-Noël Aletti. De son côté, Edouard Pousset, qui a également beaucoup étudié la théologie des récits évangéliques, a été le partenaire patient et encourageant, avec lequel j'ai échangé constamment au cours de l'écriture de ces deux tomes. Ceux-ci lui doivent beaucoup. Je lui en exprime ici ma reconnaissance

Troisième partie

Les récits du Salut

Théologie du salut et narrativité
(Réflexions méthodologiques)

I. La portée théologique du récit

Salut et histoire du salut

Le salut chrétien est un événement réalisé par Dieu dans notre histoire. Il est en lui-même une longue histoire. Or jamais le poids d'une histoire ne peut passer dans une série de notions. Aussi bien le parcours précédent a-t-il montré qu'aucune des catégories du salut, pour nécessaires qu'elles soient, ni même leur ensemble articulé, ne peut retenir toute la substance de l'événement concret. « Les catégories demeureront toujours plus pauvres que l'événement et la personne de Jésus. Elles doivent donc toujours être rapportées à cet événement et à cette personne »[1]. Sans doute cette disproportion est-elle vraie de tout discours humain. Nous avons également enregistré l'impossibilité d'embrasser tout le mystère du salut dans une formule. Il semble même que notre époque ait suffisamment expérimenté la limite inhérente à

1. T.I, p. 111.

toute formule dogmatique, pour qu'elle ne s'estime plus capable d'en proposer de nouvelles. Du moins, n'est-ce pas sur cette ligne que le dernier Concile a avancé, rappelant la solidarité entre l'Ecriture sainte et la tradition et invitant fermement toute théologie à faire de l'étude du « livre saint » son « âme »[1]. Les théologiens depuis lors se sont donc engagés sur d'autres voies que celles de leurs prédécesseurs, en mettant en particulier en honneur la théologie de « l'histoire du salut »[2]. Les catéchismes eux-mêmes prennent un ton plus concret pour parler du salut et font davantage appel, comme les évangiles, à la pédagogie du récit. Car le salut est infiniment plus qu'une simple doctrine.

Notre étude des grandes catégories du salut dans le tome I de cet ouvrage avait déjà une dimension historique, puisqu'elle enregistrait les manières successives dont la tradition ecclésiale a rendu compte de notre salut en Jésus-Christ. Nous avions recueilli une suite de témoignages, situés à l'intérieur d'une forte structure d'intelligibilité. Et nous avions fait largement appel à l'Ecriture, reprenant en quelque sorte la manière dont les témoins privilégiés nous avaient raconté l'événement et l'œuvre de Jésus.

Il s'agit maintenant de prolonger cette longue chaîne de la tradition, dans un acte de réappropriation personnelle et d'actualisation de ce qu'elle a véhiculé jusqu'à nous. Comment penser et dire le mystère du salut d'une façon qui soit signifiante pour notre temps ? Certainement en respectant sa facture historique. J'ai dit ailleurs[3] que l'on ne pouvait pas rendre compte de l'identité de Jésus sans faire référence à son histoire, car cette histoire appartient à son identité. Il en va à l'évidence de même pour le salut considéré dans sa totalité, qui nous est proposé comme une histoire, et demeure une histoire dans laquelle nous entrons à notre tour. C'est

1. *Dei Verbum*, n. 24.
2. Cf. l'ouvrage *Mysterium salutis. Dogmatique de l'histoire du salut*, titre de l'œuvre collective entreprise en Allemagne après le Concile et parue en plusieurs volumes, partiellement traduite en français au Cerf.
3. *Jésus dans la tradition de l'Eglise*, op. cit. pp. 211-212.

pourquoi, aujourd'hui comme hier, je voudrais reverser la structure du salut dégagée dans le tome précédent (c'est-à-dire un salut accompli par l'unique Médiateur, selon le double mouvement de sa médiation descendante et ascendante) sur son histoire concrète.

Histoire du salut et récit

Pourtant le propos de cet ouvrage n'est pas de reprendre à son compte tout le cahier des charges d'une histoire du salut, ce qui reviendrait d'ailleurs à proposer une dogmatique globale. Il est à la fois plus limité et différent. Il entend viser l'histoire du salut à travers le et les *récits* qui en sont donnés et vécus dans l'Ecriture et dans la mémoire de l'Eglise. C'est en effet par des récits que toute histoire, qu'il s'agisse de l'histoire universelle de l'humanité, de l'histoire des peuples et des nations ou de nos histoires personnelles, devient et redevient sans cesse présente et active. Parler trop vite de l'histoire du salut, c'est risquer de la considérer comme une réalité purement objective, un « quelque chose » qui est là dans une extériorité par rapport à nous, même si nous sommes invités à en recueillir les bienfaits en un temps second. Or le salut est à la fois une réalité dans laquelle nous sommes déjà pris et une proposition qui sollicite une réponse de notre liberté. Car de même que l'histoire est faite de l'interréaction du jeu des libertés, l'histoire du salut est faite de l'interréaction du jeu de la liberté divine et des libertés humaines. L'intérêt du récit est de donner tout son relief à « ce jeu mutuel des libertés et donc de prendre tout autant au sérieux l'énonciation » que l'énoncé. Car le récit n'est pas chose, il est acte, en tant qu'il est transmission ou tradition. Il suppose un narrateur qui parle ou qui écrit et des auditeurs ou lecteurs qui écoutent ou qui lisent. Comme le disent les linguistes, tout récit est « allocutif », il suppose un JE et un TU qui se parlent, de même que d'autres dont on parle en disant ILS. Nous retrouvons ici les trois personnes du singulier et du pluriel de nos grammaires d'enfants. Aussi le récit est-il inséparable de l'effet qu'il produit. C'est pourquoi Jésus parlait en paraboles, afin d'inviter chacun de ses auditeurs à se situer en liberté devant le Royaume des cieux. Le récit, pièce maîtresse du discours humain et peut-être sa « matrice » (P. Beauchamp), met en relation et maintient en relation les hommes. Il est essentiellement ordonné à la communication, il a un enjeu social. N'en va-t-il pas de même du salut, qui trouve dans le récit un habit humain sur mesure ?

Petite anthropologie du récit

« Alors, raconte.... — Maman, viens me raconter une belle histoire avant que je ne m'endorme... ». Nous participons tous, grands et petits, à ce désir d'entendre ou de raconter des histoires, vraies ou fictives d'ailleurs. Nous revivons alors pour nous-mêmes toutes les péripéties, nous nous identifions plus ou moins aux héros. Nous y trouvons du plaisir. Tel est le secret du succès des contes, des nouvelles, des romans ou des films : d'une manière ou d'une autre ils racontent toujours une histoire dans laquelle nous nous projetons.

Quel est le ressort secret de ce besoin que nous avons de récits ? Il semble bien que le récit vienne combler en nous un manque. « Le manque est la substance du récit »[1]. On parle toujours de ce qu'on n'a pas et de ce qu'on n'est pas, c'est-à-dire de ce qu'on voudrait avoir ou être. « Le ressort du récit est le rapport au bien en tant qu'il est absent »[2]. Or le salut n'est-il pas le lieu du manque essentiel de l'homme ? Dans tous ces récits, le plus souvent dramatiques ou tragiques, ne cherchons-nous pas le « *happy end* », c'est-à-dire la parabole du bonheur qui ne finit pas ? D'une manière ou d'une autre, tout récit est un récit de salut. C'est pourquoi le récit est si bien adapté à exprimer le mystère du salut lui-même.

1. P. Beauchamp, *Le récit, la lettre et le corps,* Paris, Cerf, 1982.
2. *Ibid.* p. 187.

Il y a récit non seulement parce qu'il y a manque, mais aussi parce qu'il y a manquement. En termes théologiques, nous dirons que le besoin du récit n'est pas seulement le fait de notre finitude, mais aussi celui de notre péché. Les deux aspects sont inséparablement liés d'ailleurs. Dans tous nos récits le mal, le malheur et la souffrance sont au premier plan. Et l'on connaît le débat de naguère sur la difficulté qu'il y a à faire de la bonne littérature avec de bons sentiments. D'ailleurs, chacun sait que les peuples heureux n'ont pas d'histoire. De même, quand les héros du roman ou du film ont surmonté toutes les épreuves qui les séparaient et parviennent à se retrouver, il suffit de dire : « Ils se marièrent, furent heureux et eurent beaucoup d'enfants ». C'est-à-dire que l'histoire s'arrête net. Nous retrouvons ainsi, à partir de cette simple réflexion sur le récit, les deux composantes de notre salut, libération de la finitude et libération du mal. On comprend donc que le récit puisse être considéré comme l'acte majeur du discours humain, lui-même fondé sur la fonction essentiellement humaine du langage. Le récit n'est sans doute pas l'unique genre littéraire de ce discours, mais on peut le considérer comme l'englobant de tous les autres, pour la raison très simple que l'homme vit dans le temps, et donc dans la succession des événements et des paroles.

Allons encore plus loin : dans tout récit entendu, c'est finalement le récit de nous-même qui est en cause. Or nous sommes notre propre récit. Le récit tient à notre identité, puisque celle-ci ne peut s'exprimer que sous la forme du récit : je suis fils d'un tel et d'une telle. Mon origine se dit déjà dans un récit. Et je suis ce que j'ai vécu, qu'il s'agisse de mon *curriculum vitae* au moment d'une embauche, ou des expériences majeures qui m'ont façonné et dont je fais la confidence à ceux que j'aime. C'est pourquoi nous avons tous tant besoin de raconter notre vie. Dans le film *Les violons du bal* le réalisateur raconte son enfance juive sous l'occupation allemande. Le scénario fait alterner les scènes

du passé et celles du présent où l'on voit ce réalisateur se
battre pour le financement de son film. Un ami lui demande
alors : — Qu'a-t-elle donc de particulier ton enfance ? Et lui
de répondre : « — Rien, mais c'est la mienne ». Car il
éprouve le besoin de mettre de l'ordre dans son passé et donc
en lui-même, à travers le récit d'une histoire qui est sa propre
vie et donc sa propre personne. Il cherche à rejoindre sa
propre identité. Mais il a besoin que son récit puisse être
entendu par d'autres, qu'il soit le lieu d'une communication,
indispensable pour qu'il existe. Tous nous avons viscéralement
besoin que d'autres veuillent bien nous entendre et par là-
même nous permettre d'exister. Car si mon récit provoque
l'intérêt de quelqu'un, alors j'existe pour lui et ma vie prend
une autre dimension. Le récit ne tient-il pas une grande place
dans le développement d'un amour ?

Notre propre récit est aussi le lieu de l'aveu, reconnaissance
de nos manques et nos manquements et par là même attente
du pardon et espérance de réconciliation, ne serait-ce d'abord
qu'avec nous-même. Le récit appelle le récit : il est une
communication ordonnée à la communion. A celui qui se
raconte à moi en confidence, je ferai aussi la confidence de
mon passé. Nous n'écoutons d'ailleurs le récit d'autrui qu'à
la condition qu'il nous touche, c'est-à-dire qu'il rejoigne de
près ou de loin notre propre expérience. Nous communions
ensemble par la communication de nos récits respectifs. Cet
échange des récits est facteur de réconciliation. En vérité le
récit est fondateur d'identité.

Le récit fondateur de société

Fondateur de l'identité personnelle, le récit est aussi
fondateur de la société. A l'origine de tout peuple, il y a le
récit, réel ou fictif, de sa naissance, des événements majeurs
de son histoire, de ceux que l'on peut considérer comme
fondateurs et des décisions majeures qui font la cohésion et
l'unité du peuple. Dans le cas d'Israël, écrit P. Beauchamp,
« le récit fonde la loi comme contenu de la décision d'un

peuple »[1], car il est fondateur de l'alliance entre Dieu et son peuple. On dira sans doute que cette perspective risque de confondre le récit et l'événement qu'il rapporte, en attribuant au premier ce qui est le fait du second. Mais non seulement on sait la distance qui peut exister entre un événement et son récit, mais encore il faut dire que l'événement ne vit que par et dans le récit qui en est fait et que ce récit est à son tour un acte ou un événement. Si le récit cesse, l'événement meurt irrémédiablement. Au contraire, chaque fois que le récit actualise l'événement, celui-ci joue à nouveau son rôle fondateur. D'ailleurs, non seulement le récit relate les événements, mais il est aussi capable de les créer. Il y a des discours qui sont des actes et nous connaissons tous ces stations de radio ou de télévision, voire ces journaux, qui prétendent « créer l'événement ».

Plus encore au plan de la communauté qu'au plan individuel, le récit permet de situer le particulier dans l'universel. Tout récit a un commencement, un milieu et une fin. Asymptotiquement, ce commencement et cette fin cherchent à rejoindre le commencement et la fin absolus, c'est-à-dire l'universel. C'est à ce prix que le récit donne sens, soit à ma vie personnelle, soit à la vie de mon peuple, soit à celle de l'humanité tout entière.

Le salut, rencontre de deux récits

Un catéchumène adulte découvrait bien difficilement l'histoire d'Abraham répondant à l'appel de Dieu. Il ne voyait pas pourquoi sa préparation au baptême devait passer par l'étude de cette histoire ancienne avec laquelle il ne se sentait aucun lien. Puis, un jour, ce fut l'illumination. Il s'écria : « - Abraham, c'est moi ! ». Le récit avait fonctionné pour lui : il était entré dans l'histoire, s'était identifié au personnage. La vocation d'Abraham devenait la parabole de son propre appel à la foi et de ce qu'il avait quitté pour y répondre.

1. *Ibid.* p.193.

Cette histoire est typiquement biblique. Nathan n'avait-il pas procédé ainsi devant David, après le péché de celui-ci avec Bethsabée et la mise à mort d'Urie ? Il lui raconte un apologue, avant de lui dire : « - Cet homme, c'est toi » (2 S 12, 7). De même, dans le premier « kérygme » des *Actes,* Pierre fait le récit de l'événement de Jésus. « D'entendre cela », les auditeurs « eurent le cœur transpercé » (2,37). Ils ont compris leur propre histoire à la lumière de celle de Jésus : ceux qui ont crucifié le Messie ne sont pas seulement ses juges et ses bourreaux, c'est tout homme pécheur. Ils sont donc partie prenante de ce récit.

C'est ainsi qu'il en va du salut. Il faut que son récit vienne croiser le nôtre. *Res nostra agitur.* Il faut que l'histoire qu'il raconte soit notre propre histoire. Sinon, nous ne nous sentirons jamais concernés par lui. Car l'histoire du salut n'est pas seulement faite des initiatives de Dieu vis-à-vis des hommes. Considérer l'œuvre de Dieu indépendamment de l'accueil que l'homme lui fait serait une abstraction mensongère. Le récit du salut nous raconte en effet ce que notre famille humaine, et en elle chacun d'entre nous, a fait et continue de faire au cours de ce dialogue historique avec Dieu. Il est le récit d'une alliance, c'est-à-dire des péripéties de la préparation et de la célébration, des ruptures et des infidélités, des repentirs et des renouvellements auxquels une alliance peut donner lieu. Il est structuré par le double mouvement de l'appel et de la réponse. Car une histoire commence toujours par une rencontre : ce fut d'abord la rencontre de Yahvé avec Abraham, et ensuite la rencontre de Jésus avec ses disciples. Cette histoire-là n'est pas achevée : nous en sommes les partenaires vivants. Elle est aussi faite des réponses de notre propre liberté et donc de nos pauvres récits. Elle est notre histoire.

Nous retrouvons ici l'articulation de l'universel et du particulier. L'histoire du salut, dans le récit biblique, se présente comme ce qui concerne toute l'humanité : elle s'origine à la création et va jusqu'à la fin des temps. Elle se noue dans l'événement public qui est celui de Jésus de

Nazareth. Elle s'adresse au peuple élu comme aux nations dont elle accomplit la réconciliation. Mais dans cette histoire nous n'entrons pas seulement un à un, comme dans une histoire simplement collective où nous ferions masse. Cette histoire universelle est aussi l'histoire personnelle et communautaire de chacun d'entre nous. Nous y entrons en Eglise et nous en revivons les étapes et les péripéties. Elle se noue dans notre ici et notre maintenant, à la mesure même de la liberté de nos personnes et de nos groupes. Nous en sommes effectivement les personnages. Le récit de tous devient alors le récit propre de chacun. Comprendre le salut en vérité demande de donner à la théologie ce tour concret et existentiel. Aussi ce livre est-il aussi une invitation : si le lecteur ne pouvait dire en le refermant : « C'est bien de moi qu'il s'agit en tout cela », l'ouvrage aurait manqué son but.

Mémoire, récit et mémorial

Il n'y a de récit que parce que l'homme est mémoire. Le propre de l'homme est de pouvoir transcender le cours irrépressible du temps qui éparpille son être en une multitude d'instants fugitifs. Par la mémoire il peut faire l'unité de son existence et prendre conscience de son identité malgré l'écoulement du temps, de même que par la liberté il peut engager son avenir dans un sens déterminé, en faisant des choix. Mais ses projets habitent sa mémoire au même titre que ses souvenirs. La mémoire est la faculté de son unité et de son identité.

La mémoire invite à célébrer les anniversaires, celui de notre naissance (mémoire fondatrice) comme des grands événements de notre vie. Elle est aussi faculté de l'oubli, et la manière dont nous la faisons fonctionner n'est pas étrangère à l'usage que nous faisons de notre liberté. Nous sommes tous inévitablement « engagés » vis-à-vis de notre passé, que nous y consentions ou que nous le refusions, qu'il soit en nous source de bonheur ou cause de souffrance.

Mais si la mémoire est d'abord celle d'une personne, elle
ne nous concerne jamais isolément : nos souvenirs sont tressés
de nos relations avec les autres, parents d'abord, puis tous
ceux que nous avons rencontrés. De même, puisque l'homme
est un être éminemment social, il existe une mémoire collective
des groupes humains. Mémoire de la famille, mémoire du
milieu social, mémoire de la tradition culturelle, mémoire du
peuple ou de la nation, mémoire religieuse, mémoire des
relations internationales, mémoire de l'humanité. Toutes
ces mémoires, qui donnent également lieu à la célébration
d'anniversaires, restent porteuses des conflits du passé. Les
mémoires collectives posent donc la question douloureuse de
leur réconciliation. Catholiques et protestants ne peuvent
avoir la même mémoire des guerres de religion ; français et
allemands ne peuvent avoir la même mémoire de la dernière
guerre mondiale. Cette réconciliation-là est aussi affaire de
salut.

Le récit est donc l'expression de la mémoire de chacun
dans le jeu de la communication entre personnes et entre
groupes. Si le salut chrétien est devenu un événement de
notre histoire, événement fondateur inscrit lui-même dans
une série d'événements, il transcende sa facticité transitoire
en devenant mémoire et en donnant lieu à un récit. Nous ne
sommes pas ici en présence d'un facteur secondaire et extérieur
à la réalité du salut. L'inscription de celui-ci dans la mémoire
et le récit lui appartient de manière nécessaire : sans elle il se
dissout. Que signifierait la venue de Jésus parmi les hommes,
si celle-ci n'avait donné lieu à aucun récit entretenant la
mémoire de son événement parmi nous ? C'est même de ce
côté que l'on peut comprendre l'universalité du salut accompli
en Jésus-Christ. Car si cette universalité repose sans doute
sur le fait que Jésus est vrai Dieu, cette explication, pour
essentielle qu'elle soit, est insuffisante : il nous faut aussi
rendre compte du fait que l'universalité du salut est compatible
avec l'humanité transitoire de Jésus. Or, la « Bonne Nouvelle » de l'Evangile, depuis la prédication de Jésus lui-même,
se raconte. C'est ce que fit Pierre dans le discours de la

Pentecôte (Ac 2). C'est ce qu'ont fait spontanément les évangélistes cherchant, comme le dit saint Luc, à raconter « tout ce que Jésus avait fait et enseigné depuis le commencement » (Ac 1,1). L'événement fondateur, devenu mémoire fondatrice, s'est fait récit. La même chose vaut de l'Ancien comme du Nouveau Testament.

D'une manière ou d'une autre, tout récit est une actualisation du passé. Un souvenir qui n'est plus raconté se perd, il tombe dans l'oubli. Par le récit le souvenir reste vivant, il continue à influencer, voire à donner sens à notre existence. Le souvenir des événements fondateurs des peuples assure leur cohésion : c'est pourquoi ceux-ci sont régulièrement célébrés. Il en va de même pour le salut : il a été fondateur d'un peuple, le peuple d'Israël dans l'Ancien Testament, puis le peuple de l'Eglise dans le Nouveau Testament. Ces deux peuples vivent de la transmission de leurs récits, consignés dans des Ecritures saintes. La transmission du récit est par excellence un acte de *tradition*.

Mais le récit ne se transmet pas seulement par des paroles, il devient aussi geste, mime pourrait-on dire. Tel est le sens du *mémorial,* terme utilisé d'abord pour la célébration annuelle de la Pâque juive, quand le peuple non seulement se remémorait et revivait la sortie d'Egypte, mais encore en actualisait d'année en année la grâce d'élection. La libération du pays d'Egypte a fait l'objet du récit que les pères racontaient à leurs enfants, pour leur expliquer le sens de la célébration pascale (Ex 12, 26-27). Le même terme est repris par Jésus dans l'acte d'institution de l'eucharistie. Celle-ci est le « mémorial » par excellence de sa vie, de sa mort et de sa résurrection, c'est-à-dire la célébration où le récit raconte l'événement en le rendant effectivement actuel et présent. Dans la célébration de l'eucharistie le récit devient sacrement. « Le signe sacramentel, écrit justement J.B. Metz, peut être caractérisé comme une ''action verbale'' dans laquelle l'unité du récit comme parole efficace et de l'effet pratique est exprimée dans le même événement verbal »[1]. L'événement sacramentel a une structure foncièrement narrative : il est le récit efficace du salut. L'Eglise est ainsi une « communauté narrative »[2], vivant, à travers l'espace et le temps, du don du salut par la médiation d'un récit en acte. Avec Vatican II on peut parler des deux tables, celle de la Parole de Dieu, qui donne une place privilégiée au récit du salut, et celle du Corps du Christ où le récit devient présence et actualité[3].

Enfin la forme littéraire du récit, expressément relationnelle, est la mieux adaptée à dire un salut qui est essentiellement mise en relation et communication. Cette affirmation ne veut rien enlever à la légitimité d'une doctrine immédiatement conceptuelle. Elle suppose au contraire la solidarité et la complémentarité du récit et de la structure doctrinale. Le projet même de ce livre est d'articuler les deux et de montrer leur interpénétration.

Mémoire et anticipation

L'avenir appartient également à notre mémoire par les représentations que nous en donnons, les projets que nous faisons à son sujet, l'espérance qui est tournée vers lui. Nous savons faire le récit de nos intentions et de nos désirs. Car le récit d'un homme, s'il est toujours obligé de s'arrêter au moment présent en ce qui concerne le passé, s'aventure volontiers dans l'avenir dont il espère un accomplissement ultime. Le récit n'est donc jamais achevé. Il en va de même du récit du salut : il nous raconte bien ce qui s'est passé, ce que Dieu a accompli pour nous dans l'histoire et la manière contradictoire dont les hommes lui ont répondu. Il nous fait entrer à notre tour dans sa propre trame en nous faisant communier librement à la réalité qu'il annonce (Parole et Eucharistie). Il nous annonce aussi un accomplissement

1. J.B. Metz, « Petite apologie du récit », *Concilium* 85 (mai 1973) p. 60.
2. *Ibid.*, p. 61.
3. Cf. *Dei Verbum,* n. 21.

ultime, aujourd'hui encore en sursis, exprimé dans l'espérance du retour du Christ, de la résurrection générale et de la pleine manifestation du Royaume de Dieu. Paradoxalement, quand nous célébrons l'eucharistie, nous faisons aussi mémoire de cet avenir. « Vous annoncez la mort du Seigneur jusqu'à ce qu'il vienne » (1 Co 11, 26). On sait l'importance donnée par J. Moltmann à cette perspective de l'avenir dans sa *Théologie de l'espérance*[1]. Ce livre est une relecture du mystère du salut sous la perspective de la promesse et de l'avenir. La promesse est bien un événement de notre passé, elle est histoire et fait l'objet d'un récit sans cesse actualisé, mais elle nous tourne vers l'avenir de ce qu'elle annonce. Pour Moltmann il y a donc un « avenir de l'Ecriture » qui donne la clé herméneutique des témoignages historiques de la Bible[2].

Ainsi la perspective du récit fait-elle intervenir les trois instances du temps, le passé, le présent et l'avenir. A ce titre le récit nous fait dépasser le cadre d'une simple « doctrine » dont nous entendrions simplement de l'extérieur la vérité. Le récit est « pratique »[3] : il nous met en cause, nous « interpelle » et nous invite à entrer en lui, à devenir son partenaire. Quand le rédacteur de l'épître *aux Hébreux* fait le long récit des témoins et des réalisations de la foi à travers l'Ancien Testament (ch. 11), non seulement il le fait culminer dans la personne de Jésus « initiateur de la foi et qui la mène à son accomplissement » (Hé 12, 2), mais encore il invite ses auditeurs ou ses lecteurs à entrer à leur tour dans le même mouvement, et de « courir avec endurance l'épreuve qui leur est proposée » (12, l). Le récit ne nous invite pas seulement à nous soumettre à un enseignement. Il nous demande de faire la vérité en nous et sollicite notre liberté. Mais pour la solliciter, il commence par la libérer. Le point de vue de la liberté apparaît aujourd'hui central dans la théologie du

---

1. J. Moltmann, *Théologie de l'espérance. Etudes sur les fondements et les conséquences d'une eschatologie chrétienne,* Paris, Cerf-Mame 1970.
2. J. Moltmann, *op. cit.,* p. 304.
3. J.B. Metz, *art. cit.,* p. 59.

salut[1], sans doute parce qu'il est aussi central dans la vie de nos sociétés. Cet essai essaiera donc de le prendre comme une référence privilégiée.

Un récit dramatique

Le récit du salut est dramatique : il n'a rien d'un conte de fées. Ce n'est pas le récit du paradis sur la terre, car les peuples heureux n'ont pas d'histoire, justement. Un peuple totalement heureux serait un peuple sorti de l'histoire : nous savons que dans notre monde une telle hypothèse est contradictoire. Le drame vient de la liberté de l'homme. P. Ricœur a montré avec pertinence que le récit du salut jaillit de la rencontre du dessein divin *inéluctable* avec la *récalcitrance* humaine. « Ces histoires ne sont pas des histoires pieuses : ce sont des histoires de ruse, de meurtre, des histoires où le droit de primogéniture est bafoué, où l'élection du héros passe par les manœuvres obliques d'un jeune homme ambitieux tel que David »[2]. Origène s'émerveillait déjà autrefois que tant d'histoires bibliques douteuses ou immorales puissent servir à révéler le dessein tout spirituel de Dieu. Mais il arrive aussi que les narrateurs eux-mêmes mettent en jeu leur propre existence à travers leur récit : ce fut le cas de Jérémie ; ce fut éminemment celui de Jésus ; ce fut aussi celui d'Etienne, où le narrateur parle à ceux qui vont le tuer. « Il n'entendra donc pas la réponse. Mais elle n'en sera que plus radicale : la réconciliation absolue se manifestera dans le récit de Paul comme réponse au récit d'Etienne »[3].

Une alliance suppose en effet la réciprocité. Par définition l'amour ne s'impose pas, il se propose. Il peut donc aussi se

---

1. Cf. Th. Pröpper, *Erlösungsglaube und Freiheitsgeschichte. Eine Skizze zur Soteriologie,* München, Kösel-Verlag 1985.
2. P. Ricœur, « Le récit interprétatif. Exégèse et Théologie dans les récits de la Passion », reprenant les vues de Robert Alter, *R.S.R.,* 73 (1985), p. 18.
3. P. Beauchamp, « Récit biblique et rencontre interculturelle », *Lumière et Vie,* nº 168 (1984), p. 12.

refuser. Le récit du salut nous apprend que la réponse de l'homme a commencé par un refus, que ce refus s'est exprimé au cours de l'histoire par une multitude de violences, d'injustices et de mensonges, par une poussée irrépressible d'égoïsme et d'orgueil, qui se sont traduits par une série de ruptures et de divisions, bref par ce que la révélation chrétienne a nommé le péché. Tout le poids du mal dans l'humanité est ici présent avec son mystère d'opacité et son obscurité propre. La libération du péché ne se fait pas en un instant, le salut n'est pas une œuvre magique. Si le péché est histoire, qui a sa logique propre, comme l'histoire du péché de David le montre si bien, la conversion de l'homme est aussi une histoire, une histoire commune qui traverse celle de l'humanité, mais aussi une histoire singulière à chacun. Péché et conversion, telle est l'alternative dramatique qui jalonne toute l'histoire d'Israël, que l'on retrouve dans les évangiles avec l'accueil de Jésus par les foules jusqu'à sa mise à mort, et qui se reproduit en chacune de nos vies. Le dialogue de Dieu et des hommes, c'est-à-dire les péripéties de l'alliance, formeront la trame d'une multitude de récits souvent douloureux dont la séquence constitue le récit du salut.

Mais cette donnée ne dit pas encore tout. Si le péché est le péché, si le mal de la violence humaine est le mal, la souffrance est elle aussi un mal. Le récit du salut se heurte inévitablement au problème redoutable du mal qui frappe les innocents. Depuis la véhémente interrogation du livre de Job, la souffrance innocente est éprouvée comme un scandale. Aujourd'hui, après les atrocités que notre siècle a connues, après la prise de conscience du poids immémorial de souffrance qui a été le fait des oubliés et des opprimés de l'histoire, des vaincus et des victimes, la théologie ne peut plus faire l'impasse sur ce que J.B. Metz a appelé « l'histoire de la souffrance ». On comprend donc que cet auteur érige comme thèse que « *l'Eglise doit se définir et s'attester comme celle qui témoigne et transmet publiquement un souvenir dangereux de liberté* »[1]. Ce souvenir n'est rien d'autre que la mémoire de la passion, de la mort et de la résurrection du Christ, présente à toutes nos eucharisties. Cette mémoire est « un *souvenir dangereux et libérant* »[2]. Grâce à cette mémoire du Christ, « l'histoire du salut est ... une histoire du monde où il y a place pour un sens donné aux espérances et aux souffrances défaites et refoulées »[3].

Un récit et une histoire d'amour

Nous aimons tous les histoires d'amour. L'amour n'a pas besoin de preuve ou de justification : sa vérité se suffit à elle-même. Le récit du salut est la plus belle et la plus longue histoire d'amour qui soit. Mais il ne s'agit pas d'un amour à l'eau de rose. Si ce récit est dramatique, c'est aussi parce qu'il est le récit d'un amour ; d'un amour passionné, jaloux, fort comme la mort de la part de Dieu ; d'un amour fragile, versatile et sujet à toutes les infidélités de la part des hommes. Le drame du salut invite à ne pas identifier trop vite amour et bonheur. Certes, l'amour conduit au seul bonheur qui soit. Mais les traverses de l'amour ne sont-elles pas ce qui nous fait le plus souffrir ? Il est difficile d'apprendre à aimer et d'aimer. L'amour n'est pas de l'ordre du baiser Lamourette, embrassade éphémère qui ne portait pas en elle les exigences d'une véritable réconciliation. C'est pourquoi j'ai employé cette double formule pour exprimer les deux mouvements de la médiation du Christ : selon la médiation descendante, en Jésus Dieu aime l'homme à en mourir ; selon la médiation ascendante, en Jésus l'homme aime Dieu à en mourir. Ce livre raconte donc une histoire d'amour, plus belle que toutes les histoires d'amour humain dont elle saura d'ailleurs emprunter le langage. Dieu est l'époux de son peuple ; Jésus est le fils du Roi qui vient célébrer ses noces avec l'humanité ;

1. J.B. Metz, *La foi dans l'histoire et dans la société,* Paris, Cerf 1979, p. 109.
2. *Ibid.*
3. *Ibid.,* p. 134.

l'Eglise est l'épouse en même temps que le corps du Christ. Ce langage est vrai et fort, mais il passe par la mort.

II. La structure du récit

Récit et raison théologique

Cette option en faveur du récit ne veut nullement oublier la nécessité de faire appel à des concepts et à structurer de manière vigoureuse la doctrine du salut. Il serait naïf en même temps qu'erroné d'opposer narration et raison théologique[1]. La Bible tout entière s'inscrit là contre et plaide pour leur complémentarité et leur interpénétration. Le récit y donne spontanément naissance aux interprétations, à l'usage des catégories et des concepts et à la structuration des choses dans une visée proprement doctrinale. Mais en même temps, le corps doctrinal qui se constitue ne peut jamais s'émanciper du récit. La preuve en est donnée tant par les credos historiques de l'Ancien Testament que par les différentes versions du Credo chrétien. Les uns comme les autres sont considérés comme des formules de foi, or « dans les deux cas, foi et récit se rencontrent et le tout de la foi recouvre le tout du récit »[2]. C'est que le récit appelle à la foi et que la foi répond au récit, de telle manière que la demande et la réponse fusionnent dans un texte unique.

L'articulation originelle entre le récit bref de la confession et la foi se retrouve évidemment entre l'ensemble des récits bibliques et la doctrine de la foi. L'option ici retenue entend précisément articuler de son mieux les deux aspects et donner

1. Cf. P. Corset, « Le théologien face au conteur évangélique. A la recherche d'une théologie narrative », *R.S.R.* 73 (1985), p. 74-78.
2. P. Beauchamp, « *Le récit, la lettre et le corps. Essais bibliques* », Paris, Cerf 1982, p. 187.

valeur systématique à une théologie du récit. Tel est le pari,
sans doute difficile à tenir.

P. Beauchamp a montré la solidarité dans la Bible entre
récit et Loi[1]. Loin de s'exclure, le narratif et le normatif
s'appellent l'un l'autre et se complètent. Le narratif a pour
but d'obtenir un effet ; il se conclut volontiers par une
prescription, à laquelle le récit a donné sens. Le récit de
l'institution de la Pâque juive (Ex 12) est exemplaire de ce
point de vue. De son côté, la loi naît toujours des nécessités
dégagées par l'histoire. C'est parce que les hommes ont
mésusé de leur liberté qu'une loi vient leur dire comment ils
doivent en user. C'est ainsi que l'articulation entre récit et
loi fait structure et constitue la structure de l'alliance. Faire
alliance est un acte historique qui s'inscrit donc dans un
récit ; mais faire alliance, c'est aussi contracter un engagement
qui oblige et fait loi. L'homme s'engage envers Dieu, de
même que Dieu s'est engagé envers lui.

Il est légitime de transposer cette articulation structurelle
au rapport entre récit et « dogme », dans la mesure où ce
terme exprime le caractère « obligatoire » du contenu de la
foi. Le salut est le dogme fondamental de la foi chrétienne,
même s'il n'a pas donné lieu à une « définition » formelle.
Son affirmation est au centre du Credo chrétien, lui-même
construit comme le récit de ce que le Dieu unique, qui est
Père tout-puissant et créateur, a fait au bénéfice des hommes
(« pour nous et pour notre salut »), en envoyant son Fils
unique vivre avec nous, mourir et ressusciter, puis en
répandant son Esprit dans l'Eglise. Ce récit est commandé
par l'engagement d'un « Je crois en... » qui en fait une
structure d'alliance. Or le Credo demeurera la matrice de
toutes les formules dogmatiques à venir : il est bâti sur
l'énumération trinitaire ; il exprime l'identité du Christ ; il
esquisse le mystère de l'Esprit dans l'Eglise. En lui récit et
sens, appel à la foi et réponse de la foi, récit et « dogme »
sont indissociables.

1. *Ibid.,* p. 191-193.

Du récit aux concepts

Le Credo est le résumé extrême d'une multitude de récits. Chacun de ces récits produit un « effet de sens ». La récurrence des mêmes effets de sens circonscrit un centre de gravité des choses, qui donne à penser et produit une compréhension qui demande à se formuler. C'est ainsi que les récits conduisent aux concepts. Le concept apparaît alors comme la somme récapitulative des effets de sens des divers récits. A force de raconter des histoires d'alliance avec Noé, avec Abraham, avec Moïse, des histoires de renouvellement de l'alliance et l'annonce d'une alliance nouvelle, la Bible invite nécessairement le lecteur croyant à réfléchir sur le terme d'alliance et à le construire comme un concept.

De ce passage nécessaire la portée doit être bien comprise. Car le concept ne peut prétendre constituer un « progrès » par rapport à un récit devenu inutile ; il n'en est pas non plus l'équivalent ou le remplaçant. Il est l'indicatif du sens du récit. Il en est le « verbum abbreviatum », pour reprendre de manière analogique une expression d'Origène. Le concept reste donc toujours relatif au récit dont il récapitule le sens ; la juste compréhension de ce qu'il essaie de dire reste dépendante de la connaissance du récit. C'est ainsi que dans la tradition les concepts ont fonctionné comme autant de « c'est-à-dire » interprétatifs des récits. Dès que la théologie les a érigés indûment en majeures de raisonnement et les a « absolutisés », c'est-à-dire détachés de leurs liens avec le récit, même s'il s'agissait des concepts dogmatiques les plus officiels et les plus autorisés, elle leur a fait porter un poids qui n'était pas le leur au risque de les dévoyer de leur sens. Nous avons vu que ce fut pour une part le cas dans les concepts utilisés pour dire la rédemption dans les temps modernes.

La place donnée à l'interprétation des récits dans ce livre ne doit donc pas faire trop vite conclure qu'il ne s'agit que d'une « lecture spirituelle » à des fins d'édification. C'est une entreprise authentiquement théologique que je vise. Elle a une ambition systématique et entend dégager une structure doctrinale. Mais cette théologie plus concrète ne veut pas exclure de ce qu'elle dit la dimension affective de l'annonce du salut. Le message de l'amour de Dieu divinisant l'homme ne saurait être réduit à sa dimension intellectuelle, sous peine d'être desséché. « Dire Jésus-Christ, ce n'est pas d'abord énoncer des dogmes, mais raconter une histoire, une expérience, celle d'un Amour qui nous a blessés »[1]. Une théologie authentique doit être aussi une théologie spirituelle : celle-ci désire l'être au premier chef. Elle veut parler à tout l'homme, intelligence et cœur, elle veut lui montrer non seulement le sens mais aussi la beauté transformante de ce que nous annonce l'Evangile. Elle voudrait si possible toucher comme le Christ lui-même a touché ceux qu'il a rencontrés.

Un autre but de l'opération théologique ici tentée est de réaliser une vérification scripturaire et évangélique du fonctionnement des concepts utilisés par la tradition chrétienne et dont l'analyse a été donnée dans le premier tome selon leur ordre historique d'émergence. Cette vérification permettra d'approfondir le sens de la médiation accomplie par le Christ, avec ses deux orientations descendante et ascendante. Elle contribuera également à la re-conversion des termes « déconvertis ». Mais elle amènera aussi des déplacements et une restructuration des concepts anciens selon une hiérarchie nouvelle, dégageant de nouveaux effets de sens, tandis qu'elle fera émerger aussi des concepts nouveaux et cherchera à traduire les concepts anciens les moins heureux. Le dossier traditionnel ne sera sans doute pas contredit, mais il ouvrira sur une perspective neuve. Il essaiera de donner un sens concret à cette donnée fondamentale que le salut de l'homme, c'est Dieu et Dieu seul[2].

1. J.N. Aletti, *L'art de raconter Jésus-Christ. L'Écriture narrative de l'évangile de Luc,* Paris, Seuil 1989, p. 235.
2. Au cours des lectures théologiques de l'Ecriture qui occuperont une place importante dans ces pages, la question de l'historicité des récits ne sera pas étudiée pour elle-même, sauf quand une précision apparaîtra indispensable. Je considère comme acquis les grands résultats contemporains à ce sujet. C'est la cohérence propre à chaque récit qui sera prise en compte, ainsi que ses « effets de sens ». Chacun d'entre eux sera traité en

Une structure doctrinale inscrite dans la tresse des récits

La structure fondamentale du salut chrétien est celle de l'alliance conclue entre Dieu et l'humanité par la vie, la mort et la résurrection de l'unique médiateur, Jésus, le Christ. Cette alliance s'est accomplie au cours d'une longue histoire qui a comporté ses préparations dans le peuple élu, sa conclusion en Jésus-Christ et sa mise en œuvre dans l'Eglise. Cette histoire est celle de deux partenaires qui entrent en relation et se « rencontrent » selon les vicissitudes évoquées ci-dessus. Elle est à la fois celle du salut et de la révélation, la seconde portant essentiellement sur le premier et progressant de pair avec lui. La révélation progressive que Dieu fait de lui-même à l'homme et de son dessein sur lui est un acte de communication : elle est donc déjà un acte de salut. Réciproquement, le salut consiste essentiellement dans une communication de connaissance et d'amour, donc dans une révélation [1]. Le récit ne sépare jamais les deux.

Les articulations de cette structure sont présentes dans le récit récapitulateur qu'est le Credo. D'un côté, il y a Dieu qui se révèle comme Père, Fils et Esprit, à mesure même qu'il fait avancer son œuvre de salut. L'énoncé du dogme trinitaire est en quelque sorte le récit fait en langage humain du mystère qui est au delà de toute histoire, tellement au delà qu'il est capable de se faire histoire, sans se renier lui-même, par les missions du Fils et de l'Esprit. La structure trinitaire, dans son unité différenciée, doit donc commander la structure du salut. Ce côté de Dieu suscite tous les temps et les moments du mouvement descendant qui culminera dans la médiation de Jésus.

---

fonction de son genre littéraire et de son rapport original à l'histoire. Le souci de l'histoire « historienne » sera donc le plus souvent implicite, il n'en sera pas moins réel.

1. Cf. t. I, « Le Christ illuminateur : le salut par révélation », p. 125-143.

De l'autre côté, il y a les hommes, créés pour voir Dieu et situés dans le désir et le besoin du don de Dieu. Des hommes devenus pécheurs et donc en état de rupture avec Dieu et faisant par là même leur malheur. Leur salut devra passer par leur conversion, œuvre de longue haleine, faite d'alternances de retours vers Dieu et de retombées dans le péché. Ces vicissitudes et ces « récalcitrances » viendront se nouer avec le récit trinitaire et se tresser avec lui. L'ancienne alliance est ainsi tissée d'une longue séquence de récits où la réalité du salut s'esquisse : elle est prophétisée, elle commence à se réaliser et se trouve déjà dite selon une multiplicité d'aspects. Elle chemine vers la réconciliation et la pleine communion entre Dieu et les siens. Il en va de même au moment où la nouvelle alliance en Jésus-Christ s'accomplit et où le salut venant de Dieu est irrévocablement donné : de nouveaux récits, les récits évangéliques donnant lieu aux interprétations des épîtres apostoliques, viennent dire comment s'est produite la rencontre du Sauveur et des pécheurs à convertir. Le récit atteint alors son point de tension extrême avec les narrations de la passion. Mais il ne s'arrête pas sur la résurrection glorieuse de Jésus. Il se continue avec le don de l'Esprit dans les récits des *Actes des Apôtres,* qui non seulement présentent l'histoire des premières communautés chrétiennes, mais encore fournissent la narration symbolique de ce qui se joue dans toute l'histoire de l'Eglise : car le salut donné une fois pour toutes demande à être accueilli et à fructifier, de génération en génération, dans la réponse des libertés humaines ; il connaît encore, même si c'est sur un autre registre, la réalité des refus et des rechutes. De ce côté, qui est celui des hommes et fait une large place à leur conduite, on trouve toutes les recherches ascendantes par lesquelles ceux-ci essaient de rencontrer Dieu. Ce mouvement parvient effectivement à son destinataire à travers la médiation ascendante de Jésus.

Les trois temps principaux du salut

Trois temps principaux viennent ainsi structurer le récit du salut : c'est d'abord le temps de l'accoutumance et de la prophétie, sous le régime de la première alliance. Pendant ce temps la médiation n'est pas accomplie, mais déjà elle se raconte, tant du côté de Dieu que du côté des hommes. Le second temps est celui de l'accomplissement et donne lieu au récit de l'événement de Jésus : par ce dernier le salut est définitivement donné, c'est-à-dire que quelque chose est radicalement changé entre Dieu et les hommes. Le troisième temps est celui de l'Eglise, sacrement du salut, dans laquelle celui-ci est vécu par des hommes qui demeurent toujours en devenir de conversion. Il donne lieu à un récit propre. Ces trois temps se modèlent sur l'économie trinitaire : le premier est surtout celui de l'initiative du Père, le second celui de l'envoi du Fils, le troisième celui du don de l'Esprit. Ceci ne veut pas dire que les trois personnes divines n'interviennent pas toutes de manière différenciée dans les trois temps : le Fils et l'Esprit sont déjà à l'œuvre à la création et dans l'Ancien Testament. Le Père et l'Esprit accompagnent sans cesse la mission du Fils, de sa conception à sa résurrection. Le Père et le Fils demeurent présents à l'Eglise par le don de leur Esprit commun.

Ces trois temps entretiennent entre eux une relation complexe. Ils se présentent selon une succession et il est normal de les parcourir selon l'ordre de leur réalisation. Mais aussi ils forment une unité aussi infrangible que l'unité trinitaire elle-même. Cette succession de récits ne fait qu'un récit ; ils appartiennent à la même mémoire. De plus, il y a entre eux un jeu subtil et riche de correspondances qui fait qu'ils demandent à être lus et entendus comme en surimpression : je peux regarder les deux images des sacrifices d'Isaac et du Christ en croix comme une seule image : à travers leurs différences, leurs correspondances sautent alors à mes yeux et me persuadent qu'elles disent la même chose sur Dieu et sur le sacrifice que celui-ci désire. Allons encore plus loin dans l'affirmation : en quelque sorte la totalité du salut résonne en chaque événement selon telle ou telle harmonique. Ainsi non seulement le salut est-il un récit de récits, mais le récit total est présent à chaque récit particulier . « Les

segments narratifs disent la même chose que le tout »[1]. Ceci
se vérifie éminemment dans les évangiles où la totalité de
l'Evangile est immanent à chaque péricope, construite comme
un Evangile pour provoquer la foi. Cette « circumincession »
des récits sera au fondement des lectures proposées.

Le « récit total » : la fin et le commencement

Tout récit a un commencement, un milieu et une fin.
Dans leur facticité première nos récits du salut épousent ce
mouvement qui les situent dans leur particularité. Mais ils
sont aussi habités par le souci de l'universel et de l'absolu.
Ils se posent la question de l'avant et de l'après de leur
propre narration. Partant de la situation concrète des hommes
dans l'histoire, ils cherchent à remonter comme à descendre
jusqu'au bout la ligne du temps. Aussi le récit du salut ne
peut-il commencer seulement avec la vocation d'Abraham ou
avec le passage de la Mer Rouge au temps de Moïse, ni
s'arrêter définitivement avec l'Eglise en marche. Cette histoire
bien particulière d'un peuple est en fait l'histoire de tous les
hommes et doit être racontée à tous les hommes. Pour qu'il
en soit ainsi, il faut qu'elle s'origine dans un commencement
absolu, qui ne comporte aucun avant et renvoie à l'origine
dernière de l'homme. Il faut aussi qu'elle s'achève dans une
fin des fins qui ne comporte aucun après. Il faut donc qu'elle
couvre notre histoire de son Alpha à son Omega et qu'elle
donne lieu à un « récit total » (P. Beauchamp). Car si le
salut annoncé et donné ne conduisait pas la famille humaine
à son destin ultime, définitif et irrévocable, celui-ci ne serait
encore qu'en sursis, provisoire, fragile et vulnérable, et soumis
au risque que le non-salut n'ait le dernier mot.

C'est pourquoi le récit du salut doit s'élargir à ces deux
extrêmes, qui ne lui sont pas extérieurs, puisque l'Alpha le
fonde dans tout son cours et que l'Omega l'habite déjà à

---

1. P. Beauchamp, dans *Monothéisme et Trinité,* Bruxelles, Fac. Univ.
St-Louis, p. 31.

titre de cause finale. Ce n'est pas sans une raison profonde que l'événement de Jésus nous est présenté dans le Nouveau Testament comme embrassant la totalité de l'histoire depuis l'Alpha de la création jusqu'à l'Omega du retour (parousie) du Christ. Cette perspective nous ouvre à l'idée d'un *récit historique d'une transhistoire*. En tant qu'il est un événement divin, le salut est transhistorique. De même que l'événement pascal de Jésus est présent à toute l'histoire, de même la création n'est pas seulement un Alpha qui se raconte au passé : elle est la première initiative du salut venant de Dieu et demeure constamment présente. L'eschatologie n'est pas seulement un avenir : elle est aussi un déjà-là. Depuis la résurrection de Jésus nous vivons dans les derniers temps, non pas au sens chronologique, mais au sens qualitatif, non pas la fin des temps mais le temps de la fin, car ce qui est définitif est déjà arrivé. Le récit se fait alors universel.

Mais comment raconter ce sur quoi l'on a aucune information, c'est-à-dire ce qui précède et accompagne la venue même de l'homme au monde et ce qui constituera sa victoire sur la mort ? Ne sommes-nous pas ici à la limite du racontable ? Oui et non. Car précisément ce qui échappe ainsi à toute forme d'histoire historienne et de connaissance réflexive ne peut être que raconté, symboliquement raconté. Le récit met alors au service d'une histoire authentique toutes les ressources de fiction dont il est capable. Seul le récit fictif peut dire dans le langage tout simple de notre univers ce qui fonde et transcende absolument celui-ci. Mais pour qu'un tel récit ne tombe pas dans l'imaginaire, il faut que le narrateur, comme l'auteur lui-même du salut, s'y engage absolument. Seul celui qui met sa propre fin en cause a le droit de parler de la fin de l'univers. C'est ce qu'a fait le Christ. C'est ce qu'exprime le discours d'Etienne précédant sa lapidation (Ac 7). « Commencement et fin, ces deux termes sont nécessaires au récit pour que la réconciliation, voulue en tout récit, puisse être proposée, par ce récit-là, à toute l'humanité »[1].

---

1. P. Beauchamp, « Récit biblique et rencontre interculturelle », *Lumière et Vie,* n° 168 (1984), p. 14.

L'ordre de l'exposé

Cette problématique commandera la séquence des cinq chapitres qui feront le corps de cette proposition de sotériologie. Son mouvement suivra sensiblement celui de la proposition christologique précédente et opérera les mêmes choix.

L'articulation entre la christologie d'en bas et la christologie d'en haut nous avait fait rencontrer une tension dans les exposés scripturaires entre l'ordre de découverte et l'ordre d'exposition. La découverte partait de l'expérience de l'homme Jésus : elle discernait progressivement en lui le Fils, glorieusement manifesté par sa résurrection. De là elle remontait jusqu'à son origine et le voyait envoyé par le Père. Elle descendait également vers la fin des temps. Le point de vue propre à ce mouvement est celui de l'homme qui cherche à comprendre son *hic et nunc* en partant de lui. Mais l'ordre d'exposition va replacer les choses selon le point de vue de l'initiative divine. Aussi la christologie d'en haut, seconde dans l'ordre de la découverte, devenait-elle première dans l'ordre de l'exposé.

La même tension se retrouve ici. Le salut concernait au plus près les hagiographes de l'Ancien Testament, en raison même des malheurs et des péchés du peuple. Aussi dans la Bible l'expérience du salut est-elle première, comme l'attestent l'absence de la création dans les récits canoniques de l'alliance [1] et dans les credos historiques. Ce n'est que progressivement que le récit du salut s'inscrit dans l'horizon plus large qui remonte à la création et descend jusqu'à la fin des temps. Mais ici aussi on retrouve le renversement de l'ordre de la découverte et de la révélation à celui de l'exposé qui reprend les choses à partir du début. C'est ce que fait l'organisation d'ensemble de la Bible qui s'ouvre sur le récit de la création et s'achève avec l'*Apocalypse*. Il est difficile d'échapper

---

1. P. Beauchamp, « Le récit et la transformation du peuple de l'Alliance » in *Dieu, Eglise, Société,* sous la dir. de J. Doré, Paris, Centurion 1985, p. 216.

complètement à cette logique qui suit le mouvement « objectif » de l'histoire du salut. Pourtant l'histoire de la théologie a montré que cette manière de procéder n'était pas sans dangers. L'habitude scolastique de traiter « chronologiquement » de l'œuvre des six jours et d'enchaîner le salut au récit de la chute a donné à celui-ci un relief exagéré. Le risque est de déplacer le centre de gravité de l'histoire du salut, qui émigre de la personne du Christ vers les origines. La pédagogie du récit du salut semble mieux respectée si l'on suit le mouvement de la révélation, celui qui est ordonné à l'accès à la foi.

Trois chapitres retraceront donc d'abord les trois temps du récit du salut à l'œuvre dans notre histoire. Chacun de ces temps sera toutefois interprété à la lumière du seul soleil capable d'illuminer tout ce parcours et de lui donner sens, le Christ. Un dernier chapitre sera alors consacré à l'élargissement vers l'Alpha et l'Omega, d'abord en remontant vers la création, comprise comme ce qui fonde l'histoire du salut, puis en descendant à l'eschatologie où toutes choses seront récapitulées dans le Christ.

Le récit du salut constituera donc le support d'un exposé qui n'entend pas raconter à son tour ce récit — ce serait une bien inutile paraphrase — mais l'interpréter et en relever les « effets de sens » à l'aide d'une analyse et d'une glose. Le réseau secret des correspondances entre les divers récits sera mis le plus possible à jour. On pourrait parler ici de la différence entre une carte muette (le récit qui se fait comprendre d'emblée à celui qui est en symbiose culturelle avec lui) et une carte parlante (le récit pédagogiquement analysé et « décodé »). Le point focal du discours sera toujours le croisement entre la ligne du récit et celle des grilles interprétatives qui en dégagent la structure et le sens.

Il ne s'agit évidemment pas de repartir à zéro : le parcours christologique déjà exposé ailleurs et conduisant à la pleine confession de l'identité du Christ sera ici considéré comme acquis.

CHAPITRE XVI

Les récits de l'accoutumance et de la prophétie
(Le salut dans l'Ancien Testament)

L'Ancien Testament trouve son unité dans la révélation du salut apporté par Dieu à son peuple. Cette révélation s'atteste pour nous dans une multitude de récits qui forment un tout : la Bible est un récit de récits. Ce tout n'est pas celui d'un seul livre qui ne raconterait qu'une seule histoire progressant de chapitre en chapitre. Ce tout est fait d'une multitude de livres divers et de récits originaux, dont chacun a son unité et son sens propres. Entre ces divers récits il y a des solutions de continuité qui viennent de l'histoire elle-même, de la diversité des genres littéraires et de l'originalité de la situation de chaque auteur. Et pourtant il est légitime de dire que ces récits fragmentaires forment à leur manière un seul récit, non pas au sens où on pourrait les mettre bout à bout, mais en raison du fait qu'ils ont tous un même objectif et qu'ils livrent tous un même message : le salut.

C'est la texture même de ces récits qu'il s'agit maintenant de prendre en compte. Le tome précédent de cet ouvrage présentait directement le dossier scripturaire des catégories majeures du salut, dans la mesure où celles-ci se trouvaient fondées dans le Nouveau Testament. Ces choses étant acquises, elles ne nous occuperont plus désormais.

Puisque le récit est notre terre d'élection, il importe de savoir si et comment l'Ancien Testament est structuré en tant que récit de récits. P. Beauchamp fait à ce sujet une proposition suggestive : il discerne une « division tripartite du récit total de l'Ancien Testament »[1]. Il y a le récit yahviste de l'élection, le récit sacerdotal de la loi et du péché et enfin le récit prophétique de l'aveu et du pardon. Le même auteur voit une correspondance avec les trois temps de la généalogie de Jésus dans l'évangile de Matthieu : « D'Abraham à David, de David à la déportation de Babylone, de celle-ci à Jésus que l'on appelle Christ. Ce schéma et son articulation est en effet la condition pour que le récit total de l'Ancien Testament soit correctement situé par rapport au Christ »[2]. Ce rapport des trois récits à la chronologie de l'histoire d'Israël ne doit pas être pris au pied de la lettre, car il va de soi que si le récit de l'élection continue jusqu'à David, celui de la loi et du péché commence bien avant l'arrivée de la royauté. Ces trois segments « tuilent » donc les uns par rapport aux autres. Mais il importe de retenir leur complémentarité qualitative : un passage immédiat du premier segment au Nouveau Testament ferait oublier le drame de la récalcitrance humaine ; ne retenir que les deux premiers segments laisserait sur une impression d'échec total d'Israël ; « le troisième segment met, à la place qu'il faut, le rappel de ce que Dieu a fait, en Israël, de déjà relatif à la nouvelle alliance avant que celle-ci survienne »[3].

Cette structuration ne commandera pas directement la construction de ce chapitre qui ne peut viser à l'exhaustivité. Mais elle l'inspirera médiatement, en rappelant la nécessité de ne pas faire de choix tellement partiels qu'ils en deviendraient partiaux. Je procéderai par libres sondages en privilégiant

1. P. Beauchamp, *Le récit, la lettre et le corps, op. cit.* p. 222. L'exposé de cette division va de la p. 205 à la p. 232.
2. *Ibid.*
3. *Ibid.*

inévitablement certains récits par rapport à d'autres, mais en essayant de respecter l'équilibre et la complémentarité de ces trois types. Mon but est de dégager la récurrence des « effets de sens » qui se dessine de récit à récit.

Le temps d'une double accoutumance

Le titre de ce chapitre emprunte à saint Irénée le beau mot d'accoutumance. Pour l'ancien évêque de Lyon, en effet, l'événement de Jésus-Christ devait être préparé par une double accoutumance : celle des hommes et celle de Dieu. L'incarnation elle-même a eu lieu « pour accoutumer l'homme à saisir Dieu et accoutumer Dieu à habiter dans l'homme, selon le bon plaisir du Père »[1]. Accoutumance des hommes d'une part : car l'accueil du don du salut, à partir de leur situation pécheresse, requérait une longue pédagogie, on pourrait dire un « apprivoisement ». « Autrefois, c'est par ses patriarches et ses prophètes qu'il préfigurait et prédisait les choses à venir, exerçant ainsi à l'avance son lot par les ''économies'' de Dieu et accoutumant son héritage à obéir à Dieu, à vivre en étranger dans le monde, à suivre le Verbe de Dieu et à signifier par avance les choses à venir »[2]. Ce n'est pas d'un seul coup en effet que l'humanité pouvait entrer en relation avec Dieu et porter le Saint-Esprit. Il fallait « nous accoutumer peu à peu à saisir et à porter Dieu »[3], c'est-à-dire à porter son Esprit[4]. Irénée nommait accoutumance ce que nous appelons volontiers aujourd'hui cheminement : la conversion des personnes, plus encore celle des peuples et des mentalités, demande un long délai de marche. Nos récits sont des récits d'accoutumance.

---

1. Irénée de Lyon, *Contre les hérésies. Dénonciation et réfutation de la gnose au nom menteur*, III, 20,2 ; trad. A. Rousseau, Paris, Cerf 1984, p. 373.
2. *Ibid.* IV, 21, 3 ; p. 483.
3. *Ibid.* V, 8, 1 ; p. 587.
4. Cf. *Ibid.* IV, 14, 2 ; p. 447.

Mais il y a aussi l'accoutumance propre de Dieu à être parmi les hommes. Evoquant les théophanies de l'Ancien Testament, qu'il attribue au Verbe selon la tradition ancienne, Irénée n'hésite pas à dire : « Dès le principe, en effet, le Verbe s'était accoutumé à monter et à descendre pour le salut de ceux qui étaient molestés »[1]. Perspective anthropomorphique, dira-t-on peut-être, mais qui nous dit pourtant quelque chose de Dieu ; Dieu est capable de se faire à la mesure de l'homme et de vivre en lui-même la contrepartie de la nécessaire accoutumance qu'il exige de l'homme. Dans le long dialogue qu'il entreprend avec la famille humaine et par sa manière de la traiter, Dieu révèle son être propre. La conversion bienveillante et amoureuse de Dieu vers l'homme est originaire et d'emblée acquise, puisqu'elle a présidé à la création et qu'elle garde constamment l'initiative dans l'œuvre du salut. Mais elle se monnaie dans le temps et se met pédagogiquement au rythme de la conversion humaine, sans jamais se lasser de sa versatilité, de ses lenteurs et de ses retours en arrière[2].

Mais il est un autre sens où l'on peut parler d'accoutumance de Dieu. Celui-ci part aussi d'une projection anthropomorphique, de même que la liturgie nous fait dire à Dieu : « Souviens-toi », alors que c'est nous qui faisons l'effort de nous souvenir de quelqu'un devant Dieu dans notre prière. Dieu, quant à lui, se souvient toujours. C'est l'accoutumance de la véritable image de Dieu dans la conscience de l'homme. L'homme pécheur se fait spontanément une image pécheresse de Dieu. Il a besoin de convertir radicalement en lui cette image. Conversion de l'homme, mais aussi conversion de Dieu lui-même dans le cœur de l'homme. Or il est remarquable que la révélation biblique atteste cette lente conversion de l'image de Dieu. Dans un certain nombre de textes Dieu est encore le reflet de l'homme pécheur : il se comporte comme lui. Le

1. *Ibid.* IV, 12, 4 ; p. 440-441.
2. Le thème de l'accoutumance chez Irénée a été étudié par P. Evieux, « Théologie de l'accoutumance chez St Irénée » *R.S.R.* 55 (1967), p. 5-54.

récit de la chute originelle l'atteste déjà, qui fait tenir à Dieu un propos jaloux sur l'homme (Gn 3,22). La rivalité qui a poussé l'homme à se faire comme Dieu est projetée inversement en Dieu lui-même qui aurait peur de l'homme[1]. Il en ira de même dans l'ordre donné par Dieu à Abraham de lui sacrifier son fils Isaac. Cette accoutumance-là sera très longue. Est-elle vraiment achevée ? En tout cas le Verbe ne pouvait s'incarner, tant qu'un peuple de l'humanité ne se serait pas fait une juste image de Dieu son Père. L'Ancien Testament est la première des préparations évangéliques ; elle est unique en son genre.

Le temps des prophéties

Pour le chrétien cette longue histoire a valeur de prophétie, en paroles et en actes, du salut accompli en Jésus-Christ. Les textes cités d'Irénée associent toujours accoutumance et prophétie. C'est dire que, selon l'herméneutique chrétienne, les récits de l'Ancien Testament renvoient toujours d'une manière ou d'une autre à Jésus-Christ et sont à lire à la lumière de l'événement pascal, qui en lève le voile. Paul en a clairement exprimé le principe : « Jusqu'à ce jour, lorsqu'on lit l'Ancien Testament, ce même voile demeure. Il n'est pas levé, car c'est en Christ qu'il disparaît... C'est seulement par la conversion au Seigneur que le voile tombe » (2 Co 3, 14-16). Entre la prophétie et l'accomplissement un jeu de lumière réciproque fonctionne. D'une part, je ne peux comprendre en vérité l'événement de salut de Jésus-Christ qu'à la lumière de la prophétie. Car ainsi je n'y lis plus un événement brut qui pourrait être dû à la contingence de l'histoire humaine, mais la réalisation d'un dessein voulu par Dieu. Réciproquement, la lecture de la prophétie reste obscure, quand elle n'est pas éclairée par la réalisation. C'est donc une lecture chrétienne de l'Ancien Testament qui est proposée ici. Cette lecture présuppose la foi (ou du moins l'ouverture à la foi)

---

1. Cf. infra l'analyse de Gn 3, p. 386

au Christ comme celui qui porte l'unique nom par lequel nous devions être sauvés. En chaque récit retenu nous chercherons à voir ce qu'il nous dit sur la nature et le comment du salut annoncé.

Les grandes figures du salut

Notre parcours s'attachera aux récits qui mettent en scène les grands personnages de l'Ancien Testament et nous présentent les grandes figures [1] tant de la personne du sauveur que de la réalité du salut. C'est ainsi que procède le ch. 11 de l'épître aux Hébreux dans sa longue énumération des figures de la foi, liste qui culmine dans la présentation de la foi du Christ. Nous ferons ainsi « mémoire » (anamnèse) des grands événements qui sont autant de paraboles en acte d'un double mouvement qui reste inachevé, parce que le médiateur n'est pas encore là. Pourtant la médiation s'esquisse, d'une part, dans le mouvement de Dieu qui s'approche de l'homme, afin de se communiquer à lui : « Quelle est en effet la grande nation dont les dieux soient aussi proches d'elle que l'est de nous Yahvé notre Dieu, toutes les fois que nous l'invoquons ? » (Dt 4,7). Elle le fait, d'autre part, par le mouvement de l'homme qui cherche Dieu, à travers les vicissitudes dramatiques du péché et de la conversion. Car le récit du peuple élu est fait de son appel, de ses fautes et du pardon qu'il reçoit de Dieu. La médiation est aussi déjà présente par la seule existence d'Israël, peuple médiateur à bien des égards, et par le rôle privilégié de ses Pères, des plus grands de ses chefs, de ses prêtres et de ses prophètes. Sans doute la figure de Moïse, transmettant les tables de la Loi et intercédant pour son peuple, est-elle la plus proche de ce que sera le rôle de l'unique Médiateur. C'est bien parce que le peuple est en un sens médiateur de la révélation et du salut que son récit

---

1. « *Figure :* ce terme veut dire quelque chose comme « parabole qui est en même temps une expérience vécue », P. Beauchamp, *Parler d'Ecritures saintes,* Paris, Seuil 1987, p. 98.

ne nous est pas extérieur : tous les peuples ont à se reconnaître en lui. C'est le récit de notre histoire.

I. Le récit d'Abraham

La vocation et la foi d'Abraham

> « *Yahvé dit à Abram : « Quitte ton pays, ta parenté et la maison de ton Père, pour le pays que je t'indiquerai. Je ferai de toi un grand peuple, je te bénirai ; je magnifierai ton nom, qui servira de bénédiction. Je bénirai ceux qui te béniront, je réprouverai ceux qui te maudiront. Par toi se béniront toutes les nations de la terre. Abram partit donc comme le lui avait dit Yahvé » (Gn 12, 1-3).*

Si Abraham est appelé par Dieu, c'est qu'il a été choisi : sa vocation est une élection. Election absolument gratuite, c'est-à-dire sans cause du côté d'Abraham. De celui-ci avant son élection nous ne savons rien, sinon qu'il apparaît à la fin des généalogies qui établissent une continuité entre le déluge et le début de l'histoire sainte. Ce n'est donc nullement en raison de prétendus mérites qu'Abraham a été choisi. Pourquoi lui et pas un autre ? A cette question il n'y a pas de réponse, si ce n'est d'abord l'absolu de l'amour de Dieu, et ensuite le fait qu'Abraham n'est pas élu pour lui seul mais pour les autres. Le don de Dieu est toujours ainsi : il ne se justifie jamais, pas plus que notre propre création, par quelque chose qui serait en dehors de Dieu. Cette gratuité totale de l'initiative divine dit son caractère absolu, au sens étymologique du terme, c'est-à-dire sans aucun lien avec quoi que ce soit d'autre. Il en va ainsi parce que Dieu est Dieu.

Que demande Dieu à Abraham ? Un départ, une mise en route, c'est-à-dire d'abord la rupture avec son milieu natal et sa famille. Cette séparation a valeur de conversion. Abraham doit se déshabituer de vivre avec un monde pécheur. Il quitte son mode de vie antérieur. Ce départ est ensuite le début d'une itinérance, d'un pèlerinage qui ne s'achèvera qu'à sa mort d'expatrié (cf. Gn 23,4). Désormais Abraham se met entre les mains de Dieu, pour être conduit où Dieu voudra. Cette obéissance initiale est un acte de foi et l'on peut déjà lui appliquer ce que le texte dira au moment de la conclusion de l'alliance de Dieu avec lui : « Abraham crut en Yahvé, qui le lui compta comme justice » (Gn 15,6). On sait tout le parti que saint Paul tirera de ce verset en le citant de manière privilégiée (Ga 3,6 ; Rm 4,3) pour illustrer sa doctrine de la justification de l'homme par la foi seule, sans intervention des œuvres.

Dieu choisit un homme seul, mais à cet homme il est promis qu'il deviendra un grand peuple ; plus encore, qu'en lui tous les peuples de la terre se béniront. Il y a là une structure capitale : un seul, pour un seul peuple, au bénéfice d'une seule humanité. Déjà s'affirme l'articulation entre l'élection d'un peuple et le dessein du salut de tous. N'oublions pas qu'Abraham, au moment de son élection, n'est pas encore un juif : il n'est qu'un païen tiré de la multitude des païens. « Le premier Juif est un païen choisi »[1] et lui même fait corps avec les païens comme avec les Juifs. Son destin fait de lui un pont entre les uns et les autres. C'est en lui que s'origine désormais la différence du Juif et du païen. Dès sa vocation « l'élu fait face à l'universel »[2]. Abraham est donc une personne individuelle, mais il est aussi un peuple, celui qui prendra le nom d'Israël, un peuple dont la mission est de faire se renouer les relations entre tous les peuples. Vatican II fait cette lecture de l'événement :

---

1. P. Beauchamp, *Le récit...*, *op. cit.* p. 205.
2. *Ibid.*

« *A son heure (Dieu) appela Abraham pour faire de
lui un grand peuple (cf. Gn 12,2) ; après les patriarches il forma ce peuple par l'intermédiaire de Moïse
et par les prophètes, pour qu'il le reconnaisse comme
le seul Dieu vivant et vrai, Père provident et juste
juge, et qu'il attende le Sauveur promis, préparant
ainsi au cours des siècles la voie à l'Evangile* »* [1].

Telles sont les voies de Dieu qui se vérifieront dans le
mystère du Christ. Du peuple d'Abraham naîtra Jésus, qui
accomplira la réconciliation d'Israël et des nations (cf. Ep 2,
13-17). Un seul accomplira le salut de tous, en rassemblant
un peuple qui sera son propre corps. En Abraham s'inaugure
l'histoire de Jésus, et donc aussi la nôtre.

Enfin Dieu parle à Abraham de bénédiction. Nous avons
du mal aujourd'hui, nous pour qui ce terme évoque un signe
de croix sur un objet ou sur un repas, à réaliser le poids de
la bénédiction dans l'Orient ancien et dans la Bible. La
bénédiction c'est ce que tout père donne à son fils avant de
mourir : c'est ce qui permet de vivre en paix avec le monde
et avec soi et de trouver le bonheur. La bénédiction est à la
fois parole et don qui touche au mystère même de la vie et
de sa plénitude. La malédiction au contraire est une chose
atroce : elle coupe à la racine toute possibilité de vivre
heureux, pour ne pas dire de vivre tout court. Un homme
maudit est un homme perdu. Si telle est la bénédiction des
hommes, que n'est-elle pas entre Dieu et l'homme ? Etre béni
par Dieu, c'est avoir trouvé grâce devant lui, c'est entrer
dans la bienveillance divine, c'est très exactement être sauvé.
Adam dans le premier paradis avait eu le malheur de perdre
la bénédiction divine [2]. Caïn a été lui aussi maudit à cause de
son crime. La bénédiction d'Abraham dit donc pour lui le
salut, ou du moins la promesse du salut. Elle est ce que nous
appelons la grâce. Dieu fait grâce à Abraham et promet de
faire grâce à tous ceux qui à leur tour le béniront.

1. *Dei Verbum*, n. 4.
2. Cf. P. Beauchamp, *Parler d'Ecritures saintes, op.cit.*, p. 96, dont je
m'inspire dans ce développement.

Le texte évoque une future épidémie de bénédictions dans un processus qui souligne la solidarité entre bénédiction divine et bénédiction entre les hommes. Parce que Dieu a béni Abraham, le nom d'Abraham deviendra une sorte d'invocation : tous se béniront et seront bénis par le nom d'Abraham, le béni de Dieu. Le nom d'Abraham deviendra un indicatif de la réconciliation entre les nations qui se béniront mutuellement et se feront grâce l'une à l'autre à cause de lui. Le processus se boucle enfin en remontant vers Dieu qui à son tour bénira tous ceux qui béniront Abraham. « Il y a lieu d'admirer comment Dieu fait, écrit P. Beauchamp : puisque l'homme a perdu l'unité en même temps que l'image de Dieu, ce n'est pas en bénissant Dieu que l'homme sera restauré, mais il le sera *si l'un bénit l'autre,* si le fils d'Adam bénit le fils d'Abraham. C'est alors qu'Adam redeviendra un à l'image de Dieu »[1]. La bénédiction en Abraham annonce elle aussi la définitive bénédiction des Juifs et des païens par Dieu dans le Christ, à la louange de gloire de sa grâce. « Béni soit Dieu, le Père de notre Seigneur Jésus Christ : il nous a bénis de toute bénédiction spirituelle dans les cieux en Christ » (Ep 1,3). C'est dans l'invocation du nom de Jésus que tout homme sera béni de Dieu et sauvé.

La promesse et l'alliance[2]

Abraham a suivi l'appel de la Parole de Dieu, il a suivi le « Verbe de Dieu, se faisant étranger avec le Verbe afin de devenir concitoyen du Verbe », dira plus tard Irénée, au même titre que les disciples suivront Jésus au bord du lac[3]. Il a cru en la promesse de Dieu. Son itinérance le conduit au pays de Canaan, puis en Egypte avant de le faire revenir au

1. *Ibid.,* p. 97.
2. Trois récits distincts sont ici pris en compte : le récit « yahviste » de la promesse et de l'alliance (Gn 15) ; le second récit « sacerdotal » de l'alliance qui mentionne l'obligation de la circoncision (Gn 17), et enfin le récit « yahviste » de l'apparition au chêne de Mambré (Gn 18, 1-14).
3. Irénée, *op. cit.* IV, 5, 3-4 ; p. 417.

Negeb. Une douloureuse épreuve l'attend alors. La promesse que Dieu lui a faite de faire de lui un grand peuple est durement contredite par la réalité : il n'a pas de fils. La descendance n'est-elle le signe par excellence de la bénédiction de Dieu ? Epreuve profondément humaine : la fidélité à Dieu « ne paie pas » ; elle ne donne pas le bonheur espéré. Abraham s'en plaint discrètement : « Mon seigneur Yahvé, que me donnerais-tu ? Je m'en vais sans enfant » (Gn 15, 2). Le temps d'une paternité possible est même largement révolu comme le souligne le second récit (sacerdotal) de l'alliance avec Abraham. Celui-ci se met à rire et dit en lui-même : « Un fils naîtra-t-il à un homme de cent ans, et Sara qui a quatre-vinx-dix ans va-t-elle enfanter ? » (Gn 17, 17). Dans la scène inondée de soleil et toute patriarcale du chêne de Mambré, où Yahvé apparaît sous la forme de trois visiteurs et parle à Abraham comme il parlait à Adam au paradis, il nous est dit que Sara elle-même se met à rire, en pensant à son incapacité physique à être mère (Gn 18, 12). La répétition narrative de ce détail montre la profondeur de l'épreuve d'Abraham : la réalisation de la promesse de Dieu, celle sur laquelle il s'est levé et a joué sa vie, est désormais impossible.

Et pourtant Abraham croit et espère quand Dieu réitère formellement sa promesse : « "Lève les yeux au ciel et dénombre les étoiles si tu peux les dénombrer... Telle sera ta postérité". Abraham crut en Yahvé, qui le lui compta comme justice » (Gn 15, 5-6). Avec Abraham commence l'histoire de l'espérance biblique. « Espérant contre toute espérance, dira de lui Saint Paul, il crut et devint ainsi le père d'un grand nombre de peuples selon la parole : "Telle sera ta descendance" » (Rm 4, 18). Trois fois en effet, Abraham met totalement sa foi en Dieu. Il croit et espère une première fois quand, sur la parole de Dieu, on l'a vu, il se lève et se met en route. Il croit et espère une seconde fois, alors que sa femme est stérile et avancée en âge : il se fie à l'énigmatique promesse, si longtemps non tenue, d'avoir un fils. Il entend Dieu lui dire : « Y a-t-il rien de trop merveilleux pour Yahvé ? » (Gn 18, 14). Il croit et espère enfin une troisième fois, tout en connaissant la nuit de la foi, au cours de l'épreuve dramatique où il estime que Dieu lui demande de sacrifier son fils Isaac, ce qui serait la fin de la promesse. En ces trois circonstances Abraham a « cru », c'est-à-dire « s'est consolidé » en Yahvé ; il a fait de celui-ci son « bouclier » (Gn 15, 1). Sa foi est la conversion de tout son être à Dieu ; elle est un engagement concret de sa vie.

Les choses en sont arrivées à un point de maturation suffisant pour que Dieu donne à sa promesse une expression solennelle et la sanctionne par un rite d'alliance. La situation nouvelle s'inscrit dans la modification du nom d'Abram en Abraham. Ce nom nouveau est recréateur : il exprime une prise de possession par Dieu en même temps qu'une investiture. Désormais le peuple qui naîtra d'Abraham sera le peuple de Dieu et Dieu sera son Dieu (Gn 17, 8). La promesse a un double contenu : une postérité nombreuse et la possession du pays de Canaan, des fils et une terre. Ce sont deux symboles prophétiques du salut : la postérité vainc la mort et permet à l'ancêtre de se survivre en ses descendants ; son nom ne sera pas effacé. La terre promise, possédée dans la paix et l'opulence des troupeaux et des récoltes, annonce le séjour du bonheur éternel. « Toute la période patriarcale est comprise comme le temps de la promesse », et cette double promesse a un objectif premier, « l'apparition et la vie du peuple de Dieu »[1].

La promesse est alors scellée dans une alliance deux fois racontée. C'est d'une part le rite primitif au cours duquel « un four fumant et un brandon de feu » passent au milieu des animaux qu'Abraham avaient partagés par le milieu. « Ce jour-là Yahvé conclut une alliance avec Abraham » (Gn 15,17-18). Mais l'alliance comportera aussi l'obligation de la circoncision, qui prendra valeur de signe d'appartenance à Dieu : « Mon alliance sera marquée dans votre chair, à titre d'alliance perpétuelle » (Gn 17,13). Elle sera établie avec

---

1. G. Von Rad, *Théologie de l'Ancien Testament*, t. I *Théologie des traditions historiques d'Israël*, Genève, Labor et Fides 1963, p. 152.

Isaac et reconduite avec toute la postérité d'Abraham. Jusque dans l'Evangile, Dieu sera appelé le « Dieu d'Abraham, d'Isaac et de Jacob, non pas le Dieu des morts mais des vivants » (Mt 22, 32).

Promesse et alliance, voici deux grandes catégories du salut, inaugurées dans le récit d'Abraham et toujours présentes. La promesse de Dieu à son peuple a été définitivement tenue en Jésus-Christ dont Isaac est le type. Paul voit en effet dans le Christ celui qui est le destinataire ultime de la promesse : « C'est à Abraham que les promesses ont été faites, et à sa descendance. Il n'est pas dit : ''et aux descendances'', comme s'il s'agissait de plusieurs, mais c'est d'une seule qu'il s'agit : et à ta descendance, c'est-à-dire Christ » (Ga 3, 16). Dans le Christ cette promesse est toujours vivante et active. Nous sommes sauvés à la fois en réalité et en espérance et le regard de notre foi est invité à se tourner vers l'avenir, par delà les épreuves du temps, quand Dieu par le Christ se révélera pleinement tout à tous. Quant à l'alliance, n'est-ce pas un truisme de dire qu'elle structure toute l'histoire du salut ? Ne sommes-nous pas toujours au bénéfice de l'alliance avec Abraham, que la « loi, venue quatre cent trente ans plus tard, n'abroge pas, ce qui rendrait vaine la promesse » (Ga 3,17) ? Cette alliance a manifesté sa vérité et s'est pleinement accomplie dans la nouvelle alliance en Jésus-Christ. Le terme d'alliance, à la résonnance à la fois nuptiale et politique, nous dit le climat de la relation que Dieu veut établir avec l'homme : ce sont des rapports de solidarité, d'engagements mutuels, de communication bienveillante, en définitive d'amour. Il n'y a là rien de conflictuel ; et pourtant, il s'agit de rapports entre le Dieu saint et des hommes pécheurs.

Enfin le récit d'Abraham est celui par excellence de la justification par la foi. Dans un raccourci hardi Paul dessine la trajectoire qui va de la foi d'Abraham jusqu'à la nôtre : Si Abraham a cru en la promesse, nous croyons en Jésus-Christ. Abraham, en effet,

> *« est notre père devant celui en qui il a cru, le Dieu qui fait vivre les morts et appelle à l'existence ce qui*

*n'existe pas. Espérant contre toute espérance, il crut
et devint ainsi le père d'un grand nombre de peuples...
Devant la promesse divine, il ne succomba pas au
doute, mais il fut fortifié par la foi et rendit gloire à
Dieu, pleinement convaincu que, ce qu'il a promis,
Dieu a aussi la puissance de l'accomplir. Voilà
pourquoi cela lui fut compté comme justice. Or ce
n'est pas pour lui seul qu'il est écrit : Cela lui fut
compté, mais pour nous aussi, nous à qui la foi sera
comptée puisque nous croyons en celui qui a ressuscité
d'entre les morts Jésus notre Seigneur, livré pour nos
fautes et ressuscité pour notre justification » (Rm 4,
17-25).*

Le récit d'Abraham nous révèle ainsi de manière concrète
et imagée la structure même du salut en Jésus-Christ.

L'intercession d'Abraham (Gn 18, 16-33)

Le cri du péché de Sodome et de Gomorrhe est monté vers
Dieu. Aussi le Seigneur veut-il supprimer ces deux villes.
C'est alors qu'intervient la prière d'Abraham qui pose
d'emblée la question cruciale : « Vas-tu vraiment supprimer
le juste avec le pécheur ? » (Gn 18,22). Cette manière de voir
les choses suppose une solidarité complète entre les hommes :
le salut sera pour tous ou pour personne. Qu'est-ce qui
l'emportera : le péché des uns fera-t-il condamner les justes ;
ou au contraire la justice des autres sauvera-t-elle les
pécheurs ?

Abraham commence alors son célèbre marchandage avec
Dieu. Il fait miroiter la possibilité de la présence de cinquante
justes à Sodome. La réponse divine constitue un engagement
solennel en faveur du salut de tous en raison d'un petit
nombre : « Si je trouve à Sodome cinquante justes dans la
ville, je pardonnerai à toute la cité à cause d'eux » (v. 26).
L'existence de quelques justes a donc plus de pouvoir sur
Dieu que la multitude des pécheurs. Plus encore, la justice
des uns a valeur salvifique pour les autres, au delà de toute

estimation quantitative. En quelque sorte la colère de Dieu « craque » devant le témoignage de la justice et de l'amour de quelques hommes. Il pardonne alors à tous.

Mais Abraham a obtenu cette promesse en forçant la mise. Il sait fort bien qu'il n'y a pas cinquante justes à Sodome. Avec beaucoup de précautions oratoires, et d'excuses pour son audace, il s'engage dans son marchandage et fait baisser progressivement l'enchère sur la base du même principe : quarante-cinq, puis quarante, trente, vingt, dix justes seulement. Jamais la réponse divine ne se dément : pour dix justes, Yahvé ne détruira pas la ville. Ce n'est pas une question de quantité...

Mais alors pourquoi Abraham s'est-il arrêté en si bon chemin [1] ? Pourquoi n'être pas passé à cinq et à un ? Pour la prière au nom d'un seul juste Dieu n'aurait pas détruit la ville. N'y avait-il pas Lot dont la justice sera soulignée (Gn 19) et qui échappera à la catastrophe ? La foi d'Abraham ne va pas jusqu'au bout d'elle-même. La quantité garde à ses yeux de l'importance, alors qu'elle perd toute pertinence au regard de Dieu capable de sauver tous les autres en raison d'un seul. Abraham a donc eu tort d'arrêter son intercession.

Mais c'est un prolongement de l'histoire, dira-t-on : tout cela n'est pas dans le récit. Sans doute, mais c'est bel et bien inscrit dans la suite des récits et cela constitue une ligne de force dans la totalité du récit. La tradition prophétique l'a bien compris. Jérémie fait ainsi parler Yahvé à propos du péché de Jérusalem :

> « *Parcourez les rues de Jérusalem, regardez donc, renseignez-vous,*
> *cherchez sur les places : si vous découvrez un homme qui observe le droit, qui recherche la vérité :*
> *alors je pardonnerai à cette ville* » *(Jr 5,1 ; cf. Ez 22,30).*

---

1. Cf. R. Pautrel, *Vers toi ils ont crié. La prière dans les récits de l'Ancien Testament*, Suppl. à *Vie chrétienne*, 1971-1972, n°s 141-145, p. 28.

De même l'unique Serviteur souffrant, en Isaïe 53, « qui n'a jamais fait de tort et dont la bouche n'a pas proféré le mensonge (v.9) », « justifiera les multitudes » (v. 11). Son sacrifice, nous l'avons vu [1], est une expiation-intercession : « il intercédait pour les pécheurs » (v. 12). Devant la justice et l'amour d'un seul Dieu pardonne à tous.

A l'évidence le fil de ces relais nous conduit au Christ. Abraham ouvre la voie de la foi, mais s'arrête en chemin. C'est Jésus qui ira à son terme. N'importe, le principe révélateur des mœurs divines est posé : l'existence d'un juste peut entraîner le pardon de tous. Déjà le Serviteur souffrant est la mystérieuse figure prophétique du Christ qui accomplira le salut, un seul pour tous. Tel est bien ce qui s'est passé à la croix. Dieu ne se déjuge pas. Sa déconcertante justice se maintient, qui contredit tous nos schémas de compensation. C'est qu'on ne pèse pas sur les plateaux de la même balance la justice et le péché, comme deux marchandises semblables. La véritable justice est toute-puissante, quel que soit le poids du péché. C'est bien la logique du salut accompli par Jésus qui est déjà à l'œuvre dans le pittoresque récit de l'intercession d'Abraham.

Le sacrifice d'Isaac, figure de la croix (Gn 22)

Isaac est le fils de la promesse, le fils tant attendu et donné par une intervention merveilleuse de Dieu. C'est par lui que la bénédiction reçue par Abraham se réalisera et lui permettra de devenir une grande nation. Et voici une nouvelle épreuve, complètement incompréhensible celle-là, puisqu'elle contredit tout le dessein de Dieu. « Prends ton fils, ton unique, celui que tu chéris, Isaac. Va-t'en résolument vers la contrée de Moriah, et là-bas, offre-le en holocauste, sur l'une des montagnes que je te dirai » (Gn 22, 2). ... Et Abraham obéit. Il prépare tout ce qu'il faut et charge le bois de l'holocauste sur son fils Isaac, de même que le Christ portera un jour sa

---

1. Cf. t. I, p. 299-303.

propre croix jusqu'au Calvaire. Le récit trahit une émotion intense quand le lourd silence entre le père et le fils est rompu par ce bref dialogue : « "Voilà bien, dit Isaac, le feu et le bois ; où se trouve donc l'agneau pour l'holocauste ?" — "Dieu, répond Abraham, pourvoira à l'agneau pour l'holocauste, mon fils !". Et ils marchaient... tous les deux...ensemble » (Gn 22, 7-8). Abraham n'hésite pas à aller au bout de sa cruelle mission. Mais au moment où il lève le couteau, l'ange de Yahvé arrête son bras en lui disant : « Ne porte pas la main sur le garçonnet : ne lui fais absolument rien ! A présent je sais en effet que tu révères Dieu, puisque ta main ne m'a pas refusé ton fils unique » (v.12). Et Yahvé pourvoit en effet à la victime, qui sera un bélier. Il renouvelle sa bénédiction et sa promesse à Abraham, en raison de son obéissance, de manière plus solennelle encore.

Les analogies avec la passion du Christ, c'est-à-dire le jeu contrasté des ressemblances et des différences, ont fasciné la tradition qui a volontiers identifié ce mont Moriah avec la colline de Sion : ainsi le lieu du sacrifice d'Isaac fut-il aussi celui du Christ. Et pourtant le lecteur moderne est heurté par cet ordre d'un dieu moloch qui demande des sacrifices humains. Le rédacteur lui-même devait l'être, puisqu'il éprouve le besoin de nous dire que « Dieu mit Abraham à l'épreuve » (v.1), afin de nous rassurer : le premier ordre de Dieu ne représente pas sa véritable volonté. Ce n'est qu'un test pour voir si... Mais quel père humain se permettrait une stratagème aussi cruel ? Une telle épreuve ne risque-t-elle pas d'entretenir, voire d'authentifier une image de Dieu non seulement redoutable mais perverse ?

Ce récit est en fait « surdéterminé », c'est-à-dire qu'un jeu complexe de significations se superpose à des niveaux divers. Tout se joue dans le rapport des deux paroles attribuées à Dieu : l'ordre de sacrifier Isaac et l'ordre de ne lui faire aucun mal. Dieu semble se contredire en demandant une chose, puis son contraire. La vérité du récit tient dans leur rapport [1].

1. Cf. P. Beauchamp, *Parler d'Ecritures saintes, op. cit.*, p. 56.

1. Commençons par le plus clair : la vérité ultime du récit
est que Dieu ne veut pas la mort de l'homme, mais sa vie,
que Dieu ne ressemble pas aux divinités cananéennes qui
exigeaient des sacrifices humains que le peuple hébreu, en un
premier temps, a été tenté de pratiquer à l'imitation de ses
voisins. Il s'agit de provoquer la conversion d'Abraham qui
semble d'abord admettre que Dieu puisse lui demander ce
sacrifice-là. Abraham avait besoin de faire l'expérience concrète que Dieu ne voulait pas la mort de son fils. Cet
enseignement est décisif et interdit de manière absolue toute
interprétation de la croix selon laquelle le Père aurait voulu
directement la mort de son propre Fils, Jésus. Celui qui a
refusé l'immolation du fils d'Abraham pourrait-il vouloir
celle de son propre Fils ? Grégoire de Nazianze l'avait dit, il
y a bien longtemps :

> « *Pour quelle raison le sang du Fils unique serait-il
> agréable au Père qui n'a pas accepté qu'Isaac fut
> offert en holocauste par son père, mais permuta le
> sacrifice, en substituant un bélier au sacrifice humain
> (*logikou*) ? N'est-il pas évident que le Père accepte le
> sacrifice non parce qu'il l'exige ou en éprouve quelque
> besoin, mais pour réaliser son dessein (*oikonomia*) :
> il fallait que l'homme fut sanctifié par l'humanité de
> Dieu, afin que lui-même nous libérât en triomphant
> du tyran par sa force, qu'il nous fit monter vers lui
> par la médiation de son Fils ... Voilà ce qui nous est
> dit du Christ, que le reste soit vénéré par le silence* »[1].

La volonté de mort vient donc d'ailleurs : elle vient de la
conscience spontanée d'Abraham qui, quelle que soit sa
souffrance de père, ne voit pas de difficulté religieuse à ce
que Dieu lui donne un ordre aussi cruel. Il est à cent lieues
de lui opposer une « objection de conscience ». Comme ses
contemporains, il pense Dieu à l'image des hommes et lui

---

1. Grégoire de Nazianze, *Discours 45,* 22 ; *P.G.* 36, 654 ; ce texte a été
remarqué par R. Girard qui le cite dans *Des choses cachées depuis la
fondation du monde,* Paris, Grasset 1978, p. 574.

attribue une violence jugée normale. Le récit est le témoin de cette projection primitive (et encore trop actuelle) sur Dieu de la pulsion de mort qui habite l'homme. Il traduit l'expérience douloureuse d'Abraham qui est passé de cette image païenne de Dieu à la conception convertie d'un Dieu unique, Tout-Autre que l'homme, plein de tendresse et d'amour.

2. Mais ce premier effet de sens, pour capital et décisif qu'il soit, ne dit pas tout. Il ne rend pas compte du fait que le Bible attribue la contradiction à Dieu et fait de l'ordre de mort une parole de Dieu lui-même. Il ne suffit pas non plus de penser qu'Abraham s'est figuré cet ordre parce qu'il a vu des païens sacrifier leurs enfants aux dieux. Une tradition juive veut qu'Abraham se soit trompé « en se méprenant à cause du double sens du verbe : "offrir en holocauste" peut vouloir dire aussi "faire monter" »[1]. Abraham aurait bien reçu un ordre de Dieu mais l'aurait mal compris. Quoi qu'il en soit, la conversion d'Abraham ne s'est pas produite à travers un enseignement spéculatif, mais à travers l'épreuve de la nuit. « La Bible préfère voir dans l'erreur d'Abraham une parole de Dieu, tant elle est sûre que Dieu parle en Abraham, que Dieu est présent en Abraham, même quand Abraham paraît loin de Dieu »[2]. La pédagogie de la révélation biblique n'hésite pas à attribuer à Dieu des comportements qui sont le reflet du cœur pécheur de l'homme. Dieu n'est pas ainsi, mais l'erreur de l'image s'inscrit dans un récit dont toute la signification est de la changer et de la convertir.

Retenons cette interprétation de P. Beauchamp : « Dans le fait qu'il y ait deux paroles et deux temps, je vois le signe de Dieu. Ainsi est-il possible de dépasser une image idolâtrique du sacrifice et une image idolâtrique de l'amour. Quand Abraham, sur la montagne, entend dire : "Je veux, par

---

1. Cf. P. Beauchamp, *ibid.,* p. 57-58.
2. *Ibid.,* p. 57 — cf. infra l'analyse de Gn 3 qui montre le point de départ de la perversion par l'homme de la relation de communication que Dieu veut instaurer avec lui et, par voie de conséquence, de l'image même de Dieu, p. 383-386.

amour, que ton fils vive'', il court autant de risque de se parler à lui-même, en soliloque, que dans le premier temps. Au contraire la traversée des deux temps révèle que l'amour selon Dieu dépasse et fonde l'amour selon Abraham ». [1].

Ainsi a-t-il fallu qu'Abraham passe par ces deux temps pour connaître Dieu en vérité. Mutatis mutandis chaque chrétien est lui aussi invité à traverser ces deux temps, pour ne pas se faire de l'amour de Dieu une image à sa façon. Telle est la pédagogie d'un Dieu dont l'Amour est fort comme la mort.

3. Mais il y a encore plus. Quelle que soit l'erreur d'Abraham (on parlerait aujourd'hui d'erreur invincible qui laisse l'homme dans la bonne foi), il reste que celui-ci obéit à un ordre qui le fait souffrir au plus vif et au plus cher de lui-même, son fils. Non seulement l'ordre est cruel, mais il est un non-sens : qu'adviendra-t-il de la promesse si Isaac est mort ? En obéissant à cet ordre sans défaillance, mais non sans cœur, Abraham entre dans la nuit de la foi. Il fait l'expérience trop humaine du non-sens de la vie et de Dieu lui-même. Et pourtant sa foi ne vacille pas. Si Paul a souligné la foi d'Abraham au moment de l'alliance que Dieu établit avec lui (Rm 4), l'épître *aux Hébreux* la relève particulièrement dans cet épisode : « Par la foi, Abraham, mis à l'épreuve, a offert Isaac ; il offrait le fils unique, alors qu'il avait reçu les promesses et qu'on lui avait dit : ''C'est par Isaac qu'une descendance te sera assurée''. *Même un mort, se disait-il, Dieu est capable de le ressusciter ;* aussi, dans une sorte de préfiguration il retrouva son fils » (He 11, 17-18). L'auteur tire une ligne hardie à travers toute l'histoire du salut en rejoignant le commencement à la fin. L'obéissance d'Abraham était déjà habitée par la foi en la résurrection. La substitution du bélier à Isaac est préfiguration et annonce de la résurrection. L'*épître de Jacques* complétera cette vue — avec une note polémique contre certaines interprétations de la doctrine paulinienne — en soulignant que la foi d'Abraham en cet

1. *Ibid.*, p. 58.

épisode n'a pas hésité à aller jusqu'aux œuvres, sans lesquelles la foi resterait inopérante : « Abraham, notre père, n'est-ce pas aux œuvres qu'il dut sa justice, pour avoir mis son fils Isaac sur l'autel ? Tu vois que la foi coopérait à ses œuvres et que les œuvres ont complété la foi et que s'est réalisé le texte qui dit : "Abraham eut foi en Dieu et cela lui fut compté comme justice" » (Jc 2,21-23).

4. Enfin Abraham vit en quelque sorte dans sa chair le passage d'une conception dangereuse et ambiguë du sacrifice à une conception toute spirituelle. Dans le premier temps en effet, quelle que soit son erreur sur le contenu de l'ordre reçu, Abraham est invité à exprimer la priorité absolue de son amour pour Dieu sur celui qu'il porte à son fils. C'est cela le vrai sacrifice. Abraham n'hésite pas à offrir son fils à Dieu, à lui en faire don. Et c'est de cela qu'il est félicité : « A présent, je sais en effet que tu révères Dieu, puisque ta main ne m'a pas refusé ton fils unique » (v. 12). Ce vrai sacrifice n'a pas besoin de l'immolation : c'est le don de la liberté et du cœur, c'est la réponse d'amour au Dieu qui a tout donné. Abraham, et nous avec lui, sommes ainsi invités à passer de l'idée du sacrifice sanglant au sacrifice spirituel mais bien réel, parce vécu dans notre existence. Ce sacrifice se confond avec sa foi et inspire toute sa conduite. Tout cela lui fut imputé à justice et le mit en communion de salut avec Dieu.

5. Le sacrifice d'Isaac ne révèle en dernier ressort tout son sens qu'en lien avec la croix. Apparemment pourtant, sa référence semble peu présente dans le Nouveau Testament, alors que le judaïsme l'a longuement médité et commenté et que son thème était très présent au temps de Jésus. Mais à y regarder de plus près, on découvre bien des allusions qui mettent en rapport ce récit biblique avec le sacrifice de Jésus [1]. Nombre d'exégètes estiment que pour le Nouveau Testament

---

1. Cf. le dossier présenté par M. Deneken, *Le salut par la croix dans la théologie catholique contemporaine (1930-1985)*, Paris, Cerf 1988, p. 221-225.

l'obéissance d'Abraham préfigure celle de Jésus (Rm 9, 7ss. ; Ga 4,28). De même, quand Paul nous dit que « Dieu n'a pas épargné son propre Fils » (Rm 8,32), il évoque le sacrifice d'Isaac. Ou encore « l'agneau johannique désigne allusivement et thématiquement Isaac »[1]. Enfin la réponse d'Abraham à son fils : « Dieu pourvoira à l'agneau pour l'holocauste », permet de penser que « la victime parfaite n'est pas encore donnée » et désigne « cet ajournement comme la préparation du sacrifice de Jésus »[2]. « Le targum de Gn 22,8 semble bien être en arrière fond de 1 Pi 1, 19-20 : "(Vous avez été rachetés) par le sang précieux, comme d'un agneau sans défaut et sans tache, celui du Christ, prédestiné avant la fondation du monde et manifesté à la fin des temps à cause de vous" »[3].

Mais le renversement de la situation est bouleversant. Ce n'est plus l'homme qui offre un fils en sacrifice à Dieu, c'est Dieu qui donne son propre Fils en sacrifice pour l'homme. La volonté de mort n'est pas celle, prétendue, de Dieu, mais celle, bien réelle, des hommes. Le moloch injuste qui veut le sang, c'est l'homme, comme c'était un homme qui imaginait que Dieu pouvait exiger le sang de son fils. Cette fois-ci il n'y aura aucune substitution et Dieu ira jusqu'au bout. Dieu fera par amour pour l'homme ce qu'il n'a pas demandé à l'homme. C'est vraiment lui qui pourvoira à la victime pour l'holocauste. Tels sont la révélation et l'accomplissement derniers de ce qui s'exprimait dans la substitution du bélier à Isaac. Les rôles sont totalement inversés. La perversion serait de voir en Dieu à la croix l'équivalent d'un Abraham qui cette fois abattrait le couteau sur son fils. La ressemblance est bien là, mais porte sur tout autre chose : « Par amour Abraham livre son fils, par amour Dieu donne son Fils »[4].

Le sacrifice d'Isaac est enfin une résurrection, source de bénédictions qui ouvrent sur la naissance (résurrection) d'un

1. M. Deneken, ibid., p. 222.
2. Ibid., p. 223.
3. Ibid., p. 221.
4. Ibid., p. 140.

peuple, celui de l'alliance en Abraham. De même le sacrifice du Christ fonde le peuple de la promesse. Paul fait ce lien : « Et vous, frères, comme Isaac, vous êtes enfants de la promesse » (Ga 4,28 ; cf. Rm 9,7). Le sacrifice du mont Moriah est la parabole du sacrifice de Jésus : leurs effets de sens se conjuguent et se confirment. Dans un cas comme dans l'autre il s'agit d'une histoire de don et d'amour.

« Abraham a vu mon jour »

La place d'Abraham est si grande dans l'histoire du salut qu'Irénée l'a célébrée avec enthousiasme. A la suite de Jésus il invoque la trilogie du « Dieu d'Abraham, d'Isaac et de Jacob » pour montrer que Dieu n'est pas le Dieu des morts mais des vivants. C'est donc que les Pères et les patriarches sont vivants pour Dieu et déjà « fils de la résurrection » (Lc 20,36). Irénée commente aussi les paroles extraordinaires de Jésus en saint Jean : « Abraham, votre père, a exulté à la pensée de voir mon jour ; il l'a vu et il s'est réjoui » (Jn 8,58). Pour lui l'exultation d'Abraham rejoint celle de la Vierge Marie dans son *Magnificat* et parcourt l'histoire du salut dans les deux sens : « L'exultation d'Abraham descendait de la sorte en ceux de sa postérité qui veillaient, qui voyaient le Christ et qui croyaient en lui ; mais cette même exultation revenait aussi sur ses pas et remontait des fils vers Abraham, qui, déjà, avait désiré voir le jour de la venue du Christ »[1]. Abraham a donc vraiment suivi le Verbe de Dieu.
Et voici le commentaire du sacrifice d'Isaac :

> « *C'est à juste titre enfin que nous, qui avons la même foi qu'Abraham, prenant notre croix comme Isaac prit le bois, nous suivons ce même Verbe. Car, en Abraham, l'homme avait appris par avance et s'était accoutumé à suivre le Verbe de Dieu : Abraham suivit en effet dans sa foi le commandement du Verbe de Dieu, cédant avec empressement son fils unique* »

---

1. Irénée, *op. cit.*, IV, 7, 1 ; p. 423.

> *et bien-aimé en sacrifice à Dieu, afin que Dieu aussi*
> *consentît, en faveur de toute sa postérité, à livrer son*
> *Fils bien-aimé et unique en sacrifice pour notre*
> *rédemption* » [1].

Irénée a bien vu l'admirable échange d'amour qui se profile à travers le rapprochement des deux scènes : Abraham donne son fils à Dieu, afin que Dieu nous donne son Fils. Le salut est un admirable échange de communication entre Dieu et l'homme. Irénée n'oublie pas non plus que, si nous avons la même foi qu'Abraham, nous devons nous conduire comme lui vis-à-vis de Dieu. Abraham, c'est chacun d'entre nous.

Joseph, figure de Jésus

Après le long cycle d'Abraham, et le cycle beaucoup plus bref consacré à Isaac, la Genèse achève le cycle de Jacob par le récit de Joseph vendu par ses frères, émouvante et dramatique histoire de famille. Joseph est l'objet de la jalousie de ses frères en raison de songes prophétiques. Ceux-ci « complotèrent de le faire mourir ... — Maintenant, venez, tuons-le et jetons-le dans n'importe quelle citerne » (Gn 37,18.20). Puis se ravisant, ils le vendent à une caravane d'Ismaëlites « pour vingt pièces d'argent » (v. 28). Telle est la réaction spontanée des pécheurs devant l'innocence et la justice. De même Jésus sera-t-il dès le début de son ministère l'objet d'un complot de mort ; de même il sera livré et vendu aux païens pour trente deniers.

Mais le rapport de force va changer. Joseph, revendu en Egypte, devient puissant à la cour de pharaon en décryptant ses songes. Maître du palais, il organise l'économie de façon à garder des réserves de blé pour les années de famine. Et voici que ses frères, atteints par la même famine, descendent en Egypte pour y acheter du grain. La première réaction de Joseph a de quoi nous surprendre. Elle consiste en une mise à l'épreuve répétée de ses frères. Il les traite d'espions. Il

---

1. *Ibid.*, IV, 5, 4 ; p. 417-418.

commence par les jeter en prison. Il accepte bien de donner le grain, mais garde l'un des frères en otage. Surtout il exige la venue en Egypte au prochain voyage de Benjamin, le dernier né de Jacob. Lors du retour de ses frères accompagnés de Benjamin, il organise une mise en scène en deux tableaux : d'une part, il les reçoit avec égards et les fait manger en sa présence, mais, d'autre part, il cache sa coupe d'argent dans le sac de Benjamin, afin de pouvoir ensuite l'accuser de vol et faire mine de le garder comme esclave.

Bien vite les frères ont compris que cette série de vexations était leur expiation : « En vérité, nous expions ce que nous avons fait à notre frère : nous avons vu la détresse de son âme, quant il nous demandait grâce, et nous n'avons pas écouté. C'est pourquoi cette détresse nous est venue » (Gn 42, 21). Joseph leur fait revivre la scène de leur péché. Il leur fait revivre en situation inverse la manière dont ils se sont séparés de lui, en leur imposant la séparation de Benjamin. Surtout il leur fait revivre la souffrance qu'ils ont imposée à Jacob par ce crime, en leur imposant une nouvelle fois la responsabilité d'arracher un fils, son dernier, à leur père. Il y a là un processus de retour à l'événement du mal, afin de le convertir par l'aveu, le repentir et la réparation. Tel est le sens de leur « expiation ». Mais de la part de Joseph il ne s'agit nullement de vengeance, ni de talion. Le récit est pénétré d'une émotion d'autant plus forte qu'elle se cache des deux côtés. Dans sa manière de traiter ses frères, Joseph se fait violence à lui-même. A plusieurs reprises il pleure, mais il s'écarte pour le faire (42, 24), en particulier quand il retrouve Benjamin : « Et Joseph se hâta de sortir, car son cœur s'était ému pour son frère et les larmes lui venaient aux yeux : il entra dans sa chambre, et là, il pleura. S'étant lavé le visage, il revint » (Gn 43, 30-31). La souffrance qu'il impose à ses frères, et indirectement à son père, est aussi une souffrance pour lui-même. Elle est le prix de l'affection familiale à retrouver dans une pleine vérité, le prix de la « guérison » de ses frères. Ce n'est pas un châtiment qui aurait sa fin en lui-même, mais une épreuve réparatrice. Le pardon n'est complet que s'il guérit vraiment l'offenseur.

Aussi bien l'heure de la reconnaissance a-t-elle sonné. Le dialogue entre les frères connaît une telle intensité que Joseph ne peut plus se contenir : il « pleura tout haut » (Gn 45,2) et avoua :

> « *Je suis Joseph ! ... Approchez-vous de moi ! ...A présent ne soyez pas chagrins et ne vous fâchez pas de m'avoir vendu ici, car c'est pour préserver vos vies que Dieu m'a envoyé en avant de vous. ... Dieu m'a envoyé en avant de vous pour assurer la permanence de votre race dans le pays et* sauver la vie *à beaucoup d'entre vous. Ainsi donc, ce n'est pas vous qui m'avez envoyé ici, c'est Dieu, et il m'a établi comme père pour Pharaon...* » (Gn 45, 3-8).

Telle est l'interprétation que Joseph donne de l'événement : derrière le projet de mal qui vient des hommes, Dieu est là qui conduit les choses dans un projet de salut. Après la mort de Jacob l'attitude de bienveillance de Joseph envers ses frères se maintient. Il leur dit de manière plus explicite encore ces mots qui concluent presque le livre de la *Genèse :*

> « *N'ayez pas peur ! Vais-je me substituer à Dieu ?* Le mal que vous aviez dessein de me faire, le dessein de Dieu l'a tourné en bien, *afin d'accomplir ce qui se réalise aujourd'hui :* sauver la vie *à un peuple nombreux. Maintenant n'ayez pas peur !* » (Gn 50, 19-21).

L'histoire de Joseph est une parabole en acte du salut apporté par le Christ. Non seulement Joseph est une figure de Jésus pardonnant à ses bourreaux dans un amour plus fort que la volonté mauvaise de ses adversaires, mais encore l'interprétation qu'il donne de sa propre histoire est une révélation prophétique de ce qui s'est passé à la croix. C'est au cœur du projet de mort et de mal venu des hommes que la providence divine intervient pour faire tourner les choses au salut. Il n'y a aucune confusion entre les deux projets, aucune valorisation équivoque ou justification après coup de l'action des frères de Joseph. Mais Dieu assume le tout dans son propre dessein. Ce dessein se réalise par une médiation, celle de Joseph, qui a lu l'événement sous le regard de Dieu, et qui, bien loin de se livrer à une vengeance naturelle contre ses frères, leur garde son affection et leur pardonne.

Cette lecture « convertie » fait de Joseph le médiateur du salut de sa famille au temps de la famine. Joseph a transformé un mal enduré de la part de ses frères pour sa perte en un mal enduré pour leur bien. Par son attitude il a converti ses frères et vécu avec eux une authentique réconciliation. L'action de Dieu, transcendante par rapport au projet des hommes, passe cependant par la liberté d'un homme, une liberté de pardon, de service et d'amour, qui convertit à son tour la liberté de ses frères. Joseph est devenu pour eux « cause de salut ». C'est exactement la même chose qui se produira à la croix. L'histoire de Joseph nous annonce en vérité ce renversement paradoxal. Elle évite tout court-circuit dans l'interprétation de la souffrance et de la mort. Bien plus tard Paul sera le témoin de la même logique, lorsqu'il dira que son arrestation et son procès, c'est-à-dire son affaire « a tourné plutôt au profit de l'Evangile » (Ph 1,12).

II. Le récit de Moïse, médiateur de l'alliance

L'histoire des patriarches appartient à la préhistoire du peuple élu. Abraham, le païen élu par Dieu, est porteur de la promesse de la naissance d'un grand peuple. Cette préhistoire est donc fondatrice de l'histoire du salut. Mais le peuple sera vraiment constitué comme peuple élu par sa libération du pays d'Egypte sous la conduite de Moïse.

Installés en Egypte sous la protection de Joseph, les enfants de Jacob, appelés désormais enfants d'Israël, se multiplient au point d'être considérés comme dangereux pour l'Egypte.

Les années passant, survient un nouveau Pharaon « qui n'avait pas connu Joseph » (Ex. 1,8). Le temps de la bienveillance pour le peuple hébreu est terminé ; celui de l'oppression et de l'esclavage commence. Le peuple vit alors l'une des deux situations caractéristiques[1] de l'existence humaine où se traduit le besoin radical d'un salut. C'est alors que Dieu suscite Moïse, qui sera le « médiateur » de l'Alliance du Sinaï.

Moïse sauvé des eaux : le médiateur-né

L'ordre de Pharaon est formel : les enfants mâles des hébreux doivent mourir dès la naissance. Aussi la mère de Moïse fait-elle tout pour sauver son garçon de la mort : elle le dépose dans une corbeille parmi les roseaux proches de la rive du fleuve. Ce berceau fragile, flottant sur l'étendue liquide, rappelle l'arche de Noé, au moment du déluge. L'un et l'autre seront pour leurs habitants une arche de salut. La fille de Pharaon, venant se baigner au fleuve, est touchée de compassion pour l'enfant qui pleurait. Elle reconnaît en lui un petit hébreu. Malgré tout elle veut le sauver, en le tirant des eaux. Le stratagème inventé par la mère de Moïse fonctionne à merveille : la fille de Pharaon confie l'enfant à sa sœur, postée là à bon escient, pour qu'elle le fasse allaiter par sa propre mère. Une fois encore d'un dessein de mal conçu par les hommes, Dieu a tiré un bien, d'un projet de mort il a fait un instrument de salut.

Ainsi grandit Moïse, fils de deux mères, fils d'une juive et d'une païenne, puisque la fille de Pharaon le traita comme un fils et lui donna son nom, ce qui est un acte parental par excellence (cf. Ex. 2,10). Moïse est donc à la fois fils d'Israël et fils de l'Egypte[2]. Dans sa naissance il symbolise et inaugure secrètement l'existence d'un seul peuple, réconcilié à partir

1. Cf. t. I, p. 16-17.
2. Cf. P. Beauchamp, *L'un et l'autre testament. 2. Accomplir les Ecritures,* Paris, Seuil 1990, p. 267.

BIBLIOTHÈQUE
Université du Québec à Rimou

des deux peuples ennemis, ce qui sera l'œuvre propre de Jésus (Ep. 2, 15-17). Lui, le médiateur de la libération d'Israël, « a été sauvé... par une Egyptienne » [1]. Plus tard, il est obligé de s'exiler au pays de Madian et d'y vivre en immigré : il y épouse une païenne. Sa vie se déroule des deux côtés de la frontière qui sépare les Juifs et les païens. Ainsi dès son berceau et sa jeunesse, Moïse est déjà médiateur entre les hommes divisés. Par vocation il va le devenir entre Dieu et les hommes. Même si le nom de médiateur n'est pas appliqué à Moïse dans l'Ancien Testament — l'hébreu ne connaît pas le terme, sans doute par respect pour la transcendance divine et par crainte d'une contamination avec les divinités intermédiaires des mythologies païennes —, le Nouveau n'hésite pas à lui décerner ce titre (Ga 3, 19) : la Loi a été promulguée par la main du médiateur Moïse, par analogie prophétique avec l'unique Médiateur de la nouvelle (He 9, 15 ; 12, 24), meilleure (He 8,6) et définitive Alliance (cf. 2 Co 3).

La vocation de Moïse : le buisson ardent (Ex 3)

Les enfances de Moïse ont été marquées des signes annonciateurs d'une élection. Mais la vocation et l'envoi en mission de Moïse ont lieu à l'occasion de la théophanie du buisson ardent. Révélation de Dieu sur lui-même et initiative de communication et de salut vont de pair.

L'ange de Yahvé, c'est-à-dire Yahvé lui-même sous la forme où il apparaît aux hommes, se manifeste à Moïse sur la montagne de l'Horeb. Il prend la figure d'une flamme de feu jaillissant d'un buisson qui ne se consume pas. Le mystère propre du feu, à la fois visible et immatériel, en fait un indice de l'indicible. Le feu est donc une expression de la gloire et de la sainteté absolue de Dieu, devant lesquelles Moïse doit ôter ses sandales en signe de respect et d'adoration. A partir des gestes des deux partenaires, le dialogue se noue

_____
1. *Ibid.*

selon la formule de l'appel et de la réponse, caractéristique
de la vocation comme de la relation de base entre Dieu et
l'homme : « - Moïse, Moïse ! — Me voici ! » (Ex 3, 4). Dieu
se fait alors reconnaître comme « le Dieu d'Abraham, d'Isaac
et de Jacob ». Et Moïse se voile la face, de peur que son
regard ne se fixe sur Dieu. car une créature ne peut voir
Dieu sans mourir. Toute la scène est marquée par une tension
entre la transcendance absolue de Dieu que l'homme ne
saurait connaître ni approcher, et le désir de Dieu de
s'approcher, de se manifester, de se donner à connaître.

Dieu parle et annonce son dessein de salut pour son peuple
opprimé sous la férule des Egyptiens. Il va le délivrer et le
conduire dans une terre promise, une contrée plantureuse.
C'est ici que s'inaugure, sous la forme de la promesse, le
grand thème de la sortie d'Egypte, qui deviendra l'événement
fondateur par excellence d'Israël, le cœur de sa confession
de foi et le paradigme du salut dans tout l'Ancien Testament.
Dieu restera toujours pour son peuple celui qui l'a fait sortir
de la servitude égyptienne à main forte et à bras étendu. De
ce projet Moïse sera le réalisateur et le médiateur, médiateur
entre le peuple et Pharaon vers qui Dieu l'envoie, mais en
définitive médiateur entre Dieu et les enfants d'Israël. Moïse
est donc investi d'une mission redoutable qui doit faire taire
toutes ses peurs et ses hésitations. Car cette mission est l'objet
d'un engagement décisif de Dieu lui-même : « Je serai avec
toi » (Ex 3, 12). Cette parole, que Dieu redira à Josué
(Jos 1,15), à Jérémie (Jr 1,8), qui sera thématisée dans le
livre de l'Emmanuel « Dieu avec nous » (Is 7,14), se retrouve
dans le Nouveau Testament : l'ange la dit à Marie (Lc 1,28)
et Jésus à ses disciples avant de les quitter (Mt 28, 20).
Elle trahit quelque chose de l'identité même de Dieu. Cet
engagement sera très concret. La suite du récit nous dit que
Moïse essaiera de s'excuser, prétextant qu'il n'a pas la parole
facile. Oser parler à un puissant, c'est prendre un risque
grave. Moïse a peur et se met à bégayer... Il sera donc aidé
par son frère Aaron. Mais surtout Yahvé sera avec eux :
« Moi-même, je vous aiderai à parler, toi et lui, et vous

suggérerai ce que vous devrez faire » (Ex 4, 15). Jésus, le Verbe fait chair, ne dira-t-il pas la même chose à ceux qui seront appelés à témoigner à son sujet devant les tribunaux (Lc 21, 14-15) ? Moïse et son frère Aaron sont ainsi établis médiateurs de la Parole même de Dieu devant Pharaon et pour son peuple. Aussi le *Deutéronome* fera-t-il par excellence de Moïse celui qui parle. Toute l'histoire de la libération d'Egypte y est mise dans sa bouche sous la forme de trois grands discours. Moïse fait le récit de l'histoire qu'il a accomplie. Médiateur du salut, il l'est également du « verbe ». Il est le grand prophète qui annonce le prophète définitif : « C'est un prophète comme moi que Yahvé ton Dieu te suscitera du milieu de toi, d'entre tes frères » (Dt 18,15).

Dieu a appelé Moïse par son nom. Moïse pourra-t-il en faire autant avec le nom de Dieu ? Comme s'il ne lui suffisait pas d'être sûr d'avoir affaire au Dieu des pères, il s'enhardit à demander son nom à Dieu, afin de fonder son autorité auprès du peuple. Demande redoutable, car le nom équivaut à la personne ; connaître le nom de quelqu'un, c'est en quelque sorte avoir pouvoir sur lui. Dans certaines religions le nom du dieu autorise un usage magique. En tout cas notre récit entend bien inscrire la nouveauté de la révélation présente dans la continuité des révélations antérieures du Dieu des Pères, d'Abraham, d'Isaac et de Jacob [1]. La réponse de Dieu, qui se résume dans le tétragramme de Yahvé, « Je suis » (Ex 3, 14) [2] est intraduisible sans une option d'interprétation. La tradition chrétienne, à la suite de la Septante, y a vu la révélation métaphysique de l'être même de Dieu. On a compris également la formule comme un refus de répondre. Sans entrer ici dans le jeu de toutes les interprétations, il est possible de dégager quelques éléments de signification à partir de l'ambiguïté même du nom. D'une part, Dieu livre son

---

1. Cf. G. von Rad, *Théologie de l'ancien testament. 1. Théologie des traditions historiques d'Israël,* Genève, Labor et Fides 1963, p. 160.
2. Ce récit élohiste fait du nom de Yahvé l'objet d'une révélation nouvelle, alors que ce terme se trouve déjà dans les récits patriarcaux dits « yahvistes ».

nom, se donne à connaître d'une manière nouvelle et demande qu'on l'invoque désormais de génération en génération sous ce vocable ; mais d'autre part, Dieu se refuse aussi à répondre clairement, car sa transcendance et sa sainteté ne le permettent pas. « Moïse, écrit H. Urs von Balthasar, se trouve donc ici dans une dialectique dramatique *entre connaître et ne pas connaître*. Il connaît un Dieu de la tradition, mais il ne sait ni qu'il demeure ici ni qui il est (comment il s'appelle). Et lorsque, en vue de sa mission, il demande le nom de celui qui lui parle, il reçoit une réponse dialectique : l'un des noms est une désignation sans contenu visible, l'autre nom comprend la promesse que Dieu s'attestera lui-même en agissant librement en faveur du peuple, mais élude l'indication du nom [1] ». Dieu se révèle comme un sujet personnel, un « Je » parlant et agissant. Il dit qu'il est « présent », qu'« il est là » pour le peuple [2], de même qu'il avait déjà dit à Moïse : « Je serai avec toi », et c'est par là qu'il dévoile quelque chose de son essence transcendante. Le sens de ce nom s'explicitera plus tard dans une autre théophanie, quand Dieu se nommera lui-même : « Yahvé, Yahvé, Dieu de tendresse et de pitié, lent à la colère, riche en grâce et en fidélité ... » (Ex 34, 6).

On peut donc conclure : « Le nom divin est livré en face de Moïse, mais il se produit en même temps une réserve mystérieuse » [3]. Ce qui est remarquable en tout ce récit, c'est que la révélation de ce qu'est Dieu en lui-même se fait à partir de la révélation de ce qu'est Dieu pour son peuple. Il est celui qui « est avec », celui qui aime et qui sauve. Non seulement la révélation de Dieu va de pair avec la communication qu'il fait de lui-même pour le salut de son peuple, mais cette révélation est en elle-même une communication et un don de lui-même. En « livrant » son

1. H. Urs von Balthasar, *La gloire et la croix. Les aspects esthétiques de la révélation. III. Théologie. 1. Ancienne Alliance,* Paris Aubier 1974, p. 39.
2. Cf. G. von Rad, *ibid.*
3. H. Urs von Balthasar, *ibid.* p. 60.

nom, Dieu « se livre » personnellement. D'autre part, le bénéficiaire privilégié de cette révélation est par le fait même l'objet d'une élection et envoyé en mission.

Le Nouveau Testament nous livre un certain parallèle de ce récit avec la scène évangélique de Césarée de Philippe. A la base de l'envoi en mission privilégiée de Pierre, il y a la révélation par le Père de l'identité de Jésus. Il y a aussi l'échange des noms. Simon proclame : « Tu es le Christ, le Fils du Dieu vivant » (Mt 16, 16) et Jésus dit à Simon : « Tu es Pierre » (v.18), proclamant l'identité nouvelle que lui confère un nouveau nom. Il s'engage à être avec lui. Dans les deux cas la révélation est ordonnée à la communication et à la mission ; dans les deux cas Dieu se manifeste et se donne pour le salut des hommes.

La libération d'Egypte, grande parabole du salut

« Le livre de l'Exode est une parabole à la fois du salut et du jugement dernier. C'est le livre non seulement de l'élection d'Israël mais du jugement des nations, parmi lesquelles Israël. Parabole : le mot ne signifie pas "invention", "fiction", bien qu'il y ait une part importante d'expression poétique plutôt qu'historique dans ce très vieux récit, remanié sur plusieurs générations. Tout le livre repose sur l'expérience vécue par un peuple. C'est une parabole et c'est une expérience. Comme dit Paul : "Ces choses sont arrivées en figure, pour nous qui sommes à la fin des temps" (1 Co 10,11) »[1]. Cet événement fondateur dans l'histoire d'Israël est en effet par excellence la parabole en acte du salut, c'est-à-dire à la fois sa réalité et son signe. Les deux grandes images bibliques du salut y sont présentes. D'une part, le peuple est en danger de mort, puisque Pharaon veut supprimer tous ses enfants mâles ; il craint pour sa vie et sa survie. D'autre part, il est aux mains d'un peuple oppresseur dont les exigences se durcissent de jour en jour ; il a perdu la

---

1. P. Beauchamp, *Parler d'Ecritures saintes, op. cit.,* p. 97.

liberté. Sous ces deux aspects l'image de Dieu en l'homme est atteinte. Le salut devient urgent. Cette parabole est réalité, car le peuple est effectivement libéré de la servitude ; il sera conduit vers la terre promise en devenant le bénéficiaire de l'alliance de Dieu ; il est donc admis dans la « société de Dieu ». Cette réalité, à la fois personnelle, sociale, politique et religieuse, est évidemment limitée et provisoire. Mais la parabole dit beaucoup plus, car elle est également symbole ; elle symbolise déjà le salut total pour le peuple qui en vit. Dans la réalité bien concrète des dons de Dieu, en effet, c'est l'Absolu de la vie et du bonheur en Dieu qui est en cause, visé et espéré de manière enveloppée. Nous savons par exemple que des causes purement terrestres dans leur objectivité peuvent être l'objet d'un investissement tellement total de la part d'une liberté d'homme que celle-ci fait à cette occasion l'expérience de l'Absolu, allant jusqu'au don de la vie inclusivement. Combien plus, lorsque cette cause et cette expérience sont l'effet du don de Dieu.

Cette parabole est en même temps prophétie du salut. C'est pourquoi chacune des étapes de l'événement est-elle riche d'une multitude de symboles sur lesquels il faut nous arrêter, à l'exemple du Nouveau Testament lui-même qui lit dans le passage de la mer Rouge la figure du baptême. La moisson des « effets de sens » doit être ici particulièrement abondante.

La célébration de la Pâque : le sang de l'agneau (Ex 12)

Moïse est intervenu auprès de Pharaon pour qu'il libère le peuple d'Israël. Mais celui-ci a le cœur endurci et ne connaît que le langage de la menace. La série progressive des plaies d'Egypte commence donc. Car Pharaon ne comprend pas la patience de Dieu : sous le choc de l'épreuve il fait mine de céder, mais dès que la plaie s'éloigne, il reprend sa parole. Entre temps, les conditions de la fabrication des briques ont été rendues plus rudes, et le peuple récrimine contre Moïse et Aaron. Le médiateur est écartelé entre sa mission, le peuple et Pharaon.

Yahvé est donc décidé à donner le coup décisif : il frappera tous les premiers-nés de l'Egypte, depuis celui du Pharaon, jusqu'à ceux de ses serviteurs et de son bétail. Israël sera épargné et il prendra la fuite la nuit même. Mais auparavant son repas de route devra accomplir fidèlement le rite de la manducation de l'agneau pascal. Chaque famille mettra du sang de cet agneau sur les montants et les linteaux de la porte de sa maison : ce sang criera vers le ciel, afin que l'ange de Yahvé épargne les premiers-nés d'Israël du fléau destructeur. Le sang de l'agneau se substitue symboliquement au sang des premiers-nés. Yahvé « passera » ou « sautera » les maisons d'Israël. Et cette nuit de la Pâque s'achèvera par le « passage » d'Israël dans la liberté. L'agneau sera mangé les reins ceints et le bâton à la main, en tenue de voyage ou de passage. Car cette nuit-là sera une immense clameur en Egypte et Pharaon exigera le départ immédiat des enfants d'Israël. Cette nuit restera celle de l'événement fondateur par excellence du peuple d'Israël comme peuple de Yahvé.

S'il y a immolation de l'agneau pascal, il y a donc sacrifice [1], et en quelque sorte tribut donné à la mort. Sans doute certains traits sont-ils repris de la fête domestique des nomades au printemps, au cours de laquelle on offre un jeune animal, afin de demander la bénédiction de Dieu sur le troupeau. Mais le lien de ce repas à l'événement de la libération d'Egypte lui donne un sens tout nouveau. Car ce n'est pas une exigence cultuelle qui commande le repas (il n'y a ni prêtre, ni autel) ; c'est l'événement et la menace égyptienne qui requièrent un repas qui deviendra un culte. La signification première du sacrifice de l'agneau pascal sera « de rendre actuelle l'intervention historique et salutaire de Yahvé » [2]. Ce sacrifice est l'objet d'un ordre de Yahvé, il est donc un don. Il est ordonné à la communion de chaque famille avec

1. Cf. t. I, pp. 261-262.
2. G. von Rad, *op. cit.,* p. 223.

lui, puisque le signe qu'on l'a célébré fait échapper à l'extermination. Plus tard, il deviendra aussi sacrifice d'action de grâce.

Le récit se fait ici institution et « loi perpétuelle ». La description de la célébration de la Pâque originelle est pleine de rubriques liturgiques qui expliquent comment on devra célébrer chaque année l'événement et l'orchestrer, une semaine durant, avec la fête des pains sans levain (azymes), c'est-à-dire faire de lui un mémorial *(zikkaron),* afin d'en actualiser le don. Tous ces détails ont pour but de mimer la sortie d'Egypte à la hâte avec un repas de route, fruste et rapide, mangé en tenue de voyage. Le rite liturgique sera l'occasion de la répétition du récit de l'événement sauveur qui se transmettra ainsi de génération en génération : « Et quand vos fils vous demanderont : "Que signifie pour vous ce rite ?", vous leur répondrez : "C'est le sacrifice de la Pâque en l'honneur de Yahvé, qui a passé devant les maisons des fils d'Israël, en Egypte, tandis qu'il épargnait nos maisons" » (Ex 12, 26-27). Ou encore : « Ce jour-là, tu donneras à ton fils l'explication que voici : "C'est à cause de ce que Yahvé a fait pour moi lors de ma sortie d'Egypte". Ce rite te tiendra lieu de signe sur la main et de mémorial sur le front, afin que la loi de Yahvé soit toujours sur tes lèvres, car c'est Yahvé qui, par sa force, t'a fait sortir d'Egypte. Tu observeras ce décret au temps prescrit chaque année » (Ex 13, 8-10). Le récit ne se réduit pas à un énoncé : il est un acte qui permet à de nouveaux partenaires de devenir à leur tour des acteurs de l'événement originel. « Cette nuit durant laquelle Yahvé avait veillé pour les faire sortir du pays d'Egypte, doit être une veille en l'honneur de Yahvé pour tous les enfants d'Israël, pour l'ensemble de leurs générations » (Ex. 12, 42). Cette liturgie de la transmission par le récit est sans doute à l'origine de la constitution des credos historiques du peuple d'Israël. D'autre part, tous les éléments du sacrement sont déjà là. La Pâque est un sacrement de l'ancienne Loi qui préfigure l'eucharistie. Elle anticipe le véritable sens du sacrifice.

La manducation de l'agneau pascal récapitule en elle l'ensemble des effets de sens qui sont véhiculés tant par l'événement de départ que par sa célébration annuelle. « Manger l'agneau pascal » reste la préoccupation première de tout juif à la date venue, comme nous le voyons dans les évangiles. L'agneau est donc un indicatif symbolique : il est la victime innocente de la méchanceté des égyptiens ; il est le signe de l'obéissance parfaite à Dieu de ceux qui le partagent. C'est à ce titre que le nom d'agneau de Dieu sera donné à Jésus, dès la prédication de Jean le Baptiste et quand il aura accompli la Pâque de sa mort et de sa résurrection. Le Christ, « agneau sans défaut et sans tache, ... prédestiné avant la fondation du monde et manifesté à la fin des temps à cause de vous » (1 Pi 1, 19-20), se trouve au terme d'une ligne symbolique qui prend son départ avec le bélier substitué à Isaac, passe par l'agneau pascal et continue avec le serviteur souffrant, n'ouvrant pas la bouche « comme un agneau conduit à la boucherie » (Is 53, 7). Mais cette identification symbolique doit se faire à bon escient, en tenant compte de la différence absolue entre la mort d'un animal et le libre don de la vie accompli par le Verbe fait chair.

Premiers-nés contre premiers-nés

La nuit de salut pour Israël est une nuit de perdition pour l'Egypte. Pharaon avait décidé de supprimer non seulement tous les premiers-nés d'Israël, mais tous ses enfants mâles. Ce projet de mort se retourne contre lui et les premiers-nés de l'Egypte seront les victimes de l'endurcissement de Pharaon. Le peuple qui a refusé de reconnaître en Yahvé le Dieu d'Israël est châtié en ce qu'il a de plus cher. Mais ce châtiment est présenté comme le point de passage obligé du salut et de la libération des premiers-nés d'Israël : aussi ceux-ci seront-ils désormais consacrés à Yahvé. Cette nuit qui a vu le discernement tragique entre les uns et les autres, où le salut des uns se paie en quelque sorte de la mort des autres, est à la fois nouveau déluge et création nouvelle. Déluge pour les

Egyptiens, elle est pour les enfants d'Israël sortie de l'eau
pour une vie nouvelle. Mort pour les uns, elle est résurrection
pour les autres. Les premiers-nés d'Israël, consacrés à Yahvé,
ne seront jamais l'objet d'un sacrifice humain.

Faut-il dès lors penser que la libération d'Israël se fait sur
le fondement d'une immense vendetta dans laquelle Dieu est
partie prenante ? Sang des uns contre sang des autres ? Salut
pour les uns, mais au prix de la perte des autres ? Les
choses sont plus complexes et, heureusement, plus profondes.
Qu'Israël soit seul à être sauvé est le signe du caractère
insuffisant et provisoire du salut accordé. L'Egypte est sans
doute la figure du refus obstiné d'entendre Dieu et ce refus-
là mène à la mort. Mais dans ce combat dramatique entre le
salut et la perdition la victoire du salut est encore en sursis.
Dans ce récit, « notre salut ... est montré, mais ne l'est pas
encore complètement. Quelque chose en est *caché* aussi. ...
Pour que l'Exode soit conduit jusqu'à son vrai terme..., il
faudrait qu'Israël emmène l'Egypte avec lui dans son Exode,
sauve l'Egypte. Dieu n'a qu'un seul Fils »[1]. Il faudrait que
les deux peuples soient réconciliés. La médiation de Moïse a
réussi vis-à-vis des enfants d'Israël ; elle a échoué à l'égard
de l'Egypte. Moïse n'est pas encore le véritable et unique
médiateur. Moïse l'égyptien, Moïse sauvé des eaux par une
égyptienne, n'a pas sauvé des eaux l'Egypte pour un baptême.
Bien plus tard, le second Isaïe exprimera de manière décantée
le dessein d'amour de Dieu sur Israël et comme un regret
que cela se soit fait au prix de l'Egypte : « Pour ta rançon,
je donne l'Egypte ... parce que tu comptes beaucoup à mes
yeux, que tu as du prix et que moi je t'aime, je donne des
hommes à ta place et des peuples en rançon de ta vie » (Is
43,3s)[2]. Ce thème de la rançon ne nous conduit-il pas au
Christ ? Mais n'oublions pas les renversements : « Un homme
prendra la place de l'Agneau, dont le sang ne pouvait tuer la
haine. Le fils d'Israël prendra la place du fils d'Egypte

---

1. P. Beauchamp, *ibid.,* p. 101.
2. Cité par P. Beauchamp, *ibid.,* p. 102.

frappé. Le juste est venu prendre la place du pécheur. Le Fils de Dieu est le Fils de l'Homme et il occupe la place qui unit tous les hommes »[1]. Ainsi les pécheurs seront-ils sauvés au prix de la mort du juste. Dieu ne met plus le pécheur à mort, mais consent à ce que le juste soit mis à mort par les pécheurs, afin qu'il les réconcilie et qu'il les sauve. La vérité secrètement prophétisée par la Pâque des enfants d'Israël (et qui sera comprise d'une manière de plus en plus spirituelle par les prophètes) est que Dieu ne veut pas la mort des Egyptiens, qui sont aussi pour lui des fils, mais que le salut donné à Israël vise aussi, à terme, le salut des Egyptiens. C'est ce qu'accomplira l'Exode de Jésus, un premier-né d'Israël, mais plus encore « le premier-né de toute créature » (Col 1, 15).

Le passage de la mer Rouge et la libération victorieuse

Les enfants d'Israël lèvent le camp pour quitter l'Egypte et prennent la route de la mer des roseaux. Yahvé les conduit sous la forme d'une colonne de nuée pendant le jour et d'une colonne de feu pendant la nuit. Mais le combat continue. Le cœur de Pharaon, toujours aussi endurci, regrette, comme les fois précédentes, de laisser partir un peuple-esclave aussi utile. Il lance donc ses chars à sa poursuite. En les voyant venir sur eux, les israélites se mettent à invectiver Moïse. Le peuple sauvé n'est pas encore un peuple converti ; au fond de son cœur il demeure un peuple d'esclaves et préfère la servitude aux risques de la liberté. Il est le peuple à la nuque raide dont le péché d'incrédulité et d'idolâtrie va se répéter. « Manquait-il de tombeaux en Egypte, que tu nous aies menés mourir dans le désert ? ... Laisse nous tranquilles. il nous plaît de servir les Egyptiens » (Ex 14, 11-13). Cette récalcitrance sera un refrain de toute l'histoire d'Israël. Moïse répond par un « Vous n'aurez rien à faire » (Ex 14, 14), qui

---

1. *Ibid.*, p. 103.

souligne que le salut est un acte souverain d'un Dieu capable de sauver malgré lui son peuple paralysé de peur.

Dieu va donc manifester sa puissance et sa gloire aux dépens de Pharaon et en faveur de ses enfants. Le passage de la mer restera dans l'histoire du peuple le grand miracle de la délivrance et de la libération. A vues humaines, il était impossible à Israël d'échapper à la poursuite de l'armée égyptienne, étant donné que la mer lui coupait la route. Or, il put la traverser à gué, grâce à un concours de circonstances et des conditions météorologiques exceptionnelles. Qui plus est, là même où le peuple était passé sans encombre, l'armée des chars égyptiens s'embourbe, avant d'être submergée par le retour de l'eau. Manifestement le doigt de Dieu était à l'œuvre : selon la tradition hébraïque, moins attentive que nous aux causes secondes, mais capable d'un discernement en profondeur, tout l'événement est compris comme conduit par la main de Dieu lui-même : c'est Dieu qui a endurci le cœur de Pharaon ; c'est Dieu qui a donné à Moïse le pouvoir de commander deux fois à la mer, une fois pour qu'elle se retire, une fois pour qu'elle recouvre les Egyptiens ; c'est l'ange de Yahvé, présent dans la colonne de nuée, qui empêche les deux armées de se rejoindre. Le récit se fait épopée. Il est souvent repris dans la Bible et chaque fois on constate un « crescendo du merveilleux ». Non seulement « un violent vent d'est a creusé un chemin guéable à travers la lagune », mais encore « les eaux ont formé comme des murailles de chaque côté du cortège des fugitifs »[1]. Un psaume dira plus tard que la mer s'est « enfuie » (Ps 114, 3). Il y a miracle, parce qu'il y a un signe éclatant de l'intention salvatrice de Dieu envers son peuple, dans un contexte de foi bien précis[2].

1. G. von Rad, *ibid.,* p.157.
2. Sur la conception théologique du miracle, voir les réflexions convergentes de K. Rahner, *Traité fondamental de la foi,* Paris, Centurion 1983, pp. 288-297 et de W. Kasper, *Jésus le Christ,* Paris, Cerf 1976, pp. 127-143. Ces auteurs pensent avant tout aux miracles de Jésus, mais leurs analyses valent également des miracles de l'Ancien Testament.

L'intervention manifeste de Dieu a fait taire les récriminations et fait naître la foi dans le peuple : « Le peuple craignit Yahvé. Il eut foi en Yahvé et en Moïse, son serviteur » (Ex.14, 31). Le salut est ordonné à la foi de celui qui le reçoit, de même qu'il ne peut être reçu que dans la foi. Le peuple est sauvé par Dieu, moyennant sa foi. De fait, le résumé de ce récit restera au cœur de la confession de foi d'Israël (cf. Dt 26, 5 ss). L'association du nom de Moïse à celui de Yahvé dans le même acte de foi est particulièrement surprenante. N'annonce-t-elle pas, de manière voilée, la profession chrétienne en Dieu et au Christ, le Serviteur en même temps que le Fils ?

Le récit s'achève par un chant de victoire dans lequel Moïse et les enfants d'Israël rendent gloire à Dieu. Deux mots reviennent pour caractériser cette œuvre de salut : « Yahvé est ma force et mon chant, à lui je dois ma *délivrance* » (Ex 15,2). C'est bien une délivrance, une rédemption, une libération des puissances du mal et du malheur. C'est un retour à la vie ; c'est une recréation. L'autre mot, proche d'ailleurs du premier, est celui d'acquisition : « Ton peuple que tu t'es *acheté* » (Ex 15,16). La nuance entre les deux termes a déjà été évoquée [1]. Dans ce contexte l'idée d'achat souligne la prise de possession du peuple par Dieu, un acte de choix et d'élection.

Le baptême du peuple en Moïse

« Je ne veux pas vous le laisser ignorer, frères : nos pères étaient tous sous la nuée, tous ils passèrent à travers la mer et tous furent baptisés en Moïse dans la nuée et dans la mer. Tous mangèrent la même nourriture spirituelle, et tous burent le même breuvage spirituel ; car ils buvaient à un rocher spirituel qui les suivait : ce rocher, c'était le Christ » (1 Co 10, 1-4). Paul lit le passage de la Mer Rouge à la lumière de l'événement du Christ et du baptême chrétien. Il y voit le

1. Cf. t. I, pp. 147-148.

baptême d'Israël. Le peuple en effet est descendu dans les eaux de la mort et il est remonté vivant, ressuscité, sur l'autre rive. De même Jésus sera baptisé, descendant dans le Jourdain, puis en remontant, et symbolisera dans ce geste rituel le baptême de sa mort et de sa résurrection. Puisque nous sommes baptisés en Christ, en revivant symboliquement sa descente dans la mort et sa résurrection, c'est que le peuple d'Israël a été analogiquement baptisé en Moïse. Moïse apparaît alors comme la figure du Christ. La libération d'Israël de la servitude égyptienne est la parabole en acte de la libération du chrétien de la sphère du péché. La même structure fondamentale de salut opère des deux côtés.

Mais la leçon tirée est celle d'un avertissement d'importance. Ces dons merveilleux ne mettent pas à l'abri de la convoitise et de l'idolâtrie, de la débauche et des murmures. Aussi les châtiments reçus par le peuple sont-ils exemplaires pour les chrétiens qui ont été l'objet d'un salut bien supérieur. « Ces événements leur arrivaient pour servir d'exemple et furent mis par écrit pour nous instruire, nous qui touchons à la fin des temps » (1 Co 10, 11).

Dieu nourrit son peuple au désert

Au cours de sa longue marche au désert le peuple a soif, et il a faim. Une fois encore il murmure contre Moïse et Aaron. Pourquoi Dieu l'aurait-il libéré d'Egypte à main forte et à bras étendu, si c'est pour le laisser périr au désert ? Une double épreuve s'engage à cette occasion : d'une part, Dieu met son peuple à l'épreuve, afin de le faire grandir dans la foi ; mais, d'autre part, le peuple met lui aussi Dieu à l'épreuve en le sommant en quelque sorte d'agir. « Yahvé est-il, oui ou non, parmi nous ? » (Ex 17, 7). Dans cette situation, Dieu se conduit à la fois comme un père et comme un pédagogue, un père qui donne à manger et à boire à ses enfants, un pédagogue qui les éduque à la foi, à la confiance et à l'obéissance, afin de se faire reconnaître comme Dieu.

Dieu fait « pleuvoir » du pain du haut du ciel et donne la manne à son peuple. C'est le rôle du père par excellence que de donner à manger à sa famille. Dieu se conduit en père aimant et attentionné : son peuple ne manquera de rien. Il aura non seulement du pain, mais de la viande à manger, grâce à la nuée de cailles. Il aura aussi de l'eau pour boire, soit que l'eau amère de Mara soit devenue douce (Ex 15, 22-27), soit que, à Massa et Mériba (Ex 17, 1-7), l'eau jaillisse du rocher frappé par le bâton de Moïse. Dans l'expérience des hommes le symbolisme de la nourriture et de la boisson est très parlant : non seulement il s'agit là de choses absolument nécessaires à la vie, mais c'est par elles que passent les sentiments les plus forts, amour paternel et maternel, partage fraternel et amical, commensalité et solidarité, etc... De plus, la nourriture est le fruit du dur travail de l'homme. Or ici elle est le fruit du « travail » de Dieu lui-même qui se fait le nourricier de son peuple. Manger en abondance une nourriture au goût de miel, image de la douceur de Dieu, être rassasié par la main même de Dieu, sans aucun travail, n'est-ce pas l'image même du paradis ? Une forme très concrète de salut.

Mais le don de Dieu est accompagné d'exigences, parce qu'il est porteur de sens : il désigne à l'attention celui qui donne et qui est en lui-même la vraie nourriture. Il invite à la foi et à la confiance, nécessaires préludes à l'amour. La tentation du peuple sera de faire au contraire du don l'objet de sa convoitise, au lieu de le laisser opérer sa médiation entre les partenaires de l'alliance.

La manne tombera donc chaque matin ; chacun en prendra autant qu'il en faut pour sa subsistance ; celui qui en aura ramassé beaucoup n'aura pas d'excédent ; celui qui en aura ramassé peu en aura en suffisance ; nul ne pourra en faire aucune provision d'un jour sur l'autre, car la manne ne se conserve pas ; par contre la veille du sabbat le peuple est invité à prendre double provision, afin de respecter le repos de ce jour. Toutes ces prescriptions, souvent enfreintes par un peuple encore incrédule, sont l'expression de la pédagogie divine. Mais malgré tant de prévenances, le peuple n'en continue pas moins à murmurer : la manne est fade, elle a toujours le même goût. Dès que l'eau vient à manquer, il se révolte et met Dieu à l'épreuve. La longue marche du salut passe par cette dialectique de l'amour de Dieu qui est « aux petits soins » pour son peuple, et des inconstances de celui-ci, tantôt repentant et croyant, mais plus souvent insatisfait, mécontent, quand ce n'est pas révolté. L'épisode des eaux de Mériba est repris par le livre des *Nombres* dans un autre contexte de la marche au désert [1], afin de souligner que l'incrédulité a affecté même Moïse et Aaron. Car Moïse frappe deux fois le rocher au lieu d'une. Ce manque de foi lui vaudra de ne pas entrer dans la terre promise.

Cette manne est un message de Dieu à son peuple. Elle a en effet le même statut que la parole : d'un discours chacun saisit ce qu'il peut. Celui qui saisit beaucoup n'a pas d'excédent, celui qui recueille peu a sa suffisance. La manne est une nourriture pleine de sens : elle est un geste et une parole d'amour, situés au cœur d'une expérience élémentaire de la vie des hommes. C'est pourquoi elle ne se conserve pas plus qu'une parole ou un geste d'amour.

Le récit de la manne est lui aussi une parabole en acte du salut, qui avait sa réalité bien concrète, puisque la manne faisait vivre ; mais cette parabole annonçait aussi le salut en plénitude. Dans la méditation du peuple la manne céleste, le don de Dieu pour la vie de son peuple, devient l'image du banquet eschatologique que le créateur donnera à ses enfants. Idéalisant le passé pour y puiser un motif d'espérance pour l'avenir, l'auteur du livre de la *Sagesse* se livre à cette louange lyrique de la manne : « Tu as donné à ton peuple une nourriture d'anges ; inlassablement, tu lui as envoyé du ciel un pain tout préparé, capable de procurer tous les délices et de satisfaire tous les goûts. Et la substance que tu donnais manifestait bien ta douceur à l'égard de tes enfants, puisque,

---

1. Dans l'itinéraire final qui va de Cadès à Moab.

s'accommodant au goût de qui la consommait, elle se transformait selon le désir de chacun » (Sg 16, 20-21).

Le sens de la parabole de la manne sera pleinement révélé et accompli par Jésus, qui en renouvellera le miracle en rassasiant de pain la foule qui le suit au désert. Une fois encore, le pain se multiplie comme la parole. C'est le propre de l'évangile de Jean d'aller jusqu'au bout de cette révélation. Le vrai pain, celui qui est descendu du ciel, ce n'est pas la manne de Moïse qui a laissé finalement mourir les pères au désert, c'est Jésus lui-même : « C'est moi qui suis le pain de vie ; celui qui vient à moi n'aura pas faim ; celui qui croit en moi jamais n'aura soif » (Jn 6, 35). Manger de ce pain, c'est d'abord écouter sa parole : « Je suis le pain qui descend du ciel. ... Quiconque a entendu ce qui vient du Père et reçoit son enseignement vient à moi » (Jn 6, 41.45) ; c'est ensuite avoir foi en lui ; c'est enfin accepter de se nourrir de sa chair donnée pour la vie du monde (v. 51). Comme leurs pères jadis, les juifs qui écoutent Jésus murmurent et considèrent que ces paroles sont intolérables. Jésus répète pourtant avec force : « Celui qui mange ma chair et boit mon sang a la vie éternelle et je le ressusciterai au dernier jour. Car ma chair est vraie nourriture et mon sang vraie boisson. Celui qui mange ma chair et boit mon sang demeure en moi et moi en lui » (v. 54-56). Ainsi tout le mystère eucharistique se trouve-t-il symbolisé dans le récit de la manne. Le banquet eschatologique est déjà présent et donné. A ce festin Dieu n'est pas seulement le maître de maison qui invite et qui sert ; il n'est pas seulement celui qui donne à manger ; il est celui qui se donne lui-même à manger, afin de réaliser avec ses enfants une immanence mutuelle : il veut demeurer en nous, afin que nous demeurions en lui. Il veut ne faire qu'une seule chair avec nous, dans une union au caractère nuptial. Il veut devenir notre propre vie : c'est cela la vie éternelle. C'est cela le salut, capable de vaincre tous les murmures.

Dans le texte cité plus haut à propos du baptême en Moïse, Paul fait lui aussi mention de la manne et de l'eau jaillie du rocher, symboles eucharistiques. Il ose même dire que ce rocher mystérieux d'où jaillissait l'eau de la vie, c'était un rocher spirituel, c'était le Christ lui-même, déjà présent au milieu de son peuple. Il rejoint ici la pensée de Jean qui fait dire à Jésus : « Si quelqu'un a soif, qu'il vienne à moi, et que boive celui qui croit en moi. Comme l'a dit l'Ecriture : "De son sein couleront des fleuves d'eau vive" » (Jn 7, 37-38). Cette eau symbolise le don de l'Esprit.

La conclusion de l'alliance au Sinaï

Jusqu'à présent Dieu a sauvé son peuple de manière, pourrait-on dire, unilatérale. Il a écouté sa plainte en Egypte et l'a fait sortir « à main forte et à bras étendu ». Ses actions d'éclat ont provoqué une foi réelle, mais fragile, toujours prête à se reprendre dans les murmures du désert. Désormais Dieu va proposer à Israël une alliance au caractère bilatéral. D'un côté il demande au peuple d'obéir à ses commandements et de l'autre il lui promet sa protection. Cette alliance est un pacte de possession mutuelle, qui s'exprimera dans la phrase refrain : « Je serai votre Dieu et vous serez mon peuple ». Yahvé introduit ainsi sa proposition d'alliance : « Désormais, si vous m'obéissez et respectez mon alliance, je vous tiendrai pour miens parmi tous les peuples... Je vous tiendrai pour un royaume de prêtres et une nation consacrée » (Ex 19, 5-6). De cette alliance Moïse sera une fois encore le médiateur. Le lieu en sera le sommet de la montagne du Sinaï : Yahvé y descendra dans une série de théophanies et Moïse y montera pour entendre Dieu lui parler comme un ami parle à son ami (Ex 33, 11), mais sans pouvoir regarder sa face (Ex 34, 18-23). Le peuple, même purifié, restera en bas de la montagne, tremblant d'une peur religieuse devant la montagne fumante et tous les signes de la théophanie. C'est Moïse qui lui parlera pour lui transmettre la Parole de Dieu, c'est-à-dire la Loi de l'alliance.

La conclusion de l'alliance donne lieu à un échange de paroles entre Dieu et son peuple. La Parole de Dieu, c'était la promesse, déjà entendue, de faire d'Israël son peuple ; c'est maintenant le décalogue, qui commence par une proclamation de l'identité de Yahvé, celui qui a fait sortir son peuple du pays d'Egypte, et celui qui « fait grâce à des milliers, pour ceux qui l'aiment et gardent ses commandements » (Ex 20, 6) ; ce sera enfin tout le code de l'alliance dont les multiples prescriptions, concernant la vie religieuse, sociale, politique et personnelle, sont ainsi mises dans la bouche de Yahvé. La parole du peuple, c'est son engagement solennel à respecter tout ce que Dieu ordonne : « Toutes les lois qu'a décrétées Yahvé, nous les mettrons en pratique » (Ex 24, 3).

La conclusion de l'alliance donne aussi lieu à l'offrande de sacrifices d'holocauste et de communion, c'est-à-dire à des rites d'adoration de la majesté divine et de célébration de la communion réalisée avec Dieu par l'engagement mutuel. Le rite du sang va exprimer ce lien : depuis le déluge Dieu a concédé aux hommes le droit de tuer les animaux pour s'en nourrir (Gn 9, 2-3). Cependant le sang, symbole de la vie, appartient à Dieu et ne doit pas être consommé. Il sera offert en sacrifice en un acte de conversion de la violence qui tue. Cette exigence rappelle aussi que l'homme ne doit pas verser le sang de l'homme. Moïse recueille le sang des victimes : il en projette la moitié contre l'autel qui représente Yahvé et l'autre moitié sur le peuple qui vient d'entendre la lecture du livre de l'alliance. Le même sang unit ainsi Dieu et son peuple : « Ceci est le sang de l'alliance que Yahvé a conclue avec vous moyennant toutes ces clauses » (Ex 24, 8).

Comment ne pas évoquer ici la reprise intentionnelle de cette formule par Jésus au moment de l'institution de l'eucharistie ? « Buvez en tous, car ceci est mon sang, le sang de l'alliance, versé pour la multitude, pour le pardon des péchés » (Mt 26, 27-28). La référence est évidente : la nouvelle alliance s'inscrit dans le prolongement de l'ancienne. Comme le sang avait ratifié la première alliance, le sang du Fils unique va sceller l'alliance définitive et éternelle entre Dieu et les hommes. Mais la formule est aussi modifiée, car cette nouvelle alliance institue une nouveauté absolue et une conversion plus radicale de la violence : ce n'est plus le meurtre des boucs et des taureaux qui est converti par l'aspersion rituelle du sang ; c'est le meurtre de Jésus, expression de la pire violence animant des hommes capables de verser le sang de l'image de Dieu (cf. Gn 9, 6), qui devient, dans le symbole même du sang versé, l'expression de sa vie donnée pour le salut du monde.

Le don et la pédagogie de la Loi

La formulation de la Loi intervient dans le cadre de la conclusion de l'alliance. Elle commence par le décalogue et se poursuit par l'ensemble des prescriptions qu'il est convenu d'appeler « le code de l'alliance ». Alliance et Loi forment un couple désormais inséparable, même si une distinction demeure entre les deux. La tradition biblique désigne parfois l'une pour l'autre : deux obligations majeures comme la circoncision et le sabbat sont appelées alliance. Aujourd'hui encore les exégètes débattent pour déterminer la priorité de l'une ou de l'autre : quelle est la référence première de la révélation biblique ? Est-ce la Loi qui englobe l'alliance ou l'alliance qui englobe la Loi ? La piété juive privilégie le terme de Loi (Torah) pour désigner son héritage. La tradition chrétienne est plus attentive au don de l'alliance. L'osmose entre les deux termes est une illustration de ce que nous avons déjà rencontré : le narratif et le normatif s'appellent l'un l'autre, comme le subjectif de la relation entre libres partenaires appelle l'objectif de la chose échangée et de la parole écrite sur des tables de pierre pour servir de ferme référence. L'alliance dit la relation de communication, tandis que la Loi retient celle de subordination. Le seconde demande à demeurer toujours inscrite au cœur de la première.

La Loi est en effet au cœur de l'alliance, puisque d'un côté elle est un don de Dieu et que de l'autre elle est l'objet de l'engagement et de l'obéissance du peuple. Le premier point, souvent oublié, est sans doute plus important que le second : Dieu donne toujours ce qu'il ordonne. Avant d'être une obligation, la loi est d'abord un don, un don personnel de celui qui a sauvé son peuple de la servitude égyptienne et qui s'engage par une promesse solennelle à faire de lui « un royaume de prêtres et une nation consacrée » (Ex 19,6). L'énoncé du décalogue est lui-même introduit par la mention de Yahvé : « C'est moi, Yahvé ton Dieu, qui t'ai fait sortir du pays d'Egypte, de la maison de servitude » (Ex 20,2). La suite des commandements ne constitue donc pas une série impersonnelle : elle s'inscrit dans le dialogue JE-TU qui s'est noué entre Dieu et son peuple. C'est au nom des bienfaits déjà accordés, au nom de la bienveillance amoureuse de Dieu que celui-ci est en droit de commander et d'attendre une réponse. « L'adhésion à la loi n'est rien sans l'adhésion au législateur »[1]. Le décalogue dit la nature du lien d'alliance qui relie Yahvé à son peuple. Appartenir à Yahvé et vivre le décalogue, cela ne fait qu'un. Le décalogue est la voie par laquelle le peuple se convertira en vérité à son Dieu. Le don légitime donc l'obligation qu'il rend possible. Le don de la Loi est un appel à la réciprocité. Privée de ce lien qui la rend vivante et lui permet d'exprimer un amour, la Loi n'est plus soit qu'un fardeau arbitraire et insupportable, soit qu'une performance qui conduit à l'orgueil.

L'apôtre Paul, qui fut un observant fanatique de la Loi, en a découvert à la lumière du Christ la valeur pédagogique. « La Loi a été notre surveillant, en attendant le Christ, afin que nous soyons justifiés par la foi » (Ga 3, 24). Ou encore, « la fin de la Loi, c'est le Christ, pour que soit donnée la justice à tout homme qui croit » (Rm 10, 4). Ainsi ce n'est pas la Loi qui sauve par elle-même, car elle n'est pas une fin en soi : la Loi a été donnée comme pédagogie de la foi. La Loi désigne avec précision tout ce qui doit donner corps à l'acte de foi du peuple envers son Dieu. Elle est un tuteur, dans les deux sens, humain et botanique, du terme. La lettre

---

1. P. Beauchamp, « Propositions sur l'alliance de l'Ancien Testament comme structure centrale », *R.S.R.*, 58 (1970), p. 174.

de ses prescriptions doit permettre de faire grandir le germe
de l'esprit qui est une attitude de foi.

La rupture immédiate de l'alliance

L'alliance est à peine conclue qu'elle est déjà rompue par
le peuple. Il y a dans cette rapidité du récit la valeur d'un
présage et aussi la manifestation d'une structure du salut.
L'alliance, toujours inviolable de la part de Dieu, sera maintes
et maintes fois violée par son peuple. Mais Dieu ne prendra
jamais son parti de ces ruptures répétées. Aussi l'alliance
donnera-t-elle lieu à de fréquents renouvellements, jusqu'à
l'annonce de l'alliance nouvelle faite par Jérémie (Jr 31,31).

Moïse a été invité à remonter sur la montagne, pour y
recevoir les deux tables de pierre de la Loi. Il est alors engagé
dans une longue contemplation de la gloire de Yahvé pendant
quarante jours et quarante nuits. Mais ce temps paraît long
au peuple laissé dans la plaine. Celui-ci a besoin de voir son
dieu et de se faire un dieu à son image, « un dieu qui marche
à notre tête, car ce Moïse, l'homme qui nous a fait monter
d'Egypte, nous ignorons ce qui lui est advenu » (Ex 32, 1).
Il fabrique donc un veau d'or : « Voici ton dieu Israël, celui
qui t'a fait monter du pays d'Egypte » (Ex 32, 4). Il
« prévarique », il abandonne Yahvé. C'est le troisième grand
péché d'Israël au désert.

Moïse, le médiateur, se fait alors l'intercesseur en faveur
de son peuple. Jusqu'à présent il avait exercé une médiation
« descendante », parlant et agissant au nom de Dieu, faisant
quitter l'Egypte aux tribus d'Israël et les conduisant à
l'alliance selon l'initiative gratuite de Yahvé. Maintenant il
est du côté de son peuple, il fait corps avec lui et implore
son pardon, en faisant appel à la fidélité et à la promesse du
Dieu d'Abraham, d'Isaac et de Jacob. Il exerce une médiation
« ascendante ». Il apaise la colère de Yahvé et obtient le
maintien de l'alliance, mais c'est pour intérioriser aussitôt
cette colère et s'en faire au milieu du peuple le témoin. Car
Moïse, le médiateur, représente à la fois Dieu devant son

peuple et son peuple devant Dieu. Il brise les tables de la loi, ce qui symbolise un temps de rupture avec Yahvé ; il détruit le veau d'or et en fait boire la poussière au peuple. Aaron, pour expliquer ce qui s'est passé et s'excuser a les mots pitoyables du pécheur qui se défile devant ses responsabilités : on a jeté l'or au feu et « il en est sorti ce veau » (Ex 32, 24), comme si la figure de l'idole s'était réalisée toute seule.

Moïse reprend alors sa prière d'intercession-expiation : « Peut-être parviendrai-je à expier votre péché... Hélas ! Ce peuple a commis un grand péché : ils se sont fabriqué un dieu d'or. Pourtant, s'il te plaisait de pardonner leur péché... ! Sinon efface-moi de grâce du livre que tu as écrit » (Ex 32, 30-32). Jamais Moïse n'a été davantage figure du Christ que dans cette prière. Il est écartelé entre la sainteté de Dieu et le péché des hommes. Il implore le pardon de son peuple comme Jésus celui de ses bourreaux. Il se solidarise avec lui au point de vouloir être perdu avec lui, si Yahvé maintient sa condamnation. Ne sommes-nous pas déjà proches du cri d'abandon de Jésus en croix ?

Il faut donc renouveler l'alliance. On ne renouvelle que ce qui a vieilli. L'alliance a vieilli parce que le peuple l'a violée. Il faudra la renouveler chaque fois que le peuple la violera encore. Dans la mesure où elle dépend de la fidélité du peuple, elle est soumise à cette caducité. Le renouvellement est le seul moyen de la maintenir en vie et en exercice. Mais il est aussi une actualisation de l'alliance originelle : « Ce n'est pas avec nos pères que Yahvé a conclu cette alliance, mais avec nous-mêmes qui sommes ici aujourd'hui tous vivants » (Dt 5, 2 s). Chaque génération sera en droit de le dire. L'histoire de l'alliance sera celle de ses violations et de ses renouvellements. Car l'alliance renouvelée n'est pas encore une alliance nouvelle.

Structure de l'alliance, structure de salut

Ce récit de la conclusion de l'alliance et de son renouvellement permet de mieux voir la structure profonde de l'alliance et de la comprendre comme la structure même du salut. Les exégètes ont remarqué que la structure de l'alliance reproduisait celle des traités hittites, par lesquels un suzerain passait un contrat de protection avec son vassal, à la condition que celui-ci remplisse certaines obligations [1]. Quelles que soient les variations littéraires que peut prendre le modèle, la structure comporte six points principaux : la titulature de Dieu qui dit son nom ; un prologue historique qui expose les bienfaits déjà accordés ; la déclaration d'alliance et la promesse de fidélité ; les stipulations de l'alliance, c'est-à-dire les commandements ; la prise à témoins du ciel et de la terre et enfin les bénédictions et malédictions qui seront les conséquence de la fidélité ou de l'infidélité à l'alliance [2].

On voit le mouvement intérieur qui traverse et unifie tous ces moments selon la situation des deux partenaires et la trilogie du passé, du présent et de l'avenir. Tout vient de Dieu, parce qu'il est Dieu. L'alliance est d'abord révélation de Dieu sur Dieu : dans son être-pour-l'homme il révèle son être-pour-lui-même. Les bienfaits passés sont à la fois une manifestation de l'être de Dieu, un premier temps de salut déjà réalisé et le gage du sérieux de la promesse pour l'avenir. Le « maintenant » est alors l'occasion d'un contrat qui de la part de Dieu se veut définitif : contrat de don, de communion et de possession mutuelle. Mais tout cela ne pourra tenir si le peuple ne vit pas en conséquence et ne respecte pas la Loi et les commandements de Yahvé. La liberté généreuse de Dieu ne peut suppléer à la liberté de l'homme : bien au contraire, elle s'en remet à elle. Dieu a tout fait pour que l'homme puisse tout faire. Si tout dépend de Dieu, tout dépend aussi de l'homme. Le ciel et la terre sont pris à témoin de cet engagement, ce qui comprend aussi le concert de toutes les nations. La promesse des bénédictions est par excellence celle du bonheur et du salut, dont la réalité ultime est encore voilée. La bénédiction est l'expression de la grâce

1. Cf. *ibid.*, p. 163.
2. Cf. *ibid.*, p. 163-164.

de Dieu : « Dieu de tendresse et de pitié, lent à la colère, riche en grâce et en fidélité qui garde sa grâce à des milliers » (Ex 34, 5-7). Mais la violation des commandements est la violation même de l'alliance ; elle rend le peuple à sa solitude et l'abandonne à sa perte. L'alliance enfin ne se conclut pas sans un médiateur.

Le serpent d'airain (Nb 21, 4-9)

L'épisode du serpent d'airain élevé dans le désert est particulièrement obscur pour notre mentalité. Mais la reprise de ce symbole par le Nouveau Testament nous interdit de le passer par profits et pertes.

Le peuple continue sa déambulation dans le désert avant d'aborder les frontières de la terre promise. Une fois encore, il perd patience et il murmure contre Dieu et Moïse. Dieu le châtie alors par l'envoi de serpents à la morsure brûlante et mortelle. La région connaît en effet la menace de nombreux serpents venimeux. Au vu du châtiment, selon un scénario classique dans toute l'histoire d'Israël, le peuple se repent. Moïse intercède en sa faveur et Yahvé lui répond : « Façonne-toi un serpent brûlant que tu placeras sur un étendard. Quiconque aura été mordu et le regardera restera en vie » (v. 8).

Il ne faut pas voir ici un résidu de culte du serpent. Quel est alors le sens du récit ? L'identité de figure entre la source du mal et celle du salut est frappante et doit attirer l'attention. Une tradition médicinale, aujourd'hui encore vivante en Extrême-Orient, n'essaie-t-elle pas de tirer un remède des venins les plus pernicieux ? C'est le principe de la guérison du mal par le mal ou du même par le même. C'est ce trait d'expérience humaine qui est sous-jacent à son usage symbolique. L'animal qui a fait périr, symbolisé sous la forme d'un serpent de bronze attaché (et donc tué) sur un poteau, va être celui qui sauve. Le lieu de la malédiction devient celui du salut. Ne doit-on pas y voir la figure d'un aspect du salut ? De même que le péché vient de l'homme qui a fait de son humanité une « chair de péché », le salut sera accompli par un homme, le Christ, qui prendra une chair semblable à celle du péché.

La guérison qui vient du serpent n'est ni magique ni automatique. Elle demande que le pécheur malade regarde celui-ci, d'un regard de foi et d'espérance dans le salut qui vient de Dieu seul. Sans doute le serpent d'airain deviendra-t-il le lieu d'un culte idolâtrique, et Ezéchias dut ordonner sa destruction (2 Rois 18, 4). Mais le livre de la Sagesse a retenu le véritable sens de ce regard. : « Celui qui se tournait vers lui n'était pas sauvé par ce qu'il contemplait, mais par toi, l'universel Sauveur » (Sg 16, 7).

Le serpent d'airain élevé sur son poteau comme sur une étendard est une image parlante. Les auteurs du Nouveau Testament, et après eux les premiers Pères, y ont vu le « type de Jésus »[1]. Dans l'évangile de Jean, Jésus s'applique à lui-même le symbole prophétique du serpent, pour évoquer son élévation, à la fois douloureuse et glorieuse : « Comme Moïse éleva le serpent au désert, ainsi faut-il que soit élevé le Fils de l'homme, afin que tout homme qui croit ait par lui la vie éternelle » (Jn 3, 14-15). Le « voir » d'autrefois est devenu un « croire » : mais ce croire est lui aussi un regard : « Ils regarderont celui qu'ils ont transpercé » (Jn 19,37), dira Jean au terme du récit du côté ouvert, citant la prophétie de Zacharie (12,10).

Telles sont les mœurs de Dieu de tirer le bien du mal. Mais n'oublions pas les éléments de renversement qui empêchent une application immédiate de toutes les caractéristiques du serpent d'airain à Jésus. La figure demeure. L'animal mortel était à la fois le symbole du péché d'Israël et un lieu de salut : c'est ce que sera Jésus du haut de la croix, retournant en bénédictions, pour ceux qui regardent et qui croient, le mal qu'il a reçu des hommes.

1. *Epître de Barnabé* 12, 5-7 ; Justin, *1° Apologie*, 60 ; *Dialogue avec Tryphon.* 91 ; 94 ; 112 ; Tertullien, *Contre Marcion*, III, 18. Cf. J. Daniélou, *Sacramentum futuri*, Paris, Beauchesne 1950, p. 144 ss.

Jésus, nouveau Moïse

Le *Deutéronome,* comme son nom l'indique (« deuxième version de la Loi ») constitue une reprise générale du récit fondateur. Il est mis tout entier dans la bouche de Moïse sous la forme de trois discours-récits qui font appel à la mémoire du peuple, afin d'actualiser sa fidélité à l'alliance et à la Loi. Ce texte « fait de Moïse le médiateur, narrateur, récapitulateur, et il est seul dans le Pentateuque à lui donner le nom de prophète » [1]. Ce titre de prophète sert de support à une annonce qui tourne le peuple vers l'avenir : « Yahvé ton Dieu suscitera pour toi, du milieu de toi, parmi tes frères, une prophète, que vous écouterez » (Dt 18, 15).

Une telle parole ne pouvait rester sans écho dans le Nouveau Testament. Moïse est le seul avec Jésus à qui est donné le nom de médiateur (Ga 3, 19). La présentation de Jésus, par Matthieu en particulier, fait de lui un nouveau Moïse : Jésus est le prophète de la charte évangélique du sermon sur la montagne et le législateur de la Loi nouvelle. Dans ce discours il ose à cinq reprises mettre sa propre parole au dessus de la parole attribuée à Moïse (Mt 5, 21-48), non pas pour la contredire, mais pour la prolonger et la rendre plus parfaite. En ce qui concerne le mariage, il revient à la loi de la création sur l'indissolubilité en disant : « C'est à cause de la dureté de votre cœur que Moïse vous a permis de répudier vos femmes ; mais au commencement il n'en allait pas ainsi » (Mt 19, 8).

L'évangile de Jean met lui aussi en relief le rapport de Jésus à Moïse. Dans l'eau changée en vin à Cana, on peut voir une évocation retournée du premier miracle de Moïse en Egypte. Pour réduire la résistance de Pharaon, Moïse n'avait-il pas changé en sang tous les points d'eau du pays ? Le signe de Jésus est au contraire un signe de bénédiction. C'est aussi Jean qui évoque l'épisode du serpent d'airain dans le désert. Plus clairement encore, Jésus récuse le refus de croire

---

1. P. Beauchamp, *L'un et l'autre testament, op. cit.* t. 2, p. 394.

que les Juifs lui opposent au nom de Moïse : « Ne pensez pas que ce soit moi qui vous accuserai devant le Père : votre accusateur, ce sera Moïse en qui vous mettez vos espoirs. En effet, si vous aviez cru en Moïse, vous croiriez en moi, car c'est à mon sujet qu'il a écrit » (Jn 5, 45-46). Ce parallèle entre Moïse et Jésus comporte donc un plus du côté de Jésus, puisque Moïse a prophétisé sa venue. Ce jeu de correspondance montre que la structure du salut dans le Nouveau Testament est bien prophétisée et inaugurée dans l'Ancien.

Josué, figure de Jésus

Moïse n'entrera pas dans la terre promise. Moïse, le législateur et le médiateur, meurt sur le mont Nébo en deçà de la promesse tenue. Sanction, mais aussi mystère. Car le texte donne à entendre que c'est Yahvé lui-même qui se charge de son enterrement dans la vallée « et personne n'a jamais connu son tombeau jusqu'à ce jour » (Dt 34, 6). La mort et l'enterrement de Moïse sont une affaire entre Dieu et lui. Moïse appartient à un curieux lignage, celui d'Hénoch (Gn 5, 24) et celui d'Elie, au lignage de ceux qui ne laissent pas de tombeau derrière eux. Faut-il y voir une secrète annonce de Jésus qui, lui, laissera son tombeau au terme des trois jours ?

C'est à Josué, serviteur de Moïse puis son successeur, qu'il reviendra de conduire Israël au delà du Jourdain dans la terre de Canaan, objet de la promesse de Dieu. Josué est à ce titre le sauveur de son peuple : il conduit à son terme ce que Moïse avait entrepris. Il inscrit la promesse dans l'histoire. Les livres de la sagesse soulignent qu'il a bien réalisé ce que son nom signifie « Yahvé-sauve » : « Vaillant à la guerre fut Josué, fils de Nun, successeur de Moïse dans l'office prophétique, lui qui, méritant bien son nom, se montra grand pour sauver les élus » (Si 41, 1).

Mais le nom de Josué, c'est aussi celui de Jésus : l'étymologie est la même. Ce rapprochement des noms est fascinant.

De même que Josué a fait entrer le peuple dans la terre promise, lieu d'un salut et d'un bonheur encore provisoire, Jésus est celui qui par sa résurrection et sa montée aux cieux nous ouvre le séjour du bonheur définitif et de l'entrée dans le repos divin lui-même. On comprend qu'un Origène ait développé à loisir dans son commentaire du livre de Josué ce rapprochement typologique avec Jésus [1].

III. Le récit des rois

Le temps des Juges

Le peuple d'Israël, installé dans la terre promise de Canaan, a vécu la période des Juges, selon un scénario à répétition : son infidélité provoque la colère de Yahvé, qui l'abandonne à ses ennemis et le réduit à une extrême détresse. Le peuple alors se repent et crie vers Dieu qui répond en suscitant un juge capable de sauver les Israélites de leurs ennemis. C'est ainsi qu'Otniel « fut un sauveur qui les libéra » (Jg 3, 9). Mais la conversion n'est pas durable. Israël retombe dans son péché d'idolâtrie et d'endurcissement du cœur... Le processus recommence alors selon le même schéma, qui deviendrait stéréotypé, s'il ne donnait lieu aux aventures de Gédéon, de Jephté, de Samson et de bien d'autres. Mais cette répétition même des récits a valeur de structure et elle situe parfaitement les deux partenaires du salut. D'un côté, un peuple infidèle et pécheur dont la conversion est toujours fugitive et la rechute constante, bref un peuple désespérant, qui mériterait cent fois d'être abandonné à son triste sort ; de l'autre, un Dieu qui punit sans doute, mais toujours dans l'intention de convertir, un Dieu qui répond généreusement

---

1. Cf. Origène, *Homélies sur Josué*, S.C. 71, Paris, Cerf 1960, et l'introduction d'A. Jaubert sur ce thème (p. 37-44).

dès les premiers cris d'une prière angoissée, un Dieu qui envoie des « sauveurs » et qui ne se décourage jamais. La disparité des deux comportements est aveuglante : Dieu sauve son peuple comme malgré lui. Avec une patience inlassable il le corrige et l'éduque à une meilleure fidélité. Bien loin de réclamer justice, Dieu est celui qui cherche à rendre justes les injustes, dans des initiatives qui paraîtraient totalement injustes à une justice humaine.

Israël demande un roi

Israël demande un roi à Samuel, le dernier des juges, afin d'être dans la même situation que les autres nations. Le demande est interprétée comme une sorte de rébellion contre Yahvé, qui est le seul roi en Israël : « C'est moi qu'ils ont rejeté, ne voulant plus que je règne sur eux » (1 S 8, 7). Mais il sera satisfait à cette demande, une fois que les inconvénients de la royauté auront fait l'objet d'un solennel avertissement. Israël prend donc un tournant décisif[1]. Car le peuple élu inaugure un nouveau face-à-face avec l'universalité des « autres nations »[2]. Les deux grandes figures de la royauté seront David et Salomon. En elles s'esquisse toute la ligne du messianisme royal. Le roi est « l'Oint de Yahvé » (2 S 19, 22), il est donc un « messie », chargé par Dieu même de gouverner son peuple dans la justice et la fidélité. Malgré les misères de trop de ses représentants la lignée des rois davidiques oriente vers l'espérance d'un Roi futur qui sera Messie en un sens total et définitif, c'est-à-dire un Sauveur eschatologique.

Mais la réalité n'aura rien d'un conte de fées : ni le roi ni le peuple ne sont des saints accomplis. Les récits de la royauté ne vont pas sans beaucoup de brutalité. Le dessein de Dieu passe à travers des hommes qui ont les pieds sur terre, sont

---

1. Vers l'an mille avant Jésus-Christ.
2. Cf. P. Beauchamp, *Parler d'Ecritures saintes, op. cit.,* p. 106.

agités de toutes les passions humaines et savent pécher, encore
que le critère du péché qui est le leur ne soit pas vraiment le
nôtre. Prenant les récits tels qu'ils sont, la lecture théologique
et spirituelle ici proposée essaie de discerner en eux les
éléments de la pédagogie de Dieu qui s'y exprime. Déjà un
Origène s'en émerveillait : il reconnaissait qu'il s'agissait
« d'histoires racontant les actions des justes et les péchés que
ces derniers ont commis, parce qu'ils sont hommes, les
méchancetés, impudicités et actes d'avarice des iniques et des
impies. Ce qui est le plus étonnant c'est que, à travers des
histoires de guerres, de vainqueurs et de vaincus, certains
mystères sont révélés à ceux qui savent examiner cela. Et ce
qui est encore plus admirable, c'est qu'à travers la législation
que contient l'Ecriture les lois de la vérité sont prophétisées »[1].
Il est vrai que ces récits d'histoires vécues enveloppent des
effets de sens infiniment plus riches que la moralité qui
vient conclure les fables de la Fontaine, par exemple. Ces
événements racontés sont des prophéties en acte et dans leur
trame très épaisse s'exprime le dessein de salut de Dieu. Le
chrétien est toujours invité à y découvrir ce qui concerne le
Christ.

David le roi messie

Samuel a imposé l'onction royale sur Saül au nom de
Yahvé. Saül est le premier roi en Israël. Mais Saül a désobéi
à son Dieu par manque de foi. Il n'a pas compris que ce qui
plaît à Yahvé c'est l'obéissance à sa Parole et non les
holocaustes et les sacrifices, surtout quand ils sont offerts
contre sa volonté. Saül est donc rejeté et la voie est ouverte
au nouveau Roi, David.
Comme il l'avait fait pour Saül, le vieux Samuel vient
consacrer roi le jeune David, mais secrètement, car le roi
Saül est toujours en place, bien que Yahvé se soit séparé de

1. Origène, *Traité des principes,* IV, 2, 8 (15), trad. H. Crouzel, *S.C.*
268, p. 333-335.

lui. La scène se passe à Bethléem, la ville de Jessé, où David est berger. Bethléem sera le lieu de la naissance de Jésus, précisément parce que Joseph, son père adoptif, « était de la famille et de la descendance de David » (Lc 2, 4). A travers le fil des générations le lien est établi entre David et Jésus et invite le chrétien à voir dans le nouveau roi d'Israël une prophétie du Messie.

Le récit souligne la gratuité souveraine de l'élection. Contrairement à toute attente ou à toute raison, les sept premiers fils de Jessé, dont on nous souligne pourtant les qualités, sont récusés par Yahvé, et il faut aller chercher le petit dernier, donc le plus faible et le plus ignorant, resté à garder le troupeau. Dieu choisit les pauvres, les faibles et les humbles, comme le chantait Anne, la mère de Samuel, dans son cantique d'action de grâce (1 S 2, 1-10), avant que la Vierge Marie ne reprenne ses expressions dans son *Magnificat*. C'est une constante à travers toute l'œuvre du salut.

L'onction d'huile est un geste symbolique fort important. Elle signifie la consécration de l'élu à Yahvé et le don de l'Esprit de Yahvé à l'élu. « L'esprit fondit sur David à partir de ce jour et dans la suite » (1 S 16, 13). Il s'agit, dirions-nous, d'une sorte d'« ordination royale ». Le roi est désormais l'« Oint de Yahvé » et donc son « messie », selon l'étymologie de ce terme hébreu que notre langue ne fait que transcrire, c'est-à-dire un personnage sacré et le lieutenant même de Dieu auprès d'Israël.

David le sauveur : la victoire sur Goliath

David entre au service de Saül, officiellement pour le calmer dans ses humeurs noires en jouant de la cithare. Il est aussi son écuyer. Mais le récit veut nous montrer l'irrésistible ascension de David et le déclin progressif de Saül, devenu atrabilaire et jaloux du succès de son jeune rival. La première scène importante est exemplaire : David sauve le peuple de la menace des Philistins en tuant Goliath.

Ce récit populaire et haut en couleurs n'est pas dépourvu de beaucoup d'humour. En un moment difficile de la guerre contre les Philistins, Goliath provoque un champion du camp israélite en combat singulier, afin de décider de la victoire entre les deux camps. Les traditions de l'antiquité offrent beaucoup d'exemples de ces combats singuliers, en particulier celui d'Achille et d'Hector dans l'*Iliade*. Personne dans le camp d'Israël n'ose relever le défi, tant le héros Goliath est grand, dangereux et armé. Pourtant le jeune et faible David s'offre. Saül accepte de l'envoyer au combat et le revêt de son armure. Mais le jeune homme, trop fluet et sans entraînement, ne peut même pas marcher dans cette coque de bronze et de fer. Il va donc au combat les mains nues, sans armes classiques, avec sa seule fronde et cinq galets ramassés au torrent. En vérité son arme est une confiance totale en Dieu : « Tu marches contre moi avec épée, lance et javelot, mais moi je marche contre toi au nom de Yahvé Sabaoth, le Dieu des troupes d'Israël que tu as défiées. Aujourd'hui, Yahvé te livrera en ma main... Toute la terre saura qu'il y a un Dieu en Israël, et toute cette assemblée saura que ce n'est pas par l'épée ni par la lance que Yahvé donne la victoire, car Yahvé est maître du combat et il vous livre entre nos mains » (2 S 17, 45-47). De fait, d'un seul jet de pierre de sa fronde, David atteint le Philistin en plein front, le fait mourir et lui tranche la tête.

Ce combat singulier est une parabole du combat singulier mené par Jésus, chef et représentant de l'humanité, avec l'adversaire, le péché des hommes et la mort. Dans un cas comme dans l'autre on assiste à une différence totale dans la force et le pouvoir humain. Jésus est un David sans armes, faible et dénué de tout, livré aux mains de ceux qui ont la force et l'autorité du pouvoir politique et religieux. Et pourtant, il vient les provoquer en quelque sorte sur leur terrain, avec ses propres armes : à la manière de David, il a pour lui la justice et l'innocence, et surtout la confiance invincible qu'il accomplit une mission et que Dieu est avec lui. Telle est l'arme qui lui donne la victoire. Dans les deux cas un seul remporte la victoire pour tous ; dans les deux cas le combat donne le salut et libère le peuple.

Mais on doit être attentif aussi aux différences. Du combat de David à celui de Jésus bien des choses ont changé. Jésus ne se sert même pas d'une fronde ; il demande au contraire de remettre l'épée au fourreau. Il ne tue pas physiquement son adversaire. Sa victoire passe par sa propre défaite, puisque c'est lui qui est mis à mort. Pourtant, le premier combat annonce le second et nous donne un enseignement capital sur la doctrine biblique du salut. De même que Yahvé avait libéré lui-même son peuple d'Egypte sous la conduite de Moïse, le médiateur, de même il libère son peuple de la menace des Philistins par l'action de celui qu'il a choisi, comme son oint et son « messie ». De même un jour il sauvera définitivement son peuple par la vie, la mort et la résurrection de l'unique médiateur, de l'unique Christ-Messie, celui qui n'est plus un fils d'adoption comme Moïse ou David, mais son propre Fils.

La maison de David

Pour échapper à celui qui est désormais son ennemi implacable, David est devenu un chef de bande, ou bien un « bandit », jouant un long « western »[1] avec Saül, jusqu'à la mort de ce dernier à la bataille de Gelboé. Désormais la place est libre et, malgré les partisans restés fidèles au roi défunt, David est officiellement intronisé roi de Juda et d'Israël.

En David, libérateur et pacificateur d'Israël dans tout le territoire de la terre promise, les promesses sont apparemment réalisées. Le peuple vit de l'alliance et dans l'obéissance à la Loi. Mais comme l'arrivée sur un sommet de montagne découvre un autre sommet plus élevé, la réalisation des premières promesses débouche sur une promesse nouvelle.

---

1. Expression de G. Auzou, *La danse devant l'arche. Etude du livre de Samuel,* Paris, Orante 1968, p. 194.

Depuis son origine le peuple, qui vit de la promesse de Dieu, est entraîné vers l'avenir.

Au terme de ses guerres, bien installé dans sa propre maison, David pense construire une maison, c'est-à-dire un temple à Yahvé, afin que l'arche ne demeure plus sous une simple tente, comme au temps de l'itinérance du peuple. Mais le prophète Natan lui est envoyé de la part de Dieu pour lui révéler une nouvelle promesse, qui va jouer sur le double sens du terme de « maison ». Ce n'est pas David qui construira une maison à Dieu, c'est Yahvé qui fera de David une maison, c'est-à-dire une dynastie, qui assurera la lignée de ses successeurs et garantira sa royauté à jamais dans une stabilité sans défaillance. Cette promesse comporte une visée d'absolu, elle a un caractère eschatologique ; elle fait du trône de David un trône de Dieu parmi son peuple, et du roi un fils de Dieu par élection et adoption. De David et de ses successeurs Yahvé dit en effet : « Je serai pour lui un père et il sera pour moi un fils » (2 S 7, 14), formule qui rappelle une formule des bénédictions de l'alliance : « Je serai pour vous un Dieu et vous serez pour moi un peuple » (Lv 26, 12). Le Psaume 2, qui semble avoir son origine dans une liturgie d'intronisation du roi, déclare au nom de Yahvé : « "C'est moi qui ai sacré mon roi sur Sion, sur ma montagne sainte. J'énoncerai le décret de Yahvé" ; il m'a dit : "Tu es mon fils, moi aujourd'hui je t'ai engendré" » (Ps 2, 6-7). L'onction royale a établi son bénéficiaire dans un ordre de « sainteté ». Une relation privilégiée est désormais instaurée entre Dieu et le roi appelé à exercer un nouveau type de médiation. Le petit berger des troupeaux de Bethléem devient le grand berger du peuple d'Israël. Comme Moïse, il sera « le pasteur d'Israël » (2 S 5,2). L'alliance prend une forme nouvelle. Cette promesse est inconditionnelle : elle ne sera pas reprise en cas de péché. Elle n'annule nullement l'alliance du Sinaï, elle la concentre en quelque sorte sur le roi. Comme dans les récits d'alliance, la promesse s'accompagne du rappel du rôle décisif joué par Dieu dans les succès de David. Il en ira de même dans l'avenir, car construire une maison, un

Temple à Yahvé n'est pas une simple affaire humaine : elle ne peut s'accomplir que sur ordre de Dieu. Telle est « l'alliance éternelle » (2 S 23, 5) passée avec David.

David répond à Dieu par une émouvante prière d'action de grâce devant les bienfaits reçus, la fidélité de Dieu et la promesse renouvelée et concrétisée. Il fait aussi un acte d'humilité sur lui-même. « C'est pourquoi tu es grand, Seigneur Yahvé : il n'y a personne comme toi et il n'y a pas d'autre Dieu que toi seul... Y a-t-il, comme ton peuple Israël, un autre peuple sur la terre qu'un Dieu soit allé racheter pour en faire son peuple, pour le rendre fameux, opérer en sa faveur de grandes et terribles choses et chasser devant son peuple des nations et des dieux ? Tu as établi ton peuple Israël pour qu'il soit à jamais ton peuple, et toi, Yahvé, tu es devenu son Dieu » (2 S 7, 22-24).

L'alliance avec le peuple passe désormais par David et sa maison. On retrouve dans cette page les éléments fondamentaux de la structure de l'alliance. L'initiative vient toujours de Dieu ; elle est un don gratuit. Dieu « construit », pour reprendre l'image qui domine cette page, le salut des siens avec David. Les bienfaits passés sont le gage de la réalisation de la promesse faite. Son caractère inconditionnel et éternel est formellement exprimé. Cela ne veut pas dire qu'Israël n'ait pas de devoirs. Mais la transgression, même si elle est durement châtiée, sera incapable d'égratigner la puissance de la promesse. Cette promesse est une bénédiction à jamais. David, enfin, à l'instar de Moïse, joue un rôle médiateur dans l'alliance entre le peuple et son Dieu. Jérusalem restera la « ville de David », la capitale du peuple, le lieu où réside l'arche et où s'accompliront les fonctions sacerdotales.

L'attente messianique

L'homme est toujours tourné vers l'avenir. Dans l'insatisfaction de la situation présente il travaille en vue d'un avenir meilleur. Cet avenir, non seulement il le prépare, mais aussi il le rêve, il l'imagine, il l'anticipe. Cela vaut de la vie personnelle, comme de la vie familiale et sociale : l'homme fait des plans, recherche, prospecte et s'adonne aujourd'hui à la futurologie. Périodiquement, des révolutions ou des idéologies viennent annoncer des lendemains qui chantent, afin de mobiliser cette énergie humaine. On parle alors de « messianismes », le plus souvent d'ailleurs ambigus et décevants. Signe d'un besoin de salut qui habite l'homme à tous les plans où ce mot a sens, du plus élémentaire au plus élevé et au plus absolu.

La prophétie de Natan représente un nouveau point de départ dans l'espérance d'Israël : c'est l'attente messianique. Sans doute ne s'agit-il pas d'un point de départ absolu : la promesse d'un chef messianique et sauveur remonte bien avant : elle est présente dans les bénédictions de Jacob (Gn 49, 10). On la retrouve dans la surprenante prophétie du devin païen Balaam, contraint malgré lui d'annoncer les succès d'Israël (Nb 24, 17). Depuis son élection le peuple libéré d'Egypte est tourné vers l'avenir : il attend la réalisation de la promesse ouverte sur l'infini que lui a faite son Dieu. Il vit non seulement dans l'espérance, mais de l'espérance. De même le *Deutéronome,* on l'a vu, fait remonter à Moïse l'annonce du grand prophète. Mais désormais la « relance messianique » devient centrale dans la vie du peuple. Le roi, « l'Oint de Yahvé » et donc déjà « messie », est porteur d'une attente messianique illimitée. Il y a eu Moïse, puis Josué, puis les Juges et maintenant le roi, sans compter les prêtres et les prophètes. Le roi a la figure de David, l'aimé de Dieu à qui tout réussit, le bienfaiteur de son peuple, le dépositaire de la promesse. Le règne de David, c'est déjà en quelque sorte le règne de Dieu. C'est pourquoi le peuple sera si attaché à la descendance charnelle de David, porteuse de la promesse faite au roi et du libérateur eschatologique.

Le péché et le repentir de David (2 S 11-12)

David à qui tout réussit, David, l'Oint de Yahvé, est aussi un homme faible et pécheur. Son histoire glorieuse est traversée par une page douloureuse que les rédacteurs bibliques n'ont pas voulu oublier. Elle est exemplaire, car elle nous montre la dynamique propre au péché, qui s'engendre lui-même et devient de plus en plus grave, comme celle de la conversion qui ouvre à une vie nouvelle. Elle nous révèle aussi la réaction de Dieu au péché, de Dieu qui ne punit que pour pouvoir faire miséricorde et tirer parti du mal des hommes en l'intégrant à son dessein de salut.

David a vu de sa terrasse une femme qui se baignait : il la trouve belle et s'en éprend. Il la fait chercher et s'unit à elle. Elle devient enceinte. Or, Bethsabée était mariée à Urie, un officier du roi. David a « volé » la femme d'un autre et a gravement péché. Que faire pour cacher cette faute ? Le roi croit qu'il suffit de rappeler Urie du front à Jérusalem, afin qu'il descende chez lui et puisse ainsi assumer la paternité de l'enfant. Mais le stratagème ne fonctionne pas : Urie refuse obstinément d'entrer dans sa maison, pendant que tous ses compagnons d'armes sont sur pied de guerre. David l'enivre pour le faire céder. Rien n'y fait. Alors le roi, qui était passé de la faiblesse de la chair à la dissimulation et au mensonge, franchit le pas du crime. Il donne l'ordre qu'Urie soit mis au plus fort de la mêlée et qu'il y meure. C'est exactement ce que Saül avait autrefois projeté pour se débarrasser de David. C'est le meurtre politique qui ne s'avoue pas, et qui sera pratiqué jusqu'à nos jours. Les affaires sont menées rondement : dès que Bethsabée a terminé son deuil, David la prend chez lui et elle devient sa femme.

Des histoires comme celle-ci arrivent à tous les héros fondateurs de peuples. Le plus souvent on les trouve normales, ou même on en loue leurs auteurs. Il n'en va pas ainsi dans la Bible. Celle-ci ne témoigne d'aucune indulgence vis-à-vis des pécheurs, fussent-ils les premiers personnages du peuple. « L'action que David avait commise déplut à Yahvé » (2 S 11, 27). Et Natan, le prophète de la promesse, revient devant David avec une parabole : un riche a volé la brebis unique de son pauvre voisin pour donner à dîner à un visiteur. Le roi a le mouvement de colère qu'un homme bien-né éprouve

devant la justice bafouée : « Cela mérite la mort ». Il ne se
rend pas encore compte qu'il tombe sous le coup de son
propre verdict. On connaît la réponse acérée du prophète
« — Cet homme, c'est toi ! » (2 S 12, 7). Malgré tous les
innombrables bienfaits reçus de Dieu, David réalise enfin
qu'il a commis un double péché.

La conversion de David est déclenchée par le récit parabolique. Cette histoire de brebis volée, c'est bien son histoire et
elle provoque son repentir. Sa faute n'est pas simplement
une faute vis-à-vis de Bethsabée et d'Urie, c'est un péché
contre Yahvé. La tradition biblique attribue à David après
ce péché la composition du Ps 51, le *Miserere,* le psaume
par excellence du pécheur repentant : « C'est contre toi, toi
seul, que j'ai péché » (Ps 51, 6). Le repentir sincère est tout-
puissant sur Dieu : « De son côté, Yahvé pardonne ta faute,
tu ne mourras pas. Seulement, parce que tu as outragé Yahvé
en cette affaire, l'enfant qui t'est né mourra » (2 S 12, 13-
14), pour la grande douleur du roi. Mais David se relèvera
vite de son malheur : il s'unit à Bethsabée et Salomon lui
naîtra, le fils qui sera le premier maillon de sa lignée.

Déjà Abraham avait eu une attitude bien ambiguë en
faisant passer en Egypte sa femme Sara pour sa sœur (Gn
12, 11-13) ; déjà Jacob avait surpris la bénédiction d'Isaac à
l'aide d'un mensonge (Gn 27) ; déjà Moïse avait manqué de
foi dans le désert et n'avait pu pénétrer lui-même dans la
terre promise (Nb 20, 8-12) ; déjà Aaron avait fabriqué le
veau d'or (Ex 32, 1-6) ; déjà Saül avait été rejeté par Yahvé
en raison d'une désobéissance caractérisée (1 S 15, 10-23).
Mais le péché de David, c'est le péché par excellence, un
péché d'homme, dans sa réalité brutale. L'Oint de Yahvé
reste donc un pécheur qui a besoin de pardon. Le péché du
roi symbolise aussi le péché de son peuple. Aussi David sera-
t-il châtié non seulement par la mort de l'enfant, mais encore
par la révolte d'Absalon et les guerres suscitées pour sa
succession.

Mais le pécheur David devient le David repentant, le
modèle de la conversion sincère. David est l'exemple du

pécheur sauvé. Aussi Dieu, fidèle à sa promesse, ne le rejette-
t-il pas, comme il l'a fait pour Saül. Il accepte de faire de
Salomon, un nouveau fils de Bethsabée, l'héritier de la
maison davidique. Du mal que font les hommes Dieu sait
tirer un bien, comme il l'avait fait pour Joseph. Ainsi dans
la généalogie de Jésus Bethsabée sera-t-elle mentionnée comme
celle qui fut la femme d'Urie, après Thamar la dévoyée et
Rahab la prostituée (Mt 1, 3-6). C'est en pleine pâte humaine
que le salut vient chercher l'homme. Le Christ, l'unique
médiateur, sera le descendant des pécheurs. Ce récit est déjà
une parabole de la miséricorde, il montre jusqu'où va le
pardon de Dieu, quand il s'agit de sauver l'homme : comme
au prodigue, il rend le son de la joie et de la fête ; il fait
danser les os broyés rendus à la vie ; il crée un cœur pur (cf.
Ps. 51, 10-12).

David, figure du Christ

La figure de David demeurera pour Israël celle du Messie.
La tradition prophétique aimera à évoquer David. Aussi les
évangiles n'hésiteront-ils pas devant le titre messianique
reconnu à Jésus : il est le « fils de David » (Mt 1,1), titre qui
ne dit pas seulement sa lignée humaine et charnelle, mais son
rôle dans le dessein de Dieu. Ce qui avait été promis et
annoncé à David s'accomplit en Jésus. « Aie pitié de nous,
Fils de David » disent les aveugles (Mt 9,27 ; 20, 30). Lors
de l'entrée messianique à Jérusalem la foule crie : « Hosanna
au Fils de David ! » (21,9). Mais en Jésus il y a plus que
David : Il est le Seigneur de David (Mt 22, 43.45).

Comme David Jésus est né à Bethléem. Les tribulations de
David vieillissant, obligé de fuir devant la menace de son fils
Absalom, se tenant dans le torrent du Cédron et gravissant
le mont des Oliviers en pleurant, la tête voilée, en butte aux
injures, aux malédictions et aux pierres de Shiméi, tout cela
se passe sur les lieux mêmes de la passion de Jésus. Le titre
messianique de « roi des Juifs » est encore appliqué à Jésus,
fût-ce par dérision, sur la croix (Mt 27,37).

Le récit des rois jusqu'à la déportation

La promesse de Dieu faite à la maison de David devra se battre avec le péché toujours renaissant du peuple et de ses rois. L'histoire des rois successeurs de David est très mélangée : elle comporte sans doute de grandes figures, comme Salomon le Sage, le fils de David, qui construira le Temple de Yahvé. Son règne conduit l'Etat d'Israël au sommet de sa puissance et de sa gloire. Mais il comporte déjà des ombres, car Salomon s'attache à des femmes étrangères qui le détournent de Yahvé. Sa succession est l'occasion d'un schisme tristement prémonitoire entre le royaume de Juda où règne à Jérusalem le fils de Salomon, Roboam, et le royaume du nord, où règne à Samarie son rival, Jéroboam.

Les deux livres des rois consacrent une notice à chaque règne dans les deux dynasties du nord et du sud. Le rédacteur, de manière sans doute un peu simplificatrice, caractérise chaque règne par deux expressions stéréotypées : ou bien « le roi fit ce qui déplaît à Yahvé », c'est-à-dire, outre de nombreux crimes de sang, se laissa aller au culte des idoles et aux sacrifices sur les hauts lieux et fut infidèle à Yahvé ; ou bien il fit « ce qui est juste et agréable à Yahvé », « imitant ce qu'avait fait David ». Entre les deux groupes aussi tranchés, il y a peu d'intermédiaires. Le péché du roi est aussi celui des prêtres, et l'attitude du roi entraîne inévitablement celle du peuple, en fonction de ce qu'il autorise ou de ce qu'il interdit.

Dans le royaume du nord, où les successions sont le plus souvent violentes, de Jéroboam jusqu'au roi Osée, le jugement est constamment négatif, avec quelques nuances pour Jéhu. La dérive pécheresse du royaume aboutit à sa ruine et à la déportation après la prise de Samarie par le roi d'Assyrie (721). Le rédacteur en tire l'enseignement suivant : « Cela arriva parce que les Israélites avaient péché contre Yahvé leur Dieu, qui les avait fait monter du pays d'Egypte... Ils adorèrent d'autres dieux, ... il se construisirent des hauts lieux... Ils y sacrifièrent à la manière des nations ... Pourtant,

Yahvé avait fait cette injonction à Israël et à Juda, par le ministère de tous les prophètes et de tous les voyants : "Convertissez-vous de votre mauvaise conduite... observez mes commandements et mes lois". ... Mais ils n'obéirent pas et raidirent leur nuque plus que n'avaient fait leurs pères, qui n'avaient pas cru en Yahvé leur Dieu » (2 R 17, 7-14).

Du côté du royaume de Juda la situation est un peu meilleure : dans la dynastie où le fils succède régulièrement à son père on compte dix rois qui furent pécheurs, en particulier Manassé et Amon, et huit considérés comme justes, parmi lesquels se détachent les figures d'Ezéchias et de Josias. Mais cela ne suffit pas à sauver le royaume qui tomba en 586 entre les mains de Nabuchodonosor, roi de Babylone. Le temple de Yahvé fut incendié, le roi fait prisonnier. Le peuple est dispersé et déporté à Babylone en deux vagues successives. Ce qui en reste sur place est sous l'autorité d'un gouverneur babylonien. Tant au plan politique qu'au plan religieux, officiellement, Israël n'est plus.

Où sont les promesses de Dieu ? Le péché de son peuple semble en avoir eu raison. C'est maintenant le temps de l'exil, nouvel exode auprès des fleuves de Babylone. Dans cette épreuve purificatrice le reste d'Israël reprend conscience de lui-même. Il se tait et il attend. De petits signes montrent que l'avenir n'est pas complètement bouché.

Tous ces récits d'histoire trop humaine constituent une sorte de répétition des péripéties des relations du peuple pécheur avec son Dieu aux premiers temps de l'élection, de l'alliance et du désert. Même attitude de fond de part et d'autre : d'un côté un peuple à la nuque raide, toujours prompt à oublier son Dieu, et aux repentirs fugitifs ; on pourrait dire un peuple désespérant, si Dieu était capable de désespérer de l'homme ; de l'autre un Dieu dont le don doit toujours prendre la forme d'un pardon, un Dieu à la patience inlassable, qui punit et châtie sévèrement sans doute, mais toujours avec l'espoir de faire revenir à lui son peuple, un Dieu qui ne cesse de prendre des initiatives, en particulier en envoyant ses prophètes, afin d'éviter l'irréparable, bref, un

Dieu sans cesse en acte de chercher son peuple, un Dieu qui ne renonce jamais à en réaliser le salut.

Car le temps des rois est aussi celui des prophètes. Le sens spirituel de toute cette histoire de la royauté qui s'effondre dans la tragique épreuve de la déportation, la grande leçon de l'exil et du retour, nous les trouvons dans leurs oracles, à travers l'alternance de leurs appels véhéments et de leurs menaces avec leurs paroles de consolation et d'espoir. C'est donc le récit des prophètes qu'il nous faut interroger maintenant.

IV. Le récit des prophètes

Le genre littéraire de la prophétie est différent de celui des histoires qui nous ont occupé jusqu'à présent. Le rôle du prophète n'est pas en effet de raconter le passé ; il est de dire au nom de Dieu ce qui est en jeu dans le présent ; il est de dénoncer le péché et d'avertir de ses conséquences possibles ; il est d'inviter le roi et le peuple à la conversion par le respect de l'alliance et de la Loi ; il est enfin d'alimenter l'espérance du peuple en orientant son regard vers la réalisation à venir des promesses de Dieu. Dans tous ces rôles le prophète est un « guetteur », un témoin de l'alliance et de la fidélité de Dieu, la présence de son initiative toujours gratuite auprès de son peuple.

Et pourtant le prophète raconte, lui aussi. Son récit est à la fois au passé et au futur : comment, en effet, avertir de ce qui menace le pécheur, sans rappeler ses fautes et dire par anticipation ce qui risque de lui arriver ? Comment le ramener à Dieu sans lui redire tout ce que Dieu a fait pour lui depuis sa libération d'Egypte et sans lui décrire le salut vers lequel son rédempteur veut le conduire ? Et puis, il y a toute la part des paraboles racontées pour faire comprendre les choses, comme Jésus le fera lui-même. Ces paraboles sont souvent vécues par le prophète qui pose un geste symbolique de ce qu'il annonce au nom de Yahvé : ce geste peut même affecter de fort près sa vie privée. Son existence devient ainsi le témoignage de sa parole. Sa vie et son ministère ne font qu'un : en cela aussi les prophètes annoncent la manière de faire de Jésus, pour qui le dire engage toujours le faire.

Le prophète est lui aussi un médiateur. Nous avons vu que le *Deutéronome* fait déjà de Moïse, le médiateur de l'alliance, un prophète (Dt 18, 15). La mise en continuité de Moïse et des prophètes comporte un certain échange des déterminations. Ceux-ci sont à leur tour des médiateurs entre Yahvé et le peuple. Par rapport aux rois et aux prêtres ils constituent un contre-pouvoir de nature spirituelle. Les malheurs dont ils annoncent la menace ont une incidence politique. Mais leur regard va toujours plus loin que la conjoncture immédiate : dans les péripéties du moment, ils discernent la venue encore lointaine du salut définitif. Le présent est gros d'un enjeu d'éternité. Ils comprennent déjà l'histoire du salut comme une histoire de mort et de résurrection. A travers la parole des prophètes, c'est en définitive le cœur de Dieu qui parle. C'est auprès d'eux que nous devons chercher la véritable image de Dieu.

Le prophétisme en Israël

Le prophétisme est très ancien en Israël. Une visée rétrospective de l'histoire amène certains auteurs bibliques à donner ce titre non seulement à Moïse, mais encore à Abraham. Samuel est aussi considéré comme un prophète. Déjà nous avons vu Natan intervenir deux fois, de manière décisive, auprès du roi David. Le prophétisme se manifeste ensuite par le cycle des récits d'Elie et d'Elisée dans le royaume du nord. Puis les grands prophètes-écrivains interviennent à leur tour tant dans le nord qu'à Jérusalem, auprès des rois et du peuple, afin de les faire revenir à l'alliance avec Yahvé, et de les conduire aussi vers une foi plus spirituelle. Ce sont Amos et Osée qui exercent leur ministère dans le nord. C'est Isaïe qui intervient auprès d'Achaz à Jérusalem. C'est Jérémie qui avertit le peuple dans les derniers temps du royaume de Juda. Des prophètes suivront aussi les déportés à Babylone, comme Ezéchiel.

Mais l'épreuve de l'exil n'aura qu'un temps. Cyrus, le Perse, s'empare à son tour de Babylone et promulgue en 538 un décret autorisant les Israélites à rentrer chez eux. Israël voit dans cet édit une proclamation faite au nom de Yahvé. Le peuple élu retrouvera donc Jérusalem, rebâtira le Temple et reprendra son culte. Sans doute ne sera-t-il jamais plus un royaume, mais une communauté gouvernée par des chefs du milieu sacerdotal. Une nouvelle génération de prophètes l'accompagnera dans cette restauration.

De la dénonciation du péché à la séduction de l'amour : Osée (2)

Osée est un prophète du royaume du Nord, qui a vécu au temps des derniers rois d'Israël. C'est une époque où dominent l'injustice, la corruption et plus encore l'apostasie du peuple qui retourne au culte des Baals locaux. La prédication d'Osée s'inscrit dans une logique amoureuse ; elle est bâtie sur le drame de la jalousie conjugale.

Dans le cas d'Osée en effet, la vie privée du prophète est mise au service de son ministère. Les déboires de son propre mariage prennent valeur de parabole de ce qui se passe entre Yahvé et Israël. D'un même mouvement Osée raconte son histoire personnelle et l'histoire de Dieu avec son peuple. Il n'a pas besoin de s'approprier une histoire extérieure. Il lit dans la sienne propre un sens universel. Il réalise de la manière la plus concrète ce qu'il nous invite à faire : comprendre que dans cette histoire, c'est de chacun de nous qu'il s'agit.

Osée reçoit l'ordre de Dieu de prendre pour femme une prostituée, Gomer. Il est difficile de dire ce que recouvre exactement ce terme dans la vie de Gomer (don de sa virginité

dans un temple de Baal, dieu de la fécondité ? prostitution
sacrée ?) Mais ce terme est choisi à dessein par le prophète
pour désigner de la manière la plus réaliste l'infidélité et
l'apostasie du peuple à l'égard du Dieu de l'alliance. De sa
femme Osée a trois enfants qui reçoivent, sur l'ordre de
Yahvé, des noms symboliques exprimant à la fois la menace
et le rejet : le premier évoque le massacre et le sang ; le
second annonce que Dieu n'a plus de pitié ni de tendresse
pour Israël ; « Pas-mon-peuple » enfin, le nom du dernier
enfant, contredit la charte même de l'alliance : « Vous serez
mon peuple, et je serai votre Dieu ». Désormais, Yahvé n'est
plus le Dieu d'Israël ; Israël n'est plus le peuple de Yahvé.
C'est, apparemment, la rupture totale. Mais cette condamnation est immédiatement annulée par la promesse surprenante
de son contraire : le peuple se multipliera comme le sable de
la mer, ce qui évoque la promesse faite à Abraham (Gn
22, 17) ; les royaumes de Juda et d'Israël se réconcilieront ;
la parole de l'alliance est réaffirmée : « Dites à vos frères
"Mon peuple", et à vos sœurs : "Celle dont on a pitié" »
(Os 2,3). Bref, c'est le salut final. Comment comprendre une
telle volte-face ? Par la logique de l'amour.

Le même mouvement antinomique se reproduit dans l'oracle
qui suit et explicite la chose. Sa première partie (2, 4-15) est
une violente diatribe où Israël est traitée par Yahvé comme
une épouse infidèle et prostituée. L'image est inséparable de
la réalité : tous les mots sont du registre de la jalousie
amoureuse et passionnelle, ils ne reculent pas devant les
allusions les plus crues. L'époux trahi imagine alors une
cascade de représailles : je la déshabillerai toute nue ; je la
rendrai pareille au désert ; je la ferai prisonnière ; je lui
retirerai nourriture, boisson et vêtement ; j'étalerai sa honte.
La jalousie semble impossible à apaiser et imagine des
punitions sans fin. Elle entretient le modeste espoir que ce
traitement poussera la coupable au repentir, pour des raisons
bassement intéressées. Ne dira-t-elle pas : « Je vais retourner
à mon premier mari, car j'étais plus heureuse alors qu'aujour-
d'hui » (Os 2, 9). On pense à la réflexion semblable du

prodigue, quand il a faim devant les porcs (Lc 15, 17). La prostitution d'Israël se résume en un mot, l'oubli de Yahvé : « Et moi, elle m'oubliait » (2,15).

Jusqu'où ira cette course éperdue, imaginant des châtiments toujours nouveaux ? Au paroxysme de la colère et de l'amour trahi, Yahvé en arrive à une décision ultime, qui est à la fois le sommet du châtiment et sa suppression : la séduction (2, 16-25). Coup de théâtre, renversement complet de l'attitude. En désespoir de cause, Yahvé s'écrie : « C'est pourquoi je veux la séduire, la conduire au désert et lui parler au cœur » (Os 2, 16). Il faut s'appesantir sur ce « c'est pourquoi », apparemment injustifiable en logique des causes ; il est le résultat de la logique amoureuse, que seuls des amoureux peuvent comprendre. Le véritable châtiment, c'est une séduction nouvelle, un amour qui retourne aux origines des premières amours au désert, quand, aux temps de l'exode, Israël était la fiancée de son Dieu. Le mot de désert opère ce passage mystérieux. La menace : « je la rendrai pareille au désert », devient une élection nouvelle : « je la conduirai au désert » (2, 16). Yahvé exprime cette déclaration d'amour sous la forme d'une promesse solennelle : « Je ferai de toi mon épouse à jamais, mon épouse dans la justice et dans le droit, dans la grâce et dans la tendresse ; je ferai de toi mon épouse fidèle et tu connaîtras Yahvé » (Os 2, 21). Aimer et connaître sont ici à peu près synonymes : dans le mariage, comme dans la relation avec Dieu, ils vont de pair. C'est pourquoi le texte revient au cas d'Osée, afin qu'il soit symbole de la réconciliation, comme il l'a été de la rupture (3, 1-5). Osée reprendra sa femme : il l'achète même, ou la rachète pour la libérer. Il « paie pour elle », comme Dieu le fera. Car la rédemption est onéreuse à celui qui aime. Nous voyons poindre ici discrètement un thème qui deviendra, dans le Nouveau Testament, celui de la « rançon ».

La séduction d'un amour qui force toutes les résistances, la séduction qui convertit, qui fait de la prostituée une épouse fidèle, n'est-ce pas une des plus belles expressions du salut dans la Bible ? Il y a violence, celle de l'amour plus fort que

tout et dont l'attirance est irrésistible ; et pourtant, cette
violence de l'amour n'aliène pas, elle est grâce et elle rend
libre. L'Ancien Testament nous révèle ainsi ce que le Nouveau
confirmera par la vie, la mort et la résurrection de Jésus : le
comment de notre salut se réalise par la puissance de séduction
de l'amour. Il nous faudra mettre ce mot au cœur des
catégories du salut.

L'amour nuptial : de Jérémie au Cantique des Cantiques

Le texte d'Osée n'est pas isolé dans la Bible : le thème de
la séduction et de l'amour conjugal de Yahvé, vainqueur de
toutes les infidélités de son épouse, sera souvent repris.
Jérémie, au cœur de ses tribulations, s'écrie : « Tu m'as
séduit, Yahvé, et je me suis laissé séduire ; tu m'as maîtrisé,
tu as été le plus fort » (Jr 20, 7). Ezéchiel reprend dans un
long oracle sur les infidélités d'Israël (Ez 16) le même langage
qu'Osée : Yahvé a eu pitié d'une enfant abandonnée, baignant
dans son sang ; il l'a lavée, élevée, habillée et parée... Mais
elle s'est prostituée dans des pratiques abominables auprès
de tous les dieux du pays. Aussi Dieu la menace-t-il :
« Je vais t'infliger le châtiment des femmes adultères et
sanguinaires : je te livrerai à la fureur et à la jalousie » (Ez
16, 38). Mais à quoi aboutira la longue séquence des
châtiments évoqués ? Au même renversement passionné de
l'amour : « Mais moi, je me souviendrai de l'alliance que
j'ai contractée avec toi au temps de ta jeunesse, et j'établirai
en ta faveur une alliance éternelle. ... Car c'est moi qui
rétablirai mon alliance avec toi, et tu sauras que je suis
Yahvé » (Ez 16, 60-62). Le retour amoureux contient une
promesse toute nouvelle : non pas le rétablissement de
l'alliance première, mais la conclusion d'une alliance éternelle.
Comme si le péché lui-même avait motivé un plus dans le
don ...
Le *Cantique des Cantiques,* contemporain du retour de
l'exil, orchestre le même thème dans une série de poèmes.

Ce livre, qui appartient à la tradition sapientielle, est un long chant nuptial, au réalisme impressionnant. Beaucoup d'exégètes y lisent avant tout une exaltation de l'amour humain, qui ne recule pas devant nombre d'expressions érotiques, et sont enclins à tenir à distance l'interprétation spirituelle. Mais toute la tradition, tant juive que chrétienne, y a lu avec ferveur le drame des péripéties de l'amour de Dieu avec son peuple. Pour les chrétiens le Bien-Aimé du Cantique ne peut être en définitive que le Christ. Aussi la littérature des commentaires du *Cantique* est-elle immense, d'Origène à saint Bernard, de Jean de la Croix à Paul Claudel[1]. On discutera sans doute encore longtemps pour savoir si l'amour humain est la réalité et l'amour de Dieu pour son peuple une image, ou le contraire. Une chose est sûre : la raison de l'insertion du livret dans le canon des Ecritures vient de l'immanence transparente du sens spirituel au sens littéral. Le *Cantique* est une transposition libre du thème prophétique qui s'origine à Osée, se retrouve chez Jérémie et Ezéchiel, ainsi que dans les dernières parties du livre d'Isaïe.

Le *Cantique,* telle une carte du Tendre des temps anciens, nous décrit les hauts et les bas, les incompréhensions et les souffrances, les extases de la rencontre et les déchirements de l'absence, bref le « travail » de l'amour. On a pu parler à son sujet des « quatre saisons de l'amour » : « l'hiver de l'exil, le printemps des fiançailles, l'été des noces, l'automne des fruits »[2]. La Bien-aimée est fragile, vibrante de passion mais capable de langueur et de diversion ; aussi le Bien-Aimé accourt-il vers elle, feint de la quitter, mais toujours en vue de creuser son désir. Il la met à l'épreuve, teste sa fidélité, avant que l'amour ne soit définitivement victorieux. Car c'est lui qui mène le jeu et cherche, par tous les subterfuges de

1. Cette tradition est largement mise à contribution dans le livre de Blaise Arminjon, *La cantate de l'amour. Lecture suivie du Cantique des Cantiques,* Paris/Montréal, D.D.B./Bellarmin, 1983.
2. Cf. B. Arminjon, *op. cit.,* qui intitule ainsi les quatre chants du Cantique.

l'amour, à s'attacher son épouse. « Ainsi les cinq Poèmes du *Cantique,* conclut B. Arminjon, ... peuvent-ils bien être regardés comme les cinq actes d'un drame, l'unique drame en vérité, qui se joue en ce monde : celui de l'aventure, riche en tourments et en joies, de l'homme indéfiniment sollicité par le fol amour de son Dieu »[1]

L'image, et sans doute plus que l'image, de l'amour nuptial est bien l'une des lignes de force de la révélation du salut, c'est-à-dire de ce qu'il faut concrètement comprendre sous l'expression technique de la théologie d'un K. Rahner : « l'autocommunication libre et pardonnante de Dieu »[2].

Le prophète du roi messianique : Isaïe, le livre de l'Emmanuel (Is 6-11)

Le livre de l'Emmanuel est considéré comme la cellule-mère du recueil d'Isaïe. Il est introduit par la solennelle vision de la gloire royale et de la sainteté de Yahvé que fait le prophète dans le Temple de Jérusalem. Cette vision est l'heure de sa vocation : Isaïe se reconnaît pécheur au milieu d'un peuple pécheur, mais un Séraphin purifie sa bouche avec une braise pour effacer son péché. Le prophète est alors envoyé en mission pour être le messager de Yahvé, mission sévère, puisqu'il s'agit d'avertir un peuple qui refuse d'entendre.

Le roi est alors Achaz, un de ceux qui firent ce qui « déplaît à Yahvé ». Isaïe lui est envoyé et lui tient une série d'oracles assez obscurs (le prophète parle lui-même d'un témoignage « enfoui » et « scellé », Is 8, 16). où alternent les annonces de malheur et de bonheur. Malheur, car le pays sera ravagé et déserté ; bonheur, car la naissance de l'Emmanuel, qui se traduit « Dieu avec nous », est annoncée ; le salut d'un petit reste en Israël est promis, ainsi que l'avènement d'un roi juste qui amènera la réconciliation eschatologique de l'univers.

1. B. Arminjon, ibid., p. 357.
2. K. Rahner, *Traité fondamental de la foi,* Paris, Centurion 1983, p. 139 ss.

Le sens du récit est de rappeler le dessein sauveur de Dieu, au moment même où celui-ci est obligé de sévir contre un peuple infidèle. Au milieu d'oracles particulièrement sévères, se trouve donc insérée la prophétie la plus centrale du messianisme royal.

Isaïe vient d'abord rappeler à Achaz que Dieu est plus fort que les deux roitelets qui se préparent à l'attaquer : il n'a pas à craindre. Le prophète fait appel à la foi du roi en Yahvé et à sa confiance par la formule solennelle d'avertissement : « Si vous ne tenez pas à moi, vous ne tiendrez pas » (Is 7,9). Puis il lui annonce le signe mystérieux de l'Emmanuel : « C'est donc le Seigneur lui-même qui va vous donner un signe. Voici : la jeune femme est enceinte et va enfanter un fils qu'elle appellera Emmanuel. De laitage et de miel il se nourrira jusqu'à ce qu'il sache rejeter le mal et choisir le bien » (Is 7, 14-15). Cet enfant, que l'on peut identifier, au titre de la première ligne de mire de la prophétie, au fils à venir d'Achaz, Ezéchias, un futur roi « pieux », sera conduit par la justice ; il sera aussi le témoin de la réalisation des avertissements d'Isaïe. Mais la solennité de l'oracle, comme la caractéristique mystérieuse de cette naissance — sans quoi il n'y aurait pas de signe — , engage un surcroît de sens qui ne s'épuise pas avec cette première réalisation. Le visionnaire qu'est le prophète voit comme en surimpression l'avenir proche et l'avenir messianique lointain où Dieu multipliera ses signes et ses merveilles. La prophétie de l'Emmanuel est la prophétie du roi messianique, sauveur de son peuple. Elle prolonge la prophétie de Natan en éclairant la figure du « fils de David » eschatologique.

La tradition chrétienne la plus primitive, puisqu'elle remonte aux évangiles eux-mêmes, ne s'y est, quant à elle, pas trompée. Dans l'Emmanuel, dont le nom est particulièrement révélateur du don de Dieu, elle a vu l'annonce de la naissance virginale de Jésus du sein de la Vierge Marie. L'oracle d'Isaïe ne parle sans doute pas de « vierge », mais de « jeune femme » : il reste que cette naissance doit être un signe, qu'elle met en valeur la mère et non le père de l'enfant, — ce qui est un trait commun avec les maternités exceptionnelles des femmes stériles -, que le terme hébreu de « almah », jeune femme, n'est jamais employé pour une femme mariée. Tout cela ne dit pas le miracle, mais insinue le mystère, lié à une initiative marquante de Dieu. Or justement, la traduction surprenante de la Septante est là, qui dit en grec « vierge », là où il y avait en hébreu « jeune femme ». Ce « coup de pouce » interprétatif, sensiblement antérieur à la venue de Jésus, est l'écho de la méditation religieuse du peuple juif sur le texte. L'évangile de Matthieu cite donc tout naturellement l'oracle d'Isaïe selon la traduction de la Septante : « Tout cela arriva pour que s'accomplisse ce que le Seigneur avait dit par le prophète : 'Voici que la vierge concevra et enfantera un fils, auquel on donnera le nom d'Emmanuel', ce qui se traduit : "Dieu avec nous" » (Mt 1, 23). La naissance virginale de Jésus est le signe que Dieu est désormais avec nous. Toute la tradition chrétienne fera de même. A qui peut s'appliquer mieux ce nom d'Emmanuel qu'à Jésus ? Jésus est « Dieu sauve », il est aussi « Dieu avec nous ».

Mais la prophétie d'Isaïe ne s'arrête pas là. Le sombre horizon des menaces prochaines, qui entoure l'oracle, s'éclaire soudain d'une lumineuse épiphanie messianique, centrée encore une fois sur la venue d'un enfant royal : « Le peuple qui marchait dans les ténèbres a vu une grande lumière ; sur les habitants du sombre pays une lumière a resplendi... Car un enfant nous est né, un fils nous a été donné, il a reçu l'empire sur les épaules, on lui donne ce nom : Conseiller merveilleux, Dieu fort, Père éternel, Prince de la paix. Etendu est l'empire dans une paix infinie, pour le trône de David et sa royauté, qu'il établit et qu'il affermit dans le droit et la justice. Dès maintenant et pour toujours, l'amour jaloux de Yahvé Sabaot fera cela » (Is 9, 1-6). Après de nouveaux oracles de malheur — « Ce n'est qu'un reste qui reviendra. La destruction est résolue, qui fera surabonder la justice » (Is 10, 22) —, le prophète retourne au même thème : « Un rejeton sort de la souche de Jessé, un surgeon pousse de ses racines : sur lui repose l'esprit de Yahvé, esprit de sagesse et d'intelligence, esprit de conseil et de force, esprit de science et de crainte de Yahvé. ... Il ne juge pas sur l'apparence, ne se prononce pas d'après ce qu'il entend dire, mais il fait droit aux miséreux en toute justice » (Is 11, 1-4). La justice de ce roi amènera non seulement, la paix mais la réconciliation définitive de l'homme avec la nature dans une figure paradisiaque de la création : « Le loup habite avec l'agneau, la panthère se couche près du chevreau, veau et lionceau paissent ensemble sous la conduite d'un petit garçon. La vache et l'ourse lient amitié, leurs petits gîtent ensemble. Le lion mange de la paille comme le bœuf. Le nourrisson s'amuse sur le trou du cobra, sur le repaire de la vipère l'enfant met la main. On ne fait plus de mal ni de ravages sur toute ma sainte montagne, car le pays est rempli de la connaissance de Yahvé comme les eaux comblent la mer » (Is 11, 6-9). Autant de prophéties où l'on lira des traits du ministère et de l'événement de Jésus.

Tel est en ses lignes maîtresses le livre de l'Emmanuel, dont il faut tenir ensemble les différents aspects. C'est l'oracle central du messianisme royal, exprimé par touches successives et discontinues. Ainsi au moment même où le royaume d'Israël s'approche de sa fin, où la royauté davidique de Juda donne elle-même des signes mortels d'usure, où le peuple vit dans un péché qui le fragilise à l'égard de ses ennemis, où l'attente messianique se lasse, retentit de la bouche d'Isaïe un des oracles les plus prometteurs et les plus riches de l'histoire d'Israël. Quoi qu'il en soit des châtiments prochains, Dieu sauve et sauvera les siens, à travers un petit reste, et conduit l'histoire vers la venue du roi messianique dont la personne dépassera toutes les attentes. Par cet enfant royal il donnera la paix et le bonheur, plus encore il se donnera lui-même. Si le roi, le prêtre et le prophète sont, chacun à leur manière, des médiateurs entre Dieu et le peuple, Jésus vérifiera ce nom de manière unique et indépassable. Il aura les traits d'un enfant des hommes, né d'une femme, il vivra selon la justice, et il sera en même temps Dieu-avecnous, Dieu en personne. La prophétie donne ici le récit enveloppé et mystérieux de l'avenir. Dieu n'abandonne pas son peuple, lui ne se lasse pas, il le cherche toujours : il lui enverra son propre Fils.

Jérémie, le juste souffrant

Jérémie, prophète à Jérusalem, a vécu la période tragique au cours de laquelle le royaume de Juda allait à sa ruine. Il a vu le siège de la ville, sa prise par l'ennemi, l'incendie du Temple et la double déportation. Son livre, dans la rédaction duquel ses disciples ont eu leur part, nous donne de nombreux détails biographiques, malheureusement assez désordonnés, sur sa propre vie. Outre divers récits qui parlent de lui à la troisième personne, Jérémie se raconte lui-même dans des passages que l'on a appelés ses « confessions ». Le drame de son peuple devient son drame personnel. Car cet homme à l'âme tendre se trouve condamné à prophétiser le malheur, la ruine du Temple et l'exil, au risque d'être traité de défaitiste, d'être persécuté et incarcéré. Non seulement son ministère fait usage de gestes symboliques, mais encore son destin même est de souffrir en raison de son message, de souffrir pour la justice. Par vocation il est conduit à s'opposer aux rois, aux prêtres et aux faux prophètes. Il appelle à la conversion du cœur et à l'observation de la Loi. Mais il désespère de la conversion de son peuple. Jérémie dans la souffrance retrouve des accents de Job, il est un psalmiste émouvant dans la détresse, plus encore il est une figure du Christ, le juste souffrant, celui qui mourra de la fidélité à sa mission.

Jérémie est moqué, maudit et persécuté par les gens de son village d'Anatot et les membres de sa famille : « Moi, j'étais comme un agneau familier qu'on mène à la boucherie ; j'ignorais quels desseins ils formaient contre moi : "Détruisons l'arbre dans sa sève ; arrachons-le de la terre des vivants ; qu'on ne mentionne plus son nom !" » (Jr 11, 19). Les habitants d'Anatot en veulent à sa vie et lui disent : « Ne prophétise pas au nom de Yahvé si tu ne veux pas mourir de notre main » (v. 21). Aussi le prophète déprimé connaît-il une crise intérieure et en vient à maudire le jour de sa naissance : « Malheur à moi, ma mère, car tu m'as enfanté homme de querelle et de discorde pour tout le pays. ... Yahvé, souviens-toi de moi, visite-moi et venge-moi de mes persécuteurs. ... Reconnais que je subis l'opprobre pour ta cause » (Jr 15, 15). Dieu a beau lui promettre de le protéger et de le délivrer de la main des méchants et lui renouveler son appel, ceux-ci ne renoncent pas à leur projet de mort : « Ils ont dit : ''Venez ! machinons un attentat contre Jérémie, car l'instruction ne fera pas défaut chez le prêtre, ni le conseil chez le sage, ni la parole chez le prophète. Venez ! frappons-le par sa propre langue : soyons attentifs à chacune de ses paroles'' » (Jr 18, 18). Cette menace met Jérémie en contradiction avec les trois grandes autorités spirituelles du peuple : le prêtre, le sage et le prophète. Il a donc contre lui toute l'institution religieuse d'Israël. Une fois, c'est un prêtre qui lui fait donner la bastonnade et le met au carcan (20, 2). Une autre fois, parce que Jérémie a prononcé, sur ordre de Yahvé, une parole de menace au peuple rebelle à la Loi, prêtres et prophètes, avec l'accord de tout le peuple, se saisirent de lui en disant : « Tu vas mourir ! Pourquoi as-tu fait au nom de Yahvé cette prophétie : ''Ce Temple deviendra comme Silo, et cette ville sera dévastée, inhabitée'' ? » (26, 8-9). Un tribunal se met à siéger, devant qui Jérémie est accusé pour ses paroles contre le Temple et contre la ville : « Vous avez entendu de vos oreilles ! » (26, 11). Cette accusation, qui ressemble étrangement à celle qui sera prononcée contre Jésus, n'est cependant pas retenue, puisque Jérémie a parlé au nom de Yahvé et que sa menace a eu bien des précédents dans la tradition prophétique. Pour cette fois, Jérémie est relaxé. Cette menace récurrente le provoque à se plaindre dans la prière et à réclamer justice. Car il n'est pas au bout de ses peines. Une fois encore, Jérémie est mis au cachot dans un souterrain voûté, pour être soupçonné d'avoir voulu passer à l'ennemi (37, 11-14). Sur l'intervention du roi

Sédécias, son sort est un peu amélioré, puisqu'on le met dans la cour de garde. Mais la récidive de ses paroles jugées défaitistes le fait jeter dans une citerne. « Dans cette citerne il n'y avait point d'eau, mais de la vase, et Jérémie s'enfonça dans la vase » (38, 6). Il en est retiré avant qu'il ne meure, mais il restera prisonnier jusqu'à la chute de Jérusalem.

Pourquoi rappeler les souffrances de Jérémie dans une réflexion sur le salut ? Parce que ces récits nous disent en clair pourquoi la rédemption est onéreuse. Ils nous rappellent un message qui se dégageait déjà de l'histoire de Joseph et de ses frères : la justice est intolérable aux méchants. De par sa simple présence, l'homme saint, l'innocent, celui qui proclame simplement la vérité, celui qui appelle à la conversion, est odieux aux tenants du mensonge, de l'orgueil et de la violence. Toute son existence est un vivant reproche ; sa parole est insoutenable (cf. Jn 6,60). Le méchant se sent démasqué et il ne peut accepter une telle perte de face. Aussi la sainteté et la justice provoquent-telles et exacerbent-elles leurs contraires. Tout sera bon pour abattre le juste. Le méchant se comporte alors comme un malade qui entre en crise au moment même où le médecin lui apporte le traitement destiné à le guérir. La même réaction sera mise plus tard dans la bouche des méchants par le livre de *la Sagesse :* « Traquons le juste, puisqu'il nous gêne et qu'il s'élève contre notre conduite, puisqu'il nous reproche nos manquements à la Loi ....Il se flatte de posséder la connaissance de Dieu, et se nomme lui-même fils du Seigneur. Il est un reproche vivant pour nos pensées ; sa seule vue nous est à charge... Condamnons-le à une mort infâme, puisque, à l'entendre, le secours lui viendra » (Sg 2, 12-20). Tel fut le sort de Jérémie, tel sera le sort de Jésus.

Car le destin du prophète annonce le destin de Jésus lui-même, le Sauveur qui mourra de l'accomplissement de sa mission. Saint Jérôme est sans doute le premier à avoir vu en Jérémie une figure du Christ : « J'estime avec certitude que personne ne fut plus saint que Jérémie, lui qui, vierge, prophète, sanctifié dans le sein de sa mère, préfigure notre

Seigneur et Sauveur par son nom lui-même »[1]. Il n'est pas difficile en effet d'établir des rapprochements entre les traits des souffrances de Jérémie et celles de Jésus. Témoin d'une tradition qui le précède largement, Bossuet s'y est magnifiquement employé : « "Lequel des prophètes vos pères n'ont-ils point persécuté ?" (Ac 7, 52). Un de ceux qu'ils ont le plus persécuté pour leur avoir dit la vérité et qui par là s'est rendu une des plus illustres figures de Jésus-Christ continuellement persécuté pour le même sujet, c'est le prophète Jérémie »[2]. L'un et l'autre ont connu les affrontements avec les autorités du peuple et le projet de mort qui se faisait de plus en plus menaçant ; ils ont annoncé la destruction du Temple, ce qui a constitué le motif de leur procès ; le cachot et la citerne de Jérémie peuvent apparaître comme des figures du tombeau de Jésus ; et au cœur de l'adversité ils eurent tous les deux le même comportement, s'adonnèrent à la même intercession et firent preuve de la même fidélité à leur mission. Jésus lui-même fera référence à la persécution des prophètes (Mt 5, 12 ; 23, 29-31. 37) et s'inscrira, lui et ses disciples, dans la tradition des victimes de cette persécution. En Jérémie et en Jésus la récalcitrance humaine se manifeste pour ce qu'elle est : l'excès du refus opposé par l'injustice, le mensonge, la violence et la haine, à la sainteté, à la justice et à l'amour. C'est le plein dévoilement de ce qui était en jeu dans le péché des origines.

Après l'exil : le livre de la consolation d'Israël (Is 40-55)

Les soixante-dix ans d'exil à Babylone constituent pour Israël le temps du grand châtiment de ses infidélités. Mais le retour de l'exil, sorte de répétition de l'entrée dans la terre promise, donne à tout ce temps la valeur d'un nouvel exode.

---

1. Saint Jérôme, *Sur Jérémie*, 23,9 ; *P.L.* 24, 822.
2. Bossuet, *Méditations sur l'Evangile*, Paris, Vrin 1966, p. 299. Les parallèles entre Jérémie et Jésus vont jusqu'à la p. 320 (98-109).

L'épreuve auprès des fleuves de Babylone et la rentrée en grâce auprès de Dieu ont la valeur d'une nouvelle parabole en acte du salut. Aussi n'est-il pas étonnant que l'événement soit chanté avec éclat : la renaissance du peuple à Jérusalem est une création nouvelle, elle ouvre sur l'avenir d'un salut définitif.

Un livre nous en fait le « récit prophétique », le livre de la consolation d'Israël (Is ch. 40-55), qu'il est convenu d'attribuer au « deuxième Isaïe », c'est-à-dire à un prophète contemporain de la fin de l'exil. C'est un livre de tendresse et de pitié, un livre essentiel pour la révélation de la nature du salut et de la véritable image de Dieu. C'est l'écrit qui comporte les quatre chants du Serviteur, poèmes qui comptent parmi les plus belles pages de l'Ancien Testament.

Le livre commence par un « indicatif » qui en donne le ton : « Consolez, consolez mon peuple, dit votre Dieu. Parlez au cœur de Jérusalem et criez-lui que son service est fini, que son péché est expié, qu'elle a reçu de la main de Yahvé double punition pour tous ses crimes » (Is 40, 1-2). Autre indicatif, celui-là même que retiendront les évangélistes pour introduire le ministère de Jean le Baptiste, précurseur de Jésus : l'annonce de l'intervention toute proche de Yahvé : « Une voix crie : ''Préparez dans le désert une route pour Yahvé...'' » (Is 40, 3). Car le pardon se traduit par la venue même du Dieu sauveur au milieu de son peuple : « Voici votre Dieu. Voici le Seigneur Yahvé qui vient avec puissance, son bras lui soumet tout. ... Tel un berger qui fait paître son troupeau, recueille dans son bras les agneaux, les met sur sa poitrine, conduit au repos les brebis mères » (40, 9-11). Cette image pastorale évoque la paix, le rassemblement, l'affection et la sécurité : elle est une image du salut et sera reprise dans les évangiles pour exprimer le ministère de Jésus, avec la parabole de la brebis perdue et retrouvée (Lc 15, 3-7) et celle du bon pasteur qui connaît ses brebis et que ses brebis reconnaissent (Jn 10, 1-18).

Trois grands mouvements prophétiques développent le thème de la consolation et du salut et introduisent aux chants

du Serviteur. Le premier (Is 40, 12-31) répond à la question :
Qui est Dieu ? La réponse tient en deux affirmations paradoxalement solidaires : Dieu est le Tout Autre et il est Tout
Proche. D'une part, c'est le Dieu créateur du ciel et des
astres, de la terre et de la mer, dont l'univers par son infinité
atteste la transcendance absolue, celui devant qui les nations
« sont comme une goutte au bord d'un seau » (v. 15), c'est-
à-dire néant, de même que leurs idoles. De ce Dieu nulle
représentation ne peut rendre compte : « D'après qui pourriez-
vous imaginer Dieu ? Et quelle image pourriez-vous en
offrir ? » (v. 18). Qui en effet serait son égal ? (cf. v. 25).
Ce Dieu, Israël aurait dû le reconnaître, puisqu'il lui avait
été révélé : « Ne le saviez vous pas, ... Ne vous l'avait-on
pas révélé depuis l'origine ? N'avez vous pas compris la
fondation de la terre ? » (v. 21). D'autre part, c'est ce même
Dieu qui s'occupe avec affection d'Israël et le tient dans sa
providence. Ce dernier a tort de douter et de dire : « Mon
destin est caché à Yahvé, mon droit échappe à mon Dieu »
(v. 27). Les jeunes gens peuvent bien se fatiguer, lui Yahvé
« ne se fatigue ni ne se lasse » (v. 28). Un tel Dieu mérite la
confiance. Tout ce discours est un appel à la foi en Dieu.
  Le leitmotiv du second mouvement (Is 41, 1-20) est : « Ne
crains pas ». Le prophète y annonce la venue d'un libérateur
victorieux, qui fait allusion à Cyrus, celui qui va libérer Israël
de la captivité babylonienne. Puis il se tourne avec tendresse
vers le peuple, pour lui rappeler la donnée fondatrice de son
élection : « Toi, Israël, mon serviteur, Jacob, que j'ai choisi,
race d'Abraham mon ami. Toi qu'aux confins de la terre j'ai
saisi et que du bout du monde j'ai appelé ; toi à qui j'ai
dit : "Tu es mon serviteur, je t'ai choisi, je ne t'ai pas
rejeté". Ne crains pas, car je suis avec toi ; ne guette pas
anxieusement, car je suis ton Dieu ... Car moi, Yahvé, ton
Dieu, je te saisis par la main droite ; je te dis : "Ne crains
pas, je viens à ton secours". Ne crains pas, Jacob, pauvre
larve, Israël, chétif vermisseau. Moi, je viens à ton secours
— oracle de Yahvé ! — le Saint d'Israël est ton rédempteur »
(41, 8-14).

Le troisième mouvement (Is 41,21 — 42, 12) commence par un défi lancé aux nations dont les dieux sont incapables d'expliquer l'histoire. Yahvé au contraire en est le seul maître, lui qui est capable de susciter Cyrus comme son serviteur. Mais le serviteur Cyrus n'est qu'une réponse bien provisoire aux besoins du salut. Il ne fait qu'introduire la présentation du mystérieux « Serviteur de Yahvé »... Le développement se poursuit par une hymne de victoire. Car « Yahvé s'avance comme un héros » (42, 13). Malgré l'aveuglement et la surdité d'un peuple qui renacle à se convertir, il est décidé à libérer Israël, lui qui est son créateur et son sauveur (les deux données sont étroitement liées dans ce livre), le *goël*[1] des siens. A ce comportement il n'y a qu'une raison, qui n'en est d'ailleurs pas une, sa prédilection pour Israël : « Maintenant, ainsi parle Yahvé, ton créateur, ô Jacob, celui qui t'a formé, Israël. ''Ne crains pas, car je t'ai racheté ; je t'ai appelé par ton nom, tu es à moi. ... Car je suis Yahvé, ton Dieu, le Saint d'Israël, ton sauveur. Pour ta rançon je donne l'Egypte ... parce que tu comptes beaucoup à mes yeux, que tu as du prix et que moi je t'aime. Aussi je donne des hommes à ta place, et des peuples en rançon de ta vie. Ne crains pas, car je suis avec toi'' » (43, 1-5). Il faut retenir ici avant tout l'aspect positif de ce choix, et comprendre à sa lumière la sanglante contre-partie. Nous avons déjà évoqué cette allusion à l'Egypte à propos du passage de la mer rouge[2]. Ces versets expriment le caractère onéreux du « rachat » d'Israël et le fait douloureux que celui-ci passe par la perte d'autres peuples. Il ne s'agit pas d'un arbitraire de Dieu, car c'est l'hostilité même de ces peuples à Israël qui en a fait venir à cette extrémité. De ces accents de tendresse s'échappe une note de regret devant ce prix qui a été payé, et un appel à prendre d'autant plus au sérieux le choix de Yahvé. Car la visée universaliste est très présente à la série de ces oracles : les païens se rallieront eux aussi à Yahvé (42,

1. Cf. t. I, p. 149.
2. Cf. plus haut, pp. 79-81.

1-4,6 ; 43, 9 ; 45, 14-16. 20-25 ; 49, 6 ; 55, 3-5). Car « toutes les extrémités de la terre verront le salut de notre Dieu » (52, 10).

Ce qui est remarquable dans ce discours-récit, qui passe sans cesse du passé à l'avenir, c'est le lien entre la révélation vigoureuse de la transcendance du Dieu unique, au regard duquel les dieux des nations ne sont rien, et la définition de ce Dieu comme sauveur et rédempteur : « Moi, moi, je suis Yahvé, il n'y a pas d'autre sauveur que moi. C'est moi qui ai révélé, sauvé et proclamé » (43, 11-12). Ce salut prend les allures d'une épopée, à l'instar du premier exode : celui qui a fait une route à travers la mer, va tracer maintenant une route dans le désert et fera du nouveau (cf. 43, 16-19).

L'initiative salvifique et pardonnante de Dieu est soulignée par le thème de la fatigue : non, Israël ne s'est guère fatigué pour son Dieu ; Dieu, de son côté ne l'a pas fatigué par les exigences cultuelles ; mais c'est Israël qui a fatigué Yahvé : « Tu m'as asservi par tes péchés, tu m'as fatigué par tes méfaits. C'est moi, c'est moi qui devais tout effacer et de tes péchés ne plus me souvenir » (43, 22-25). Mais Dieu n'a-t-il pas dit qu'il était celui qui ne se fatigue ni ne se lasse ? Aussi le reproche fait-il aussitôt place à la bénédiction, qui présente une fois encore le salut comme une création nouvelle : « Que la terre s'entrouvre pour que mûrisse le salut ! Qu'elle fasse aussi germer la délivrance que moi, Yahvé, je vais créer » (45, 8).

Les chants du Serviteur de Yahvé

C'est dans cette série d'oracles de consolation que prennent place les chants du Serviteur de Yahvé. Car la victoire de Cyrus, nous l'avons vu, n'est qu'une transition à la présentation solennelle du Serviteur : « Voici mon Serviteur que je soutiens, mon élu, que préfère mon âme. J'ai mis sur lui mon esprit pour qu'il apporte aux nations le droit. Il ne crie pas, il n'élève pas le ton, il ne fait pas entendre sa voix dans les rues. Il ne rompt pas le roseau broyé, il n'éteint pas la flamme vacillante. ... Moi, Yahvé, je t'ai appelé dans la justice, je t'ai pris par la main et je t'ai formé, je t'ai désigné comme alliance du peuple et lumière des nations, pour ouvrir les yeux des aveugles, pour faire sortir de prisons les captifs et du cachot ceux qui habitent les ténèbres » (42, 1-7). Tout Israël n'est-il pas le serviteur de Dieu et l'objet d'une élection ? Le livre le répète à loisir. Pourtant ce Serviteur a un rôle particulier décrit avec précision : il est actif dans l'établissement de la justice et du droit ; il fera arriver le jour du jugement ; il travaille auprès des pauvres. Il a reçu l'esprit de Yahvé, comme les Juges, les premiers rois et les prophètes. Il est appelé, en sa personne même, « alliance » et « lumière ». Le second chant fait parler le Serviteur lui-même : « Yahvé m'a appelé dès le ventre de ma mère, dès le sein, il a prononcé mon nom. ... Il m'a dit : "Tu es mon serviteur (Israël) en qui je me glorifierai". Et maintenant Yahvé à parlé ... : "C'est trop peu que tu sois mon serviteur pour relever les tribus de Jacob et ramener les survivants d'Israël. Je ferai de toi la lumière des nations pour que mon salut atteigne aux extrémités de la terre" » (49, 1-6). Le Serviteur ne sera donc pas seulement le Sauveur d'Israël, mais aussi le rassembleur des nations. Une fois encore, il est dit lumière des nations. Dans le troisième chant, le Serviteur parle toujours de lui sur le même ton et évoque ses souffrances : « Le Seigneur m'a donné une langue de disciple. ... Le Seigneur m'a ouvert l'oreille. Quant à moi, je n'ai pas résisté et je n'ai pas reculé en arrière. J'ai tendu le dos à ceux qui me frappaient, les joues à ceux qui m'arrachaient la barbe, je n'ai pas soustrait ma face aux outrages et aux crachats. ... Le Seigneur m'aide, qui me condamnerait ? » (50, 4-9). Ce thème introduit au dernier chant du Serviteur (Is. 53, 1-12), le plus beau de tous, qui a été longuement commenté dans le premier tome de cet ouvrage, en raison des difficultés particulières que son interprétation avait provoquées [1].

---

1. Cf. t. I, pp. 299-303.

Qui est ce mystérieux serviteur ? Les exégètes ont cherché une identification à « un personnage historique » marquant du retour de l'exil, « un descendant de la dynastie davidique, finalement condamné au supplice »[1]. Il est légitime en effet de scruter une application de la prophétie dans l'horizon immédiat de la conjoncture. Mais on ne doit jamais oublier le procédé de « surimpression » cher aux prophètes : l'horizon proche et l'horizon lointain sont visés comme une unité. L'historique et l'eschatologique se compénètrent. Il en va éminemment ainsi pour ces chants dont la portée dépasse des circonstances passagères, et l'interrogation sur l'identité du Serviteur a tenaillé tant la tradition juive que chrétienne. Nous en avons un écho dans la question de l'eunuque éthiopien à Philippe, quand il lisait sur son char le chant d'Isaïe 53 : « Je t'en prie, de qui le prophète parle-t-il ainsi ? de lui-même ou de quelqu'un d'autre ? » (Ac 8, 34). Pour les auteurs du Nouveau Testament la réponse ne fait aucun doute : il parle de Jésus. « Le recours aux Poèmes du Serviteur a certainement joué un rôle important dans l'élaboration de la christologie ''à partir des Ecritures'' »[2] ; et l'on sait la place de la christologie du Serviteur dans le Nouveau Testament. Le quatrième chant sera sans doute le plus fécond pour servir à l'interprétation de l'événement de la passion de Jésus, mais les trois premiers sont eux aussi riches de rapprochements possibles et utilisés. Les versets ci-dessus évoqués du premier chant ont pour nous cet accent évangélique, tout simplement parce que Matthieu les cite pour résumer le ministère de Jésus et faire comprendre qu'il accomplit les Ecritures (Mt 12, 17-21). Le Cantique de Siméon, en Luc (2, 30-32), célèbre dans la venue de Jésus « le salut préparé à la face de tous les peuples, la lumière pour la révélation des nations et la gloire d'Israël son peuple ». Le texte s'inspire en particulier du deuxième chant. Quant aux troisième et quatrième chants,

---

1. P. Grelot, *Les poèmes du Serviteur. De la lecture critique à l'herméneutique,* Paris, Cerf 1981, p. 71 en note. L'auteur suggère avec prudence Zorobabel.
2. P. Grelot, *ibid.,* p. 139.

leur inspiration a façonné de si près tant les annonces et les récits de la passion et de la résurrection que la théologie de la rédemption chez Paul et Jean (par exemple avec la désignation de Jésus comme « agneau de Dieu qui enlève le péché du monde », Jn 1, 29) que leur analyse détaillée est impossible dans le cadre de cet ouvrage [1]. Une telle insistance suggère que leur attention avait « déjà été éveillée par les allusions que Jésus y avait faites de son vivant » [2].

L'effet de sens de ce livre s'impose par toute sa masse. La révélation de Dieu et du salut ne font qu'un, puisqu'il appartient à la définition de Dieu d'être celui qui sauve. Nous retrouvons le perpétuel duo des deux partenaires, chacun bien fidèle à son personnage : Israël à la fois toujours pécheur, exigeant, impatient, prêt à demander des comptes à Dieu pour ses retards ; Dieu, toujours inlassable dans sa tendresse et sa miséricorde, qui reprend encore l'initiative en ramenant son peuple à Jérusalem dans un nouvel événement fondateur. Mais les connotations se font encore plus riches et plus spirituelles que par le passé. Jamais il n'a encore été aussi nettement montré que le don se dépasse lui-même en se faisant pardon. Dieu à la recherche de son peuple volage fait ici ce qui est symbolisé dans la parabole conjugale d'Osée et dans les poèmes du *Cantique*. Car il n'y a qu'une motivation à cette nouvelle geste du salut : « je t'aime » (Is 43, 4). Le langage de l'amour plus fort que l'ingratitude et l'oubli, de l'amour capable de ramener celui qui s'éloigne, est omniprésent. L'image qui le traduit n'est pas seulement celle de l'amour conjugal, mais aussi celle de l'amour maternel : « Une femme oublie-t-elle l'enfant qu'elle nourrit, cesse-t-elle de chérir le fils de ses entrailles ? Même s'il s'en trouvait une pour l'oublier, moi, je ne t'oublierai jamais ! » (Is 49, 15). Dans ce contexte, évidemment « descendant », s'inscrit le thème du rachat et de la rançon. Celui qui « met le prix » qui se fatigue pour son peuple, c'est Yahvé. Tel est le centre

---

1. P. Grelot l'a fait excellemment dans le livre cité.
2. P. Grelot, *ibid.*, p. 164.

de gravité du livre de la consolation d'Israël. Pourquoi faut-il qu'on n'en ait retenu qu'un seul verset (Is 53, 10), mal compris et retiré de son contexte, pour échafauder une sotériologie de la punition vindicative ?

Les chants du Serviteur enfin nous remettent sur la piste du médiateur. Car le Serviteur est désigné comme « alliance ». Il est envoyé par Dieu, investi de la puissance de son Esprit ; il a pour mission d'annoncer la justice et la sainteté, d'inviter à la conversion, d'exercer la miséricorde et le pardon et de rassembler non seulement les survivants d'Israël, mais encore les extrémités de la terre. Au nom des pécheurs il exerce l'intercession. Il consent enfin à ce que sa personne soit broyée au lieu même de l'accomplissement de sa mission. Son itinéraire s'achève sur l'espérance de la gloire. Des figures historiques du médiateur à cette figure prophétique, un pas décisif a été franchi : non seulement cette figure est absolument pure, mais encore elle vérifie plus exactement ce que sera le ministère sauveur de Jésus, l'« unique médiateur ».

L'annonce de l'alliance nouvelle : Jérémie (Jr 31, 31)[1]

Le livre de Jérémie est une longue prédication de l'alliance. Dans un premier temps, avant la chute de Jérusalem le prophète inscrivait son ministère dans un appel au renouvellement de l'alliance. C'était le dernier effort pour faire revenir le peuple au lien qu'il avait rompu. C'était le moment de la réforme du roi Josias (2 R 22, 3 — 23, 27) et de la prédication dont on reconnaît le ton dans le *Deutéronome*. On y retrouve l'alternative de la fidélité qui engendre le bonheur et de l'infidélité qui mène au malheur et la perspective d'une rétribution temporelle. La loi donne un contenu à l'alliance,

1. Jérémie est antérieur au deuxième Isaïe. Sa figure de juste souffrant a donc été traitée avant les chants du Serviteur. Mais l'annonce de la nouvelle alliance peut difficilement remonter au prophète (cf. W.H. Schmidt, *Einführung in das A.T.*, De Gruyter, Berlin 1979, p. 246). Il est donc légitime de la mettre en série avec la même annonce chez Ezéchiel.

son respect est la condition de l'accomplissement de la promesse.

Mais une fois que Jérusalem est tombée, que le peuple est déporté, la prédication des disciples de Jérémie présente une nouveauté radicale. Son livre inaugure la distinction décisive entre une ancienne et une nouvelle alliance. « Voici venir des jours — oracle de Yahvé — où je conclurai avec la maison d'Israël et la maison de Juda une alliance nouvelle. Non pas comme l'alliance que j'ai conclue avec leurs pères, le jour où je les ai pris par la main pour les faire sortir du pays d'Egypte. Cette alliance — mon alliance ! — c'est eux qui l'ont rompue.... Mais voici l'alliance que je conclurai avec la maison d'Israël, après ces jours-là, oracle de Yahvé. Je mettrai ma Loi au fond de leur être et je l'écrirai sur leur cœur. Alors je serai leur Dieu et eux seront mon peuple. Ils n'auront plus à s'instruire mutuellement, se disant l'un à l'autre : "Ayez la connaissance de Yahvé !". Mais ils me connaîtront tous, des plus petits jusqu'aux plus grands — oracle de Yahvé —, parce que je vais pardonner leur crime et ne plus me souvenir de leur péché » (Jr 31, 31-34).

L'horizon se déchire soudain : il n'y a plus à renouveler l'ancien, car Dieu veut faire du neuf. Il s'agit toujours d'une alliance et l'on en retrouve les expressions caractéristiques. Mais la différence essentielle vient de ce que désormais la loi ne sera plus extérieure mais intérieure : elle ne sera plus écrite sur des tables de pierre, mais sur le cœur lui-même. Qu'est-ce à dire, sinon un don vraiment nouveau ? Yahvé veut remédier à la constante incapacité du peuple à respecter les exigences de l'alliance, incapacité qui a amené son échec. Jusqu'à présent il faisait ce qui lui revient en donnant l'alliance ; désormais, il va faire ce qui revient à l'homme, en lui donnant la réponse à l'alliance. « Je leur donnerai un cœur pour connaître que je suis Yahvé » (24, 7). La loi gravée au cœur, c'est-à-dire la loi qui vient convertir la liberté de l'intérieur en la rendant à elle-même, c'est un autre nom donné à la grâce. Pascal a parfaitement résumé la chose en disant : « La Loi obligeait à ce qu'elle ne donnait pas ; la grâce donne ce à quoi elle oblige » [1]. Le régime de la grâce trouve sa racine dans l'enseignement des prophètes, ainsi que toute la doctrine de la justification par la grâce au moyen de la foi, que développera saint Paul. Désormais, ce n'est plus simplement le péché qui habitera le cœur de l'homme, ce sera la Loi de Dieu elle-même. Cette nouveauté suppose la responsabilité personnelle, proclamée par Jérémie (31, 29-30) dans des termes que reprendra et commentera longuement Ezéchiel. Le rapport externe des enseignants aux enseignés disparaît également, puisque chacun sera en mesure de « connaître Yahvé » par le don intérieur. Cette grâce est aussi la grâce d'un pardon qui, selon la même logique, précède la conversion. « Le peuple est changé de se savoir pardonné, plutôt que pardonné parce qu'il change » [2]. Enfin cette alliance ouvre sur un cadre cosmique, c'est-à-dire sur une visée universaliste qui rappelle l'alliance avec Noé. La fin ultime rejoint le commencement.

Avec cette prophétie nous sommes déjà dans le Nouveau Testament. Pascal a eu raison de parler de Jérémie comme d'« un chrétien de l'Ancien Testament ». Toute la dimension intérieure du salut chrétien est présente. Il n'est pas sans portée que la prophétie de la nouvelle alliance soit dans le livre de Jérémie, le juste souffrant qui prophétisait dans sa personne le destin de Jésus, qui donnera son sang comme le sang de cette alliance. Dans cette figure la structure de la relation personnelle de salut qui va de Dieu à l'homme est déjà clairement exprimée. Mais la nouveauté s'inscrit dans la continuité. Cette alliance annoncée se construit sur les nombreuses pierres d'attente de la première : en un sens elle lui fait retour, ou plus exactement elle la conduit à son but.

---

1. Pascal, *Pensées* 767 (éd. Lafuma) ; cité par P. Beauchamp, *L'un et l'autre Testament*, t. I, Paris, Seuil 1976, p. 259.
2. P. Beauchamp, *ibid.*, p. 260.

Ezéchiel : l'alliance éternelle et la résurrection du peuple (Ez 16, 60)

L'influence spirituelle et théologique du livre de Jérémie sera grande. Ezéchiel s'en inspire. Déjà nous avons rencontré chez lui un texte qui annonce l'alliance éternelle (Ez 16, 60) [1]. Les caractéristiques en sont les mêmes que pour Jérémie, car elle sera une alliance de pardon et s'adressera au cœur : « Je répandrai sur vous une eau pure et vous serez purifiés ; de toutes vos souillures et de toutes vos idoles je vous purifierai. Et je vous donnerai un cœur nouveau, je mettrai en vous un esprit nouveau, j'ôterai de votre chair le cœur de pierre et je vous donnerai un cœur de chair. Je mettrai mon esprit en vous et je ferai que vous marchiez selon mes lois et que vous observiez et suiviez mes coutumes » (Ez 36, 25-27).

Cette annonce s'ouvre sur la vision spectaculaire des ossements desséchés (Ez 37). Le prophète voit la maison d'Israël sous la forme d'une immense armée d'ossements répandus dans une vallée, symbole de la mort du peuple de l'alliance. « Ils disent : "Nos os sont desséchés, notre espérance est détruite, c'en est fait de nous" » (37, 11). Mais voici que Yahvé invite le prophète à ordonner le retour à la vie de ces ossements. Ils se recouvrent de chair, reçoivent ensuite le souffle de la vie et se remettent debout. Israël doit comprendre le sens de cette parabole : « Voici que j'ouvre vos tombeaux, et je vais vous faire remonter de vos tombeaux, mon peuple, et je vous reconduirai sur le sol d'Israël... Et je mettrai mon esprit en vous et vous vivrez » (37, 12-14).

Dans cette vision, ce n'est pas encore la résurrection des corps qui est en cause, mais seulement le retour du peuple à la vie de l'alliance sous une forme neuve. Cependant les prophètes savent depuis longtemps que Dieu seul est maître de la mort et de la vie. Elie et Elisée avaient opéré des résurrections (1 R 17, 17-24 ; 2 R 4, 31-37 ; 13, 21). Par la parole d'Isaïe Dieu a allongé la vie du roi Ezéchias de quinze

---

1. Cf. plus haut, p. 118.

années (Is 38, 5). Le même prophète avait évoqué lui aussi le réveil des cadavres (Is 26,14). La vision d'Ezéchiel s'inscrit à son tour dans le lent parcours de la genèse de la foi en la résurrection, dont l'attestation ferme sera le fait des derniers écrits de l'Ancien Testament (Dn 12, 1-3 ; 2 Mc 7,23 ; Sg 4, 7-14)[1]. Avec la référence à la mort et à la résurrection l'alliance dévoile sa destination dernière : le Dieu qui n'est pas le Dieu des morts mais celui des vivants est aussi le Dieu qui sauve en faisant vivre et dont l'alliance est une alliance de vie.

Avec Jérémie et Ezéchiel tout est dit en un sens du salut des hommes voulu et accompli par Dieu. La structure du don et du pardon de Dieu, à la fois créatrice et salvatrice, à la fois historique et personnelle, est totalement révélée. Mais si tout est dit, tout n'est pas encore accompli. Qui sera le médiateur de cette alliance nouvelle ? La révélation de l'Ancien Testament nous laisse sur une espérance qui ne peut que scruter l'avenir[2].

---

1. Cf. B. Sesboüé, *La résurrection et la vie, Petite catéchèse sur les choses de la fin,* Paris, D.D.B. 1990, p. 31-37.
2. Les dimensions de ce livre ne permettent pas un traitement complet de la Bible. Il manque dans ces lectures de récits le troisième volet du tryptique structurel sur lequel est bâti l'Ancien testament : la Loi, les prophètes et la Sagesse (rapidement évoquée ici avec le *Cantique des Cantiques*). Ces sondages, déjà longs, demeurent donc incomplets, à la fois quantitativement et qualitativement. Les livres de la Sagesse constituent un genre littéraire original, qui fait lui aussi sa place au récit, en particulier dans les descriptions de la Sagesse créatrice, et dans les retours en arrière interprétatifs sur l'histoire du salut (v.g. Sg 10-19). Enfin et surtout il aurait fallu évoquer la prière des psaumes, proche de celle des prophètes et de Jérémie en particulier. La question du salut y est omniprésente. Ces lectures ne pourraient qu'apporter une confirmation aux effets de sens recueillis.

Conclusion : des récits aux catégories

Nous venons d'opérer une série de sondages dans les récits de l'Ancien Testament, sans aucune prétention à l'exhaustivité. Chacun de ces récits est un petit tout qui vise sous un point de vue propre la réalité du salut. La séquence de ces récits forme, elle aussi, une totalité qui a sa structure propre et est commandée par quelques idées-forces. Le centre de gravité de la séquence est donné par la récurrence des effets de sens de chaque unité. L'effort de récapitulation ne doit évidemment pas appauvrir des harmoniques inépuisables, qui font d'ailleurs sens d'elles-mêmes. Les récits opèrent par ce qu'ils sont ; ils sollicitent notre liberté. A ce niveau ils suffisent et il ne peut s'agir de les remplacer ou de prétendre faire mieux qu'eux.

Il est important néanmoins d'en dégager plus spéculative-ment la portée. Le rôle de la catégorie est d'exercer une régulation du discours dont elle assure l'ordre et la cohérence. Mais la catégorie est éclairante dans la mesure où elle est engendrée par le récit, où elle en reçoit le flot de vie, et où elle récapitule en retour ce que les récits entendaient fonder. « Le récit est à dominante symbolique, tandis que la catégorie est à dominante de détermination » (F. Marty). Il existe une réciprocité entre les uns et les autres : les récits conduisent aux catégories ; ces dernières demandant toujours à gérer leur rapport au concret du récit et donc à être critiquées et confrontées à la dominante du pôle symbolique.

Tous ces récits et ces discours-récits sont des actes de la mémoire d'Israël. Ce sont eux qui nous intéressent en tant que tels, quel que soit le rapport original de chacun aux faits de l'histoire. On sait la différence entre l'histoire et la mémoire : la première essaie de restituer avec la meilleure objectivité possible le passé, tandis que la seconde est la manière concrète dont ce passé vit dans la conscience d'un peuple. Dans le cas d'Israël ces actes de mémoire ont valeur de révélation. Le peuple élu comprend tout ce qui lui arrive comme l'histoire mouvementée de sa relation avec Dieu. Il se souvient : tel est l'objet de sa prière quotidienne : « Écoute Israël, Shema Israël ». En face de lui son Dieu est celui qui se souvient toujours (Lv 26, 45), car passé et avenir sont devant lui un présent constant. Notre acte d'interprétation est lui aussi une manière de faire mémoire. Cette histoire est la nôtre : nous faisons partie de ces récits. Ils gardent leur exemplarité pour nous. La longue accoutumance de l'Ancien Testament a ses analogues dans nos vies, et nous ne pouvons jamais prétendre être complètement installés dans le Nouveau Testament. Si l'on en croit Origène, le passage de l'Ancien au Nouveau Testament n'est pas seulement historique, il est existentiel. Il a pu s'anticiper chez les prophètes, il peut aussi connaître un retard chez les chrétiens : « Même après la proclamation de son avènement (le Christ) n'est pas encore venu pour ceux qui sont restés de petits enfants, parce que, étant encore sous l'autorité de tuteurs et d'intendants, ils ne sont pas parvenus à la plénitude des temps »[1]. Bref, on ne peut comprendre le salut en vérité sans le réaliser déjà pour soi. Réciproquement, le passage au Nouveau Testament jette une lumière nouvelle sur les récits de l'Ancien, comme saint Paul nous l'a dit le premier (2 Co 3, 14-16). C'est pourquoi la prédication chrétienne reprend à son compte les récits de l'Ancien Testament, comme le faisait Etienne avant son martyre (Ac 7, 2-56) ou Paul à Antioche de Pisidie (13, 16-41). L'eucharistie, mémorial par excellence de l'événement du Christ, fait elle aussi sienne la mémoire des merveilles de Dieu dans l'Ancien Testament.

Le premier mot : l'élection

Ce n'est pas le terme de salut qui est premier dans l'Ancien Testament. Il est absent du Pentateuque, il apparaît dans les

---

1. Origène, *Commentaire sur saint Jean,* I, VII, 38 ; trad. C. Blanc, *S.C.* 120, p. 81.

livres des Juges et de Samuel, car le Juge est un « sauveur ».
Il reste discret chez les prophètes antérieurs à l'exil, mais il
intervient de manière très présente chez Jérémie et dans le
Psautier. Ce terme second est précédé par un autre, qui est
ancré dans les expériences majeures qu'Israël a pu faire de
son propre salut. Ce premier mot est celui d'élection. Si
Israël a été libéré de la servitude égyptienne, c'est parce que
Dieu l'a choisi. Ce terme d'élection dit la priorité et la
gratuité absolue du don de Dieu. L'élection est le premier
mot du salut, parce qu'elle en est le premier temps en même
temps que le fondement.

Le mot d'élection, comme une pièce de monnaie, a deux
faces : à première vue l'une dit le choix positif de l'élu,
l'autre, l'exclusion du non-élu. Faut-il attribuer à Dieu un
arbitraire proche de l'injustice ? Tout ce que nous avons
recueilli dans les récits sur le rapport d'Israël aux nations dit
le contraire. Une réflexion élémentaire le confirme. En effet,
si le salut doit passer par et s'opérer dans l'histoire du monde,
il ne peut faire autrement que de commencer par le particulier
pour aboutir à l'universel. L'histoire est toujours singulière :
elle commence en un lieu et en un temps, avant de pouvoir
influencer le tout. L'élection n'est donc pas le choix de l'un
contre les autres. Elle n'est même possible que parce que
Dieu est le Dieu de tous les hommes et non le dieu circonscrit
à une nation seulement. Le choix d'Israël au contraire nous
est présenté dans l'horizon universel des nations. Abraham
était un païen avant d'être élu comme juif. Abraham est un
fils d'Adam. La généalogie de Jésus en saint Luc remonte de
David à Abraham et d'Abraham à Adam, lui-même défini
comme « fils de Dieu » (Lc 3, 23-38). Cette élection va donc
structurer l'histoire du salut selon le rapport entre les deux
groupes : Israël et les nations. Si elle engendre jalousie,
violence et haine, c'est parce que le péché habite l'humanité.
C'est pourquoi l'élection elle-même devra faire l'objet d'une
réconciliation (cf. Ep 2) qui est un aspect essentiel du salut.
Tel est le véritable envers de la médaille, l'envers d'une
histoire qui procède par le choix de l'un en faveur de tous.

La bénédiction en Abraham sera le fait de toutes les nations. Cette ouverture à l'universel à partir du choix du particulier est originelle. « L'Ancien Testament est l'histoire du monde vue du point de vue d'Israël »[1].

Du point de vue de l'homme pécheur une telle élection revêt inévitablement le signe de l'arbitraire : pourquoi celui-là et pas un autre ? A une telle question il n'existe aucune réponse : Abraham n'a pas plus de mérites à l'élection qu'un autre ; le peuple d'Israël s'entendra dire maintes et maintes fois qu'il n'est ni plus fort, ni plus nombreux, ni plus digne que les autres peuples (cf. Dt 7, 7). L'élection ne se justifie par rien d'autre qu'elle-même. Elle est le propre de la grâce souveraine de Dieu. Dieu choisit parce qu'il aime et cela suffit. Mais il aime Abraham en vue de sauver tous les hommes. Cet amour n'a rien d'un *éros,* il est tout entier *agapè :* Dieu n'aime pas Abraham parce qu'il serait déjà aimable ; il l'aime pour le rendre aimable, de même qu'il a créé Adam, non pas qu'il fut déjà aimable, mais afin d'avoir devant lui un partenaire aimable. C'est alors que l'*agapè* peut fonder un mystérieux *éros* divin.

La catégorie majeure : l'alliance

Le terme d'alliance scande tous ces récits : Dieu fait alliance avec Abraham, avec Moïse, avec David. Il a déjà fait alliance avec Noé, et en un certain sens avec Adam en le créant[2]. Le peuple élu est le peuple de l'alliance. Concrètement élection et alliance ne font qu'un, car l'élection est ordonnée à l'alliance et l'alliance a pour motif l'élection.

L'alliance entre Dieu et son peuple est fondée sur un paradoxe : tout vient de Dieu et en ce sens l'alliance est unilatérale ; mais Dieu tient à obtenir de son partenaire humain une réponse de libre adhésion et d'obéissance. L'initiative unilatérale, gratuite et transcendante, de Dieu

---

1. P. Beauchamp, conférence inédite.
2. Cf. *infra,* le développement sur la création, p. 397-399.

ouvre à une relation bilatérale. Dans le contrat de l'alliance, tout le rapport de la grâce et de la liberté est déjà en cause.

La grâce s'appelle alors la bénédiction, qui fait corps avec l'alliance. La bénédiction est le geste par excellence du père de famille, parce qu'il est la source de la vie, qu'il s'agisse de bénir la table, où plus encore de bénir le fils aîné. Le récit de Jacob volant à son frère Esaü la bénédiction de leur vieux père Isaac nous en révèle toute la portée (Gn 27). La bénédiction est donc le propre de Dieu : autant sa malédiction est redoutable, autant sa bénédiction est efficace, parce qu'il donne la vie. Dieu bénit Abraham au moment où il l'appelle. Il le bénit d'une bénédiction contagieuse pour toutes les nations. La bienveillance de Dieu pour les hommes engendre la bienveillance de tous les hommes entre eux. La bénédiction verticale, si l'on peut dire, s'épanouit en bénédiction horizontale, car l'une ne peut aller sans l'autre. Mais entre Dieu et les hommes la bénédiction est aussi réciproque. L'homme, tout faible qu'il soit, est invité à bénir Dieu en retour d'action de grâce. La prière de Melchisédech après les premières victoires d'Abraham est faite de cette double bénédiction : « Béni soit Abram par le Dieu Très-Haut... Béni soit le Dieu Très-Haut qui a livré tes ennemis... » (Gn 14, 20). La bénédiction sera la forme privilégiée de la prière juive.

L'alliance représente la catégorie correspondant à ce que la théologie contemporaine appelle « l'auto-communication de Dieu ». Car non seulement l'alliance est don, mais elle est le don que Dieu fait de lui-même pour faire vivre l'homme de sa propre vie. « L'offre que Dieu fait de lui-même, par quoi il se communique absolument à la totalité de l'homme, écrit K. Rahner, est par définition le salut de l'homme »[1]. Depuis la création Dieu est sans cesse à la recherche de l'homme, tout au long de son histoire tragique, afin de se donner à lui. Il est un Dieu qui s'approche : « Quelle est en effet la grande nation dont les dieux se fassent aussi proches

---

1. K. Rahner, *Traité fondamental de la foi, op. cit.*, p. 168.

que Yahvé notre Dieu l'est pour nous chaque fois que nous l'invoquons ?... Est-il un dieu qui soit venu se chercher une nation au milieu d'une autre, ... à main forte et à bras étendu... toutes choses que pour vous, sous tes yeux, Yahvé votre Dieu a faites en Egypte ? » (Dt 4, 7. 34). Mais l'alliance avec Dieu ne va pas sans une alliance de rassemblement entre les membres du peuple, elle-même ordonnée à la réconciliation des nations. Car là où le péché disperse, l'alliance réunit.

L'Ancien Testament lui-même amorce le passage de la première alliance à l'alliance nouvelle. Il s'inscrit tout entier dans cette vaste inclusion qui va de l'une à l'autre. Le Nouveau Testament confirme cette priorité de la catégorie de l'alliance non seulement en appelant « nouvelle alliance » l'événement salvifique de la mort et de la résurrection de Jésus, mais encore en considérant Jésus lui-même, le médiateur de l'alliance, comme l'alliance en personne. L'alliance est le fil conducteur qui va d'Abraham, de Moïse et de David, via les prophètes et les annonces de Jérémie, jusqu'à Jésus, pour constituer une alliance éternelle.

L'alliance et la Loi

Parler en ces termes de l'alliance, c'est lui donner la priorité sur la Loi. Alliance et Loi sont deux catégories distinctes, bien qu'étroitement solidaires. Bien des exégètes sont aujourd'hui attentifs au fait que la catégorie de Loi (Torah) constitue l'englobant le plus général de l'Ancien Testament. On sait que la tradition juive l'a privilégiée dans sa théologie comme dans sa spiritualité. Au plan littéraire la référence à la Loi est plus massive que la référence à l'alliance. Cependant, si du point de vue des déterminations objectives la Loi domine, du point de vue du symbole, du dessein de Dieu et de l'image que Dieu révèle de lui-même, c'est l'alliance qui a la priorité. L'alliance manifeste le projet de salut : elle est en elle-même le salut inauguré ; elle sera dépassée dans une nouvelle alliance qui s'identifiera avec le salut définitif. L'alliance est le tout. La Loi n'est qu'un moment provisoire de l'alliance.

Elle intervient parce que ce qui devrait aller de soi, c'est-à-dire la reconnaissance aimante et fidèle du donateur dans le don, ne va plus de soi. La Loi est en quelque sorte l'envers de l'alliance. La Loi est donnée parce que chez l'homme l'amour ne va pas de soi, parce que l'amour, dont notre expérience nous dit qu'il ne se commande pas, doit encore faire l'objet d'un commandement. Elle est donnée pour prévenir d'abord et stigmatiser ensuite l'infidélité du partenaire de l'alliance. Séparée du donateur, cependant, la Loi n'est plus qu'un pédagogue qui montre le péché, mais ne sauve pas. La Loi devra donc être intériorisée par la grâce, comme l'annonce Jérémie. C'est là précisément un don nouveau, qui appartient à l'alliance nouvelle. Dans son origine comme dans sa fin la Loi s'inscrit dans l'alliance.

Alliance et rupture d'alliance : la dialectique du don et du pardon

Alliance et rupture d'alliance forment dans la Bible une sorte de couple. L'alliance du Sinaï est à peine conclue qu'elle est déjà rompue par le peuple adorant le veau d'or. Avec la fin du royaume davidique la première alliance apparaît perdue sans espoir : infidélités, adultères, crimes, ruptures d'alliance sont des refrains des récits bibliques. Le don de Dieu qui cherche l'homme doit donc franchir non seulement la distance de l'incréé au créé, mais encore assumer la nouvelle distance engendrée par la récalcitrance humaine et dépasser son refus. Le don ne peut se maintenir qu'en se faisant *par-don*. Le pardon est le don qui va jusqu'au bout de lui-même, le don parfaitement accompli.

C'est pourquoi l'histoire de l'alliance est une histoire de pardon et de conversion. De l'un à l'autre la priorité est réciproque. Car le Dieu de l'alliance est toujours celui qui fait le premier pas. C'est lui qui se tient sans cesse en situation d'offrir le pardon, lui qui annonce, nous l'avons vu, que dans l'alliance nouvelle le pardon précédera la conversion. Comment se convertir, en effet, si l'on ne se sent pas comme enveloppé et attiré par l'offre du pardon ? Comment nous convertir, si Dieu lui-même ne nous convertit pas ? « Fais nous revenir à toi, Yahvé, et nous reviendrons » (Lm 5, 21). Mais la priorité est réciproque, car le pardon de Dieu se met à la disposition d'une liberté humaine qu'il ne veut pas contraindre. Le redoutable pouvoir de l'homme est de mettre Dieu en échec et de rendre son pardon inopérant. C'est pourquoi une autre parole prophétique faire dire à Dieu : « Revenez à moi et je reviendrai vers vous » (Za 1, 3)[1]. Mais cet appel est déjà une grâce.

Don et pardon ne peuvent donc pas être séparés dans l'histoire du salut. L'auto-communication de Dieu à l'homme prend nécessairement la figure d'une rédemption. Ce qu'annonçait la prophétie de l'alliance nouvelle s'accomplira avec la venue du Christ qui prendra sur lui à la fois le pardon de Dieu et la conversion de l'homme. C'est sur son cœur de chair, pleinement accordé au cœur de Dieu, que la Loi nouvelle d'amour et de charité sera inscrite. C'est en lui et par lui que les hommes pourront désormais devenir des partenaires fidèles de l'alliance.

Grâce et liberté : le salut par la foi

Il est remarquable que l'Ancien Testament vérifie en acte ce qui sera l'objet d'une révélation formelle dans le Nouveau : la grâce a toujours la priorité sur la liberté de l'homme ; et pourtant la réponse de la liberté est nécessaire. Ce qui vient d'être dit sur l'alliance le montre déjà à l'envi. Les grandes figures que nous avons rencontrées ont toutes été suscitées par la grâce de Dieu et conduites à faire ce qu'elle n'auraient jamais pu faire de leur propre chef, et même ce qu'elles s'estimaient incapables de faire. Avec elles l'initiative de Dieu se fait irruption soudaine et comme irrésistible : Abraham

---

1. Ces deux textes sont cités dans son décret sur la justification par le concile de Trente qui en a pressenti le caractère dialectique (Session VI, ch. 5 ; D.S. 1525 ; F.C. 559).

est séparé des siens et expédié dans l'inconnu de l'ailleurs. Moïse a fait l'expérience de sa propre impuissance, il a fui au désert ; et pourtant Dieu l'y retrouve et l'envoie accomplir une mission qui lui fait peur. Isaïe, mis en présence de la majesté divine, sent l'abîme qui le sépare, lui pécheur appartenant à un peuple pécheur, de la sainteté de Dieu ; mais une fois purifié par le charbon qui a touché ses lèvres, il devient un autre homme, prophète et témoin de Dieu. Jérémie cherche à s'excuser, car il ne sait pas parler ; mais Dieu est avec lui pour mettre dans sa bouche ses propres paroles.

Cependant non seulement Dieu respecte leur liberté, mais plus encore il la suscite et la rend à elle-même. La réponse de la liberté d'Abraham et des autres à sa suite se traduit par un acte d'obéissance et de foi : obéissance pour se mettre en route et aller là où Dieu veut et faire ce qu'il indique ; foi qui s'engage sur la Parole de Yahvé. La foi d'Abraham est patente et devient une référence exemplaire pour le Nouveau Testament lui même. La foi est aussi une exigence essentielle de la charte de l'alliance. Elle répond à la promesse de Dieu : elle est une « écoute » de la Parole qui engage la vie. La foi se concrétise en fidélité. La foi devient confession des événements fondateurs de l'alliance : elle se fait Credo. La foi se fait aussi prière, culte et adoration. C'est la foi qui donne sens aux sacrifices. On comprend que les prophètes rappellent périodiquement Israël à la foi, à la seule chose qui lui permette de « tenir ». Mais le peuple est toujours tenté de défaillir dans sa foi et sa fidélité : cette face négative de la liberté atteste à sa manière que c'est bien la liberté qui acquiesce quand elle dit oui, bien que, paradoxalement, l'homme soit plus libre quand il croit en Dieu et lui obéit que lorsqu'il se refuse. C'est la foi enfin qui constitue le fondement de toute conversion. « Le salut qui n'est pas agi librement ne peut être un salut »[1]. On comprend donc que

---

1. K. Rahner, *op. cit.,* p. 173.

la foi d'Israël fasse pieusement mémoire de ces événements à travers le récit.

La mort et la résurrection

Le salut doit toujours répondre à la question de la mort et de la vie [1]. Dans l'alliance la promesse des bénédictions et les menaces de malédictions proposent bien une alternative de vie ou de mort. L'alliance est donnée à Israël pour qu'il vive. L'infidélité lui fait faire l'expérience des nombreux visages de la mort, mais aussi du don pardonnant de Dieu qui rend la vie. Le salut lui-même est présenté comme une création nouvelle qui mène à son terme la création ancienne et constitue par rapport à elle une résurrection. Le langage symbolique rejoint de plus en plus près la réalité avec la perspective de la résurrection des corps. Le pressentiment prophétique introduit dans la méditation sur l'alliance le paradigme capital de la mort et de la résurrection, présent dans le quatrième chant du Serviteur. La mort y prend un sens nouveau, puisqu'elle n'est plus la simple conséquence du péché, mais le libre consentement de l'innocent à donner sa vie pour l'accomplissement de sa mission de pardon et de réconciliation. La mort y est toujours l'œuvre du péché, mais elle perd sa puissance devant la force plus grande du libre amour.

Les figures d'une médiation

L'alliance entre Dieu et les hommes a besoin d'un médiateur. Dans les divers récits parcourus nous avons toujours rencontré une figure médiatrice. La recherche de cette médiation constitue un axe de l'Ancien Testament. Cette médiation s'accomplit d'abord à travers la figure céleste de l'ange de Yahvé qui descend converser avec les patriarches : Dieu se manifeste à Abraham ; il vient dialoguer avec Moïse. L'ange

---

1. Cf. t. I, p. 16-27.

de Yahvé est une figure paradoxale, puisqu'il est à la fois Yahvé et distinct de Yahvé. Il est la figure du Yahvé qui se révèle, de Yahvé occupé à chercher et à sauver son peuple. L'ange de Yahvé assume le rôle qui sera éminemment celui du Verbe incarné : c'est pourquoi les Pères de l'Eglise ont unanimement identifié l'ange de Yahvé des théophanies de l'Ancien Testament avec le Christ. Mais la médiation de l'ange de Yahvé reste ponctuelle et fugitive : celui-ci n'habite pas encore parmi nous. Beaucoup plus tard la Sagesse présentera elle aussi une figure médiatrice : elle qui était au commencement auprès de Dieu, n'était-elle pas le maître d'œuvre de la création ? Elle met ses délices à fréquenter les enfants des hommes (Pr 8, 22-31).

Il y a aussi les figures humaines du médiateur : Abraham, l'élu de Dieu en vue de la bénédiction de tous les peuples ; Moïse l'élu qui fait office de médiateur de l'alliance au Sinaï. Cette alliance, avec la Loi qui lui appartient, est elle-même une médiation concrète entre ses partenaires. La tradition juive personnifiera même cette Loi pour en faire une médiation vivante. La médiation de l'alliance se diversifie avec celle du sacerdoce lévitique, celle des rois, comme David et Salomon, celles des prophètes enfin. Mais toutes ces figures sont transitoires, elles sont grevées de toute la faiblesse humaine, leurs intercessions ne sont pas décisives. Elles ne sont pas encore vraiment « crédibles » aux yeux de Dieu. C'est pourquoi les figures historiques font place aux figures prophétisées. Parmi elles se détache celle du Serviteur, déclaré « alliance » en sa personne même.

Entre ces deux mouvements de médiation qui cherchent à se rejoindre, une béance reste donc ouverte : qui sera le véritable médiateur accompli et efficace entre Dieu et l'homme ? Qui sera celui qui associera en sa personne le côté céleste et le côté terrestre de la médiation, qui méritera le nom d'alliance ?

L'image de Dieu : une logique de l'amour

« Il est bon de remarquer deux choses, remarquait saint Ignace de Loyola dans ses *Exercices spirituels*. Premièrement :

l'amour doit se mettre dans les actes plus que dans les paroles. Secondement : l'amour consiste en une communication mutuelle. C'est-à-dire que l'amant donne et communique à l'aimé son bien, ou une partie de son bien ou de son pouvoir ; de même, en retour, l'aimé à l'amant »[1]. Si donc Dieu aime, choisit et fait alliance, c'est pour communiquer et se communiquer. Tous nos récits sont là pour l'attester à l'évidence. C'est pourquoi l'alliance s'exprime à travers les registres les plus profonds de l'amour humain : l'amour nuptial, qui connaît les alternances de la passion ; l'amour de l'ami avec l'ami qu'il a choisi ; l'amour paternel du créateur ; l'amour de la mère pour la chair de sa chair ; l'amour aussi du berger pour son troupeau. C'est sur ce fond que sont à comprendre la colère et le châtiment, toujours ordonnés à la conversion et à la réconciliation.

A celui qui pose la question la plus difficile : « *comment* Dieu nous sauve-t-il ? », l'Ancien Testament permet déjà de présumer la réponse : il nous sauve par la séduction irrésistible de l'amour, par l'excès de l'amour, qui seul peut contredire l'excès de la violence. Tel est le message qui va d'Osée au *Cantique,* à travers le mot définitif de Jérémie : « Tu m'as séduit, Yahvé, et je me suis laissé séduire » (Jr 20, 7).

« D'après qui pourriez-vous imaginer Dieu ? Et quelle image pourriez-vous en offrir ? » (Is 40, 18). Telle est l'interrogation à laquelle chaque génération essaie de répondre. La Bible le fait à travers la série de ses récits : Dieu est *à la fois* l'être le plus transcendant et le plus proche, le plus puissant et le plus miséricordieux, le plus saint et le plus aimant. Mais il est aussi une chose que Dieu n'est pas : s'il est le Dieu qui donne la Loi, il n'est pas un Dieu légaliste ; même si son amour peut connaître des moments de colère[2], il n'est pas un Dieu vengeur, un Dieu qui réclame qu'on lui rende justice, un Dieu qui exige exacte compensation de tous les crimes. Sa justice met sa gloire à pardonner et à justifier le pécheur.

1. Saint Ignace de Loyola, *Exercices Spirituels,* n°s 230-231.
2. Cf. t. I, pp. 297-299.

CHAPITRE XVII

Les récits de Jésus
(Le salut dans le Nouveau Testament)

En Jésus s'accomplissent toutes les figures, les prophéties et les préparations de l'Ancien Testament. La longue parabole du salut, qui comportait déjà un accomplissement en devenir, devient réalité définitive et irrévocable. Une fois pour toutes l'humanité est sauvée en Jésus-Christ. Mais la réalité garde la forme de l'événement et même de la parabole, car non seulement Jésus dit des paraboles, mais il est une parabole [1]. L'événement de Jésus a épaisseur et durée : il progresse au cours de son histoire personnelle et donne lieu à un récit que nous lisons dans les évangiles, eux-mêmes complétés par les lettres des apôtres qui constituent à leur manière le récit de la foi des premiers croyants.

C'est ce récit de l'accomplissement du salut par la personne de Jésus de Nazareth dans sa vie, sa mort et sa résurrection qui va nous occuper dans ce chapitre. J'ai proposé ailleurs [2] une brève lecture de ce même récit évangélique, afin de montrer que la découverte de l'identité de Jésus est inséparable

---

1. Cf. E. Schillebeeckx, *Jesus, die Geschichte von einem Lebenden,* Freiburg, Herder, 1977, p. 138.
2. Cf. B. Sesboüé, *Jésus-Christ dans la tradition de l'Eglise,* Paris Desclée 1982, pp. 233-247.

de son histoire. Cette lecture ne pouvait pas ne pas faire état du salut, puisque les deux progrès de la révélation de l'identité de Jésus et de l'accomplissement de notre salut vont de pair et constituent même une seule réalité concrète. Je voulais montrer alors que la reconnaissance dans la foi de l'identité humano-divine de Jésus devait respecter le mouvement de sa manifestation totale, telle que les récits du Nouveau Testament nous la présentaient. Je veux montrer aujourd'hui comment le salut chrétien s'est accompli dans le même événement. Ce *comment* réside dans la révélation définitive de l'image d'un Dieu dont la tendresse séduit notre liberté au point de la convertir, d'un Dieu qui se communique à nous dans la connaissance et l'amour, par la force d'une faiblesse capable de vaincre toutes nos récalcitrances.

Le recours aux mêmes récits n'interdit donc pas la multiplicité des discours. Le caractère inépuisable du mystère chrétien l'appelle au contraire. La lecture évangélique ici proposée se greffe donc sur la précédente, tout en évitant de la répéter. Elle s'appuiera sur elle, et considérera comme acquise la pleine confession de l'identité du Christ, vrai Dieu et vrai homme. Elle part de l'évidence donnée par le nom de Jésus, titre qui récapitule son identité en exprimant son rôle salvifique. Car le pour-soi de Jésus est inséparable de son pour-nous. La même personne et le même événement seront seulement visés d'un autre point de vue, celui du salut.

Cette lecture progressera en quatre temps, les récits du ministère de Jésus, les récits de la passion, les récits du ressuscité, les récits de l'enfance, avant de proposer une conclusion sur le rapport des récits aux catégories.

I. Les récits du ministère de Jésus

La vie de Jésus est tout entière une vie qui sauve. Elle met en œuvre le programme dont le nom de Jésus est le raccourci :

Yahvé sauve. Elle ne le fait pas de l'extérieur, par une puissance magique. Jésus s'inscrit dans la pâte de l'humanité finie et pécheresse. Il vient partager le sort de chacun de ses membres. Il exprime sa singularité unique dans la particularité banale de la vie de quelqu'un que rien ne distingue au premier abord de ses semblables. Il se fait solidaire au sens le plus humain du terme. En Jésus parvient donc enfin à son terme le grand mouvement de recherche et d'approche de l'homme par Dieu, qui se déploie depuis le premier jardin et a traversé toute l'histoire du peuple élu. Quand Jésus foule la terre de Galilée, quand il commence à annoncer que le Royaume de Dieu est proche, il fait aboutir un projet en marche depuis la fondation du monde. Désormais « Dieu est avec nous », le salut est là. Car le salut, c'est lui, c'est sa personne qui nous est donnée.

Le témoignage du Serviteur : le baptême

« Alors paraît Jésus » (Mt 3,13). L'entrée en scène du Sauveur pour son ministère évangélique se fait dans la plus grande discrétion. Jésus vient tout simplement se faire baptiser par Jean le précurseur, le dernier prophète de l'Ancien Testament, celui qui a la joie de pouvoir montrer du doigt le Messie promis. Pour sa première manifestation Jésus se met donc du côté des pécheurs : il prend place parmi eux, il prend leur place, non qu'il les remplace, mais parce qu'il se met en leur place. Lui qui n'a pas besoin de baptême, il se fait baptiser et authentifie de ce fait l'appel de Jean à la pénitence. Ce geste de serviteur — dès son baptême Jésus se manifeste dans la « condition de serviteur » — a valeur d'indicatif pour tout son ministère. Non seulement il nous montre Jésus venant d'emblée chercher les pécheurs, mais encore il révèle sa mystérieuse relation aux pécheurs. Jésus n'est pas celui qui condamne ou qui juge. Il est celui qui assume une pleine et entière solidarité : tout en demeurant indemne du péché, il accepte de prendre sur lui la condition et le destin du pécheur, d'assumer dans sa personne et à ses risques et périls toutes les conséquences négatives du péché. En cette scène inaugurale il se fait pénitent avec et pour les pécheurs. C'est ici qu'il frôle de plus près la substitution : en lieu et place des pécheurs, il donne le coup d'envoi de la conversion pour le Royaume. Mais c'est une substitution « inaugurale » : elle ne décharge pas le pécheur de sa pénitence : elle lui donne le désir et la possibilité de la faire. C'est parmi les pénitents, parmi ceux qui essaient de remonter de l'abîme de leurs péchés, que Jésus vient accomplir toute justice et que Jean lui rend justice à son tour, selon une « convenance » qui appartient à l'économie de l'incarnation.

La valeur symbolisante du récit inaugural du baptême de Jésus est manifeste : ce baptême, au cours duquel Jésus descend dans les eaux de la mort pour remonter plein de vie, est la parabole en acte de son autre baptême, celui qui le plongera dans la mort du tombeau et le fera ressortir vivant à jamais. D'entrée de jeu, Jésus exprime l'« être kénotique » qui le conduira à la croix pour le faire remonter de ce « néant » vers son être propre de Fils. Il vient rejoindre l'homme pécheur jusque dans sa détresse et sa mort. La relation qui se noue entre Jésus et les pécheurs à son baptême est celle qu'il assumera dans sa passion. Si celle-ci révèle tout le poids du baptême, l'initiative du baptême nous permet de comprendre en retour l'attitude de Jésus envers les pécheurs pendant sa passion. Il est avec eux et pour eux au point d'accepter de souffrir et de mourir par eux.

Le baptême donne lieu à une théophanie, qui rappelle les théophanies de l'Ancien Testament. Mais cette fois-ci la théophanie annonce une présence réelle et durable du Fils bien-aimé parmi les hommes. Le médiateur est là. Pour le lecteur du récit cette théophanie a valeur programmatique, en lui donnant une première aperception du mystère trinitaire. Elle est une clé d'interprétation qui lui permet de lire la suite en vérité. Mais elle n'enlève rien à la nécessité pour Jésus de manifester et de réaliser humainement sa filiation à travers son existence.

Le double combat de Jésus contre le mal : les tentations

Le combat souffrant et victorieux mené par Jésus contre les forces du mal, pour nous en arracher, commence avec le début de son ministère. D'entrée de jeu, il prend la forme de la tentation. La scène des trois tentations du Christ intervient immédiatement après le récit du baptême dans les synoptiques. En saint Luc elle fait inclusion avec le moment de la passion : « Ayant alors épuisé tout tentation possible, le diable s'écarta de lui jusqu'au moment fixé » (Lc 4,13). Ce temps fixé est celui ou Satan entre en Judas pour qu'il le livre (Lc 22,3) ; c'est l'heure de l'agonie (Lc 22,40) ; c'est l'instant de l'arrestation de Jésus :« C'est maintenant votre heure, c'est le pouvoir des ténèbres » (22,53). Entre ces deux temps forts, Jésus mène une lutte incessante contre les démons par ses guérisons et ses exorcismes (4,41 ; 6,18 ; 7,21 ; 8,2 ; 10,18 ; 11, 14-22), lutte déjà victorieuse, puisque Jésus est capable de guérir et de libérer. Cette grande inclusion dit le sens de tout l'itinéraire qui s'engage : ce qui se manifestera dans tout son excès au moment de la passion est déjà à l'œuvre du fait de la simple présence de Jésus au milieu des hommes. Tel est le combat du salut.

Les trois tentations de Jésus au désert, qui ont pu troubler des croyants à certaines époques, constituent une page indéchirable des évangiles. Elles nous montrent Jésus semblable à nous en tout, excepté le péché sans doute, mais y compris la tentation. Leur valeur symbolique est de nous présenter l'enjeu central de toute existence humaine ; elle est enfin indispensable à la vérité de l'incarnation de Dieu : sans la tentation le Verbe fait chair n'aurait pas assumé la condition humaine jusqu'au bout.

La tentation de Jésus reproduit en effet celle du premier paradis, symbole de la tentation qui traverse inévitablement toute existence humaine. Adam et Eve ont cédé à la tentation de dire non à Dieu, de vouloir être « comme des dieux » (Gn 3,5) par leurs propres forces, tentation de l'orgueil radical, qui se fait jalousie et désir de tout rapporter à soi. Jésus, placé dans la même situation, fait tout le contraire. Il refuse la tentation portant symboliquement sur la nourriture comme celle de l'arbre au jardin. Selon l'hymne de *l'épître aux Philippiens* : « Il ne retint pas jalousement le rang qui l'égalait à Dieu » (Ph 2,7). Adam n'était pas Dieu, et au lieu de consentir à recevoir de Dieu le don de sa divinisation, il voulut en faire une proie. Jésus, qui était Dieu par origine, a consenti au contraire à se vider de lui-même pour obéir à sa mission en opposant un triple refus à la tentation diabolique, quelque forme qu'elle prenne. Il refuse de s'inscrire dans la tradition pécheresse de l'humanité, c'est-à-dire de se vouloir soi-même, par soi-même et pour soi-même.

Cette triple tentation évoque aussi les trois tentations du peuple au désert au cours de l'Exode[1] : la première tentation (les pierres à changer en pain) renvoie à l'épisode de la manne (Ex 16) ; la seconde (provoquer Dieu à faire un miracle) correspond à l'épisode de Massa (Ex 17, 1-7) ; la troisième (l'adoration du diable), à la scène du veau d'or (Ex, 32). Ces rapprochements symboliques traduisent ce que Jésus vient guérir en l'homme : la fragilité qui dès l'origine a succombé à la tentation, la lèpre qui depuis lors ronge notre liberté. De ce point de vue les tentations de Jésus ont encore pour nous valeur exemplaire.

La scène de la tentation de Jésus au désert, avec tout ce qu'elle induit de sens pour sa parole et son action est déjà un acte de salut. Elle est aussi la parabole de la réalité de ce salut. Nous avons déjà enregistré l'interprétation qu'en donnait Irénée[2]. Le récit dit en effet la revanche de l'homme vis-à-vis de celui qui l'avait vaincu ; car il s'agit d'une victoire qui accomplit la libération et la conversion de la liberté humaine asservie. La liberté souveraine de Jésus, capable

1. Cf. J. Dupont, « L'arrière-fond biblique du récit des tentations de Jésus », *New Testament Studies,* III (1957), pp. 287-314 ; H. Urs von Balthasar, *La Gloire et la Croix,* III. *Théologie, 2. Nouvelle Alliance,* Paris, Aubier 1975, pp. 63-64.
2. Cf. t. I, pp. 182-183.

d'un non net et définitif à toute sollicitation du mal, lui permet de vivre une « existence réconciliée ». En Jésus le croyant contemple l'homme pleinement libre et, pour cette raison, capable de libérer les autres. L'acte de liberté de Jésus a une efficacité de nature sacramentelle. Il effectue ce qu'il symbolise. Cette liberté de la justice et de la sainteté fait autorité par elle-même[1]. Elle a force pour convertir. La scène de la tentation nous révèle quelque chose du *comment* du salut.

L'agonie, dernière tentation de Jésus

L'agonie de Jésus, prélude de toute la passion, qui a lieu au jardin de Gethsémani comme la tentation originelle avait eu lieu au jardin de l'Eden, peut être lue comme la scène de la dernière tentation du Christ : elle nous en indique le motif et le contenu. Selon le conseil qu'il donne lui-même à ses disciples : « Priez pour ne pas tomber au pouvoir de la tentation » (Lc 22,40), Jésus se met en prière. Il demande au Père d'écarter la coupe. Mais chaque fois, il se reprend en disant : « Non pas ma volonté mais la tienne ». Sa tentation est d'échapper à la mort imminente et sanglante qui le rend triste à en mourir et tire de lui une « sueur de sang » (Lc 22,44). Mais cette tentation le pousse à renoncer à sa mission et à chercher à échapper à la mort au prix de quelque compromis fatal. En définitive, c'est la tentation de se laisser vaincre par le monde au lieu de le sauver. C'est dire sa gravité.

Dans cette situation extrême, Jésus vit en quelque sorte sa relation filiale au Père comme une relation de serviteur à maître. Lui qui s'est fait le serviteur du Père connaît la tentation d'éprouver la volonté du Père comme celle d'un maître. Dans ce fol instant le Père lui apparaît comme le souverain qui exige et qui enjoint, et finalement qui envoie à

---

1. Cf. C. Duquoc, *Jésus homme libre. Esquisse d'une christologie,* Paris, Cerf 1973.

la mort. Ce qui sera, hélas, l'interprétation faussement innocente d'une certaine théologie voyant dans le Père celui qui exige la mort du Fils, est pour Jésus le moment de la tentation la plus grave. Mais Jésus n'y succombe pas. C'est le moment que l'évangéliste Marc choisit pour mettre sur ses lèvres le terme de la plus grande tendresse filiale : « Abba, papa » (Mc 14, 36). Ce mot résume sa prière, qui « répète les mêmes paroles » (Mc 14, 39). Jésus se blottit dans sa relation filiale, afin d'y puiser la force d'accorder sa volonté d'homme au dessein salvifique du Père.

Si ces scènes de tentation ont troublé à certaines époques la mentalité chrétienne, c'est parce que nous avons l'expérience que la tentation s'infiltre toujours en nous par le fait d'une certaine complicité. Elle nous attaque de l'extérieur, mais elle a déjà pris place à l'intérieur. Souvent nous ne savons pas si nous avons consenti ou non, tellement son hypothèse a pris de force en nous. Même après avoir surmonté une tentation, nous ne nous sentons pas tout à fait innocents. Jésus a-t-il pu vivre une expérience pareille ? C'est pourquoi au IVᵉ siècle un Apollinaire a préféré amputer l'humanité de Jésus d'une âme intelligente et libre et au VIIᵉ siècle on a mis en cause l'existence d'une volonté humaine en Jésus [1]. On voulait le mettre à l'abri de cette sorte de complicité, mais en lui enlevant ce qui fait le propre de la responsabilité humaine. S'il en était ainsi, ce ne serait plus par un acte authentiquement humain que Jésus nous aurait sauvé.

Sans doute le mystère demeure-t-il et nous ne pouvons pas entrer dans la conscience unique de Jésus. Mais tout d'abord, nous ne devons pas oublier que Jésus n'est pas atteint par ce que nous appelons le péché originel, dont la séquelle en nous est ce désordre intérieur, ce dérèglement de notre désir, qui fait que nos meilleures actions sont grevées d'un retour ambigu sur nous-mêmes. Devant la tentation Jésus est l'homme d'avant le péché, l'homme intègre en plein équilibre et pleine possession de lui-même. Aussi sa résistance à la

---

1. Cf. *Jésus-Christ dans la tradition de l'Eglise, op. cit.,* p. 167-170.

tentation n'a-t-elle été affectée par aucune complicité. Cela ne veut pas dire cependant que la tentation n'a pas été pour lui aussi réelle et aussi grosse de conséquence que celle d'Adam.

Les tentations par le langage

Il est encore un autre aspect des choses : au moment de sa tentation Adam vivait dans un monde encore vierge de tout péché. Jésus a été confronté à la tentation, alors qu'il était environné d'un monde déjà pécheur, qu'il vivait dans une « chair de péché », c'est-à-dire soumise à toutes les conséquences objectives du péché. Le péché le cernait de toutes parts, en particulier par la médiation du langage. Nous savons tous combien d'attitudes pécheresses habitent et travaillent notre langage : envie et jalousie, médisance et calomnie, mensonge et vanité, mépris et jugement des autres, violence, etc. Or ce langage est le lieu privilégié de la transmission du péché entre les hommes. Le langage dans lequel l'enfant grandit, à l'aide duquel il construit sa personnalité, est marqué par le péché. Or Jésus a participé à l'échange commun du langage. Normalement, — si l'on peut dire à la lumière de notre expérience —, *il aurait dû* lui aussi en être marqué. Or Jésus, qui s'est réalisé comme homme à travers la réciprocité des consciences, est resté indemne de tout péché. Tel est aux yeux de Paul Tillich le paradoxe essentiel de la personne du Christ : « Dans une vie personnelle l'image de l'humanité essentielle (= véritable) s'est manifestée dans les conditions de notre existence, sans être vaincue par elles »[1]. Jésus ne s'est laissé pénétrer par aucune complicité avec le péché ambiant.

La chose se manifeste en particulier dans les récits évangéliques où Jésus est confronté à une question-piège, une question maligne et mensongère dans sa motivation, une question qui essaie de l'enfermer dans un dilemme pervers. « Alors les

1. P. Tillich, *L'existence et le Christ,* Genève, L'Age d'homme 1980, p. 117.

pharisiens allèrent tenir conseil afin de le prendre au piège en le faisant parler » (Mt 22, 15) : c'est ainsi que commence le récit de la question sur le tribut à payer à César. Si Jésus répond qu'il faut payer, on l'accusera de collaboration ; s'il dit qu'il ne faut pas payer, on le fera passer pour un séditieux. « Mais Jésus, s'apercevant de leur malice, dit : « Hypocrites ! Pourquoi me tendez-vous un piège ? » (Mt 22, 18). Sa réponse fait la vérité sur l'affaire : en demandant qu'on lui apporte une pièce à l'effigie de César, il convainc ces faux enquêteurs d'une grave idolâtrie, puisqu'ils portent sur eux une monnaie dont l'inscription disait « *divo Caesari* ». Non seulement ils sont complices du régime romain, mais encore ils acceptent de composer avec une monnaie idolâtre. De même, quand on lui demande par quelle autorité il fait ce qu'il fait (Mc 11, 28-33 ; Mt 21, 23-27 ; Lc 20, 1-8), Jésus retourne la question-piège, afin de contraindre ses adversaires à la vérité sur leur attitude vis-à-vis de Jean (Mt, 21, 24-27). On peut considérer toutes ces agressions verbales faites à Jésus comme autant de tentations qui viennent des hommes. Le salut se révèle alors comme manifestation de la vérité.

Le double combat de Jésus contre le mal : l'affrontement au projet de mort

Les tentations de Jésus expriment son combat constant contre la force la plus obscure du mal, celle qui nous cerne depuis le premier péché, la puissance d'*hamartia* qui a envahi le monde, comme en rompant une digue, en raison de la faute d'Adam (Rm 5, 12). Mais ce combat va prendre une autre forme, très concrète et très visible, dans l'affrontement de Jésus aux hommes pécheurs, qui le refusent et ne peuvent supporter sa justice. Ce combat, qui est aussi un procès, traverse la totalité des évangiles. Il est important de bien en saisir l'enjeu, si l'on veut comprendre la triangulation qui structure les récits de la passion et éviter l'interprétation pervertie de la mort sacrificielle de Jésus [1].

Très tôt dans les évangiles synoptiques — on prendra ici Marc comme fil conducteur -, on voit la tension monter entre Jésus d'une part et les scribes et les pharisiens d'autre part. Les uns et les autres estiment qu'il blasphème quand il pardonne les péchés (Mc 2, 7 ; Mt 9,3 ; Lc 5,21) ; ils le critiquent de manger avec les publicains et les pécheurs (2,16 ; Mt 9,11 ; Lc 5,30 ; 15, 2) ; ils l'accusent de ne pas faire jeûner ses disciples (2,18 ; Mt 9, 14 ; Lc 5, 33) et de ne pas respecter le sabbat, soit en arrachant des épis (2,24 ; Mt 12, 2 ; Lc 6, 2), soit en guérissant ce jour-là (Mc 3, 2 ; Mt 12, 10 ; Lc 6, 7). Ce dernier geste de Jésus provoque même un premier conciliabule visant sa mort : « Une fois sortis, les pharisiens tinrent aussitôt conseil avec les hérodiens contre Jésus sur les moyens de le faire périr » (3,6). Cette surveillance malveillante et soupçonneuse, quasi inaugurale, est à l'affût de motifs contre Jésus. Quand celui-ci chasse des démons, on l'accuse de le faire par Béelzéboul, le prince des démons (Mc 3,22 ; Mt 9,34 ; Lc 11, 15). Quand il libère le démoniaque de la Décapole, les gens du pays « se mirent à supplier Jésus de s'éloigner de leur territoire » (Mc 5,17). A Nazareth Jésus se heurte à une hostilité incrédule qui l'empêche de réaliser aucun miracle (Mc 6,3-6). Dans son récit plus détaillé de la prédication de Jésus à Nazareth, Luc (4, 16-30) nous montre son échec, quand il se présente comme celui qui accomplit la prophétie d'Isaïe (Is 61, 1-2). Jésus se compare alors aux prophètes qui ne sont pas reçus dans leur pays, titre qui évoque le rejet et la mort. Ses paroles finissent par provoquer une telle colère que les gens le « jetèrent hors de la ville et le menèrent jusqu'à un escarpement de la colline sur laquelle était bâtie leur ville, pour le jeter en bas » (Lc 4, 29). Ce jour-là le projet de mort semble tout près de passer à l'action.

---

1. En insistant sur le fait que la mort de Jésus est imputable aux hommes pécheurs, j'entends parler de tous les hommes, païens et Juifs.

L'hostilité se manifeste aussi par des discussions sans fin sur les traditions rituelles, dont le maquis permet finalement d'annuler la parole de Dieu (Mc 7,l3 ; Mt 15, 2). Ce sont les incessants pièges tendus (Mc 8, 11) soit par la demande d'un signe qui vienne du ciel (Mc 8, 11-13 ; Mt 16,1), soit par des questions procédurières, comme celle sur le mariage (Mt 19,3) que Jésus transcende en faisant appel de Moïse lui-même au dessein du Créateur. D'autres questions — nous l'avons vu — cherchent à faire tomber Jésus dans le piège d'un dilemme dont les deux termes sont irrecevables : quoi qu'il réponde, il se mettra dans son tort. On comprend dès lors que Jésus dénonce vigoureusement l'hypocrisie et la cupidité des scribes (Mc 12, 38-40) et des pharisiens, qui symbolisent le refus opiniâtre de sa parole et de sa personne, dans une longue diatribe qui dénonce la contradiction mensongère entre leur parole et leur action (Mt 23, 1-36).

Le poids mortel du mensonge

Dans ce combat perpétuel Jésus ne se heurte pas seulement à la violence d'un projet de mort. Il affronte également le mensonge. Nous savons aujourd'hui la quasi toute-puissance du mensonge des propagandes de tout bord pour abattre un adversaire innocent en le faisant passer pour un traître, un asocial, un malade mental, un pervers, un malhonnête, bref pour le salir par de multiples insinuations. Nous savons que de telles campagnes peuvent tuer, soit au terme d'un jugement inique, soit par la suicide de celui qui ne peut plus supporter la chape des calomnies qui le submergent. La perversion du mensonge, présente dès le jardin des origines, est pleinement à l'œuvre en face de Jésus. Lui, l'innocent par excellence, elle essaie de le faire passer pour un pécheur. Elle jette sur lui le soupçon, puis l'accusation ; elle prépare le climat populaire dans lequel elle pourra demander sa mort. Il est toujours possible de retourner en mal une attitude, ou un comportement : « Jean est venu : il ne mange ni ne boit, et l'on dit : ''Il a perdu la tête''. Le Fils de l'homme est venu, il mange, il boit, et l'on dit : "Voilà un glouton et un ivrogne, un ami des collecteurs d'impôts et des pécheurs" » (Mt 11, 18-19). Le mensonge est généralement plein d'intelligence et d'astuce, il sait se parer des couleurs de la vertu et en appeler aux bons sentiments. Il est essentiellement manipulateur. Ce n'est pas sans raison que Jésus désigne l'adversaire comme le menteur dès l'origine. Il en a fait l'expérience sur lui-même. Le combat de la vérité et du mensonge est inexpiable.

Il n'est donc pas étonnant que Jésus annonce des persécutions pour ceux qui voudront le suivre : « Vous serez haïs tous à cause de mon nom...Le disciple n'est pas au-dessus de son seigneur » (Mt 10, 22.24). Les choses humaines étant ce qu'elles sont, Jésus est conscient de ne pas apporter la paix sur la terre, mais le glaive (cf. Mt, 10,34). Il a eu presque sous ses yeux le cas de Jean-Baptiste (Mt 14, 1-12). Après le tournant de Césarée et dans sa montée vers Jérusalem les récits synoptiques mettent par trois fois dans la bouche de Jésus l'annonce de la passion. Même si les formulations de ces annonces nous semblent influencées par le résumé des événements, tel qu'il sera repris dans le kérygme, ces trois rédactions synoptiques éprouvent le besoin de souligner la lucidité de Jésus quant à son avenir : il va au devant de la mort réservée aux prophètes. Le combat contre le mensonge et la violence est un combat à mort : la mort de l'un et de l'autre passera par sa propre mort.

La parabole des vignerons meurtriers a la même portée : Jésus y montre l'escalade de la violence dans le sort réservé aux serviteurs, escalade qui trouve son sommet dans le meurtre du Fils (Mc 12,1-11). Après ce récit l'évangéliste informe son lecteur : « Ils cherchaient à l'arrêter, mais ils eurent peur de la foule » (v.12). Dans sa lamentation sur Jérusalem, Jésus nous est montré tout à fait lucide tant sur le sort des prophètes, que sur le refus de fond dont il est l'objet : « Jérusalem, Jérusalem, toi qui tues les prophètes et lapides ceux qui te sont envoyés, que de fois j'ai voulu rassembler tes enfants comme une poule rassemble sa couvée

sous ses ailes et vous n'avez pas voulu » (Lc 13,34). C'est ce
« vous n'avez pas voulu » que Jésus doit vaincre jusque dans
la mort.

Selon une modalité de récit bien différente, l'évangile de
Jean est le témoin du même affrontement. Il est présenté
comme un long procès entre Jésus et les Juifs qui refusent
de croire en lui. L'enjeu du débat est ici formellement
l'identité de Jésus : « Dès lors, les Juifs n'en cherchaient que
davantage à le faire périr, car non seulement il violait le
sabbat, mais encore il appelait Dieu son propre Père, se
faisant ainsi l'égal de Dieu » (Jn 5, 18). Le long discours à la
synagogue de Capharnaüm est considéré, même par beaucoup
de ses disciples, comme trop rude à entendre. La discussion
sur la descendance d'Abraham fait monter la tension : « Parce
que ma parole ne pénètre pas en vous, vous cherchez à me
faire mourir... Votre père, c'est le diable et vous avez la
volonté de réaliser les désirs de votre père. Dès le commencement il s'est attaché à faire mourir l'homme ; ... Lorsqu'il
profère le mensonge, il puise dans son propre bien, parce
qu'il est menteur et père du mensonge » (Jn 8, 37-44). La
discussion qui suit la guérison de l'aveugle-né est un long
débat pour savoir qui est le pécheur : Jésus ou les pharisiens ?
« Rends gloire à Dieu, disent ceux-ci à l'aveugle guéri, nous
savons, nous, que cet homme est un pécheur » (Jn 9,24).
Jésus conclut au contraire à leur sujet : « Si vous étiez des
aveugles, vous n'auriez pas de péché. Mais à présent vous
dites ''nous voyons'' : votre péché demeure » (9,41). Ce débat
manifeste l'enjeu religieux de la confrontation : il s'agit de
savoir qui, de Jésus ou des pharisiens, est le vrai témoin de
Dieu et donc de savoir qui est Dieu. L'opposition s'exaspère
ensuite jusqu'à un essai de lapidation (Jn 10, 31) et à
l'accusation formelle de blasphème (v. 33). « Une fois de
plus, ils cherchèrent à l'arrêter » (Jn 10,39).

Le témoignage de Jean rejoint donc le récit des synoptiques :
la vie de Jésus fut un âpre combat contre les pécheurs, un
combat à mort. « Il est venu chez lui et les siens ne l'ont pas
reçu », annonce le prologue du quatrième évangile (Jn 1, 11).

Cette parole résume le heurt fondamental qui conduit au drame de la passion. Le vieil auteur de l'*Imitation de Jésus-Christ* avait bien senti la chose quand il écrivait : « Toute la vie de Jésus fut croix et martyre ». Ici se reproduit en raccourci à l'échelle de la vie d'un homme ce qui fut la relation constante de Dieu à son peuple. Initiative toujours renouvelée du salut d'un côté, dominante de refus et de péché de l'autre. Telle est la situation de fond des deux partenaires en cause, tel est l'espace relationnel dans lequel le salut va s'accomplir. En Jésus Dieu se tourne inlassablement et irrévocablement vers l'homme. Le refus de celui-ci ne provoque aucune attitude de retrait déçu, de projet de vengeance ou d'exigence nouvelle de compensation. Sans doute Jésus est-il accessible à la colère, conséquence d'un amour bafoué. Mais sa véritable réaction consiste à venir vaincre le refus sur son propre terrain, en acceptant de se faire écraser par lui, afin de révéler la vérité et d'exercer dans la toute-faiblesse la toute-puissance de l'amour. En toute cette démarche où Dieu cherche inlassablement l'homme, le mouvement descendant est prioritaire.

L'Evangile du pardon des péchés

Dans l'horizon de ce double combat, Jésus annonce le Royaume de Dieu[1]. La prédication de ce Royaume n'est rien d'autre que la prédication du salut, puisque le Royaume de Dieu est un Royaume pour les hommes. Dans le Royaume la cause de Dieu se confond avec la cause de l'homme. Ce Royaume est déjà en devenir du fait de la présence agissante de Jésus, c'est-à-dire que le salut de l'homme est lui aussi déjà à l'œuvre. Ce salut prend une première figure dans le monde symbolique, encore fragile et provisoire, où les auditeurs de la parole de Jésus découvrent, à travers l'expérience de relations nouvelles, un univers réconcilié où ils rencontrent à la fois leur vérité et leur bonheur. C'est un

---

1. Cf. *Jésus-Christ dans la tradition de l'Eglise, op. cit.*, p. 235-239.

monde où l'amour est redevenu possible, parce qu'il est donné par la force contagieuse qui émane de Jésus. L'image du salut véhiculée par l'annonce du Royaume est totale. Elle concerne tous les hommes et tout l'homme. Elle unit le corporel et le spirituel, car le salut passe aussi par la guérison des corps.

Au cœur de la prédication du royaume prend place l'annonce du pardon des péchés. Bien loin d'être découragé par le double combat qu'il commence à mener, Jésus proclame paradoxalement le pardon inconditionnel de Dieu. Ce pardon est inconditionnel en ce sens qu'il ne demande qu'à être reçu par un cœur converti. L'appel à la conversion s'inscrit dans la proclamation du pardon. Jésus proclame le pardon par ses attitudes et ses actes comme par ses paroles. Il va manger avec les publicains et les pécheurs, au grand scandale des scribes et des pharisiens. Les guérisons qu'il accomplit sont mises au service de ce pardon. Il pardonne leurs péchés au paralytique (Mt 9,2) comme à la femme pécheresse chez Simon (Lc 7, 48).

Ses déclarations ne sont pas moins solennelles : « Ce ne sont pas les bien portants qui ont besoin du médecin, mais les malades. Allez donc apprendre ce que signifie : ''C'est la miséricorde que je veux et non le sacrifice''. Car je ne suis pas venu appeler les justes mais les pécheurs » (Mt 9, 12-13). Verset capital qui résume la mission de Jésus, ce pour quoi « il est sorti ». Sa présence est une solennelle et définitive déclaration de la miséricorde de Dieu envers les hommes pécheurs. Cette déclaration est en même temps un acte de pardon. Aussi se déclarer juste devant Jésus, c'est prétendre n'avoir pas besoin de lui, c'est s'exclure de son pardon. En même temps, Jésus remet à sa place la signification des sacrifices extérieurs et rituels par rapport à l'essentiel qui est la miséricorde. La citation opère d'ailleurs un glissement de sens par rapport à l'original. Chez Osée (6,6) c'est la miséricorde et l'amour des hommes qui sont demandés et préférés au sacrifice. Dans le contexte de la parole de Jésus on y entend plutôt une proclamation de la miséricorde de

Dieu. A ceux qui le critiquent d'avoir pris un repas chez le publicain Matthieu, Jésus répond qu'il vient d'exercer la miséricorde de Dieu. Il s'est aussi appliqué à lui-même le commandement révélé par Osée : il a exercé la miséricorde fraternelle.

Il arrive aussi que les actes conduisent à la parole. En saint Luc, la critique répétée que Jésus « fait bon accueil aux pécheurs et mange avec eux » (Lc 15,2) amène la série des paraboles dites de la miséricorde. « Il y aura plus de joie dans le ciel pour un seul pécheur qui se convertit, plus que pour quatre-vingt-dix-neuf justes qui n'ont pas besoin de conversion » (15,7). Ce que fait Jésus avec les pécheurs, c'est ce que fait le père de la parabole avec son fils prodigue. Il lui pardonne et fait la fête, parce que celui qui était mort est revenu à la vie, celui qui était perdu est retrouvé (15, 24).

Cette annonce du pardon est coextensive à l'Evangile : elle se confond en quelque sorte avec lui. C'est elle qui enveloppe l'annonce de la réalité abyssale du péché et permet à l'homme de la supporter sans périr. Elle accomplit les grandes promesses prophétiques et précède en quelque sorte, comme chez les derniers prophètes, l'appel au repentir et à la conversion qui l'accompagne. Telle est la révélation de la justice de Dieu, gratuite et absolue, justifiante pour l'homme pécheur. Telle est aussi la révélation du salut.

Comme les pharisiens, nous sommes volontiers surpris par l'apparente facilité avec laquelle Jésus pardonne. Ce point ne doit pas nous faire oublier que la démarche de foi et de conversion est toujours présente : qu'il s'agisse du paralytique, de la pécheresse chez Simon, de Zachée, de l'aveugle-né en saint Jean, ou du prodigue de la parabole lucanienne. Mais cette attitude de Jésus, parlant et agissant au nom de son Père, nous oblige a priori à écarter de la passion toute interprétation qui exigerait la mort souffrante de Jésus comme une punition compensatoire pour le péché. Le Dieu qui parle et agit en Jésus à longueur d'évangile et le Dieu témoin et partenaire de la passion sont un seul et même Dieu, un Dieu de tendresse et de pardon.

Jésus, le Serviteur du salut

Il est apparemment étonnant que Matthieu applique explicitement la prophétie du Serviteur souffrant à Jésus, non à l'occasion de la passion, mais pour dire le sens des nombreuses guérisons et exorcismes accomplis par Jésus : « Le soir venu, on lui amena de nombreux démoniaques. Il chassa les esprits d'un mot et il guérit tous les malades, pour que s'accomplisse ce qui avait été dit par le prophète Isaïe : "C'est lui qui a pris nos infirmités et s'est chargé de nos maladies" » (Mt 8, 16-17). Ici encore, il y a un glissement de sens entre la prophétie et son utilisation[1]. Le Serviteur d'Isaïe portait en les subissant les souffrances qui étaient la conséquence du péché des spectateurs ; Jésus s'en charge pour les guérir, il les enlève. Il y a donc un progrès dans la compréhension du rôle salvifique du Serviteur. Cela ne veut pas dire que l'autre aspect des choses n'aura pas aussi sa vérification à la croix. Jésus crucifié portera sur lui en toute réalité le poids douloureux de nos maux. Mais Matthieu ne fera pas alors référence à Isaïe. Nous avons déjà rencontré l'autre citation matthéenne des poèmes du Serviteur[2]. Le contexte est toujours celui de guérisons collectives : « Beaucoup le suivirent ; il les guérit tous. Il leur commanda sévèrement de ne pas le faire connaître, afin que soit accompli ce qu'a dit le prophète Isaïe : « Voici mon serviteur que j'ai élu, mon Bien-aimé qu'il m'a plu de choisir, je mettrai mon Esprit sur lui, ... » (Mt 12, 15-18). Matthieu présente ici un sommaire de l'activité de Jésus et il en demande l'interprétation au premier chant du Serviteur, qui en dit symboliquement le sens.

Car le ministère de Jésus est un service authentique du salut. Un serviteur est toujours demandé pour un travail. Si le salut de Dieu exige un serviteur, c'est parce qu'il est un travail à accomplir, le mot étant entendu avec tout le sens

1. Cf. P. Grelot, *Les poèmes du Serviteur. De la lecture critique à l'herméneutique*, Paris, Cerf, 1981, p. 164-166.
2. Cf. ci-dessus, p. 133.

onéreux qui lui est attaché. Déjà Moïse était appelé serviteur, ainsi que David et bien d'autres personnages de l'Ancien Testament, jusqu'à Cyrus lui-même. Ces figures historiques se purifiaient et se chargeaient de sens dans la figure prophétique des chants du Serviteur. Le vrai Serviteur de Yahvé, c'est Jésus qui prend sur lui le travail du salut. Car ce travail et ce service ne peuvent être accomplis par les hommes pécheurs. C'est au médiateur envoyé par Dieu qu'il incombe en priorité. Grâce à lui et en lui les hommes convertis dans la foi pourront alors s'y associer. Le service du salut constitue toute la mission de Jésus.

Le fameux logion de la rançon, dont le contact thématique sinon littéraire[1] avec Is. 53 est difficilement discutable, ne dit pas autre chose. A la demande insensée de Jacques et de Jean, fils de Zébédée, d'obtenir les premières places dans la gloire, Jésus répond par un logion qui résume la charte de son existence, en parfaite contradiction avec la conduite des grands et des puissants : « Si quelqu'un veut être grand parmi vous, qu'il soit votre serviteur. Et si quelqu'un veut être le premier parmi vous, qu'il soit l'esclave de tous. Car le Fils de l'homme n'est pas venu pour être servi, mais pour servir et donner sa vie en rançon pour la multitude » (Mc 10,45 ; cf. Mt 20, 28)[2]. Chez Luc le même logion se termine un peu autrement : « Lequel est en effet le plus grand, celui qui est à table ou celui qui sert ? N'est-ce pas celui qui est à table ? Or, moi, je suis au milieu de vous à la place de celui qui sert » (Lc 22, 27). Cette réflexion trouve son illustration symbolique dans le récit du lavement des pieds en saint Jean (13, 1-20) : l'évangéliste prend soin de donner toute sa solennité à ce geste d'esclave, considéré dans la culture du temps comme particulièrement humiliant. Le lecteur ne doit pas s'y tromper : il ne s'agit pas d'un fait divers ou d'un détail émouvant. Le projecteur est braqué sur la scène, afin

1. Cf. P. Grelot, *op. cit.,* p. 158-161, où l'auteur récuse les contacts littéraires souvent allégués.
2. Sur le sens qu'il faut donner au logion de la rançon, cf. t. I, p. 152-153.

qu'il soit bien entendu que l'essentiel de la mission de Jésus s'y trouve à la fois dit et agi. C'est en pleine lucidité sur son origine et sur sa fin, sur sa mission et sur la gravité de l'heure que Jésus veut poser ce geste comme le symbole efficace d'un amour qui va jusqu'au bout : « Si je vous ai lavé les pieds, moi le Seigneur et le Maître, vous devez vous aussi vous laver les pieds les uns aux autres ; car c'est un exemple que je vous ai donné : ce que j'ai fait pour vous, faites-le vous aussi. En vérité, en vérité, je vous le dis, un serviteur n'est pas plus grand que son maître, ni un envoyé plus grand que celui qui l'envoie » (Jn 13, 14-16). Jean met en relief la dialectique du Seigneur et du Serviteur : le geste de service de Jésus prend toute sa valeur parce qu'il a été accompli par le Seigneur et Maître. C'est un geste seigneurial. Jésus se met en peine de purifier les siens, afin qu'ils puissent avoir part avec lui. Ici encore la plénitude du don se fait pardon.

Toute la vie de Jésus a été un service onéreux et aimant du salut des hommes : sa mort sera l'accomplissement ultime de ce même service. C'est dans le sens qu'il donne à sa vie, qu'il faut chercher celui de sa mort. L'exégèse contemporaine a trouvé un mot pour traduire le service omniprésent dans la vie de Jésus : la « pro-existence »[1]. Cette vie est une « existence-pour » ses frères et pour son Père, une existence donnée. Ce sont des gestes de service de Jésus que nous devons discerner dans les miracles, les guérisons et les multiplications des pains, comme dans les scènes de pardon ou les enseignements. Chaque fois Jésus « travaille », symboliquement et réellement, au salut de tout l'homme. Le résumé de l'itinéraire descendant et ascendant de Jésus que donnera l'hymne de *Philippiens* (2, 6-11) exercera le vrai diagnostic : en chacun de ses gestes Jésus donne figure à la « forma servi » qu'il a choisie, lui qui était « en forme de Dieu ». Ce choix le conduira jusqu'à la mort de l'esclave.

---

1. L'expression vient de H. Schürmann, *Comment Jésus a-t-il vécu sa mort ?*, Paris, Cerf 1977, p. 145-187 ; cf. aussi M. Deneken, « Pour une christologie de la pro-existence », *Revue des Sciences Religieuses,* 62, (1988) p. 265-290.

Tout l'Evangile en chaque évangile

Cette lecture des récits du ministère de Jésus est restée synthétique. Elle a essayé de mettre en relief quelques grandes lignes de force de la parole et du comportement de Jésus Sauveur. C'est le récit de récits qui a été mis davantage à contribution. Il faudrait pouvoir analyser aussi en détail chaque récit, ou chaque séquence unifiée de récits en tant qu'ils constituent une unité. Car la rédaction des évangiles a tenu à faire de chaque péricope un Evangile. En chaque scène de la vie de Jésus, qu'il s'agisse d'un enseignement, d'un débat, d'une parabole, d'un miracle ou d'une théophanie, retentit la totalité de l'Evangile. Sous une harmonique originale, c'est l'ensemble de l'événement du salut qui est visé et exprimé. Chaque récit diffracte comme dans un prisme les multiples dimensions du mystère pascal. De ce point de vue tous ont quelque chose à nous dire sur la nature du salut comme sur la manière dont Jésus s'y prend pour nous sauver.

Les dimensions de cet ouvrage ne permettent pas ces lectures à l'infini. Je me contenterai de trois scènes, choisies dans l'évangile de Luc, et reprises ici à titre d'échantillon si l'on peut dire : un récit de miracle, une parabole, un récit de pardon.

La guérison signe de pardon (Lc 5, 17-26)

Jésus enseigne devant un nombreux public où se trouvent des pharisiens et des docteurs de la loi. La raison de cette affluence réside dans les guérisons qu'il accomplit : « La puissance du Seigneur était à l'œuvre pour lui faire opérer des guérisons » (v. 17). L'introduction du récit met en relief le lien entre la parole et l'action de Jésus [1]. Précisément, un paralytique a un ardent désir d'être guéri. C'est pour cela qu'il vient à Jésus. Ne pouvant se déplacer lui-même, il est porté sur une civière. Mais la foule est trop nombreuse pour

---

1. Cf. *Jésus-Christ dans la tradition de l'Eglise, op. cit.* p. 241-244.

que les porteurs puissent approcher. Ceux-ci inventent donc un stratagème : faisant un trou dans la toiture, ils déposent le malade « en plein milieu », c'est-à-dire dans ce petit espace libre qui sépare toujours un conférencier de ses auditeurs.

« Voyant leur foi ... » : le narrateur attribue à Jésus lui-même cette interprétation de la conduite de ce petit groupe d'hommes. Jésus a vu ce qui n'est pas visible. Mais déployer autant d'ingéniosité pour l'approcher ne peut venir que de la foi ; et Jésus la met au compte de tout le groupe. La démarche du paralysé est celle d'une communauté : les porteurs ont aussi porté le malade de leur propre foi.

« Il dit : "Tes péchés te sont pardonnés" » (v. 20). Cette réaction est surprenante à plus d'un titre. Nulle part le texte ne nous dit que l'homme était un pécheur : il nous le présente seulement comme un malade. De plus, cette parole ne répond pas à l'attente de l'intéressé et de ses porteurs. Ils seraient en droit d'être déçus... Cette déclaration aussi nette du pardon des péchés faite à telle personne est d'autant plus impression-nante qu'elle est rare dans les évangiles : elle intervient deux fois, une fois dans cette scène commune aux synoptiques, et une autre fois à propos de la pécheresse pardonnée en saint Luc (Lc 7, 48), dans un récit qui comporte certains parallèles avec celui-ci. Enfin, bien loin de se concilier la faveur des scribes et des pharisiens, la formule ne peut que les scandali-ser : « Quel est cet homme qui dit des blasphèmes ? » (v. 21), puisque Dieu seul peut pardonner les péchés. La question de l'identité de Jésus est posée. En réalité, ce dernier a employé une formule passive, fréquente dans la Bible, qu'on appelle un « passif divin » : pour éviter d'avoir à nommer Dieu comme le sujet actif de l'action, on exprime celle-ci au mode passif, ce qui permet de faire comprendre, sans le dire explicitement, par qui l'action a été produite. Il reste que, même avec une formule passive, Jésus prétend bien rendre présente ici et maintenant l'action de Dieu, au nom duquel il proclame le pardon des péchés. La situation est alors double-ment tendue et l'attention se concentre sur les paroles que Jésus va prononcer.

« Mais Jésus, connaissant leurs raisonnements, leur rétor-
qua : "Pourquoi raisonnez-vous dans vos cœurs ?" » (v. 22).
Jésus est capable de lire au fond des cœurs. Cette réflexion
justifie déjà le pardon donné au paralytique : Jésus a lu dans
son cœur sa disposition de foi. Jésus est donc du côté de
Dieu qui connaît les pensées des hommes. Cette introduction
lui permet d'aborder le vif du reproche : « Qu'y a-t-il de
plus facile, de dire : "Tes péchés te sont pardonnés" ou bien
de dire : "Lève-toi et marche" ? Eh bien, afin que vous
sachiez que le Fils de l'homme a sur la terre le pouvoir de
pardonner les péchés, — il dit au paralysé : Je te le dis, lève-
toi, prends ta civière et va dans ta maison » (v. 23-24). Le
mouvement de la réponse est à bien saisir : Jésus reprend la
formule passive qu'il a employée, mais il va plus loin en
revendiquant pour lui le pouvoir, — *exousia* proprement
divine — de remettre les péchés sur la terre ; plus encore, la
parole de guérison prend la forme d'un impératif : lève-toi.
Or tout est bâti sur la question : « Quel est le plus facile ? ».
Si Jésus peut guérir un paralytique aussi facilement, il peut
aussi lui remettre ses péchés. Or les deux choses sont également
impossibles à l'homme laissé à lui-même. Dans les deux cas
Jésus se situe du côté de Dieu, de qui il tient autorité et
pouvoir. Pour la première fois dans l'évangile de Luc, il se
désigne lui-même sous le nom mystérieux de « Fils de
l'homme », figure céleste et apocalyptique annoncée dans le
livre de Daniel. Ce nom est une indication sur son identité.
Les récits évangéliques le laisseront toujours dans la bouche
de Jésus, comme s'il était l'écho de la manière dont celui-ci
se comprenait lui-même. Jésus le revendiquera devant le
Sanhédrin, pour tomber une fois encore sous l'accusation de
blasphème.
   Cette parole de Jésus est révélatrice de sa mission : il est
venu pour le pardon des péchés ; et à ce pardon il n'est
qu'une condition, la foi dont le paralytique a donné une
preuve plus que suffisante. Les autres récits évangéliques de
guérison mettent plus encore en relief la nécessité de la foi
pour être « sauvé ». Le malade est donc justifié : la formule

passive indique que c'est un fait accompli. La déclaration de Jésus est tout à la fois un constat et un acte : un constat, puisque ce pardon a déjà eu lieu, un acte, car ce pardon est solidaire de la venue de Jésus en qui le paralytique a cru et qui revendique pour lui l'autorité de remettre les péchés sur la terre. Mais aussi, par le fait que Jésus pardonne à un homme qui n'est pas qualifié de pécheur dans la société, il manifeste que tout homme est pécheur, que tout homme a besoin d'être pardonné.

Un tel acte est bel et bien exorbitant. Il y a un élément juste dans l'accusation de blasphème : Dieu seul peut pardonner les péchés. Qui est donc Jésus pour oser prétendre à pardonner ? La simple parole ne suffit pas, puisque la réalité de ce pardon n'a pas d'effet visible. Un signe doit lui correspondre, qui authentifiera la prétention de Jésus et manifestera que le pardon est une régénération de tout l'homme dans son intégrité. La guérison sera ce signe attestant la réalité du pardon et manifestant ses conséquences. Le salut qui va à la vie ne va pas sans la santé. Ce pardon solennel des péchés, situé au début du ministère de Jésus, dit ainsi le sens de l'ensemble des guérisons qu'il accomplira.

« A l'instant, celui-ci se leva devant eux, il prit ce qui lui servait de lit et il partit pour sa maison en rendant gloire à Dieu » (v.25). Le paralytique était couché, dans la position qui symbolise le sommeil et la mort : Jésus le « réveille », (c'est le verbe employé pour les résurrections), et le fait se lever, il le remet debout, dans l'attitude du vivant. L'homme peut désormais se déplacer, aller vers les autres, revenir pleinement dans le réseau des relations humaines. Le salut est le don de la vie.

« La stupeur les saisit tous et ils rendaient gloire à Dieu ; remplis de crainte, ils disaient : ''Nous avons vu aujourd'hui des choses extraordinaires'' » (v. 26). Luc aime terminer un certain nombre de ses récits par une notation de ce genre : gloire rendue à Dieu ou acte de foi dans la personne de Jésus. Cette conclusion fait du récit particulier un Evangile, une bonne nouvelle, qui demande à être reçue dans l'action de grâce et la foi.

La guérison la plus radicale, c'est la résurrection. C'est pourquoi les récits évangéliques, ceux de Luc en particulier, montreront Jésus capable de ressusciter des morts, prérogative divine s'il en est. Les résurrections, encore provisoires sans doute, du fils de la veuve de Naïm (Lc 7, 11), de la fille de Jaïre (Lc 8, 40-56) et de Lazare en saint Jean (Jn 11) dévoilent complètement le paradigme de mort et de résurrection immanent au salut et déjà présent dans les guérisons. La situation pécheresse de l'homme est une situation qui conduit à la mort. Le salut fait vivre et revivre : il ressuscite. Le signe de la santé rendue au paralytique, de la vie rendue à ce jeune homme et à cette jeune fille, deviendra le signe définitif et absolu du salut dans la résurrection de Jésus.

Le bon Samaritain (Lc 10, 23-37)

Comme souvent en saint Luc, le récit parabolique se greffe sur une réflexion entendue visant Jésus ou sur un dialogue au cours duquel on lui pose une question. L'intention du légiste semble ambiguë, puisqu'il veut mettre Jésus à l'épreuve. Mais dans son énoncé la question demeure capitale : « Maître, que dois-je faire pour avoir en partage la vie éternelle ? » (v. 23). En d'autres termes, que dois-je faire pour être sauvé ? Jésus le renvoie alors à lui-même et à la lecture de la loi par une nouvelle question : « Dans la loi qu'est-il écrit ? Comment lis-tu ? » (v. 26). Le légiste cite alors les deux premiers commandements concernant l'amour de Dieu et l'amour du prochain (le texte est emprunté à Dt 6,5). Jésus l'approuve : « Fais cela et du vivras » (v. 28). Réaliser d'un seul mouvement l'amour de Dieu et du prochain, voilà la vie et le salut. Tout est dit. C'est le légiste qui est désormais mis à l'épreuve de sa propre existence.

Mais le légiste, pris au piège de sa question, veut se justifier ou montrer la justesse de sa réflexion. Tout n'est pas si simple. Jusqu'ici le dialogue en est resté au plan de l'affirma-

tion générale, celle qui suscite d'emblée l'adhésion. Mais la
mise en œuvre de ces commandements passe par la particularité des situations. Concrètement, qui est mon prochain ? Où
commence et où s'arrête le commandement ? Ne peut-on pas
établir des cercles concentriques qui situent les autres par
rapport à moi, ma responsabilité d'aimer diminuant à mesure
que ceux-ci se trouvent plus éloignés ? La question du légiste,
pour sérieuse et sincère qu'elle soit, conduit à une casuistique
de ce type. C'est alors que Jésus « reprit » : « Un homme
descendait de Jérusalem à Jéricho... ». Tout le récit consiste
à renverser le sens de la question : celle-ci n'est plus de savoir
qui est mon prochain, mais de qui suis-je capable de me
montrer le prochain ? J'ai entendu ainsi un philosophe faire
cette réflexion : « Il n'y a pas de choses intéressantes ; mais
on s'intéresse à des choses ». Jésus le disait déjà à propos
des personnes. Le repère n'est plus géographique ou social ;
il est dans l'attitude même de la personne. Il n'est pas statique
(certains sont proches et d'autres sont loin) ; il est dynamique
et repose sur le mouvement que je suis capable d'effectuer
vers les autres. Le prêtre et le lévite ont *vu* le blessé, mais ils
l'ont laissé sur la route. Celui-ci était pourtant leur proche,
puisqu'appartenant au même peuple, habitant la même région
et empruntant le même chemin. Mais ils ont pris soin de
passer « à bonne distance », c'est-à-dire qu'ils se sont éloignés
du blessé, en même temps qu'ils l'ont rendu loin d'eux, afin
de faire de lui quelqu'un qui n'était plus leur proche.

Mais voici le Samaritain : il est un étranger par la géographie
et par la confession religieuse (c'est un schismatique). L'évangile de Jean nous dira que les Juifs refusaient de fréquenter
les Samaritains (cf. Jn 4, 9). Cela fait beaucoup de bonnes
raisons de considérer que cet homme blessé, un Juif selon
toute vraisemblance, n'est pas son prochain. Lui aussi *vit* le
blessé, mais, pris de pitié, il « s'approcha ». Il donne au
malheureux tous les soins d'un bon secouriste du temps : il
verse du vin dont l'alcool est un désinfectant et de l'huile
qui calme la douleur. Mieux, il le prend en charge et le
conduit, sinon à l'hôpital, du moins à l'auberge où il pourra

être soigné. Il le veille jusqu'au lendemain. Il prend sur lui la dépense. Sa générosité lui est coûteuse : il s'engage même sur les frais à venir. Jésus peut alors poser la bonne question, celle à laquelle la réponse est évidente : « Lequel des trois, à ton avis, s'est montré le prochain de l'homme qui était tombé sur les bandits ? » (v. 36).

Toute parabole est à sa manière une parabole de l'événement de Jésus. Le sens de celle-ci ne peut se réduire à un enseignement moral. Au sens immédiat, il s'agit déjà de bien plus que de cela : la question première concerne la vie éternelle. Le comportement du Samaritain n'est pas présenté simplement comme un comportement moral, mais comme un comportement théologal. Le Samaritain s'est rendu proche de Dieu en s'approchant de son frère humain, en écoutant le cri de pitié de ses entrailles envers un être de la même chair. L'ordre de Jésus, « Va et, toi aussi, fais de même », engage donc la vie ou la mort, le salut ou la perte.

Précisément il s'agit d'un faire : Jésus ne peut enseigner ce qu'il ne fait pas lui-même. La parabole du bon Samaritain, c'est la parabole de ce que Jésus est venu agir parmi les hommes. Origène invoque ici une tradition d'interprétation déjà ancienne de son temps, que nous pouvons juger trop allégorique, puisqu'elle cherche une application à chaque trait de la parabole sans éviter certains arbitraires, mais dont l'inspiration est étonnamment juste dans sa manière de lire, à travers un unique récit, toute l'histoire du salut en raccourci : « L'homme qui descendait représente Adam, Jérusalem le paradis, Jéricho le monde, les brigands les puissances ennemies, le prêtre la Loi, le lévite les prophètes et le Samaritain le Christ. Les blessures sont la désobéissance, la monture le corps du Seigneur, le « pandochium », c'est-à-dire l'auberge ouverte à tous ceux qui veulent y entrer, symbolise l'Eglise. De plus, les deux deniers représentent le Père et le Fils ; l'hôtelier le chef de l'Eglise chargé de l'administrer ; quant à la promesse faite par le Samaritain de revenir, elle figurait le second avènement du Sauveur »[1]. Origène commente alors à plaisir, en soulignant l'axe christologique de la parabole. Il rappelle que les Juifs, dans l'évangile de Jean ont dit à Jésus : « Tu es samaritain et un démon te possède »[2]. Il voit lui aussi dans la monture une référence à l'incarnation : la monture c'est le corps du Seigneur qui « a daigné assumer l'humanité »[3] et porter nos péchés. « Ce gardien de nos âmes est apparu vraiment plus proche des hommes que la Loi et les prophètes, ''en faisant miséricorde à celui qui était tombé entre les mains des brigands'' et il s'est montré son prochain non pas tellement en paroles mais en actes »[4].

Jésus est le Bon Samaritain que sa condition divine rendait en un sens éloigné de l'homme. Mais les entrailles de Dieu se sont émues à la vue de l'humanité tombée aux mains de l'adversaire-brigand, blessée sur la route et incapable de se relever. Jésus s'est donc « approché » de l'homme : on n'insistera jamais assez sur ce mouvement qui remonte à la création, qui traverse tout l'Ancien Testament, par lequel Dieu vient se faire proche de l'homme. C'est dans ce mouvement que le salut a son origine et son fondement permanent. Jésus vient panser les plaies de l'homme blessé en y versant de l'huile et du vin. Cette image résume de manière significative son ministère salvifique, son « travail ». Il prend sur lui toute la tâche, charge le blessé sur sa propre monture. Après avoir ainsi payé de sa personne, il n'hésite pas à payer les frais d'auberge, sans limite. Nous pouvons y lire un équivalent lucanien du logion de la rançon. Si l'on veut prolonger la parabole au nom des correspondances évangéliques, on dira que, pour accomplir ce ministère, Jésus lui-même a accepté de tomber entre les mains des brigands

---

1. Origène, *Homélies sur S. Luc,* 34, trad. H. Crouzel, F. Fournier et J. Périchon, *S.C.* 87, Paris, Cerf 1962, p. 403-405.
2. *Ibid.,* p. 407.
3. *Ibid.,* p. 409.
4. *Ibid.,* p. 409.

et de devenir l'homme dépouillé, blessé de coups et laissé bien plus qu'à demi-mort.

Simple et double parabole du salut : d'un côté elle nous dit ce que nous avons à faire pour entrer dans la vie éternelle ; de l'autre elle nous révèle grâce à qui et comment nous pouvons y entrer. Nous nous interrogeons sur le comment du salut : la parabole du Bon Samaritain donne sa réponse.

Le salut descendu chez Zachée (Lc 19, 1-10)

Zachée est un chef de collecteurs d'impôts, c'est-à-dire un publicain de haut rang, et il est riche[1]. Ces deux mentions donnent déjà à penser qu'il était malhonnête. Mais le narrateur ne le dit pas et laissera à la foule le soin de qualifier Zachée de pécheur. Voici que Jésus doit traverser la ville de Jéricho. A cette nouvelle quelque chose bouge dans le cœur de Zachée, puisque l'évangéliste prend soin de dire par deux fois qu'il veut voir Jésus, et même voir « qui était Jésus ». Le mouvement d'approche de Jésus provoque déjà un mouvement de réponse de la part de Zachée, un premier mouvement de foi et d'espérance.

Mais Zachée est confronté à un problème sans solution apparente : il est petit. Chacun sait que lors de la venue d'une personnalité ou d'un défilé, seuls les premiers rangs des spectateurs pourront voir quelque chose. Les autres, pourtant tout proches, ne voient rien et se sentent exclus de la manifestation. Les enfants montent alors sur les épaules des parents, ou bien ils sont placés en première ligne, parce qu'ils ne gênent personne. Les adultes se servent de tout ce qui traîne pour grimper sur les réverbères ... ou sur les arbres, quand il y en a. Puisqu'il était petit, Zachée aurait pu obtenir qu'on le laisse au premier rang. Mais ce publicain ne peut pas se mêler à la foule des « honnêtes gens », dont il sait

---

1. Je m'inspire ici librement pour certaines notations du commentaire donnée par J.N. Aletti, *L'art de raconter Jésus,* Paris, Seuil 1989, p. 17-38.

que le jugement à son égard est sans pitié. Monter sur un sycomore lui permet à la fois de garder ses distances et de voir sans être vu. Le publicain reste prudent.

L'arrivée de Jésus renverse le mouvement de la scène. Tout nous montrait jusqu'alors l'initiative de Zachée pour voir Jésus. Désormais, c'est Jésus qui prend l'initiative, celle qui va changer la vie d'un homme. La fin du récit nous révélera que l'initiative de Jésus était originelle et enveloppait par avance celle de Zachée. Jésus lève les yeux, regarde dans la direction de Zachée et s'adresse à lui en l'appelant par son nom. Il le connaissait déjà. Plus encore, il s'invite chez lui sans façon. Zachée cherchait à voir Jésus ; en fait, c'est Jésus qui cherche Zachée : « Zachée, descends-vite : il me faut aujourd'hui demeurer dans ta maison » (v. 5). Il y a urgence, il faut faire vite, car c'est de salut qu'il s'agit : l'appel de Dieu surprend Zachée aujourd'hui. Tel est bien le mouvement qui nous sauve : une initiative de Dieu en Jésus, tellement personnelle qu'elle transforme son destinataire.

Une fois de plus, Jésus descend chez un pécheur et provoque les murmures. Ce jugement laconique sonne comme une condamnation de Zachée, selon les valeurs partagées par les Juifs du temps, et une malveillance vis-à-vis de Jésus qui n'hésite pas à contracter une impureté en fréquentant un pécheur. Mais celui-ci ne voit pas en Zachée simplement le pécheur, mais le pécheur qui doit se convertir et vivre.

C'est ce que manifeste le nouveau dialogue. Zachée se convertit. Lui, l'accapareur avide, devient généreux et désintéressé, et rétablit la justice en allant au delà de ce qui est exigé. Il déclare faire don de la moitié de ses biens aux pauvres et promet de restituer le quadruple à ceux qu'il a pu léser. Ce n'est pas seulement une conversion morale : Zachée s'adresse à Jésus en l'appelant Seigneur. Ce titre a dans sa bouche valeur de confession de foi. Il voulait voir « qui était Jésus » : ce qu'il a vu l'a conduit à la foi. Il confesse Jésus comme son Seigneur. Jésus peut alors authentifier la conversion de Zachée comme un accueil du salut lui-même : « Aujourd'hui, le salut est venu dans cette maison, car lui aussi est un fils d'Abraham » (v. 9).

L'aujourd'hui, le « sans délai » du salut, vient répondre à l'aujourd'hui de la venue de Jésus. Car avec Jésus, c'est le salut en personne qui est venu. Zachée n'est donc pas justifié parce qu'il a réparé ses torts, mais il a réparé ses torts parce qu'il est justifié et parce qu'il a cru. Jésus reconnaît alors la foi de Zachée en l'appelant fils d'Abraham, le croyant.

La finale de ce récit particulier s'ouvre sur une interprétation de fond qui laisse Zachée de côté pour souligner qui est et ce que fait Jésus : « En effet, le Fils de l'homme est venu chercher et sauver ce qui était perdu » (v. 10). Ce qui vient de se passer avec Zachée, se passe avec tous ceux qui sont perdus et qui croient. Ce récit est une parabole tant de la mission de Jésus que de la réalité vivante du salut. En Jésus, désigné par le nom de « Fils de l'homme », Dieu cherche l'homme et s'approche de lui, vient chez lui, sans craindre la promiscuité avec le pécheur, pour le sauver. Zachée est la brebis perdue et retrouvée, que le pasteur tout joyeux a chargée sur ses épaules pour la ramener au troupeau (Lc 15, 3-7). Jésus reprend les termes mêmes de la prophétie d'Ezéchiel dans laquelle Yahvé annonce ce qu'il fera lui-même : « C'est moi qui ferai paître mes brebis et c'est moi qui les ferai reposer, oracle du Seigneur Yahvé. *Je chercherai celle qui est perdue, je ramènerai celle qui est égarée,* je panserai celle qui est blessée, je guérirai celle qui est malade » (Ez 34, 15-16). La traduction de la Septante fait même dire au texte : « Elles sauront que moi, je suis le Seigneur », ce qui se vérifie très exactement en Zachée. La prophétie d'Ezéchiel annonce aussi un nouveau pasteur suscité par Dieu pour faire paître ses brebis (Ez 34, 23-24). Ce pasteur, c'est Jésus.

La formule finale du récit, qui donne valeur exemplaire au cas particulier, s'inscrit dans une séquence qui présente bien des parallèles : la brebis perdue et retrouvée, évidemment (Lc 15, 3-7), et la guérison de l'aveugle (Lc 18, 35-43) qui précède immédiatement.

Ce contexte permet de comprendre *comment* le salut opère. Tout s'est passé dans la relation entre Jésus et Zachée. Dans cette relation Zachée se sent investi par une initiative qui vient le chercher là où il est, chez lui. Pour lui Jésus est vraiment « celui qui vient » (cf. Lc 19,38). Quand la sainteté et la justice se font miséricorde et amour, le cœur du pécheur craque. Il est « séduit » et il se rend. Il reprend confiance en lui-même et consent à sa propre libération. Ce qui se passe avec et chez Zachée est aussi ce qui se passera à la croix. Car Jésus ne fait que passer à Jéricho : il est sur la route de Jérusalem, il monte vers la colline de sa passion.

Du peuple élu aux nations

Jésus accomplit d'abord la mission reçue du Père dans les limites du peuple d'Israël. Le salut qu'il apporte sera la libération d'Israël. Il enseigne dans les synagogues et commente les Ecritures aux croyants de son peuple (cf. Lc 4). Il déclara n'avoir « été envoyé qu'aux brebis perdues de la maison d'Israël » (Mt 15, 24), et n'accomplit de miracles en dehors de sa terre que de manière exceptionnelle. De même, la première mission des Douze doit éviter le chemin des païens et se contenter des villes d'Israël (Mt 10, 5-6.23). Les actes institutionnels qu'il pose en vue de son Eglise sont tous accomplis avec des Juifs. La priorité du peuple élu dans le processus du salut est parfaitement confirmée.

Et pourtant un autre volet des choses doit être retenu avec la même force d'évidence. La prédication et l'action de Jésus ont une ouverture universelle. Le nombre des paraboles qui mettent en cause l'attitude respective des Juifs et des gentils et leurs relations mutuelles devant l'offre du salut est impressionnant. Ces paraboles donnent en exemple l'accueil et la conversion des païens (les invités au grand dîner, Lc 14, 15-24 ; le fils perdu et retrouvé, Lc 15, 11-32 ; le pharisien et le publicain, Lc 18, 9-14). De même, Jésus n'hésite pas à comparer, à l'avantage des seconds, la foi d'Israël avec les premiers signes de la foi des païens (la cananéenne, Mt 15, 26 ; le centurion romain, Lc 7, 9 ; le lépreux samaritain, Lc 17, 17-19). Enfin les envois en mission des disciples par Jésus après sa résurrection auront à l'évidence une visée universelle.

Entre ces deux données s'inscrit avec constance le rapport du « d'abord » et de l'« ensuite ». L'itinéraire comme les paroles de Jésus en témoignent : « Laisse d'abord les enfants se rassasier », dit-il à la syro-phénicienne (Mc 7, 27). Ce « d'abord » n'est pas seulement chronologique : il exprime la priorité du *commencement,* qui a son fondement dans l'élection et dans l'alliance. Le « ensuite » ne l'est pas non plus : il n'évoque pas une démarche secondaire ou accessoire, moins encore un pis-aller devant les difficultés de l'entreprise ; il traduit la *fin,* c'est-à-dire à la fois le but et le terme d'une dynamique originelle qui vise une extension universelle à partir d'un lieu bien repéré. Ce lien logique entre le « d'abord » et l'« ensuite » ne relève d'aucune hiérarchie de valeur, mais d'une économie qui passe par l'élection d'un peuple au profit de tous. La réaction de foi de la syro-phénicienne à la parole de Jésus sait d'ailleurs subtilement changer de registre : du repère temporel elle passe au repère spatial. « C'est vrai, Seigneur, mais les petits chiens *sous la table* mangent les miettes des enfants » (Mc 7, 28). Au « ici » de la table des enfants d'Israël répond le « partout » de la faim des païens. Jésus, qui a éprouvé la foi de cette femme, reconnaît alors combien, dans sa sagesse, elle a touché juste : « A cause de cette parole, va, le démon est sorti de ta fille » (v. 29).

Paradoxalement, ce sont à la fois l'accueil et le refus de l'Evangile par les Juifs qui amènent le passage aux païens. L'accueil, parce que la fondation primitive de l'Eglise est juive et ne pouvait être que juive, afin d'assurer la continuité d'une unique histoire du salut ; la foi en l'Evangile est un don des Juifs aux païens. Le refus, parce que la résistance de la synagogue provoque la comparaison avec la foi des païens et attire de plus en plus sur eux l'attention. Cette logique du « d'abord » et de l'« ensuite », de l'« ici » de Jérusalem et du « partout » des confins de la terre se confirmera dans l'activité des apôtres.

II. Les récits de la passion

L'événement de la Pâque de Jésus est à l'évidence le fondement même de la doctrine chrétienne de la rédemption et du salut. L'ampleur littéraire des récits de la passion suffit déjà à en administrer la preuve. L'habitude nous fait oublier un fait étonnant : ce sont des chrétiens confessant Jésus dans la gloire de sa résurrection qui ont éprouvé le besoin de raconter avec autant de précision et de détails la passion de leur maître. A vues humaines on aurait pu penser qu'il était préférable de ne pas revenir sur cet épisode ignominieux et scandaleux à tous égards de la fin de Jésus. Il n'en a rien été : pour la foi primitive la passion est au contraire le grand moment de sa vie et de son œuvre. La résurrection, bien loin d'occulter un tel souvenir, lui a donné une signification positive.

Il y a plus : les récits de la vie publique de Jésus ne présentent pas un film continu de ses faits et gestes, mais des séquences articulées selon un point de vue plus théologique qu'historique, et très sélectives. Avec la passion nous sommes en présence d'un récit continu qui constitue une longue unité de son commencement à sa fin. Devant la disproportion littéraire entre les récits de plusieurs années de ministère et celui de quelques jours de passion, M. Kähler a pu écrire que les évangiles sont un récit de la passion précédé d'une longue introduction [1]. Selon Dibelius, « la Passion, dès les plus anciennes traditions, a été déterminée par la préoccupation de raconter le commencement de l'histoire du salut. Même indépendamment d'une finale sur la résurrection, la révélation du salut est si dominante que, dit-il, ''l'on n'avait pas besoin

---

1. M. Kähler, *Der sogenannte historische Jesus und der geschichtliche, biblische Jesus,* Kaiser Verlag, München 1953, pp. 59-60, note 1.

de raconter ce qui ne pouvait pas être compris à ce point de vue" » [1].

L'ordonnance de la narration

L'ordonnance générale de la narration s'inscrit dans un schéma ferme et commun à tous les évangélistes. Jean, dont on sait l'originalité de l'évangile, rejoint ici les synoptiques pour l'essentiel [2]. Derrière nos quatre récits, il y a une tradition bien établie. Ce schéma est articulé autour de trois tournants majeurs : l'arrestation, les procès et la crucifixion [3] : il y a tout ce qui précède l'arrestation de Jésus, en particulier l'onction de Béthanie, le repas de la Cène et l'agonie . Dans cette première phase Jésus annonce ce qui va arriver et en indique le sens. Il exprime sa liberté devant l'événement [4]. L'arrestation conduit au double jugement, juif et romain, de Jésus. Désormais, celui-ci est mené par ses adversaires et se laisse faire, le plus souvent dans le silence. Suivent enfin la crucifixion de Jésus, sa mort et sa mise au tombeau. Le récit s'arrête là. La résurrection n'en est pas une suite, car elle ne se situe pas sur le même plan. De la passion à la résurrection la rupture narrative est nette. A proprement parler, la résurrection n'est pas l'objet d'un récit, mais d'une annonce. Ceci n'induit aucune extériorité entre les deux faces de l'événement pascal. Il existe au contraire une interpénétration entre le récit de la passion du ressuscité et l'annonce de la résurrection du crucifié. La passion est en effet racontée par des témoins qui croient à la résurrection et qui justifient même leur annonce de celle-ci par le récit des souffrances de

---

1. P. Beauchamp, « Narrativité biblique du récit de la Passion », *R.S.R.* 73, (1985) p. 49, renvoyant à Dibelius, « La signification religieuse des récits évangéliques de la Passion », *R.H.P.R.* 13, (1933), p. 44.
2. Cf. A. Vanhoye, « Structure et théologie des récits de la Passion dans les évangiles synoptiques », *N.R.T.* 89, (1967) p. 137.
3. Cf. *ibid.* p. 139.
4. Cf. J. N. Aletti, « Mort de Jésus et théorie du récit », *R.S.R.* 73, (1985) p. 154.

Jésus. Seuls les témoins de la passion peuvent devenir les apôtres du message de la résurrection (cf. Ac 1, 21-22).

Kérygme, récit et doctrine

Nous voici arrivés au temps le plus fort du récit du salut, au moment où celui-ci noue dans l'unité tous les récits antérieurs comme tous les récits postérieurs. La concentration de sens est ici la plus grande qui soit. Ici plus que partout ailleurs, l'annonce du salut, qui comporte une « doctrine » du salut, se présente sous une forme narrative. Si l'annonce (kérygme) a précédé le récit, elle l'appelle et lui ouvre sa place, elle le motive et l'habite de bout en bout. Le mot de Ricœur se vérifie parfaitement : le récit évangélique est un « récit kérygmatisé » ou un « kérygme narratif »[1]. Ce qui s'accomplit pour nous se révèle devant nous dans un récit où il nous est demandé d'écouter, de regarder et de comprendre. En devenant récit, l'annonce devient aussi une lecture théologique de l'événement. Bien loin de se contenter des « bruta facta », le récit se fait théologie, de même que la théologie subséquente restera toujours annexée à tel ou tel élément du récit. Nous avons donc en quelque sorte à nous laisser faire par le récit, pour en recueillir l'effet de sens, en respectant ses étapes dans leur succession comme dans leur solidarité. Avec Jésus il nous faut descendre dans toute l'épaisseur humaine et la profondeur divine du drame, en vivre avec lui son obscurité, pour en découvrir progressivement la lumière.

Récit et sacrement du salut

C'est dans sa passion, plus que partout ailleurs, que Jésus est le sacrement du salut : c'est dans le *signe* que constitue sa manière de vivre, de mourir et de ressusciter que Jésus accomplit *effectivement* notre salut et exerce la *médiation*

---

1. Expression proposée par P. Ricœur, « Le récit interprétatif. Exégèse et théologie dans les récits de la Passion », *R.S.R.* 73, (1985) p. 19.

causale de réconciliation entre Dieu et l'humanité, qui est l'objet de sa mission. Il accomplit ce qu'il signifie : il est cause en tant que signe. Sa causalité est efficace en tant qu'elle est exemplaire. Cette causalité s'exerce selon un schème relationnel et interpersonnel, celui du rétablissement entre Dieu et l'homme de l'échange amoureux qui accomplit en même temps la libération du péché et la divinisation. Le propre d'une telle causalité de type sacramentel est d'inclure dans son processus le moment de la libre réponse de l'homme, sollicité à la fois dans sa connaissance et dans son amour. C'est pourquoi, étant donné la dure réalité du péché, cette causalité sacramentelle s'accomplit dans un drame qui se joue au niveau des libertés : c'est le combat entre la liberté divine, qui vient chercher humainement l'homme, et la liberté humaine, qui se débat avant de se convertir et de se rendre. Karl Rahner avait exprimé dans son langage une intuition analogue : « Vie et mort de Jésus (prises ensemble) sont donc ''cause'' de la volonté salvifique de Dieu ... dans la mesure où ... vie et mort de Jésus (ou la mort qui résume et accomplit la vie) possèdent en conséquence une causalité de type quasi sacramentel, symbolique-réel, dans laquelle le signifié (ici : la volonté salvifique de Dieu) pose le signe (la mort de Jésus avant sa résurrection) et par lui se réalise lui-même »[1]. Devenu « sacrement à son tour, le récit exerce la même causalité que l'événement.

Ce mot de passion est à entendre dans son double sens : souffrance, sans doute et bien évidemment, mais aussi passion amoureuse ou amour passionné de Jésus. Le quatrième évangile mettra en exergue à tout son récit un exorde particulièrement solennel : « Avant la fête de la Pâque, Jésus, sachant que son heure était venue, l'heure de passer de ce monde à son Père, lui, qui avait aimé les siens qui sont dans le monde, les aima jusqu'à l'extrême » (Jn 13, 1). Ce qui est exemplaire dans la passion de Jésus, ce n'est pas la souffrance

---

1. K. Rahner, *Traité fondamental de la foi,* Paris, Centurion 1983, p. 319.

en tant que telle, mais la passion de l'amour qui conduit Jésus à l'affronter. Ce n'est pas la souffrance, mais l'amour qui donne à la passion sa force de séduction.

Un récit en quatre récits

Les évangiles nous proposent quatre récits de la passion. Il n'est pas possible de les ramener à un seul récit sans les mutiler. Car ils diffractent une lumière unique selon des couleurs variées. Leurs accents sont différents, qu'il importe de respecter, afin d'en garder la richesse et la complémentarité.

Je proposerai donc trois lectures, l'une sous le titre « Jésus, le martyr », retiendra le fil directeur des récits de Matthieu et de Marc ; le récit de Luc, qui se trouve plus près de la forme johannique de la tradition [1], donnera lieu à une seconde lecture sous le titre « la conversion des témoins » ; une troisième lecture enfin, sous le titre « l'icône du crucifié », reprendra les accents contemplatifs de l'évangile de Jean [2].

1. JÉSUS, LE MARTYR (MATTHIEU ET MARC)

« Je t'ordonne en présence de Dieu qui donne vie à toutes choses, et en présence du Christ Jésus qui a rendu témoignage *(marturèsantos)* devant Ponce Pilate dans une belle profession de foi... » (1 Tm 6, 13). Cette adjuration solennelle mise dans la bouche d'un Paul au seuil de la mort et adressée à son disciple Timothée constitue une interprétation brève de la passion de Jésus. Jésus a rendu témoignage jusque dans la mort, c'est-à-dire qu'il a été « martyrisé » et son martyre doit être l'exemple auquel Timothée doit désormais se référer. Jésus a été martyrisé en raison de sa profession de foi, c'est-

---

1. Cf. A. Vanhoye, *art. cit.* p. 138.
2. Dans cette présentation de la passion je m'inspire librement pour une part de certaines notations de l'article cité de J.N. Aletti.

à-dire en raison du témoignage que sa vie rendait au Père, et donc à l'authentique image de Dieu. La passion de Jésus a été un martyre. Le conflit entre Jésus et ses adversaires s'est exaspéré en une émulation dramatique : la justice et la sainteté de Jésus font sortir de leurs repaires la violence et le mensonge, qui vont jusqu'au bout de leur logique. La justice provoque la violence, l'amour provoque la haine. Les premières manifestent les secondes et se révèlent à travers elles. Jésus sera donc livré. Il connaîtra un sort plus terrible que Jérémie [1]. Il sera le juste qui coalise contre lui, selon le livre de la Sagesse, les entreprises des méchants : « Tendons un piège au juste, puisqu'il nous gêne ... Il s'est fait le reproche de nos pensées, sa seule vue nous est pesante, parce que sa vie n'est pas semblable aux autres, ses chemins sont tout différents ... Condamnons le à une mort honteuse, car, d'après ses dires, il aura la visite de Dieu » (Sg 2, 12-20).

Cette thématique du juste persécuté, du juste « martyr » parce que témoin de la justice et de la sainteté de Dieu, est bien celle de Matthieu et de Marc. La suivre conduit à mettre en lumière la « triangulation » des partenaires dans le drame de la passion, triangulation qui se résume dans les différents sens du mot « livrer » : d'un côté, il y a le monde des méchants entre les mains desquels Jésus a été « livré », en particulier par la trahison de Judas ; de l'autre, il y a Jésus, le juste, qui « se livre » librement, et derrière lui le silence du Père qui « le livre », puisqu'il « l'abandonne » [2].

Le dernier repas

Le récit de la passion en Matthieu a pour indicatif la parole de Jésus : « Vous le savez, dans deux jours c'est la Pâque : le Fils de l'homme va être livré pour être crucifié » (Mt 26, 1-2). Jésus annonce ce qui va arriver, il en dit le sens [3]. A

1. Cf. ci-dessus, p. 124-127.
2. Cf. t. I, p. 63-64.
3. Cf. J.N. Aletti, *art. cit.* p. 154.

cette parole correspond aussitôt le récit du complot des grands prêtres et des anciens du peuple : le projet de mort cette fois-ci passe à l'action immédiate. Le contrat passé avec Judas suivra de peu. L'onction du corps de Jésus à Béthanie est une prophétie de sa mort prochaine, puisqu'elle symbolise une onction funèbre. Par une formule solennelle Jésus lui donne la valeur d'un véritable kérygme (Mt 26, 13) : étant donné ce qu'elle signifie, cette onction fera désormais définitivement partie de l'Evangile.

Au début du repas pascal — je m'en tiens aux données du récit — Jésus annonce la trahison et l'identité du traître, l'un des Douze, un de ceux qui prend le repas avec lui. Le terme de « livrer » qui revient deux fois a le sens de « trahir ». Il fait écho à la déclaration initiale. La passion de Jésus a pour initiateurs les personnages qui veulent sa mort et l'homme à gages qu'ils ont trouvé dans l'entourage immédiat de Jésus, dans le groupe de ceux sur lesquels il aurait dû pouvoir compter. Mais aussi cette passion entre dans le dessein de Dieu, puisqu'elle accomplit les Ecritures. Il est remarquable que le rédacteur mette, au cours de la passion, dans la bouche de Jésus lui-même les citations des annonces prophétiques des Ecritures anciennes [1].

Le dernier repas de Jésus avec ses disciples et l'institution de l'eucharistie forment le grand portique d'entrée au mystère de la passion. Ils en révèlent le sens. Ils nous permettent de répondre à la difficile question posée aujourd'hui avec acuité par les exégètes : Comment Jésus a-t-il compris sa mort [2] ? Sans entrer formellement ici dans le point de vue de la critique historique, il est légitime d'en utiliser les résultats acquis, en s'en tenant à l'ordre et au mouvement du récit lui-même et donc à ce que le rédacteur évangélique veut faire entendre à son lecteur.

1. Cf. *ibid.* p. 147.
2. Sur ce sujet, voir J. Guillet, *Jésus devant sa vie et sa mort,* Paris, Aubier 1971 ; H. Schürmann, *Comment Jésus a-t-il vécu sa mort ?,* Paris, Cerf, 1977 ; X. Léon-Dufour, *Face à la mort, Jésus et Paul,* Paris, Seuil 1979.

Le récit de l'institution de l'eucharistie met dans la bouche
de Jésus des paroles étrangement proches de celle du logion
de la rançon (Mt 20, 28 ; Mc 10, 45) : « Buvez en tous, car
ceci est mon sang, le sang de l'Alliance, versé pour la
multitude, pour le pardon des péchés » (Mt 26, 27-28 ; cf.
Mc 14,24). Dans les deux cas il s'agit pour Jésus de donner
sa vie pour la multitude. Ce qui était alors qualifié de service
le demeure donc en cet instant solennel. L'indicatif du
ministère public et de la passion est le même. De même que
toute la vie et la prédication de Jésus ont été un service du
salut des hommes, de même le « travail » de sa passion et sa
mort seront l'accomplissement ultime de ce même service.
L'« exister-pour » de la vie de Jésus sera récapitulé dans un
« mourir-pour ». Le sens est le même d'un côté et de l'autre,
même si la passion a une puissance absolue de révélation. Ce
service est à la fois le service du Père dans l'obéissance
amoureuse à la mission reçue, et le service des frères que
Jésus veut sauver.

S'il en est ainsi, il est bien vrai que Jésus « va à la mort »,
selon le mot de Pascal. Il ne la cherche pas dans une
exaltation provocante. Mais il sait qu'elle appartient à son
destin de prophète. Il ne biaise pas pour l'éviter. Selon la
dynamique même de sa vie, elle appartient à son service. Le
« pour » est ici explicité, dans le texte de Matthieu, par la
mention « pour la rémission des péchés ». Celui qui est venu
annoncer et accorder le pardon de Dieu aux pécheurs, pardon
gratuit et inconditionnel, pardon capable de provoquer la
conversion de la liberté, accepte de mettre sa vie en jeu pour
vivre ce pardon au cœur même de l'excès du péché. Il fera
de sa mort un acte de rémission accompli au nom du Père,
en même temps qu'un acte d'intercession suppliante au Père
pour le pardon. Au moment même où il se heurte à ce qui
s'oppose de manière irréductible au pardon, c'est-à-dire à la
haine des pécheurs, Jésus, au nom de la toute-puissance de
sa liberté, transforme le « par nos péchés » en un « pour nos
péchés ». Ce qui était œuvre de mort fomentée contre lui,

devient par lui œuvre de vie ; ce qui était hostilité devient pardon et offre de réconciliation.

Le récit présente le propre sang de Jésus comme le sang de l'alliance. Il fait ainsi référence à l'alliance du Sinaï : lorsque celle-ci avait été conclue, Moïse avait aspergé l'autel, d'une part, et le peuple, d'autre part, avec le sang des victimes en rite de communion [1]. La reprise de ce langage marque la continuité de l'unique dessein d'alliance entre Dieu et son peuple et il constitue une référence sacrificielle. En Jésus l'alliance prend définitivement corps. Son sang est le sang de l'alliance, parce que Jésus est l'alliance en personne. Les deux mouvements qui cherchaient à se rejoindre dans l'Ancien Testament, celui qui rapprochait Dieu des hommes et celui qui élevait les hommes vers Dieu, ont fait leur unité en cet homme Jésus qui est au regard du Père le Fils unique. Son sang est un sang de communion, parce qu'il est à la fois « le sang de Dieu », selon la formule hardie d'Ignace d'Antioche [2], et le sang d'un homme qui donne sa vie pour donner la vie.

De même, en effet, qu'il y avait eu sacrifice et sang répandu dans la première alliance, de même il y a sacrifice et sang répandu dans l'alliance nouvelle. Mais la différence saute aux yeux : le symbolisme n'est plus celui d'une aspersion rituelle, faite au terme d'un sacrifice extérieur, qui exprimait le culte rendu à Dieu à travers la substitution des animaux. Il est celui, combien plus intérieur, de la nourriture et de la boisson, exprimant la communication de la vie et la communion dans la même vie. Ce sang versé par amour achève tous les rites d'expiation rituelle : le mouvement, jusqu'alors ascendant, devient descendant. La modification des symboles transpose le vocabulaire sacrificiel. Car la réalité véhiculée est toute nouvelle : le contenu du sacrifice de Jésus est le service dont il a fait la charte de sa vie, un service qui engage le don de sa propre personne à la vie et à la mort. Les deux termes de

---

1. Cf. ci-dessus, p. 89-90.
2. Ignace d'Antioche, *Ephés* I, 1 ; *S.C.* 10, p. 69.

service et de sacrifice se convertissent l'un dans l'autre. Voilà ce que le récit nous demande de comprendre.

Les contradictions du juste : l'abandon des amis

Au moment de l'épreuve, on compte ses amis. Pouvoir s'appuyer sur des amis fidèles est un réconfort indispensable. Rien n'est pire que la solitude. Jésus n'a-t-il pas avec lui les Douze ? Mais il connaît leur faiblesse, il a entendu leurs récriminations au moment de l'onction de Béthanie. Déjà la trahison de Judas, « l'un des Douze » (Mt 26,14), est à l'œuvre : c'est lui qui conduira la cohorte de l'arrestation et signera sa trahison du geste de l'affection. Cette responsabilité immédiate d'un disciple de Jésus dans sa mort est à la fois troublante et pleine d'enseignements. Celui qui se livre par service, obéissance et amour, est livré par l'un de ses plus proches pour de l'argent. Quant aux onze autres, Jésus sait qu'ils n'auront pas la force de tenir devant le « scandale » de son arrestation et de sa mort : « Cette nuit-même vous allez tous tomber à cause de moi. Il est écrit en effet : "Je frapperai le berger et les brebis du troupeau seront dispersées" » (Mt 26, 31). C'est effectivement ce qui va se passer. Le récit n'est pas tendre pour les disciples ; il ne voile en rien leur lâcheté.

A Gethsémani, Jésus prend avec lui Pierre, Jacques et Jean, afin qu'ils le consolent dans sa détresse et le soutiennent dans sa veille et sa prière. Mais ces témoins privilégiés de la transfiguration n'ont pas le courage d'être les témoins de la défiguration de l'agonie : ils s'endorment, abandonnant le maître à sa solitude. Quand survient le moment de l'arrestation, ils s'éclipsent : « Alors les disciples l'abandonnèrent tous et prirent la fuite » (Mt 26,56). Jésus vit la situation du psalmiste :« Pour mes voisins je ne suis que dégoût, un effroi pour mes amis » (Ps 31, 12). « Amis et compagnons s'écartent de ma plaie, mes plus proches se tiennent à distance » (Ps 38, 12). « Je suis un étranger pour mes frères, un inconnu pour les fils de ma mère » (Ps 69, 9).

Pierre fait le fanfaron et proclame qu'il sera au besoin le seul à ne pas tomber devant le scandale. Mais Jésus lui annonce son triple reniement. Dès que le risque d'être reconnu solidaire de Jésus se profilera, Pierre déclarera solennellement et avec insistance qu'il ne connaît pas cet homme. Lui le futur témoin de Jésus, le premier des Douze, se porte en « faux témoin »[1]. Déjà Pierre s'était fait durement traiter de « Satan » par Jésus (Mt 16, 23), pour avoir refusé la perspective de sa passion. Mais cette chute sera pour Pierre le point de départ d'une conversion : « Il sortit et pleura amèrement » (Mt 26,75). Entre Judas et Pierre un parallèle antithétique est ainsi proposé : l'un et l'autre contribuent, de manière inégale sans doute, à la marche du Juste vers la mort[2] ; l'un trahit et l'autre renie, mais le premier se pend dans la nuit de son désespoir, tandis que le second se repent au petit jour.

Ainsi à côté des Juifs et des païens coalisés contre Jésus, les propres disciples ont aussi leur place. Mis à part Judas, ceux-ci ne complotent pas contre le maître. Mais non seulement ils ne font rien pour lui, mais encore ils lui refusent leur simple présence compatissante et solidaire. Au moment où Jésus se fait solidaire de toutes nos souffrances, les disciples refusent toute solidarité avec Jésus. Pascal a souligné que l'appel à l'aide de Jésus à ses disciples est unique en sa vie[3]. L'abandon des amis et des frères représente la contradiction affective la plus grave qui soit. Il annonce au sein même de la passion le péché des chrétiens et lui donne son nom : trahison, reniement, abandon.

Les contradictions du juste : le procès juif

Le procès de Jésus devant le Sanhédrin est celui de la contradiction religieuse suprême. C'est en vertu de l'autorité

---

1. Cf. P. Ricœur, *art. cit.*, p. 35.
2. Cf. *ibid.*
3. Pascal, *Pensées,* « Le mystère de Jésus » 919 (Lafuma).

des chefs légitimes d'Israël que Jésus est rejeté par son peuple. Il vit le sort des prophètes qui n'ont pas été crus. Le projet de mort que nous avons vu poindre dès le début de son ministère, puis s'élaborer de manière de plus en plus réfléchie et décidée, est maintenant arrivé à la phase de réalisation. La troupe qui vient arrêter Jésus est envoyée « par les grands-prêtres et les anciens du peuple » (Mt 26, 47). Nous entrons dans la seconde grande étape du récit.

« Or les grands-prêtres et tout le Sanhédrin cherchaient un faux témoignage contre Jésus pour le faire condamner à mort » (Mt 26, 59). Le procès est donc tragiquement truqué dès le départ. Jésus partage désormais le sort de combien d'hommes innocents ainsi condamnés par une vindicte religieuse ou politique. Le mensonge est à l'œuvre, pour servir d'intelligence à la violence. Mais il n'est pas si facile de mentir et de produire des faux témoins de manière convaincante. Quant à Jésus, il garde le silence du Serviteur.

L'accusation doit changer de tactique et se démasquer. Tout va se jouer dans un dialogue solennel où il ne s'agit de rien de moins que de l'identité de Jésus comme Christ et Fils de Dieu. Matthieu met sur la bouche du grand-prêtre, mais cette fois sous forme de question, les paroles mêmes de la confession de foi de Pierre à Césarée de Philippe : « Je t'adjure par le Dieu vivant de nous dire si tu es, toi, le Messie, le Fils de Dieu » (Mt 26,63). Dans le récit de Matthieu Jésus renvoie la responsabilité de l'affirmation au grand-prêtre, comme s'il refusait d'affirmer sa messianité avant d'avoir été « fait Seigneur et Christ » (Ac 2, 36) par sa résurrection ; en Marc (14, 62), Jésus affirme : « Je le suis ». La suite de sa réponse oriente vers l'avenir, vers son retour à la fin des temps, et combine deux textes bibliques : « Vous verrez le Fils de l'homme siégeant à la droite du Tout-Puissant et venant sur les nuées du ciel » (v.64). Jésus fait référence d'une part à la figure céleste du Fils de l'homme de Daniel (Dn 7, 13) et d'autre part au privilège du fils de David qui doit siéger à la droite de Dieu (Ps 110). Chacun de ces deux textes pris à part n'est que messianique et ne saurait constituer un blasphème. La nouveauté est dans leur conjonction : « La session à la droite de Dieu, de métaphorique qu'elle était, devient une *réalité céleste* si Jésus, en parlant de sa venue sur les nuées, la situe au ciel... Une session réelle au ciel fait de Jésus l'égal de Dieu : voilà le "blasphème" » [1]. Cette réponse de Jésus est aussitôt comprise pour ce qu'elle est : la revendication non seulement d'un statut messianique mais d'un rang divin. Si une telle déclaration ne mérite pas d'être reconnue dans la foi, elle ne peut être qu'un blasphème : tout moyen terme est ici exclu. Jésus est donc condamné à mort pour avoir blasphémé. A travers cette condamnation, toute la prétention d'autorité qu'il a élevée pendant son ministère est rejetée. Celui qui mettait sa parole au dessus de celle de Moïse, qui prétendait pardonner les péchés et s'approcher des pécheurs, qui manifestait une liberté souveraine vis-à-vis de la Loi, qui appelait Dieu son propre Père est jugé comme un faux prophète. Sa personne et son œuvre sont massivement condamnées. Quelle que soit la part de la théologie post-pascale qui s'inscrit dans ce récit, l'évangéliste veut nous montrer que la prétention de Jésus de « partager la condition et la puissance de Dieu » [2] a été le véritable motif de sa condamnation.

La portée de cette scène est immense, étant donné la coïncidence des contraires qui la caractérise. L'identité salvatrice de Jésus est considérée comme un blasphème : l'initiative même de Dieu qui se fait proche est formellement refusée par un peuple qui veut se tenir éloigné. L'enjeu du débat n'est rien moins que l'image même de Dieu. De plus, le juge des vivants et des morts est lui-même jugé par des juges humains iniques. Le juste est condamné par les méchants. Paradoxale inversion des rôles : les autorités religieuses ont condamné légalement (quoi qu'il en soit de la valeur juridique exacte du procès) et au nom même de Dieu Jésus comme un

1. P. Lamarche, *Christ vivant. Essai sur la christologie du Nouveau Testament,* Paris, Cerf 1966, p. 155.
2. B. Rey, *Nous prêchons un messie crucifié,* Paris, Cerf 1989, p. 27.

blasphémateur. C'est là le scandale de la mort de Jésus, « scandale pour les Juifs » (1 Co 1, 23) précisément. La contradiction du juste devient ainsi une contradiction pour la foi. Toutes les valeurs religieuses sont donc mise en cause. « *Perversio optimi pessima* » : il n'y a rien de pire que la perversion du meilleur. Le réseau des apparences masque à merveille la réalité : un jugement religieux et légal condamne à mort le juge qui vient apporter la vie. Tel est le péché propre aux Juifs qui est symbolisé dans ce procès : le refus du don de l'alliance en la personne de Jésus. Mais aussi tel est le combat mené pour la justice et la vérité, et donc pour le salut, par Jésus devant ses juges[1].

Les contradictions du juste : le procès romain

Jésus est maintenant conduit devant Pilate. Les Juifs n'ont en effet pas le droit de mettre à mort. Dans ce nouveau prétoire l'accusation prend une tout autre forme. Il ne s'agit plus de blasphème religieux, mais de danger politique. Les grands-prêtres et les anciens ont « traduit » en termes politiques la prétention religieuse de Jésus. Pilate aurait sans doute été médiocrement ému par le danger que représentait la réponse de Jésus au Sanhédrin. Mais cette réponse enveloppait une affirmation messianique. Bien que ce messianisme soit, dans la bouche et dans la situation humiliée de Jésus, pur de toute ambiguïté, la tentation était grande de jouer sur le mot, d'accuser Jésus d'une prétention à la royauté temporelle et de le présenter comme un « séditieux »[2]. La première question de Pilate suppose une accusation de ce genre[3]. Le mensonge vient encore une fois en aide à la violence.

1. Sur l'accusation faite à Jésus d'être un blasphémateur, cf. J. Moltmann, *Le Dieu crucifié. La croix du Christ, fondement et critique de la théologie chrétienne,* Paris, Cerf 1974, p. 149-158.
2. Sur l'accusation faite à Jésus d'être un séditieux, cf. *ibid.,* p. 158-169.
3. C'est dans saint Luc que nous trouvons explicitement cette « traduction » : « Nous avons trouvé cet homme mettant le trouble dans notre nation : il empêche de payer le tribut à César et se dit Messie, roi » (Lc 23,2).

Aussi Pilate interroge-t-il Jésus sur sa royauté. C'est le point qui l'intrigue et l'inquiète. Si le gouverneur romain laisse échapper un rebelle, capable de fomenter une révolte comme plusieurs autres Juifs de son temps, il risque bien de perdre sa place. Sans doute cette révolte politique gardait-elle à ses yeux une dimension religieuse : les zélotes considéraient que le culte de César, inscrit sur les monnaies et évoqué jusque dans le Temple, était une violation du premier commandement. Ils opposaient la Loi à l'ordre politico-religieux de l'empire romain [1]. On peut donc penser avec O. Cullmann que « Jésus a été condamné comme rebelle politique, comme zélote » [2]. Vont dans ce sens la nature du supplice : la crucifixion était une peine réservée aux délits d'Etat (esclaves fugitifs et révoltes contre l'empire) et l'inscription maintenue par Pilate sur la croix : « Jésus de Nazareth, Roi des Juifs » (Mt 27, 37).

C'est en fonction de cette problématique politique qu'il faut comprendre les péripéties qui vont intervenir. Pilate est intrigué par l'attitude de Jésus et son silence. Il ne croit visiblement pas à la réalité de l'accusation. Il cherche donc une porte de sortie : libérer Jésus à l'occasion de la fête de la Pâque, ou le relâcher après l'avoir fait châtier, solution à l'évidence contradictoire. Mais la pression populaire est là. Les Juifs demandent la libération de Barabbas, dont Marc et Luc précisent qu'il avait été arrêté pour participation à une émeute et pour meurtre (Mc 15, 7 ; Lc 23,19). Paradoxalement, Pilate va libérer un vrai séditieux et faire exécuter un homme accusé à tort de sédition. La raison d'Etat s'inverse : la crainte du tumulte le pousse à abandonner Jésus, par pusillanimité plutôt que par conviction, car il est urgent de calmer une foule au bord de la révolte. Pourtant, scrupule de conscience ou prudence politique, Pilate se lave les mains en protestant qu'il est innocent du sang de celui qu'il appelle, après sa femme, un « juste ». Quand, à la question : « Quel

1. Cf. J. Moltmann, *op. cit.*, p. 159.
2. *Ibid.*

mal a-t-il donc fait ? », la réponse se change en un cri de plus en plus fort : « Crucifie-le ! », il n'y a plus ni dialogue ni procès, il n'est plus d'autre issue que la mort, résultat logique de la coalition des uns et des autres [1].

De même que les autorités juives ont leur foule, de même Pilate a ses soldats. Il est de sinistre tradition que les prisonniers, les politiques en particulier, soient les victimes des sévices policières. Pilate avait ordonné la flagellation. Les soldats romains vont y ajouter du leur et célébrer à leur manière la royauté de Jésus dans une liturgie de dérision : manteau écarlate (de pourpre comme l'empereur ? cf. Mc 15,17), couronne d'épines, sceptre de roseau, hommages feints, le tout accompagné de coups et de crachats. Comment ne pas voir la symbolique d'une telle scène : les hommes tournent en ridicule le Royaume de Dieu à travers son témoin. Ne dit-on pas que le ridicule tue ? La dérision est la forme subtile d'une réduction à néant, d'une mise à mort.

La justice de Jésus révèle le secret des cœurs. Comme le démon de la Décapole (cf. Mc 5, 9), le péché est légion et il prend chez les uns et les autres des formes différentes. Mais ces formes s'engendrent, se fortifient et s'appuient mutuellement. Le pouvoir politique et le pouvoir religieux, malgré leur inimitié originelle, se confortent l'un l'autre dans la réalisation de leurs desseins. Le péché des païens est celui de la « Realpolitik » humaine : c'est le péché des hommes sans Dieu qui « retiennent la vérité captive de l'injustice » (Rm 1, 18), qui ne respectent pas plus l'homme qu'ils ne craignent Dieu et déchaînent leur violence dès qu'il s'agit de sauvegarder leur pouvoir ou leur sécurité. Le récit de la passion, dans sa discrétion pleine de pudeur, met les accents où il faut : tous y ont leur part, disciples, Juifs et païens.

---

1. Ce n'est pas ici le lieu de rechercher, au plan de l'histoire, si cette condamnation de Jésus comme zélote était le fait d'une méprise (Bultmann), où si des traits de l'activité de Jésus pouvaient effectivement être compris comme une revendication zélote et donc si la mort de Jésus a une dimension proprement politique (cf. J. Moltmann, *ibid.*, pp. 160-169).

Tous ont mené le combat contre le juste. Telle est aussi la mémoire dangereuse qui habite l'Eglise aujourd'hui [1].

La mort sur la croix dans le silence de Dieu

Jésus est conduit au Golgotha, lieu du crâne, dont l'archéologie nous dit qu'il s'agissait d'un gros monticule de pierre tourmentée, inapte à la construction et abandonné sur le terrain par ceux qui y exploitaient la pierre. Ce monticule était devenu le lieu des exécutions, parce qu'il les rendait bien visibles. Ce détail topographique accomplit à sa manière la parole du Psaume citée par Jésus à la fin de la parabole des vignerons homicides : « "La pierre qu'ont rejetée les bâtisseurs, c'est elle qui est devenue la pierre angulaire ; c'est là l'œuvre du Seigneur : quelle merveille à nos yeux" » (Ps 118, 22-23 ; Mt 21, 42). Le pire est devenu le meilleur : la pierre inexploitable est devenue l'axe du salut du monde, parce que le condamné qui pend à son gibet est le martyr de la vérité et de la justice. Le paradoxe constant de la passion réside dans ces perpétuelles inversions de sens.

Jésus est crucifié entre deux malfaiteurs. Le public est admis à regarder. Pendant les trois heures qui vont s'écouler entre la crucifixion et la mort de Jésus, ces passants se livreront au défi et invoqueront une sorte d'ordalie. Que Dieu soit juge entre Jésus et eux-mêmes : si cet homme est le Fils de Dieu, qu'il descende de la croix ; qu'il se sauve lui-même comme il en a sauvé d'autres ; s'il est le Roi d'Israël, que Dieu le délivre. Or il ne se passe rien. Dieu se tait et Jésus agonise.

Le silence de Dieu laisse Jésus à sa solitude. Jésus a été abandonné par les siens, condamné par les autorités de son peuple, livré à la mort par le pouvoir romain. Où donc est Dieu dans tout cela ? Il laisse faire. Il donne apparemment

---

1. Je reprends en un sens un peu différent l'expression connue de J.B. Metz, *La foi dans l'histoire et la société. Essai de théologie fondamentale pratique,* Paris, Cerf 1979, p. 107 sq.

raison aux adversaires de Jésus, puisque rien ne vient justifier sa prétention filiale. Comment interpréter ce silence de Dieu ?

La question se redouble avec le cri articulé mis dans la bouche de Jésus par Matthieu et Marc : « Mon Dieu, mon Dieu, pourquoi m'as-tu abandonné ? » (Mt 27,46 ; Mc 15,34). Luc et Jean éviteront cette citation et inscriront la mort de Jésus dans un autre climat. Cette parole-cri précède de peu le cri inarticulé du dernier soupir.

L'interprétation de ce verset est redoutable. Car elle engage l'image même de Dieu. Depuis le temps de la Réforme toute une tradition d'interprétation, d'ailleurs largement commune aux protestants et aux catholiques, y a vu un abandon justicier de Jésus par son Père. Jésus, en effet, était devenu malédiction aux yeux de Dieu (Ga 3, 13), il avait été fait péché (2 Co 5, 21)[1]. Il subissait la vengeance du Père sur le péché qu'il représentait à ses yeux. Jésus était donc châtié par le Père lui-même, dont les bourreaux de Jésus devenaient en quelque sorte l'allié objectif, voire les exécuteurs des hautes œuvres, même si ses intentions étaient tout autres.

Récemment J. Moltmann, héritier de cette tradition d'interprétation, toujours appuyée sur Ga 3,13 et 2 Co 5,2l, a voulu lui donner une dimension nouvelle. Jésus avait prétendu à une communion immédiate avec Dieu, s'identifiant même avec lui. Or, dans sa mort, il présente « les signes et l'expression de l'abandon par Dieu le plus profond »[2]. Cet abandon est vécu par Jésus dans la certitude paradoxale que Dieu est proche, qu'il n'est pas jugement mais grâce : « Etre ainsi abandonné par Dieu et livré à la mort d'un rejeté en ayant pleine conscience de la proximité bienveillante de Dieu, c'est le tourment de l'enfer »[3]. Selon Moltmann ce tourment extrême « nous conduit ... à devoir comprendre l'événement de la croix comme un événement entre Jésus et son Dieu, et inversement entre son Père et Jésus »[4], donc entre Dieu et

1. Cf. t. I, p. 308-309.
2. J. Moltmann, *op. cit.*, p. 172.
3. *Ibid.* p. 173.
4. *Ibid.*, p. 174.

Dieu. Le psaume demandait la révélation de la justice de
Dieu. L'abandon de Jésus par Dieu « met donc en cause la
divinité de son Dieu et la paternité de son Père »[1], ou la
fidélité du Père à l'égard du Fils. « L'abandon sur la croix
qui sépare le Fils du Père est un événement en Dieu lui-
même, est dissension en Dieu — "Dieu contre Dieu" »[2].
Faisant sienne la pensée de W. Popkes, Moltmann compare
même la passion au sacrifice d'Isaac selon le sens à exclure :

> « Ici a eu lieu ce qu'Abraham n'eut pas à faire à
> Isaac (cf. Rm 8, 32). Le Christ fut de propos délibéré,
> abandonné par le Père au destin de la mort... La
> première personne de la Trinité repousse et anéantit
> la seconde »[3].

Cette interprétation permet sans doute d'assumer tout le
poids de la souffrance innocente de l'humanité en Dieu lui-
même. Citons ce texte célèbre et émouvant :

> « Au fond, toute théologie chrétienne répond, cons-
> ciemment ou inconsciemment, à cette question :
> "Pourquoi m'as-tu abandonné ?" en énonçant sa
> sotériologie : "pour ceci" ou "pour cela". Face au
> cri de Jésus vers Dieu au moment de sa mort, la
> théologie ou bien devient impossible, ou bien ne
> devient possible que comme théologie spécifiquement
> chrétienne. La théologie ne peut pas se mettre devant
> les vociférations de son propre temps et hurler avec
> les loups qui commandent. Mais elle doit se mettre
> devant le cri des malheureux vers Dieu et la liberté,
> à partir de la profondeur des souffrances de ce
> temps »[4].

---

1. *Ibid.*, p. 176.
2. *Ibid.*, p. 177.
3. *Ibid.*, p. 279.
4. *Ibid.*, p. 179. Cf. la critique de la thèse de Moltmann par X. Léon-
Dufour, « Le dernier cri de Jésus », *Etudes,* mai 1978, p. 667-682. Sur
l'histoire de l'interprétation de l'abandon de Jésus, cf. B. Carra de Vaux
Saint-Cyr, « L'abandon du Christ en croix », dans *Problèmes actuels de
christologie,* Paris, D.D.B. 1965, p. 295-316.

Pour émouvante qu'elle soit l'interprétation de Moltmann reste ambiguë. Son désir légitime est de montrer que Jésus a assumé en lui-même tout le poids de la souffrance humaine, dans sa situation la plus scandaleuse, celle de la souffrance innocente qui met Dieu en jugement. Il veut aussi faire remonter jusqu'en Dieu lui-même le drame de la souffrance, seule réponse possible à ses yeux à la question de la « théodicée », c'est-à-dire de la justification de Dieu. Sa visée est par ailleurs dialectique et pose l'identité paradoxale des contraires. Il se bat donc pour une authentique image de Dieu et prend ses distances par rapport à la tradition de la théologie réformée. Cependant la réintroduction dialectique de la souffrance en Dieu ou bien pose dans l'être trinitaire la nécessité de ce passage par le négatif[1] et risque de sacraliser une fois encore la souffrance, ou bien attribue au Père l'imposition arbitraire de la souffrance à son Fils. Si elle fait saisir la grandeur de l'attitude du Fils, elle jette une ombre insupportable sur celle du Père. A force de vouloir situer le drame entre Dieu et Dieu, elle oublie, une fois encore, la part des hommes pécheurs. Elle semble supposer que toute la souffrance humaine est innocente. D'autre part, il n'est pas légitime de construire une sotériologie sur un seul verset de l'Ecriture, considéré comme un absolu, de sorte qu'il ramène à lui tout le récit de la passion. Il ne peut être question de gommer ou d'édulcorer le caractère abrupt et mystérieux du verset. Mais on ne peut pas rejeter pour autant d'un revers de main tant les autres aspects de Matthieu et de Marc que les versions lucanienne et johannique de la passion.

Obscurité et lumière : silence et révélation de Dieu

Le rapport du verset d'abandon au psaume 22 doit être compris à partir du contexte de la scène. Jean-Noël Aletti[2] a

1. Cf. la critique de W. Kasper à J. Moltmann, « Revolution im Gottesverständnis ? » in *Diskussion über Jürgen Moltmanns Buch « Der gekreuzigte Gott »*, München, Chr. Kaiser, 1979, p. 140-181.
2. Cf. J.N. Aletti, *art. cit.,* p. 148 sq.

montré que les récits de la passion en Matthieu et en Marc comportent une accumulation de thèmes venus des psaumes du juste persécuté, par analogies, allusions et citations. Les motifs de la supplication sont la mort imminente, la solitude radicale du juste, abandonné par ses amis et aussi, semble-t-il, par Dieu lui-même. De leur côté les faux témoins harcèlent le psalmiste et mettent en cause sa relation à Dieu. Le juste ne répond pas aux accusateurs, il en appelle à Dieu, parce que son sort met Dieu lui-même à l'épreuve. Ces motifs se retrouvent dans les scènes de la passion, trop nombreux et essentiels pour ne pas constituer un parallélisme voulu. Les scènes de la croix présentent ce parallélisme de la manière la plus explicite en le concentrant sur les expressions du Ps. 22. Mais celui-ci est utilisé à l'envers : dans le psaume le cri précède et les motifs de la persécution suivent ; dans l'évangile ce sont tous les traits de la persécution (vinaigre donné, vêtements partagés, moqueries et provocations) qui précèdent et font comprendre le cri.

> « Le cri de Jésus en Mt/Mc doit donc être interprété en fonction de la séquence qui précède et où sont énumérées les raisons qui vont forcer Jésus à s'adresser à son Dieu : il indique non seulement que, à l'instar du juste des psaumes, Jésus est persécuté, mais aussi et surtout que son rapport à Dieu suit le même modèle ... Or, le fait même que le psalmiste s'adresse à son Dieu, seul qualifié pour le sauver malgré son apparent abandon, exclut le désespoir ou la révolte : le désespoir impliquerait qu'il ne s'adresse plus à personne, la révolte qu'il refuse l'autorité et la qualification divines. En Ps 22, 2 le cri du suppliant n'est pas davantage un cri d'espérance, même si crier vers Dieu implique qu'on espère en lui, mais une question : la force des versets 2-11 du psaume vient de ce qu'ils se présentent comme un aveu d'incompréhension adressé à Dieu et une exigence de réponse,

pas seulement sur le sort du juste, mais sur les voies mêmes de Dieu, sur Dieu donc » [1].

Jésus crie et interroge Dieu sur son abandon. Selon toute apparence la réponse demeure en suspens, puisque Dieu se tait. Aucune parole de l'Ecriture n'est même invoquée qui puisse lever le voile. Matthieu insiste cependant sur la manifestation cosmique qui enveloppe toute la scène. La lumière de midi fait place aux ténèbres, signe de la colère et du jugement de Dieu contre le péché des hommes, signe de châtiment annoncé par le prophète Amos : « Je ferai coucher le soleil en plein midi, je couvrirai la terre de ténèbres en plein jour » (Am 8, 9 ; cf. Ez 32, 8). C'est l'heure où la puissance des ténèbres cherche à éteindre la lumière. Alors que le premier geste de la création avait consisté à séparer les ténèbres de la lumière, cette confusion du jour et de la nuit, accompagnée d'un tremblement de terre, exprime une dé-création. Devant ce qui est en train de se produire, l'univers se révolte et vacille sur ses bases ; il connaît une agonie qui annonce la fin du monde. C'est une scène apocalyptique. Mais ces trois heures de ténèbres s'interrompent au moment même où Jésus crie son abandon et rend l'esprit : à ce moment où la coupe a été bue jusqu'à la lie, après une dernière secousse cosmique, Dieu rend la lumière et la vie aux hommes (les défunts qui sortent des tombeaux). Le soleil de justice a en effet brillé. Sans doute ce langage apocalyptique doit-il être situé, mais il appartient au récit dont il constitue le contexte.

La réponse au cri de Jésus vient aussi, paradoxalement, d'un païen, le centurion. Marc met en lien direct la réflexion de celui-ci avec les derniers cris de Jésus : « Le centurion qui se tenait devant lui, *voyant qu'il avait ainsi expiré,* dit : "Vraiment cet homme était Fils de Dieu" » (Mc 15, 39). Matthieu attribue la même parole au centurion et aux autres soldats et souligne l'effet produit sur eux par le désordre cosmique. Cette parole, capitale dans l'économie du récit,

1. Cf. *ibid.,* pp. 150-151.

jette une lumière nouvelle sur le cri d'abandon qui la précède immédiatement. Le spectacle de la mort de Jésus, telle qu'elle vient d'être racontée avec tout son poids de scandale, a engendré la foi. Le centurion, instrument du supplice, que rien ne prédisposait à croire, a entendu le cri de Jésus ; il a entendu le silence de Dieu ; il a vu dans la manière de mourir de Jésus une attitude filiale : Jésus est bien le Fils qu'il prétendait être ; il a vu aussi un Dieu paternel, un Dieu qui fait mouvement vers les hommes en leur donnant ce qu'il a de plus cher ; il a vu quelque chose de l'engendrement du Fils par le Père. Il a vu Dieu. Dans sa bouche le cri de Jésus au bord de la mort devient une parole de vie. Il n'hésite pas à reprendre le titre même qui a constitué le prétexte religieux à la condamnation de Jésus : Fils de Dieu. La confession de foi vient annuler le jugement de condamnation, tandis que la vérité s'impose. En l'absence des disciples qui ont fui, en l'absence de Pierre qui n'a pas voulu « connaître » Jésus, le centurion, un païen qui représente ici les nations, est le vrai disciple : il accepte de connaître cet homme et de lui donner sa foi. Le centurion est le premier à avoir levé un regard de foi sur le nouveau serpent d'airain élevé dans le désert du Golgotha pour le salut du monde. Augustin traduira plus tard la même réflexion en ces termes : « Les meurtriers du Seigneur ont vu ces choses : eux qui avaient versé son sang en le mettant à mort, ils l'ont bu en croyant »[1]. Comme ce spectateur, pourtant cruellement engagé, le lecteur est renvoyé à son discernement libre pour juger où est Dieu en tout cela.

Non loin du centurion, il y avait aussi ces femmes « qui regardaient à distance » (Mt 27, 55 ; Mc 15, 40). Elles contemplent, elles aussi, comme elles contempleront le lieu où Jésus sera déposé et la pierre roulée : leur présence fidèle, qui contraste avec l'absence des disciples, assure la permanence des témoins de tout l'événement.

---

1. Augustin, *Commentaire de la première épître de saint Jean,* VIII, 10 ; trad. P. Agaësse, *S.C.* 75, p. 363.

Le centurion peut être ici notre maître en exégèse. Le récit nous dit jusqu'où est allé le Fils du Béni dans son mouvement de descente et de livraison de lui-même pour les hommes. Il nous décrit le moment le plus profond de la kénose du Fils. Jésus se situe au point extrême de la vague qui veut l'engloutir. C'est le moment où il vit les paroles du psalmiste : « Sauve-moi, ô Dieu, car les eaux me sont entrées jusqu'à l'âme. J'enfonce dans la bourbe du gouffre et rien qui tienne ; ... Je m'épuise à crier, ma gorge brûle » (Ps 69, 2-4). Jésus a connu ce moment de vertige et d'obscurité où toutes choses perdaient sens, même sa propre mission. Le sauveur du monde a crié pour être sauvé lui-même. Il a connu la défaillance de tout son être humain, épuisé. Même sa relation au Père a été enveloppée de cette nuit. Ce cri, que nous traduirions volontiers aujourd'hui par : « Où est Dieu ? », représente le sommet de l'agonie de Jésus, et donc de la tentation qui l'accompagne. Le cri d'abandon, c'est le scandale de la croix vécu par Jésus lui-même. C'est l'excès de la détresse absolue devant la mort. C'est tout le poids de la souffrance innocente que Jésus est venu porter avec les hommes. Mais ce cri reste une prière, sans désespoir ni révolte. Il n'est pas seulement une question sur l'abandon du Fils par le Père ; il est aussi un acte d'abandon du Fils au Père et le dernier mot de l'accomplissement de sa mission. Cette dernière parole de Jésus en Matthieu peut être mise en rapport d'inclusion avec la première : « Il nous faut accomplir toute justice » (Mt 3, 15)[1]. C'est en cet instant que celle-ci est accomplie jusqu'au bout. Le même exercice dans l'évangile de Marc nous fait trouver : « Le Royaume de Dieu s'est approché : convertissez-vous et croyez à l'Evangile » (Mc 1, 15), à « l'Evangile de Jésus Christ Fils de Dieu » selon l'incipit du même livret. C'est ce qu'a vécu le centurion, témoin exemplaire pour tous ceux qui regardent.

Reste à comprendre le silence du Père. Il a été trop souvent interprété comme une vengeance, avant de l'être comme une

---

1. Cf. B. Rey, *op. cit.*, pp. 128-129.

absence. Mais une réponse immédiate du Père sauvant Jésus
de la croix, à supposer qu'elle ait pu prendre une autre figure
que celle de l'intervention magique, n'aurait pu être qu'un
jugement de condamnation de tous les bourreaux de Jésus.
Une telle intervention eût constitué un repentir définitif de
Dieu à l'égard du dessein salvifique commun au Fils et au
Père. Elle aurait été bien plus une réponse vengeresse au défi
des passants qu'un accueil de l'appel de Jésus. Or par son
silence le Père accepte de nous sauver jusqu'au bout ; il fait
ce que Jésus fait lui-même : Jésus s'est livré tout entier ; le
Père le livre et l'abandonne tout entier entre les mains des
pécheurs. L'abandon de Jésus est un don. Tel Fils, tel Père :
le comportement du Fils à la croix révèle celui du Père. La
souffrance du Fils est aussi, mais de manière pour nous
irreprésentable, la souffrance du Père. Sur le lit de la croix
le Père engendre son Fils à travers leur abandon mutuel et
dans un mouvement commun d'abandon aux hommes. « Dieu
livre son Fils en l'engendrant dans ce monde »[1]. Le silence
du Père, laissant les choses aller à leur terme, est la révélation
même de Dieu.

> « *Le silence scandaleux de Dieu au calvaire, interrogé
> à la lumière de Pâques, écrit J. Moingt, devient
> révélation ; Dieu se manifeste en disparaissant dans
> la mort du Christ, il se manifeste comme l'intériorité
> de cet événement de mort, l'abandon de l'amour
> absolu qui les fait passer l'un dans l'autre, l'échange
> de relations et de dons qui les constitue l'un et l'autre
> dans leur être de Père et de Fils. Le Père se révèle
> sur la croix, non pas malgré son silence et sa non-
> intervention, mais positivement, par contraste, par ce
> silence et par le fait même d'abandonner son Fils. Il
> intervient en tant qu'il s'abstient d'intervenir, et que
> cette abstention est un acte décisif et définitif.
> On ne voit pas où ni quand ni comment se fait la
> révélation du Père, si on ne comprend pas qu'elle se*

---

1. F.X. Durrwell, *Le Père. Dieu en son mystère,* Paris, Cerf 1987, p. 63.

fait là où elle trompe irrémédiablement notre attente, et la comble, dans l'abandon du Christ [1] ».

L'*épître aux Hébreux* l'avait compris, quand elle voyait la prière de Jésus en sa passion exaucée par le Père : « C'est lui qui aux jours de sa chair offrit prières et supplications avec grand cri et larmes à celui qui pouvait le sauver de la mort, et il fut exaucé en raison de sa soumission » (Hé 5, 7). Ce point est « crucial », car il y va de l'image même du Dieu qui se révèle à la croix.

Il n'est pas jusqu'au cri inarticulé de l'expiration de Jésus qui ne puisse entrer dans ce mystère d'engendrement. F.X. Durrwell compare le moment de la croix à celui de la naissance où le corps de l'enfant est jeté hors du corps de sa mère : séparation douloureuse attestée par un cri « primal » ; séparation nécessaire à la pleine altérité de l'enfant en face de sa mère. Mais sa mère ne le rejette pas pour autant, elle l'accueille aussitôt dans ses bras [2]. Evoquant également le mystère des cris de Jésus en sa passion, E. Haulotte conclut : « Sous l'inscription royale, le cri de Jésus acclame le royaume et son Père » [3].

La fécondité du martyre : la victoire de la faiblesse sur la force

Au plan le plus apparent Jésus ne peut opposer à la force religieuse et politique, qui se pervertit en violence pour l'abattre, que la faiblesse absolue de son attitude de justice et d'amour. Cette faiblesse ne pouvait que le conduire à l'échec et à la mort. Consciemment, Jésus a refusé l'usage de toute force : il a ordonné à l'un des siens de remettre l'épée au fourreau et a guéri l'oreille du serviteur du grand-prêtre (Mt 26, 51-53).

1. J. Moingt, « "Montre-nous le Père". La question de Dieu en christologie », *R.S.R.* 65, (1977), p. 324.
2. F.X. Durrwell, *ibid.*, p. 70.
3. E. Haulotte, « Du récit quadriforme de la passion au concept de la croix », *R.S.R.* 73, (1985), p. 197.

Mais, à voir les choses en profondeur, le récit découvre la faiblesse congénitale du recours à la force exacerbée par la violence, et la force exemplaire de la justice et de l'amour qui vont jusqu'au bout d'eux-mêmes. Dans la toute-faiblesse du Christ, Dieu manifeste sa toute-puissance. La passion révèle en vérité qui est Dieu et lui permet d'exercer sa séduction sur l'homme. Le Christ est la séduction de Dieu faite chair. Dans le moment de la passion, Jésus manifeste une grandeur et une force, une fidélité à la justice et à la vérité, qui sont en même temps beauté, majesté et gloire de Dieu. « O qu'il est venu en grande pompe et en une prodigieuse magnificence aux yeux du cœur qui voient la sagesse. ... (Il) est venu avec l'éclat de son ordre », écrivait Pascal[1]. Jésus meurt et l'exemplarité de sa mort me permet de franchir ma propre mort en lui donnant sens. Dans sa mort même, il me donne de contempler la vie. Dans le combat qui l'oppose à ses adversaires, Jésus garde jusqu'au bout une liberté qui attire, en lui conférant une autorité souveraine, parce que convaincante. Car il met cette liberté au service du témoignage rendu à la vérité. En tout cela il est infiniment plus fort que ses adversaires. Paul pourra dire à juste titre : « Certes il a été crucifié dans sa faiblesse, mais il est vivant par la puissance de Dieu » (2 Co 13, 4). C'est la fécondité propre au martyre.

C'est cette victoire encore secrète de Jésus qui est exprimée par le centurion, c'est-à-dire par le chef même du peloton d'exécution. Sa confession est la première expression de la victoire du Christ au cœur de sa défaite. Une telle manière de mourir a une puissance infinie de conversion. Le centurion romain est le premier de tous ceux qui se convertiront au spectacle ou au récit de la passion. Les auditeurs du discours de Pierre le jour de la Pentecôte auront la même attitude : « D'entendre cela, ils eurent le cœur transpercé, et ils dirent à Pierre et aux apôtres : "Frères que devons-nous faire ?" »

---

1. Pascal, *Pensées,* 308 (Lafuma).

(Ac 2, 37). La réflexion de Tertullien vaut déjà du sang de Jésus injustement répandu : « *Semen est sanguis christianorum*. Le sang des chrétiens est une semence »[1]. De cette fécondité du martyre Luc se fait un témoin encore plus explicite.

2. LA CONVERSION DES TÉMOINS (LUC)

Depuis les Pères de l'Eglise l'évangile de Luc est connu pour être celui de la miséricorde et du pardon. Cette orientation se vérifie éminemment dans le récit de la passion. En abordant celui-ci, je ne retiens que les éléments originaux de la composition lucanienne. Le troisième évangéliste construit une séquence de faits qui demeure très proche de celles de Matthieu et de Marc, selon une économie et une ordonnance personnelles qui leur confèrent un climat sensiblement différent.

Jésus va à sa passion avec toute la lucidité exprimée dans la répétition insistante chez Luc des « Il faut... » *(dei)* qui encadrent en avant et par après la passion elle-même : « *Il faut* que le Fils de l'homme souffre beaucoup, qu'il soit rejeté par les anciens, les grands-prêtres et les scribes, qu'il soit mis à mort et que, le troisième jour, il ressuscite » (Lc 9,22) ; « *Il faut* qu'il souffre beaucoup et qu'il soit rejeté par cette génération » (Lc 17, 25) ; « *Il faut* que s'accomplisse en moi ce texte de l'Ecriture : "On l'a compté parmi les criminels" » (Lc 22, 37) ; à ces trois déclarations de type prophétique trois autres correspondent après la résurrection : « Rappelez-vous comment il vous a parlé quand il était encore en Galilée ; il disait : "*Il faut* que le Fils de l'homme soit livré aux mains des hommes pécheurs, qu'il soit crucifié et que le troisième jour il ressuscite" » (24,7) ; « *Ne fallait-il* pas que le Christ souffrît tout cela pour entrer dans sa

1. Tertullien, *Apologétique,* 50, 13 ; *P.L.* 1, 535.

gloire ? » (24, 26) ; « Voici les paroles que je vous ai adressées quand j'étais encore avec vous : *il faut* que s'accomplisse tout ce qui a été écrit de moi dans la Loi de Moïse, les Prophètes et les Psaumes » (24, 44). Ces « Il faut » sont à bien comprendre : ils n'expriment ni la fatalité d'un destin ni une volonté arbitraire du Père qui aurait besoin d'être apaisé par le sang. Ils se situent au croisement du dessein de salut patiemment poursuivi par Dieu depuis l'élection d'Abraham et de la récalcitrance humaine. Ce qui est arrivé aux prophètes, ce qu'ils ont annoncé du Messie, tout cela doit se produire inévitablement, parce que Dieu est Dieu et que les hommes sont devenus des hommes pécheurs. Jésus entend être fidèle à sa mission, parce qu'« il faut » absolument que l'homme soit sauvé, quoi qu'il en coûte.

L'eucharistie : le corps donné

Notation rare dans les évangiles et propre à Luc : Jésus exprime et avoue son propre désir. De même qu'il avait dit son désir d'allumer le feu sur la terre et de recevoir son baptême (Lc 12, 49-50), il confie à ses disciples : « J'ai ardemment désiré manger cette Pâque avec vous avant de souffrir. Car je vous le déclare, jamais plus je ne la mangerai jusqu'à ce qu'elle soit accomplie dans le Royaume de Dieu » (Lc 22, 15-16). Ce verset inscrit l'instant présent dans le désir premier et ultime de Jésus, un désir qu'il réalise sous la forme d'un repas qui fait l'unité de la Pâque ancienne, de l'alliance nouvelle et du banquet eschatologique. Dans ce repas se récapitulent tous les dons de Dieu, qui conduisent à une convivialité définitive avec lui : le partage du repas, c'est le partage de la vie.

« Ceci est mon corps donné pour vous » (22, 19) : Matthieu et Marc mentionnaient le geste du don accompagnant la parole ; Luc le fait aussi, mais en plus il inclut l'expression du don dans la parole, créant un effet d'insistance. Le « pour vous » a remplacé le « pour la multitude » resserrant le lien

entre le donateur et les destinataires ici présents. Le texte de
Luc porte sans doute ici la trace de l'actualisation liturgique ;
bien évidemment le don demeure pour tous, mais dans l'ici
et le maintenant de la célébration, il est pour vous, il est
pour toi. La manducation de l'agneau pascal fait place à la
manducation du corps de Jésus. Aujourd'hui « l'objet » du
don de Dieu à l'homme, c'est le corps de Jésus, c'est-à-dire
sa personne même, très concrètement symbolisée dans le pain
partagé. Ce corps qui sera au premier plan de la passion, ce
corps qui sera livré à la mort, est un corps donné aux
hommes. Le grand désir de Jésus est celui de se donner,
même si l'accomplissement de ce don le condamne à « souffrir ». Son corps est devenu un corps médiateur entre
Dieu et les hommes. L'accomplissement de toute médiation
comporte la disparition du médiateur[1] : le corps médiateur
de Jésus accomplit sa mission en disparaissant dans la fraction
qu'en font les siens pour le consommer, avant de disparaître
dans la fracture de la croix. L'eucharistie est la récapitulation
en même temps que l'accomplissement de tous les dons de
Dieu aux hommes. Le corps de Jésus est devenu médiateur
en se faisant lui-même l'objet d'un don de communion[2].

   « Cette coupe est la nouvelle alliance en mon sang » (Lc 22,
20). Luc emploie, de même que Paul (1 Co 11, 25),
l'expression de « nouvelle alliance », qui renvoie à la prophétie
de Jérémie[3]. Il souligne ainsi le changement de registre qui
distingue l'ancienne de la nouvelle alliance. Le dessein de
faire alliance avec les hommes, nous l'avons vu, est de la
part de Dieu unique et sans repentance depuis Abraham,
Moïse et David. Pourtant le peuple élu avait rompu cette
alliance. C'est pourquoi sa réalisation connaît un seuil décisif.
Cette alliance est nouvelle en tous les sens de ce mot, elle est
la dernière, la définitive ; elle a valeur eschatologique.
L'originalité de la nouvelle alliance est que Jésus prend dans

---

1. Cf. P.J. Labarrière, *Le Christ avenir,* Paris, Desclée 1983, p. 94-102.
2. Cf. E. Pousset, *Lectures théologiques selon l'évangile de saint Luc,*
Paris, Centre Sèvres s.d., p. 186 ss.
3. Cf. ci-dessus, pp. 135-137.

l'unité de sa personne les deux côtés du contrat : il fait ce qui revient à Dieu, il fait aussi ce qui revient à l'homme, afin de permettre à l'homme de pouvoir le faire à son tour. Dans les gestes du don de la coupe et du pain, c'est Dieu qui en Jésus se donne de manière définitive aux hommes ; c'est aussi l'homme qui en Jésus se donne de manière irrévocable au Père. L'alliance passe ainsi du statut d'extériorité au statut d'intériorité. Les sacrifices extérieurs des animaux font place au sacrifice existentiel du Fils.

Chez Matthieu et Marc le contenu du sacrifice évoqué par le sang de l'alliance était le service et le travail de Jésus dans sa vie et dans sa mort. Chez Luc le contenu de ce sacrifice est le don qu'il fait de sa propre personne, don de son corps et de son sang dans la communion d'un repas qui signifie et anticipe le don de sa personne dans la mort.

De l'arrestation à la croix

Luc insiste moins que les deux autres synoptiques sur le caractère scandaleux de l'arrestation, des outrages et de la croix de Jésus et souligne tout ce qui atteste sa grandeur et sa générosité : c'est ainsi que Jésus guérit la blessure causée par l'un des siens à un serviteur du grand prêtre (Lc 22, 51).

Déjà Matthieu et Marc avaient exprimé la fécondité du martyre par la conversion du centurion témoin des contradictions du juste. Luc va plus loin en ce sens : habité par une intention parénétique, il invite son lecteur à suivre la passion en pécheur converti [1], à l'exemple de Pierre dont il souligne plus le repentir que la faute. Pierre n'est plus ici du côté de ceux qui abandonnent ou trahissent. Un regard aimant de Jésus (Lc 22,61) l'a converti : il est désormais en larmes du côté de son maître. Il est le premier à être sauvé par la passion de Jésus qui l'a libéré de sa prétention comme de ses peurs.

1. Cf. A. Vanhoye, « Les récits de la passion dans les évangiles synoptiques », *N.R.T.* 89 (1967), p. 145.

Dans le procès romain de Jésus, Luc souligne fortement son innocence, reconnue à la fois par Pilate et par Hérode. L'absence de culpabilité en Jésus est complète : « Le disciple fidèle ne se lasse pas d'insister sur ce point, qui fonde sa vénération pour le Christ souffrant. Luc sait qu'il y a là une importante leçon pour les chrétiens. S'ils sont traînés devant les tribunaux, cela ne doit pas être par leur faute, mais, à l'exemple de leur maître, uniquement pour leur fidélité à accomplir la volonté de Dieu » [1].

De même, Simon de Cyrène n'est pas « réquisitionné » (Mc 15, 21), on le « charge » de porter la croix derrière Jésus (Lc 23, 26). Mais « porter la croix derrière Jésus » (cf. Lc 9, 23 ; 14, 27) est la formule même de l'engagement chrétien. Simon devient ainsi le disciple qui rappelle à tous les autres leur vocation [2].

Luc note également la présence d'une grande multitude de peuple et de femmes qui se frappent la poitrine et se lamentent. Jésus leur adresse un appel à la conversion : « Filles de Jérusalem ne pleurez pas sur moi, mais sur vous-mêmes et sur vos enfants » (Lc 23, 28). A la fin du récit l'amplification sera encore plus grande : « Tous les gens qui s'étaient rassemblés pour ce spectacle, à la vue de ce qui s'était passé, s'en retournaient en se frappant la poitrine » (Lc 23, 48). L'effet de conversion, concentré sur le centurion chez les deux autres évangélistes, devient ici général. Les foules pécheresses sont déjà repentantes.

Les dernières paroles de Jésus

Les paroles mises par Luc dans la bouche de Jésus en croix expriment avant tout la miséricorde et le pardon. Quand Jésus est crucifié, il dit : « Père, pardonne-leur, car ils ne savent pas ce qu'ils font » (23, 34). Sa prière est déjà un pardon et son pardon est une prière. Cette parole de la

1. A. Vanhoye, *ibid.*, p. 149.
2. Cf. *ibid.*, p. 160.

victime innocente est d'une force irrésistible. Venant de Jésus et visant ses bourreaux, elle exprime le renversement qui est en train de se produire. La mort infligée par les méchants devient une mort vécue pour le salut. Dans cette mort le don de Dieu se fait pardon. Jésus met ainsi en œuvre le conseil qu'il a donné d'aimer ses ennemis et de leur pardonner (Lc 6, 27-36). Il manifeste l'unicité de son dire et de son faire. Il montre jusqu'où peut aller sa miséricorde. Par cette parole il remporte déjà la victoire sur la violence meurtrière. Luc notera le même pardon dans le martyre d'Etienne (Ac 7,60). Car cette attitude deviendra un trait distinctif du martyr chrétien. Elle est le signe de la justice et de la sainteté. A la croix, elle est une expression de l'intercession de Jésus, en termes bibliques de son « expiation ». Cette intercession n'a pas pour but de changer le cœur du Père, mais de changer le cœur de ses bourreaux. La conversion de Dieu vers l'homme en Jésus vise à provoquer la conversion de l'homme vers Dieu.

Luc raconte également la conversion de l'un des deux malfaiteurs crucifiés avec Jésus : « "Jésus, souviens-toi de moi quand tu viendras dans ton Royaume". Jésus lui répondit : "En vérité, je te le dis, aujourd'hui, tu seras avec moi dans le paradis" » (Lc 23, 43). En ce compagnon de supplice, défié par les soldats en raison de l'inscription qui le déclare de manière dérisoire roi des Juifs, le malfaiteur a reconnu celui qui doit revenir dans le « Royaume » de Dieu. Cet homme a compris non seulement l'innocence de Jésus, mais encore le témoignage qu'il rend à la justice : cette lumière le conduit à la foi. « C'est de cette façon que Luc atteste l'efficacité du sacrifice de Jésus : la croix de Jésus transforme le monde en produisant la conversion des âmes et en leur ouvrant le paradis »[1]. La croix de Jésus est donc efficace en elle-même : elle invite à la même conversion le lecteur ou l'auditeur du récit.

---

1. *Ibid.*, p. 161.

Luc ne rapporte pas le cri d'abandon de Jésus. L'appel au Ps 22 fait place chez lui à l'appel homologue au Ps 31 : « Père entre tes mains, je remets mon esprit » (Lc 23, 46 ; Ps 31, 6). C'est sur cette parole articulée que Jésus expire. Le cri d'abandon devient un cri d'abandon confiant entre les mains de celui qu'il n'appelle plus son Dieu, mais son Père. Jésus vit sa mort comme un don et un retour filial vers son Père. Il montre une fois encore que son sacrifice est un don de tout lui-même.

Après la mort de Jésus, le centurion rend gloire à Dieu en disant : « Sûrement, cet homme était juste » (23, 47). Cette parole vient confirmer ce ce que l'évangéliste veut montrer depuis le début du récit. Si elle n'est pas une parole de confession, elle demeure une parole de conversion. A cette conversion participent tous les spectateurs de la crucifixion. La contemplation de l'événement — Luc insiste beaucoup sur le regard des foules (23, 35.50) — suffit à convertir.

L'effet de sens de la mort de Jésus

A la question « Comment Jésus nous sauve-t-il ? » la trame narrative de Luc apporte une réponse aussi nette que simple. Jésus nous sauve dans et par le don qu'il fait de lui-même, le don de son corps et de son sang réalisé dans le repas de la nouvelle alliance et sur la croix. Dans sa passion son don aux hommes devient explicitement pardon et son don au Père devient abandon. Cette conversion totale de Jésus vers les hommes est alors médiatrice de la conversion des hommes à Dieu. La croix contient un mystère de fécondité qui s'exerce déjà sur les foules. Les témoins ont le « cœur transpercé », à l'instar de ceux qui entendront le kérygme de Pierre le jour de la Pentecôte (Ac 2, 37).

Luc a signalé le combat de Jésus au moment de son arrestation : « C'est maintenant votre heure, c'est le pouvoir des ténèbres » (Lc 22,53). Mais il n'insistera pas comme les autres synoptiques sur l'acuité du conflit entre Jésus et ses adversaires. En soulignant l'innocence de Jésus et sa confiance en son Père, il lève pour une part le caractère scandaleux de la croix au regard de la foi. Son récit est moins dramatique et plus contemplatif.

3. L'ICÔNE GLORIEUSE DU CRUCIFIÉ (JEAN)

Le récit de Luc fait en quelque sorte le pont entre ceux de Matthieu et de Marc et celui de Jean. La passion selon saint Jean relève de l'économie de la gloire : « Elle est venue, l'heure où le Fils de l'homme doit être glorifié » (Jn 12, 23). Elle devient une solennelle liturgie, au cours de laquelle le Jésus arrêté, jugé, souffrant et mourant est déjà le Seigneur glorieux. Le drame est transfiguré en la manifestation progressive du mystère et de la puissance de Dieu. La circumincession de la passion et de la résurrection est totale. « Dans leur hiératisme les scènes johanniques ont un caractère iconique : tout dans le récit mène vers la citation finale de Zacharie : "ils regarderont celui qu'ils ont transpercé" (Jn 19, 37) »[1].

Le Jésus johannique est omniscient[2]. L'évangéliste introduit son récit par un nouveau prologue qui ne cède rien en solennité au prologue de tout l'évangile : « Avant la fête de la Pâque, Jésus sachant que son heure était venue de passer de ce monde à son Père, lui qui avait aimé les siens qui sont dans le monde, les aima jusqu'à l'extrême. Au cours d'un repas, ...sachant que le Père a remis toutes choses entre ses mains, qu'il est sorti de Dieu et qu'il va vers Dieu, Jésus se lève de table,... » (Jn 13, 1-3). Selon l'économie de la révélation dans cet évangile, Jésus est parfaitement au clair sur sa mission comme sur son identité. Il vient du Père et il va au Père. Cet itinéraire, il l'accomplit en faveur des siens,

---

1. J.N. Aletti, « Mort de Jésus et théorie du récit », *R.S.R.* 73 (1985), p. 157.
2. Cf. *ibid.*, p. 154.

qu'il a aimés et qu'il veut aimer jusqu'au bout : l'amour est placé comme indicatif du récit.

Jésus va donc à sa passion avec la plus grande lucidité et il en connaît d'avance la fécondité : « Si le grain de blé qui tombe en terre ne meurt pas, il reste seul ; si au contraire il meurt, il porte du fruit en abondance. ... Pour moi, quand j'aurai été élevé de terre, j'attirerai tout à moi » (Jn 12, 24.32). Sa passion sera à la fois un enfouissement dans le mort du tombeau et une exaltation sur un trône de gloire, objet d'un regard de foi, comme jadis le serpent d'airain élevé dans le désert : selon les deux images, elle portera le fruit du salut. Jésus domine les événements auxquels il se livre de par sa liberté intérieure et non en raison d'une nécessité : « Ma vie, personne ne me l'enlève, mais je m'en dessaisis de moi-même » (Jn 10, 18). Ce trait sera particulièrement illustré au moment de son arrestation, où sa prescience est rappelée (Jn 18, 4-12).

Dans le récit le narrateur est très présent : il souligne plusieurs fois lui-même que tout se passe « pour que l'Ecriture s'accomplisse ».

Le lavement des pieds

Les premiers éléments du récit sont particuliers à Jean. Tout d'abord le lavement des pieds y remplace l'institution de l'eucharistie. Cette place stratégique, qui en fait le portique de toute la passion, lui confère la valeur d'une équivalence symbolique. Le repas de la Cène était l'objet du grand désir de Jésus ; le lavement des pieds est le témoignage d'un amour absolu. D'un côté l'on trouve l'institution de l'eucharistie, de l'autre un symbolisme baptismal[1]. Dans l'un et l'autre cas il s'agit de l'expression ritualisée du même don de soi. Chaque fois Jésus demande de répéter son geste : « Faites ceci en mémoire de moi » (Lc 22, 19) ; « Vous devez, vous aussi, vous laver les pieds les uns aux autres » (Jn 13, 14).

1. Cf. J. Guillet, *Entre Jésus et l'Eglise,* Paris, Seuil 1985, p. 283.

Ce geste, repris des actions symboliques des prophètes, est une parabole en acte de ce qui est en train de s'accomplir. Jésus, le Serviteur [1], va jusqu'au bout dans la purification de ses disciples, c'est-à-dire dans la libération de leurs péchés. La loi de l'amour est une loi de service. La passion tout entière sera ordonnée à cette purification et à cette libération. Le lavement des pieds dit le sens de la passion. Il nous montre *comment* Jésus entend sauver les siens.

Le discours du salut (Jn 13-17)

Le bref échange de Jésus avec ses disciples dans les synoptiques devient chez Jean un long discours et un dialogue au cours desquels Jésus révèle à la fois son intimité avec le Père et son intention de salut. Ces paroles testamentaires, dont le ton associe la confidence intime à la révélation solennelle, se situe après l'annonce de la trahison de Judas et la sortie de celui-ci de la salle du lavement des pieds, puis sur la route qui mène à Gethsémani.

Jésus introduit l'entretien par l'annonce de la gloire mutuelle que le Père et le Fils se rendent l'un à l'autre dans le moment qui arrive, dans le « maintenant » et le « bientôt » de la passion. L'avancée de Jésus vers la mort est la manifestation glorieuse de l'échange paternel et filial, échange amoureux source de toute fécondité. Cet échange est maintenant vécu pour les hommes. Il n'y a rien là que le Père exigerait du Fils pour être apaisé, mais au contraire la communion complice dans un même amour qui appelle à l'amour. C'est pourquoi Jésus fait suivre cette annonce du commandement nouveau : « Comme je vous ai aimés, vous devez, vous aussi, vous aimer les uns les autres » (Jn 13,34). Ce commandement reviendra comme un refrain qui scande tout le discours (Jn 15,12.17). Qu'a-t-il de nouveau ce commandement qui reprend celui de la Loi ancienne confirmé

---

1. La portée du récit en ce qui concerne le travail salvifique du Serviteur a déjà été relevée, ci-dessus, pp. 169-172.

par Jésus (Lc 10, 27) ? La nouveauté tient dans le *comme*. Jusqu'à présent, le peuple élu savait qu'il devait aimer Dieu de tout son cœur et le prochain comme soi-même. Mais il ne savait pas encore jusqu'où cela pouvait aller et il n'avait pas la force de réaliser ce double amour. Désormais tout change : Jésus dans sa passion fournit l'exemple de l'amour qui donne sa vie pour ses frères. Tout exemple de ce type est un appel et en un sens déjà un don : celui qui ouvre la voie prend sur lui la plus grande part du travail ; il est alors bien plus facile aux autres de le suivre. Dans le cas de Jésus l'exemple de son amour est une grâce positive. Car l'amour est grâce. Il donne effectivement ce qu'il ordonne. La similitude de la vigne illustre merveilleusement la chose : ceux qui, en dehors de Jésus ne peuvent rien faire (Jn 15, 5), peuvent avec lui et en lui porter beaucoup de fruit. Jésus se proclame ainsi le médiateur unique du salut. Pour cela les disciples doivent demeurer dans la chaîne de l'amour qui vient du Père : « Comme le Père m'a aimé, moi aussi je vous ai aimés : demeurez dans mon amour. Si vous observez mes commandements, vous demeurerez dans mon amour, comme, en observant les commandements de mon Père, je demeure dans son amour » (Jn 15,9-10). La dernière formule illustre la réciprocité de la grâce et de la liberté : c'est en demeurant dans l'amour du Christ que le disciple peut observer les commandements ; c'est en observant les commandements qu'il demeure dans l'amour du Christ.

Jésus va vers le Père et sa mort est un passage au Père. Dans cet itinéraire il veut emmener les siens, puisque seule la communion avec le Père peut constituer leur salut. Il exprime sa médiation dans l'image parlante du chemin. Lui qui se présentait à Nathanaël comme la nouvelle échelle de Jacob unissant ciel et terre et permettant aux anges de monter et de descendre (cf. Jn 1, 51), dit solennellement à ses disciples : « Je suis le chemin, la vérité et la vie. Personne ne va au Père si ce n'est par moi » (Jn 14, 6). Ces trois mots résonnent comme trois expressions du salut : le salut est le chemin qui mène au Père, là où Jésus va préparer une place pour les

siens avant de revenir les prendre avec lui. Le salut est la
vérité de Dieu révélée en Jésus, c'est-à-dire la connaissance
de l'excès d'amour de Dieu pour l'homme. Le salut est enfin
la vie, la vie éternelle déjà présente en ceux qui croient et
qui explosera dans la résurrection de Jésus. Ces trois mots
disent la médiation accomplie par Jésus entre le Père et les
siens. Tout se fonde sur la mutuelle immanence du Père et
du Fils qui permet à Jésus de répondre à Philippe : « Qui
m'a vu a vu le Père » (Jn 14, 9). De cette immanence, ouverte
en Jésus sur le monde, jaillira le don de l'Esprit, le Paraclet,
« que le Père enverra en mon nom » (Jn 14, 26). Tout le
discours annonce la divinisation des hommes par leur entrée,
dès ici-bas, en communion avec le mystère trinitaire.

L'ordre donné « Levez-vous, partons d'ici » (Jn 14, 31)
marque une césure dans le déroulement de ce long entretien.
Mais les thèmes demeurent les mêmes. L'allégorie de la vigne
et des sarments associe à nouveau le commandement et
l'exemple de l'amour : « Nul n'a de plus grand amour que
celui qui se dessaisit de sa vie pour ceux qu'il aime » (Jn
15,13). Cette formule décisive dit, elle aussi, le sens de la
passion qui vient : Jésus va perdre sa vie, afin de donner la
vie à ceux qu'il aime.

Jésus met également en garde ses disciples contre la haine
du monde. Car son conflit avec ses adversaires est le modèle
d'une hostilité qui durera jusqu'à la fin des temps. Le drame
qui se joue dans la passion sera le drame de l'Eglise. Le
serviteur n'est pas plus grand que son maître : comme lui il
sera l'objet de la haine de ceux qui ont haï le maître sans
raison (cf. Jn 16, 25). Ces paroles ont pour but de fortifier
les disciples qui seront mis à l'épreuve.

L'heure est venue du jugement du monde, l'heure où le
prince de ce monde va être jeté bas (cf. Jn 12,31 et 16, 11).
Ce jugement s'accomplit en chacun de ceux qui refusent la
lumière et la parole de Jésus. « C'est devant le Christ élevé
sur la croix que les hommes se scindent en deux groupes »[1].

1. I. de La Potterie, dans A. Vanhoye, Ch. Duquoc, I. de La Potterie,
La passion selon les quatre évangiles, Paris, Cerf, 1981, p. 75.

Ce conflit se terminera par la victoire sur le monde dont Jésus parle déjà au passé : « Soyez pleins d'assurance, j'ai vaincu le monde ! » (Jn 16, 33). Aussi Jésus promet-il à nouveau l'envoi de l'Esprit Paraclet et il annonce à ses disciples que leur affliction présente se transformera en joie, comme ce qui arrive à la femme qui enfante.

Tous ces thèmes, qui se développent de manière quelque peu circulaire, expriment une fois encore que la passion n'est pas le lieu d'un drame entre le Père et le Fils, mais bel et bien celui du Père et du Fils, solidaires dans leur envoi de l'Esprit, avec les forces du mal. L'élément nouveau vient ici de ce que les disciples ne sont pas seulement les bénéficiaires du combat rédempteur, mais qu'ils sont invités à en être à leur tour les acteurs avec Jésus.

C'est alors que commence la grande prière de Jésus, souvent appelée « sacerdotale », car elle est la prière par excellence du Fils incarné et médiateur qui intercède pour les siens et « se consacre » pour eux (Jn 17,19). C'est la prière du Fils qui glorifie le Père, après avoir achevé l'œuvre qu'il avait reçue. Au moment où le mouvement de sa médiation descendante s'accomplit, Jésus exprime la réalité de sa médiation ascendante, qui a toujours habité sa prière d'homme et qui sera éternellement celle du ressuscité. Aussi prie-t-il maintenant non seulement pour ses disciples, mais aussi pour ceux qui croiront en lui à travers eux. Comme l'ensemble de l'entretien, cette prière a une visée universelle. Le drame qui se joue est à l'échelle du monde. Elle dit enfin la finalité ultime du salut : que ceux que le Père a donnés au Fils entrent dans l'unité même du Père et du Fils et participent de leur immanence mutuelle.

Cette longue préface à la passion est par excellence un discours de révélation : révélation solidaire du mystère d'amour mutuel que constituent le Père, le Fils et l'Esprit et de l'épanchement de ce mystère d'amour vers les hommes en vue de leur salut. Cette révélation, à la fois double et unique, décrit en clair tout le dessein de la divinisation et de la rédemption des hommes. L'évangéliste nous fait partager

une théologie extrêmement réfléchie. Il lui était difficile
d'expliciter plus clairement ce que vont faire les différents
partenaires du drame et d'en révéler davantage le sens au
regard même de Dieu. Ce discours de révélation est en même
temps un appel à croire : si le terme de *foi* est absent de
l'évangile de Jean, celui de *croire* y est extrêmement fréquent,
en particulier dans ces chapitres. A la révélation du mystère
de Dieu en Jésus la seule réponse possible est la foi.
C'est ainsi que « fonctionne » le salut, communication de
l'intelligence et de la volonté divine à l'intelligence et à la
volonté des hommes. Une révélation qui est inséparablement
celle de l'absolu de la vérité et de l'absolu de l'amour est
une invitation « séductrice » à adhérer de toute sa foi. La
foi des disciples sera à son tour le moyen de transmission de
cette révélation. La théologie du discours sera celle de la
passion elle-même.

Voici l'homme, voici votre roi

Après l'arrestation de Jésus l'évangile de Jean propose
la même séquence essentielle que les synoptiques, mais
l'agencement des péricopes, les accents et le ton lui sont
propres. Retenons donc ces éléments originaux.

Dans sa comparution devant Hanne, le beau-père de
Caïphe qui était grand Prêtre cette année-là, Jésus évoque la
transparence de son enseignement avec une fermeté qui est
prise pour de l'insolence et lui vaut une gifle de la part de
l'un des gardes. « Le soufflet du serviteur, au centre du récit,
est comme une réponse brutale du judaïsme et du monde à
son enseignement »[1].

Le procès de Jésus devant Pilate est à la fois un procès
romain et un procès juif. Les Juifs y jouent en effet le rôle
d'accusateurs publics. Le débat est dominé par la question
de la royauté de Jésus : cette question est messianique pour
les Juifs et liée à leur grief de blasphème, puisque Jésus s'est

1. *Ibid.*, p. 79-80.

fait Fils de Dieu ; elle est éminemment politique aux yeux de Pilate. Les premiers sauront jouer parfaitement de cette ambiguïté et Pilate sera successivement effrayé par la dimension religieuse du cas et par son risque politique. Le récit comporte plusieurs péripéties scandées par les allées et venues de Pilate entre l'extérieur du palais où le procurateur discute avec les Juifs qui n'ont pas voulu entrer, et l'intérieur où il interroge Jésus. Ces deux lieux ne feront plus qu'un quand Jésus par deux fois sera devant le peuple l'objet d'une « monstration » vers laquelle conduit tout le récit.

Jésus entretient Pilate d'une royauté qui n'est pas de ce monde, d'une royauté qui rend témoignage à la vérité. Pilate est déconcerté par ce langage qu'il ne comprend pas. Mais, convaincu de l'innocence de Jésus, il cherche une voie d'issue. Comme la solution Barabbas — un « rebelle » souligne l'évangéliste avec ironie — fait long feu, Pilate ordonne alors de flageller Jésus. La scène des sévices organisés par les soldats est dépouillée de ses traits les plus humiliants et prend symboliquement la valeur d'une intronisation liturgique. Jésus est couronné, insigne royal par excellence ; il est revêtu du manteau de pourpre, vêtement impérial. Il est ainsi amené devant le peuple : « Voici l'homme » (Jn 19, 5). Jean est l'évangéliste qui emploie le plus souvent le terme d'« homme » pour désigner Jésus (Jn 5, 12 ; 7, 46.51 ; 8,40 ; 9, 11-16 ; 10, 33 ; 11, 50 ; 18, 17.29). Cette parole de Pilate vient donc au terme d'une série intentionnelle. Elle prend dans la construction de la scène son sens plein. Jésus est l'homme par excellence, il est le véritable Adam sorti des mains de Dieu, il est l'homme rendu à son innocence et à sa justice, l'homme témoin de Dieu et de la vérité. Il est tout à la fois l'homme sauvé et l'homme sauveur. Cette face défigurée de Jésus est donnée à regarder comme une icône porteuse de toute la réalité du salut. La majesté paisible de cet homme au cœur de l'épreuve, de la souffrance et de la contradiction domine tout le reste. Pourtant, cette vision qui nourrit la foi du narrateur et du témoin ne fait qu'engendrer le cri : « Crucifie-le ! Crucifie-le ! » (Jn 19, 6). Il faut que Jésus aille au bout de son humanité pour vaincre ce refus et cette haine.

Devant l'effet produit Pilate retourne à l'intérieur et interroge Jésus. Mais l'accusation se radicalise : cet homme mérite la mort, parce qu'il s'est fait Fils de Dieu ; celui qui relâcherait un roi se déclarerait contre César. Pilate fait alors asseoir Jésus au tribunal appelé le *lithostrôtos,* et le présente encore aux Juifs dans ce cadre solennel, en disant cette fois : « Voici votre roi ! » (Jn 19, 14). L'aspect dérisoire des insignes royaux dont celui-ci est revêtu est transfiguré par sa majesté. Aux yeux de l'évangéliste cette déclaration est une intronisation du roi et du juge. Comme Caïphe, Pilate prophétise à sa manière. Ce qu'il manifeste ainsi sans le savoir, c'est la vérité du royaume qui n'est pas de ce monde et qui constitue le salut de ce monde. La qualité royale de Jésus se retrouvera dans l'écriteau de la croix, par la volonté du même Pilate qui « persiste et signe » malgré les objections des Juifs. Le procurateur fait ainsi de l'instrument du supplice un royal trône de gloire. Mais cette compréhension des choses reste cachée à ceux qui refusent de croire : pour l'heure le refus haineux demeure le même : « Supprime-le, supprime-le, crucifie-le » (Jn 19, 15)

Femme, voici ton fils

Les synoptiques ne mentionnent pas la présence de Marie au Golgotha. Jean nous dit cependant que « la mère de Jésus » se tenait debout près de la croix de Jésus en compagnie du disciple qu'il aimait. En cet instant ultime, « Jésus dit à sa mère : ''Femme, voici ton fils''. Il dit ensuite au disciple : ''Voici ta mère'' » (Jn 19, 27). La piété filiale de Jésus se préoccupant du sort de sa mère après sa mort n'épuise pas la signification de ce geste aux yeux du narrateur. Comme à Cana (Jn 2,4) Jésus, contrairement à tout usage, appelle sa mère « femme », terme qui évoque la Fille de Sion ou la « Mère Sion » qui rassemble ses enfants. La structure littéraire du passage en fait une mise en œuvre du « schème de révélation » [1]. « Cela signifie que Jésus, mourant sur la croix, *révèle* que sa mère — en tant que "Femme", avec toute la résonnance biblique de ce mot — sera désormais aussi la mère du "disciple", et que celui-ci comme représentant de tous les "disciples" de Jésus sera désormais le fils de sa propre mère. Autrement dit, (le récit) révèle une nouvelle dimension de la maternité de Marie, une dimension spirituelle, et une nouvelle fonction de la mère de Jésus dans l'économie du salut » [2]. Dans cette scène Marie et le disciple que Jésus aimait ont donc une fonction de représentation ecclésiale. Ce récit introduit la présence croyante et priante de Marie au cœur même de l'accomplissement du salut : il nous dit comment s'exerce sa « coopération ».

L'accomplissement des Ecritures

Matthieu et Marc laissaient à Jésus seul le soin d'expliquer ce qui lui arrivait à partir des Ecritures. Jean fait de même au moment où Jésus annonce la trahison de Judas (Jn 13, 18 invoquant Ps 41, 10) et dénonce la violence de la contradiction qu'il rencontre : « Ils m'ont haï sans raison » (Jn 15, 25 citant Ps 35, 19 ; 69, 5). Puis c'est le narrateur lui-même qui fait de l'appel aux Ecritures un refrain de son récit en utilisant la formule « afin que s'accomplisse l'Ecriture » : le partage des vêtements de Jésus accomplit une Ecriture (Jn 19, 24 évoquant Ps 22, 19) ; « sachant que tout était achevé, pour que l'Ecriture soit accomplie jusqu'au bout, Jésus dit : "J'ai soif" » (Jn 19, 28, évoquant Ps 69, 21) ; de même, la dernière parole de Jésus : « Tout est achevé » (Jn 19, 30) « correspond à la réalisation parfaite de l'Ecriture » [3]. « Le narrateur johannique a vu l'accomplissement des Ecritures dans le corps en croix de Jésus ; la

1. Cf. M. de Goedt, « Un schème de révélation dans le quatrième évangile », *N.T.S.* 8 (1961-1962), p. 142-150.
2. I. de La Potterie, *Marie dans le mystère de l'alliance,* Paris, Desclée 1988, p. 241.
3. J.N. Aletti, *ibid.,* p. 157.

métaphore semble ainsi s'appuyer sur la contiguïté métonymique : du corps de Jésus au corps des Ecritures »[1].

Cette insistance sur l'accomplissement des Ecritures contribue à donner au récit de la crucifixion et de la mort de Jésus sa grandeur et sa paix. Dans cette mort transfigurée le dessein d'amour de Dieu se réalise de bout en bout. La gloire se manifeste : au moment où le Fils glorifie le Père en lui remettant tout son être, le Père glorifie déjà celui qui, élevé sur le bois, devient pour l'éternité le signe du salut. En rigueur de terme Jésus n'expire pas, mais « remet l'esprit » à son Père. De sa passion il fait un passage au Père : il revêt de la figure de son humanité l'éternel retour du Fils au Père. Le vainqueur du monde est aussi le vainqueur de la mort.

Ils regarderont celui qu'ils ont transpercé

L'accomplissement des Ecritures se poursuit cependant au delà même de la mort de Jésus. L'évangéliste le souligne doublement à propos du côté ouvert. On ne rompt pas les jambes de Jésus, parce qu'aucun os de l'agneau pascal ne doit être brisé (cf. Ex 12,46 et Ps 34, 21) ; son côté est ouvert pour que les hommes puissent regarder celui qu'ils ont transpercé (cf. Za 12, 10). L'accomplissement des Ecritures est inouï « puisque c'est dans le corps crucifié et mort qu'elles trouvent toutes leur vérité (comme prophéties) et leur unité »[2]. Il ne s'agit pourtant pas d'une servilité qui veut respecter un modèle, ou d'un automate qui calque son comportement sur une parole antérieure, mais d'une révélation : ce qui était caché dans l'Ecriture acquiert toute sa dimension symbolique.

Cet achèvement de la procédure d'exécution est à son tour transfiguré par le regard contemplatif du disciple. Le « coup de lance va écrire dans le corps de Jésus l'accomplissement des figures »[3]. Il est une flèche en mouvement qui indique la

1. *Ibid.*, p. 155.
2. *Ibid.*
3. *Ibid.*

direction où le lecteur doit regarder, en se laissant faire par
les jeux de sens qui s'accumulent en cette image ultime. Il
suffit de voir vraiment pour comprendre. Car la lance libère
le sang et l'eau, signes de vie, indices évidents de la fécondité
de ce qui vient de se passer. On sait que la tradition chrétienne
y a lu les symboles du baptême et de l'eucharistie. Allant
plus loin dans la même ligne, on peut voir dans ce signe,
attesté de la manière la plus solennelle par le narrateur,
l'expression du sacrement fondamental du salut : le corps
transpercé de Jésus, livrant le sang et l'eau, est à la fois signe
et cause. Il est cause parce que signe. Il réalise parfaitement
ce qu'il signifie. Il donne ce qu'il fait comprendre. Comme
autrefois au désert devant le serpent d'airain élevé par Moïse,
il suffit de regarder d'un regard de foi pour être sauvé,
puisque l'évangéliste l'a raconté, « afin que vous aussi vous
croyiez » (Jn 19, 35).

Révélation et contemplation

Deux mots clés peuvent récapituler les effets de sens du récit
de la passion selon saint Jean : révélation et contemplation. La
révélation s'accomplit d'abord dans les paroles de Jésus à
ses disciples et ensuite dans le corps même de Jésus, revêtu
des vêtements royaux et trônant sur le bois de la croix. Dans
la figure de Jésus élevé de terre les paroles de révélation,
comme les Ecritures, prennent corps. Le corps de Jésus révèle
qui est Dieu, ce qu'est l'homme au regard de Dieu, et
jusqu'où Dieu est capable d'aller pour chercher l'homme. Le
corps de Jésus révèle également le passage de l'homme en
Dieu : le sens de cette mort est changé. Car elle ne peut plus
signifier ce que les juges humains ont voulu lui faire dire ;
elle prend définitivement le sens que la victime lui donne.
Une exécution est normalement un lieu d'horreur que l'on
fuit ; la mort de Jésus « attire tout à elle ». Jésus meurt,
selon le sens inconscient de la prophétie de Caïphe, « pour
rassembler dans l'unité les enfants de Dieu dispersés » (Jn

11, 52). Cette mort dans la paix a la valeur d'une réconciliation.

De même la valeur salvifique de la passion est une évidence
qui se contemple dans le corps de Jésus en croix. On sait
l'importance du « voir » en saint Jean et sa relation au
« croire ». Toute la théologie du salut se récapitule dans
l'échange du don du sang et de l'eau et du simple regard du
croyant, dont le cœur se laisse transpercer devant le cœur
transpercé du Christ. Ici la contemplation devient un acte de
foi. Le lecteur du récit doit devenir à son tour le disciple
contemplatif qui voit et croit. Ici l'amour de Dieu se
communique et ne demande qu'à être reçu.

4. CONCLUSION : LE SYMBOLE DE LA CROIX

« Il est permis de se demander, écrit Karl Barth, si, au
lieu de prendre la forme de toutes sortes de théologies
déficientes, le sermon du vendredi-saint ne devrait pas, çà et
là, être une narration pure et simple ... de l'histoire de la
passion »[1]. Cette juste réflexion vise aussi à sa manière la
théologie elle-même. Celle-ci ne doit-elle pas jaillir du récit ?
Dans un domaine tout connexe les théologiens ont parlé
de « christologie implicite » pour désigner la christologie
immanente au comportement et aux paroles de Jésus dans
les évangiles, par opposition à la « christologie explicite »,
qui fonctionne avant tout à partir de la titulature du Christ.
Il est aussi légitime de parler de « sotériologie implicite », à
propos des effets de sens qui se dégagent des récits du
ministère et de la passion de Jésus[2]. N'est-ce pas elle qui
doit gouverner la « sotériologie explicite » ?

1. K. Barth, *Dogmatique,* IV/1, Genève, Labor et Fides 1966, t. 17,
p. 264.
2. Le tome précédent a déjà fait le point des catégories sotériologiques
explicites du N.T.

Au terme de la lecture de ces divers récits de la passion, compte-tenu des intentions propres à chacun des auteurs, de la différence de leurs accents, mais aussi de leur complémentarité, il apparaît que tous les effets de sens qui s'imposent à nous d'épisode en épisode se récapitulent dans le symbole de la croix. La croix, instrument de supplice affreux et dégradant, équivalent de la potence dans les civilisations occidentales plus proches de nous, la croix, odieuse pour les victimes comme pour les bourreaux, subit une transfiguration. Désormais en effet, qu'elle soit représentée seule ou avec le crucifié, elle est devenue inséparable de Jésus lui-même ; elle fait corps avec lui. Entre Jésus et la croix se produit une sorte de métonymie qui pousse l'Eglise à vénérer et adorer la croix comme elle adore son maître et Seigneur. La victoire remportée par Jésus dans sa manière de mourir se répercute jusque dans l'instrument du supplice. Le bois de mort est devenu arbre de vie. Le bois sec est un bois vert, merveilleusement fécond en branches, en feuilles et en fruits, comme le représentera la mosaïque absidale de saint Clément de Rome. L'instrument de supplice est devenu siège royal, comme le proclame l'écriteau où Pilate prophétise lui aussi à sa façon. La croix inaugure le Royaume. L'outil de dégradation est devenu le lieu de manifestation de la gloire. Jésus défiguré dont la face est faite « de son sang, de ses larmes et de nos crachats »[1] est plus transfiguré que sur la montagne sainte. Le miroir de nos péchés devient le symbole d'un amour plus fort que la mort. Sur le visage du crucifié se rencontrent la tendresse de Dieu et la violence du péché. En dénonçant la seconde, ce visage révèle la première. Mais le négatif de la violence est absorbé dans le positif de la tendresse. Le signe de la condamnation devient celui de la grâce et du pardon, déjà manifesté aux bourreaux, c'est-à-dire en définitive à toute l'humanité, et au malfaiteur qui nous représente également. Le symbole de la faiblesse devient celui de la force toute-puissante, dépourvue de toute violence.

1. Paul Claudel, *Chemin de croix, 6ᵉ station.*

Dans l'événement de la croix se concentre le sens imprimé en chacun des récits de la vie de Jésus. Cette « élévation » du crucifié sur la colline de Sion est le sommet de son itinéraire. L'évangile de Jean l'exprime par la solennité de son témoignage, où tout le récit de la passion se trouve inclus entre le nouveau prologue qui sert de liminaire au lavement des pieds et la confession pleine de gravité de celui qui a été le témoin du côté ouvert. La passion est le moment où le sommet de la lucidité de Jésus dans l'accomplissement de sa mission est mis au service du sommet de l'amour.

La croix, faite d'un axe vertical et d'un axe horizontal, est la figure par excellence de la médiation de Jésus. Le corps du Christ écartelé entre ciel et terre, les bras du Christ écartelés entre les deux peuples ennemis que sont les Juifs et les païens dessinent le double pont de réconciliation qui va de Dieu aux hommes et des hommes aux hommes. Dieu se donne à l'homme et aime l'homme jusqu'à mourir du péché de sa créature. La seule dénonciation qui vaille du péché est celle qui le prend sur soi et en renvoie l'image au pécheur sous la forme de l'amour martyr. Mais aussi en Jésus, c'est l'homme qui se tourne vers le Père dans un ton total de lui-même et le préfère à sa propre vie. L'écartèlement que le péché a produit entre Dieu et l'homme laisse la place à la réconciliation, pardonnante d'un côté, convertie de l'autre, et ouvre la voie à la communication que Dieu veut depuis toujours faire de lui-même à l'homme de sa vie, de sa sainteté et de sa justice. Mais aussi, de même que Yahvé avait sauvé son peuple à bras fort et à mains étendus, de même les bras étendus et cloués de Jésus sur la croix ont la puissance de réconcilier les hommes de leurs inimitiés. Ils se terminent par des mains ouvertes qui demandent à être saisies dans une nouvelle chaîne de fraternité des enfants de Dieu. Toute la circulation de vie qui renaît entre Dieu et les hommes et entre les hommes ennemis des hommes, passe par ce corps meurtri. Le corps du Sauveur est le corps même du salut. Il est à la fois lettre et esprit. En lui s'accomplit le passage de la médiation définitive et irréversible.

Auditeurs ou lecteurs du récit, ils nous est simplement demandé de regarder et de nous laisser transpercer par ces choses, car nous sommes tous de ceux qui ont transpercé Jésus. La victoire de celui-ci sur ses bourreaux nous révèle à la fois la vérité de Dieu et la vérité de l'homme. La croix révèle la vérité du Père qui nous a aimés jusqu'à nous livrer son Fils. Elle nous révèle la vérité du Fils qui nous a aimés jusqu'à l'extrême dans son obéissance filiale au Père et dans sa « pro-existence » en faveur de ses frères. Elle nous révèle la vérité de l'Esprit, objet incessant d'échange entre le Père et le Fils au cours de la passion, avant de devenir son don commun aux hommes. Elle nous montre Dieu, tout entier tourné vers l'homme dans un mouvement de don et de grâce. A la croix le dessein de Dieu s'accomplit, non pas en exigeant la mort de l'innocent pour satisfaire une justice offensée, mais en tournant en bien le mal que les hommes ont voulu faire à Jésus, le nouveau Joseph.

La croix nous révèle aussi la vérité de l'homme, car elle nous montre ce que c'est qu'être homme dans la justice et la sainteté jusqu'au bout, l'homme non seulement libéré du péché mais vainqueur du péché pour les autres. Elle nous montre la toute-puissance de la prière qui devient offrande de sa propre vie au Père. Elle transfigure tout ce que nous pouvions pressentir du sacrifice : le véritable hommage que Dieu demande à l'homme, c'est de vivre ainsi dans le don de sa propre existence. Elle nous dit la solidarité de la vérité et de l'amour.

Cette vérité de Dieu et de l'homme a la force de nous convertir comme elle a converti, le centurion, le malfaiteur crucifié à côté de Jésus, les saintes femmes. C'est une vérité qui rejoint au plus profond de nous-mêmes la soif inextinguible d'être plus et mieux, d'être reconnus pour qui nous sommes et de communiquer le meilleur de nous-mêmes, de vivre dans la vérité, la justice et l'amour. Il n'y a pas d'autre question à nous poser sur le « comment du salut » : celui-ci s'accomplit selon une causalité de nature sacramen- telle. Rien qui évoque ici la punition du Fils par le Père, rien qui ressemble à un pacte sacrificiel ou satisfactoire où un quantum de souffrance viendrait conditionner un quantum de pardon (même en faisant passer le raisonnement par l'infini de la souffrance). Même le cri d'abandon ne saurait être invoqué en ce sens, qu'il s'agisse de la théologie classique des temps modernes, ou d'essais contemporains qui cherchent dans l'abîme de la contradiction entre le Père et le Fils le signe nécessaire à la consolation des souffrances de l'humanité. La croix opère par ce qu'elle est, ce qu'elle révèle et ce qu'elle accomplit tout en même temps. La croix convertit celui qui la regarde avec foi. Elle convertit l'intelligence comme le cœur et la volonté, et justifie par pure grâce ceux qui croient. La croix, communion totale de Jésus à la vie des hommes, leur donne de communier à la vie de Dieu. La croix douloureuse, ô divin paradoxe, préfigure en elle le Royaume de la paix et du vrai bonheur. La croix est l'ultime parole de Dieu, prononcée dans le silence de la mort, par laquelle tout est dit.

III. Les récits du ressuscité

« Livré pour nos fautes, ressuscité pour notre justification » (Rm 4,25) : quand il résume les deux temps solidaires de l'accomplissement de notre salut, Paul attribue à la résurrection comme telle une valeur salvifique. Elle n'est pas un ajout extérieur ; elle ne se réduit pas à une confirmation ou à une conséquence de ce qui était déjà réalisé ; elle n'est pas seulement un signe nécessaire pour la foi et pour la communication de notre justification[1]. La résurrection est un acte de salut. Elle apporte du nouveau. Elle achève ce que la croix accomplissait en transformant le Christ lui-

---

1. Cf. St. Lyonnet, « La valeur sotériologique de la résurrection du Christ selon saint Paul » in *Gregorianum* 39 (1958)), p. 295-318.

même. Jésus ressuscité, « fait Seigneur et Christ » (Ac 2, 36), « établi Fils de Dieu avec puissance » (Rm 1, 4), présente en sa personne le statut exemplaire de l'homme pleinement sauvé. Il réalise et manifeste tout en même temps ce qu'est notre salut. Selon le mot d'Irénée, il est le « salut en raccourci »[1]. La résurrection est l'accomplissement parfait du salut en Jésus pour nous ; elle en est également la révélation dernière. Elle ouvre au don de l'Esprit qui vient la rendre efficace en tous ceux qui accueillent la foi. La prise en compte de la résurrection est indispensable à une juste compréhension du *comment* du salut.

Bien entendu, la croix et la résurrection ne sont salvifiques que l'une dans l'autre et l'une par l'autre : nous avons vu que la croix est déjà celle du ressuscité ; la résurrection restera toujours celle du crucifié (Mt 28, 5-7). Sans la seconde, la première, malgré sa grandeur, resterait marquée d'une radicale ambiguïté ; sans la première, la seconde s'évanouirait en représentation magique indigne de toute crédibilité.

La nature du récit

Le récit change ici non seulement de ton, mais encore de nature. La vie et la passion de Jésus donnaient lieu à des narrations inscrites dans notre histoire, notre espace et notre temps. La résurrection, de par sa nature, échappe à tout récit, car elle échappe à nos prises et à notre observation. Il y a eu des témoins oculaires de la passion et de la mort de Jésus. Il n'y a pas eu de témoin oculaire de l'*acte* de sa résurrection. Ce qui est devenu objet de récit, ce sont les diverses annonces de la résurrection, ce sont les expériences de ceux qui ont reconnu Jésus dans la foi et sont devenus ainsi les témoins du ressuscité.

Ces récits ne se présentent donc pas comme une suite ou une conclusion de ce qui précède ; entre la passion et la résurrection il y a la solution de continuité qui vient de

1. Cf. Irénée, *Contre les hérésies*, III, 18, 1.

l'irruption toute-puissante de Dieu arrachant l'humanité de son Fils à la mort. Sans doute les témoins sont-ils les mêmes, mais leur témoignage est désormais d'un autre ordre. Car ils n'ont pu reconnaître ce qu'ils racontent que dans la foi. Leurs récits se présentent donc comme la reprise de tout le message du salut sous un jour nouveau. Cette discontinuité s'exprime jusque dans la trame des récits qu'il est impossible de ramener à une « chronologie » cohérente [1].

Le message de la résurrection

Dans les évangiles la résurrection est tout d'abord un message : quand les femmes viennent au tombeau de grand matin, dit Marc, le premier jour de la semaine, elles trouvent la pierre roulée et entendent de la part d'un personnage céleste l'annonce décisive : « Vous cherchez Jésus de Nazareth, le crucifié : il est ressuscité. Il n'est pas ici » (Mc 16, 6). Le récit emprunte les traits classiques des théophanies exprimant une révélation divine. C'est pourquoi les femmes restent saisies de frayeur. La parole angélique donne la réponse divine à la prière de Jésus sur la Croix. Cette parole vient du Père et elle concerne le Fils. Car c'est Dieu, le Père, qui a ressuscité Jésus d'entre les morts, selon le langage préférentiel du Nouveau Testament. De même, c'est Dieu le Père qui témoigne aujourd'hui en faveur de son Fils. Celui qu'il avait envoyé et reconnu lors du baptême et de la transfiguration comme son Fils bien-aimé, il proclame qu'il l'a ressuscité d'entre les morts. Le message oriente vers l'avenir : le rendez-vous avec le ressuscité est donné aux disciples en Galilée. Mais, dominées par leur peur, les femmes ne disent rien à personne.

1. Ce n'est pas le lieu de reprendre ici le traitement des diverses questions concernant l'historicité et la crédibilité de la résurrection. Cf. sur ce sujet B. Sesboüé, « La résurrection du Christ et le mystère chrétien du corps », *Les quatre fleuves* 15-16 (1982) p. 181-203. Pour le lien entre la résurrection et la manifestation dernière de l'identité de Jésus, cf. *Jésus-Christ dans la tradition de l'Eglise, op. cit.* p. 269-284.

Même message dans l'évangile de Matthieu, mais accompagné d'une théophanie plus spectaculaire encore : il se produit un grand tremblement de terre ; l'Ange du Seigneur, celui dont il était question dans les manifestations de Dieu aux patriarches et à Moïse (cf. Gn 22, 11-15 ; Ex 3, 2-6, etc.), celui qui parlait avec l'autorité même de Yahvé, vient rouler la pierre, avant d'annoncer la résurrection. Il a le même aspect que Jésus lors de sa transfiguration. Mais cette fois la joie vient recouvrir la frayeur des femmes ; celles-ci « coururent porter la nouvelle aux disciples » (Mt 27, 8). Sur la route, elles sont les bénéficiaires de la première apparition de Jésus qui les envoie en mission auprès des disciples.

La résurrection de Jésus est annoncée par un message divin, car elle est un langage divin. La théophanie qui l'accompagne est le reflet de la théophanie qu'elle constitue. C'est une manifestation éclatante de la toute-puissance, de la sainteté et de la justice de Dieu. Elle est la « justification » du Fils condamné par les hommes : oui, Jésus a rendu témoignage à la vérité de Dieu ; oui, Jésus a eu raison de se proclamer « le Fils » ; oui, il a vécu jusqu'au bout dans la justice et dans l'amour ; oui, il a accompli sa mission de réconciliation, de libération et de vie.

Ainsi au langage douloureux qui fut celui de Jésus « dans les jours de sa chair » (He 5, 7) répond le langage glorieux du Père. Ces deux langages sont solidaires : ils ont le même contenu. Ce sont comme les deux témoins nécessaires selon la loi juive à la validité d'un témoignage. Sans le langage humain du corps parlant et souffrant de Jésus, le langage divin serait dépourvu de toute réalité et de toute prise ; sans le langage divin, celui de l'existence humaine de Jésus non seulement resterait affecté d'une doute radical, mais encore il manquerait de son achèvement. Il ne nous révélerait pas la plénitude de la victoire de Jésus sur la mort et ne nous montrerait pas la réalité eschatologique de l'homme sauvé.

Il est aussi à remarquer que ce langage divin est adressé en priorité aux femmes. Les femmes étaient présentes à la croix (Mc 15, 40-41 ; Mt 27, 55-56 ; Lc 23, 49), à la différence des disciples qui avaient fui. Elles avaient été les témoins de son ensevelissement et de sa mise au tombeau par Joseph d'Arimathie (Mt 27, 61 ; Mc 15, 47 ; Lc 23, 55-56). Elles comptaient achever cet ensevelissement après le sabbat. Elles avaient donc été, à la différence de l'ensemble des disciples, des témoins oculaires de ces deux événements retenus dans la confession de foi primitive : il est mort, il a été enseveli. Ainsi, parce qu'elles avaient été les témoins engagés de la sépulture de Jésus, les femmes devinrent aussi les premiers témoins de sa résurrection. Paradoxe de la liberté évangélique, si l'on pense que le témoignage des femmes n'était pas légalement recevable. Luc précise d'ailleurs que les apôtres considérèrent les paroles des femmes comme un délire et ne les crurent pas (Lc 24, 11). Dans la foi les femmes précèdent les hommes : il y a là un hommage qui leur est rendu, tandis que Pierre lui-même en reste encore à l'étonnement. Ce sont donc les femmes qui sont à l'origine de la longue chaîne des témoins qui échangeront dans la joie de la foi le message de Pâques : — Il est ressuscité ! — Oui, il est vraiment ressuscité !

Le tombeau vide : la victoire sur la mort

Les évangiles nous présentent deux types de récits du tombeau vide : chez les uns le tombeau découvert vide et ouvert est le lieu de l'annonce théophanique de la résurrection. Dans les autres (Lc 24, 12 ; Jn 20, 1-10), il n'y a aucune théophanie : Pierre dans un cas, Pierre et l'autre disciple, celui que Jésus aimait, dans l'autre, découvrent et observent l'état du tombeau. Dans le récit de Luc Pierre revient tout perplexe : car le tombeau vide ne suffit pas à lui seul à engendrer la foi. Dans celui de Jean au contraire, l'autre disciple « vit et crut » (Jn 20, 8), parce qu'il fit alors le lien entre ce qu'il voyait et les annonces de l'Ecriture.

Quel est l'effet de sens de ces récits, qui prennent leur crédibilité du témoignage global de la résurrection ? Il est de nous dire que la résurrection de Jésus a intéressé son corps de chair. « Si Jésus vit et vit ailleurs, alors, ici, il doit y avoir un tombeau vide »[1]. C'est un aspect du kérygme qui se fait ici récit. Puisque la résurrection n'a eu aucun témoin et qu'elle échappe en elle-même à tout récit autre que sa propre annonce, sa seule « *trace narrative* » est l'absence du corps de Jésus au tombeau[2]. Du point de vue de notre perception des choses, ce qui se raconte, c'est la description des signes de la disparition. Le tombeau vide est le signe négatif de la résurrection du côté de notre empirie.

« Il n'est plus ici » : donc, sa victoire sur la mort est accomplie. La mort, qui a le dernier mot sur toute vie d'homme, selon une loi aussi inéluctable qu'universelle, est ici défaite, dans un cas unique et exceptionnel sans doute, mais qui suffit à mettre en défaut son pouvoir. Le tombeau vide est le signe donné du salut qui est arrivé au corps du Christ, « corps parlant » et parole faite chair. Ce corps n'est pas voué à la décomposition du tombeau. Or ce signe est pour nous : ce que fut la résurrection de Jésus indique la loi de notre propre résurrection. Le tombeau vide dit à sa manière que le salut intéresse tout l'homme.

Au plan sotériologique le tombeau vide est un donc signe annonciateur du retournement eschatologique du monde. « Il nous dit que la figure de ce monde n'est pas sa réalité ultime et que la loi de la corruption n'est pas le dernier mot de la condition humaine, puisqu'en la personne de Jésus le cosmos a déjà connu une déchirure eschatologique, dont l'achèvement doit rendre l'univers transparent à la vie de Dieu »[3].

La disparition du corps de Jésus intervient au terme des transformations qu'il a subies pendant la passion : elle est le point zéro de ce corps réellement passé par la mort. Mais ce vide est ordonné à de nouvelles formes de présence, une forme encore provisoire, avec les apparitions du ressuscité, puis de manière définitive avec la naissance de l'Eglise,

1. P. Ricœur, « Le récit interprétatif. Exégèse et Théologie dans les récits de la passion » *R.S.R.* 73, (1985), p. 37.
2. *Ibid.*
3. B. Sesboüé, *art. cit.* p. 192-193.

nouveau corps du Christ, engendré et rassemblé par la célébration de l'eucharistie. La disparition, signe de discontinuité, conduit à la réapparition, signe de continuité, du corps de Jésus dans sa manifestation ecclésiale.

Les récits des apparitions : de la conversion à l'annonce

Le tombeau vide, c'est le corps disparu. Il ne peut plus être trouvé dans notre monde empirique auquel il a échappé. Mais la foi en la résurrection a besoin d'un signe concret de la vie de Jésus, d'un signe vrai qui montre que son corps parlant et sauveur est toujours vivant. Un tel signe est paradoxal : il ne peut obéir à la loi de nos constats sensibles, effectués dans l'espace et le temps, sous peine de devenir le signe de ce qu'il n'est pas ; et les disciples qui, n'étant pas ressuscités, ont encore besoin de leurs sens pour « voir » Jésus, ne peuvent s'en servir que si la manifestation de celui-ci fait sens pour eux dans la trame de leur histoire avec lui. Ce signe, donné dans les apparitions, est une forme de communication personnelle et originale de Jésus aux siens.

Les récits circonstanciés des apparitions s'inscrivent dans un schéma assez constant ; et il est légitime de penser que les apparitions simplement mentionnées en série (cf. 1 Co 15, 6-8) renvoient à des expériences du même genre : 1. Jésus se manifeste par une initiative gratuite qui dépend entièrement de lui. 2. Les disciples ne le reconnaissent pas d'entrée de jeu : on le prend pour le jardinier, pour un simple compagnon de route, etc. 3. Jésus se fait alors reconnaître des siens par sa parole et ses gestes : la parole est souvent une explication des Ecritures qui permettent de comprendre que sa passion entre dans le grand dessein de Dieu ; ses gestes sont typiques de son existence antérieure et fonctionnent comme des signes privilégiés de reconnaissance : fraction du pain, repas partagé, blessures montrées, etc. 4. Jésus enfin envoie les siens en mission et disparaît.

Cette séquence était utile à rappeler, parce qu'elle montre que les apparitions de Jésus à ses disciples ont pour rôle de fonder le message de la résurrection comme message de foi. On ne soulignera jamais trop que les disciples ont reconnu Jésus dans la foi : l'acte de reconnaissance est identiquement un acte de conversion à la foi. Ceci ne veut pas dire qu'il s'agissait d'une expérience subjective : l'initiative est bien venue de Jésus. Elle est passée, selon un mode pour nous irreprésentable, par la médiation de son humanité s'adressant aussi à leurs sens. Mais la nature même de la communication qui était en jeu exigeait la foi. Par hypothèse, la relation immédiate de Dieu à l'homme dépasse l'ordre des phénomènes et ne peut être objet d'une connaissance neutre : c'est un rapport de personne à personne où une liberté suscite une liberté. Nous retrouvons donc ici sous un jour nouveau ce qui a été contemplé dans les récits de la passion. Jésus ressuscité et sauveur est une force de conversion à la foi.

Mais il faut dire aussitôt que cette communication de Jésus aux siens dans la foi est ordonnée à la communication du ressuscité à tous ceux qui croiront à travers la parole des apôtres. C'est pourquoi les apparitions ne s'achèvent pas sur la fixation rêvée de l'instant présent. Ce sont de brèves haltes où le disciple puise la conviction et la force nécessaires pour transmettre à son tour le message de la résurrection. La formule finale sur laquelle s'arrête l'évangile de Matthieu indique parfaitement cette dynamique : « Allez donc : de toutes les nations faites des disciples, les baptisant au nom du Père, du Fils et du Saint-Esprit... » (Mt 28, 19).

Les récits des apparitions : Jésus Sauveur symbole de l'homme sauvé

Les apparitions manifestent tout autant le contenu du salut que son comment. « Cette résurrection qui est en cause dans la résurrection de Jésus, écrit K. Rahner, ... signifie l'état définitif de salut qui advient à l'existence humaine de par Dieu et par-devant Dieu, la validité réelle et permanente de l'histoire humaine »[1]. Jésus ressuscité nous révèle en effet le statut de l'homme pleinement sauvé. Dans sa personne humanisée, que l'incarnation a conduite à la résurrection, il est à la fois le salut au sens actif de « Sauveur absolu » et au sens passif d'homme sauvé. La réalité du salut de tous les hommes est exprimée par la résurrection dans le langage de la vie, de la vie en plénitude, de la vie absolue « libérée de toutes les aliénations qui affectent notre existence et dont la mort est le signe majeur »[2]. « Ressuscité des morts, le Christ ne meurt plus » (Rm 6, 9). Cette vie en plénitude est une vie parfaitement réconciliée et une vie de pleine communion avec Dieu.

La résurrection de Jésus est donc un acte de salut eschatologique. Parabole en acte de notre propre résurrection, elle nous dit en même temps qu'elle accomplit notre avenir, celui au delà duquel il n'y a plus rien. Car si Jésus est mort « pour nous », il est aussi ressuscité « pour nous » : en lui qui est la « résurrection et la vie » (Jn 11, 25) s'inaugure notre propre résurrection. Elle s'inaugure dans la manifestation de son corps glorieux, qui demeure médiateur de notre salut ; elle s'inaugure également par le don de l'Esprit, soufflé sur ses disciples (Jn 20, 22), qui les établit déjà secrètement dans le dynamisme de la vie éternelle.

Les disciples d'Emmaüs : la résurrection des cœurs

Afin d'entrer davantage dans l'épaisseur du récit, arrêtons-nous sur le chapitre 24 de Luc, qui comporte en son centre la scène des disciples d'Emmaüs. La résurrection de Jésus y apporte le salut à la fois dans les registres du passé, du présent et de l'avenir.

Dans son récit du message reçu au tombeau, Luc ne fait pas référence à l'avenir, comme Matthieu et Marc. Au lieu

1. K. Rahner, *Traité fondamental de la foi,* Paris, Centurion 1983, p. 300.
2. *Jésus-Christ dans la tradition ..., op. cit.,* p. 280.

d'indiquer le rendez-vous en Galilée, les deux hommes éblouissants renvoient les femmes au passé de Jésus en Galilée (Lc 24, 6-7). Ils les invitent ainsi à « une autre résurrection, celle de la mémoire » [1]. Pour le présent, elles se trouvent devant la négation de l'absence [2]. Rien ne les tourne encore vers l'avenir. Tout le mouvement du chapitre va faire passer les destinataires de cette absence initiale à la présence de Jésus, présence de plus en plus explicite, et qui les tourne vers la grande tâche de l'avenir, l'annonce de la conversion.

Les deux disciples qui partent pour Emmaüs ont perdu leur passé, et dans le présent ils sont comme absents d'eux-mêmes. La dimension du futur apparaît bien avec leur projet d'aller à Emmaüs. Mais ce futur est sans avenir. Ces hommes s'éloignent de Jérusalem, parce que désormais il n'y a plus rien à faire avec le groupe des disciples. Ils ressassent dans leur tristesse le souvenir scandaleux de la mort de Jésus en croix. Le récit qu'ils en font à l'inconnu qui les a rejoints est d'une neutralité toute objective. La première rumeur de la résurrection, celle qui vient des femmes, les a atteints mais ne les a pas touchés. Ils n'ont plus d'espoir. Ce qui les conduit, c'est la force centrifuge de l'échec : le groupe se disloque et se disperse. Ces « ex-disciples » sont au sens propre du mot en « déroute ».

Dans une telle disposition, ils peuvent bien « voir » le compagnon de route qui les rejoint ; ils sont bien incapables de « reconnaître » Jésus. Car les yeux de la chair ne suffisent pas à « voir Jésus ». Celui-ci commence donc par évangéliser, au sens propre du terme, leur mémoire. Par une longue leçon d'Ecriture il les invite à reconsidérer d'une tout autre façon le passé dont ils ont été les témoins. Le récit ne dit rien pour l'instant de leur réaction, si ce n'est leur insistance, au moment de la halte, à dire à Jésus : « Reste avec nous »

---

1. J.N. Aletti, *L'art de raconter Jésus Christ,* Paris, Seuil 1989, p. 179.
2. E. Pousset, *Lectures théologiques selon l'évangile de saint Luc,* Paris, Centre Sèvres s.d. p. 198, qui souligne le rôle de la médiation du corps de Jésus dans les récits d'apparition.

(Lc 24, 21). Ils veulent prolonger le bonheur de cette relation toute neuve.

Car il se fait tard : il faut s'arrêter à l'auberge pour prendre le repas. Devant le geste qui est par excellence celui de Jésus, le geste qui fut celui de la Cène et de la multiplication des pains (Lc 9, 12-16), le geste de prendre le pain, de dire la bénédiction, de le rompre et de le leur donner, le choc de la rencontre et de la présence se produit : « Alors leurs yeux s'ouvrirent et ils le reconnurent, mais lui avait disparu de devant eux » (Lc 24, 32). La médiation du corps de Jésus a achevé l'œuvre de médiation de sa parole : le geste accompli par le corps de Jésus est le geste du don et il évoque, par un symbolisme eucharistique manifestement intentionnel, le don du corps de Jésus. Ce geste rend les deux disciples présents à leur propre corps. Désormais ils ont « les yeux en face des trous » et ils le voient. Plus encore, rétrospectivement, ils prennent pleinement conscience de l'émotion sensible qui les habitait, de la chaleur bienfaisante qui les envahissait : « Notre cœur n'était-il pas tout brûlant en nous, quand il nous parlait en chemin et nous ouvrait les Ecritures ? » (Lc 24, 32). La leçon d'exégèse et la fraction du pain — archétypes de la liturgie de la parole et de celle de l'eucharistie —, voilà les moyens mis en œuvre par Jésus pour ressusciter le cœur des siens et les ouvrir à la foi. Cette présence toute disparaissante de Jésus les a rendus à eux-mêmes et leur rend leur avenir.

Car cette conversion intérieure à la foi se traduit par un demi-tour physique pour les deux disciples : à l'instant même ils repartent faire en sens inverse le chemin qui les sépare de Jérusalem. Ils vont retrouver le groupe des Onze et de leurs compagnons, c'est-à-dire la communauté où est leur avenir et leur espérance. Dépositaires du message de la résurrection, ils ne peuvent le garder pour eux : ils partent en mission pour l'échanger avec leurs frères.

Cet échange est l'occasion d'une nouvelle apparition de Jésus, présence plus longue et plus insistante, au cours de laquelle il va multiplier les signes de sa réalité corporelle, afin de chasser tous les doutes : une fois encore il mange sous leurs yeux. Le scénario d'Emmaüs s'inverse alors : Jésus se fait reconnaître d'abord, puis il rappelle le « il fallait » suivi de la leçon d'exégèse [1] reprise à frais nouveau. Mais ce passé et ce présent ouvrent sur un avenir, lui-même justifié par l'appel aux Ecritures : dans le résumé de son événement, à côté et au même titre que sa passion et sa résurrection, Jésus annonce la prédication « en son nom de la conversion et du pardon des péchés à toutes les nations » (Lc 24, 47). Ainsi l'évangélisation des nations appartient-elle au kérygme christologique avec la passion et la résurrection. L'ouverture missionnaire de l'Eglise « à ceux qui n'ont pas encore reçu la lumière du Christ est indispensable au Christ lui-même ; c'est ainsi seulement qu'il peut fournir aux hommes ce troisième signe essentiel de sa royauté messianique : son universalité » [2]. Le mystère pascal n'est pas seulement l'objet d'un message ; il est en lui même le message de Dieu à l'humanité. Mais pour qu'il soit annoncé, c'est-à-dire pour qu'il devienne réel pour tous les hommes, la force de l'Esprit sera nécessaire : Jésus le promet aux siens, sans le nommer.

Don de l'Esprit et salut trinitaire

Dans les récits johanniques de la résurrection la première apparition aux disciples est tout orientée vers le don de l'Esprit. Comme toujours, Jésus se tient au milieu des siens d'une manière inopinée. Il leur donne son message de paix, de la paix désormais acquise par sa passion. Il se fait reconnaître d'eux, comme dans le récit de Luc, en montrant ses mains et son côté. Puis il les envoie solennellement en mission, au nom même de la mission qu'il a lui-même reçue du Père : « Comme le Père m'a envoyé, à mon tour je vous envoie » (Jn 20, 21).

1. Cf. J.N. Aletti, *op. cit.*, p. 186.
2. Dom Dupont, in *Neues Testament und Kirche. Für Rudolf Schnackenburg,* Freiburg-Basel-Wien, Herder 1974, p. 142.

« Ayant ainsi parlé, il souffla sur eux et leur dit : "Recevez l'Esprit Saint. Ceux à qui vous remettrez les péchés, ils leur seront remis. Ceux à qui vous les retiendrez, ils leur seront retenus" » (Jn 20, 22-23). Ce même Jésus qui avait « remis l'Esprit » (Jn 19, 30) dans son dernier soupir, aujourd'hui revenu à la vie par la puissance de l'Esprit, est capable de souffler de sa propre poitrine corporelle ce même Esprit sur ses disciples. L'Esprit remis au Père est désormais l'Esprit donné aux hommes. Comme il s'agit d'une création nouvelle, Jésus refait le geste du créateur sur le limon originel (Gn 2, 7). Mais comme il s'agit aussi d'une résurrection, dont celle des ossements desséchés d'Ezéchiel était une image (cf. Ez 37, 9), Jésus envoie « l'Esprit qui donne la vie » (Jn 6, 63). Ce don de l'Esprit était déjà agissant au cours de la passion, puisqu'il suscitait la conversion des témoins ; il était même symbolisé par l'eau coulant du côté ouvert. « De son sein couleront des fleuves d'eau vive », avait prophétisé Jésus de lui-même dans sa prédication au Temple lors de la fête des Tentes. L'évangéliste avait alors précisé qu'au moment de cette déclaration « il n'y avait pas encore d'Esprit, parce que Jésus n'avait pas encore été glorifié » (Jn 7, 38-39). Désormais, au contraire, le don de l'Esprit rend possible le pardon des péchés. Telle est la fécondité salvifique du mystère pascal. Selon le langage paulinien Jésus n'est-il pas devenu par sa résurrection « esprit vivifiant » (1 Co 15, 45) ?

On sait que, selon la construction lucanienne des événements, le don de l'Esprit viendra le jour de la Pentecôte sur la première communauté rassemblée dans la prière au Cénacle autour de Marie. Le narrateur en fait alors l'acte de naissance de l'Eglise, sur lequel nous aurons à revenir. Le récit johannique souligne pour sa part le lien de l'envoi de l'Esprit au mystère pascal, dont il constitue en quelque sorte le troisième temps. Ce don achève ainsi la révélation trinitaire et fait du salut un acte trinitaire.

A la croix nous contemplions en effet le don absolu du Fils au Père ; à la résurrection nous contemplons le don du Père au Fils. A la croix l'amour du Fils révélait le Père ; à la résurrection, le don du Père révèle le Fils. Mort et résurrection sont à la fois la transcription et l'accomplissement humain de la génération éternelle du Fils dans le don mutuel de l'Esprit. De même le salut tire son origine du Père ; il reçoit sa réalisation visible du Fils ; il s'achève dans le don invisible de l'Esprit. L'Esprit remis par le Fils au Père, l'Esprit donné par le Père au Fils pour faire revenir à la vie son corps de chair devient, selon la promesse de Jésus, le don commun du Père et du Fils aux hommes. Cet Esprit est bien l'Esprit de Jésus, non seulement parce qu'il est de toute éternité l'Esprit du Fils, mais encore parce qu'il est l'Esprit répandu par le mystère pascal de Jésus. Car à la visibilité féconde de l'événement correspond la grâce invisible de l'Esprit transformant les cœurs de l'intérieur. Il fallait donc que la face invisible du salut soit elle aussi signifiée de quelque manière : le don de l'Esprit aux disciples, le soir de Pâques comme à la Pentecôte, constitue donc la visibilité symbolique et nécessaire de la réalité la plus secrète qui soit. Cette visibilité sera relayée par celle des sacrements.

Le salut, c'est la résurrection et la vie

Ainsi la résurrection de Jésus révèle-t-elle, en même temps qu'elle l'achève, le salut de l'homme. Ce qu'elle accomplit en Jésus est pour nous. Elle est la parabole en acte et le gage tenu de notre salut. La résurrection est à la fois notre présent secret et notre avenir certain. Parce qu'elle est l'avenir de l'homme, elle est notre espérance. Cette révélation du contenu du salut se fait dans le langage de la vie absolue, d'une vie qui est communion et amour. Car la résurrection annonce la fécondité de l'amour. Elle investit du rayonnement de sa gloire l'image de Jésus en croix. L'amour de Jésus y transfigurait déjà l'horreur en beauté ; désormais la gloire et la beauté viennent confirmer que le signe de l'amour coïncide avec l'absolu de la vie qu'il signifie.

IV. Les récits de l'enfance de Jésus

Traiter ici des récits l'enfance de Jésus, mis par Matthieu et Luc en préface à leurs évangiles, peut paraître surprenant. On objectera sans doute que la trame de tout récit commence par le commencement et que celui-ci demande à être respecté pour ce qu'il est. Cependant la tradition ancienne des contes comme celle plus moderne des romans et des récits, relayée à son tour par la pratique cinématographique, connaît la méthode des flash-back. Non seulement la mémoire du lecteur ou du spectateur est capable de reconstruire l'ordre réel des événements à partir d'un récit qui prend de grandes libertés avec la chronologie ; mais encore son attention est sollicitée à saisir des correspondances jaillies de la juxtaposition inopinée de l'aujourd'hui et de l'autrefois, de la fin et du commencement.

C'est un peu le cas des récits de l'enfance. En parler maintenant n'est pas les déconsidérer. C'est vouloir les lire comme ils ont été écrits, à la lumière de la totalité des Ecritures, Ancien et Nouveau Testament, à la charnière desquels ils sont littérairement posés. Toute l'existence de Jésus, et surtout sa mort et sa résurrection, reflue ici sur les épisodes de son enfance et les charge d'une signification salvifique prégnante. Ce sont des récits très théologisés où le rédacteur s'adresse directement au lecteur, au delà même des paroles et des gestes des acteurs [1]. Sans prétendre, ici comme ailleurs, analyser leur historicité, considérons-les comme des récits portés par bien d'autres, afin de recueillir ce qu'ils nous disent du Sauveur et du salut.

Par le nombre de théophanies qui les émaillent, les récits de l'enfance constituent en effet un certain parallèle avec les récits de la résurrection. Dans un cas comme dans l'autre, le salut est présenté comme un message ou une annonce (kérygme), un message authentifié par des messagers divins et relayé par les messagers humains, un message qui est à accueillir dans la foi

---

1. Cf. J.N. Aletti, *L'art de raconter Jésus-Christ, op. cit.,* p. 85.

et qui transforme ses destinataires en les comblant de joie. L'annonce de la résurrection s'anticipe dans l'annonce de la naissance d'un Sauveur. La correspondance de la fin et du commencement s'y manifeste de manière privilégiée.

1. LES RÉCITS DE L'ENFANCE SELON MATTHIEU

L'annonce à Joseph (Mt 1, 18-25)

L'évangile de Matthieu s'ouvre sur la généalogie de Jésus, présentée comme ses « origines ». Cette généalogie prend son point de départ en Abraham ; elle est scandée par la mention de la captivité à Babylone qui la découpe en trois séries. Elle se termine à Joseph, pour bifurquer au dernier moment sur Marie, mère de Jésus. Bien loin que la conception virginale de Jésus exclue donc Joseph de l'origine de Jésus, la généalogie met en valeur sa paternité légale qui permet d'inscrire l'enfant dans la filiation davidique. Jésus apparait ainsi comme l'accomplissement du long dessein de Dieu qui s'inaugure avec la vocation d'Abraham et qui passe par la personne de David, bénéficiaire de la promesse messianique. Car Dieu ne fait rien « soudainement » (Tertullien).

Mais l'origine de Jésus, c'est aussi la manière dont il est né. Quelle que soit la situation réelle de Joseph par rapport à la maternité de Marie [1] et le motif de son intention à son égard, le message de l'ange lui annonce que l'enfant qui naîtra sera Sauveur : « Ce qui a été engendré en elle vient de l'Esprit saint et elle enfantera un fils auquel tu donneras le nom de Jésus, car c'est lui qui sauvera son peuple de ses péchés » (1, 20-21). Non seulement la conception virginale

---

1. Sur l'attitude concrète de Joseph à l'égard de la conception virginale de Marie avant la révélation angélique les positions des anciens Pères et des exégètes sont diverses : Joseph estime Marie adultère ; il estime Marie innocente, mais ne sait que penser ; enfin il connaissait déjà le mystère et désire se retirer par respect.

de Jésus est l'œuvre de Dieu, mais elle a pour but précis de donner au monde son Sauveur. Joseph, le fils de David, en tant que père légal, imposera à l'enfant le nom qui récapitule son identité en même temps que sa mission : « Yahvé sauve ». Le texte invoque la prophétie d'Is. 7 14 : « ''Voici que la vierge concevra et enfantera un fils auquel on donnera le nom d'Emmanuel'', ce qui se traduit : ''Dieu avec nous'' » (Mt 1, 23). Nous avons déjà rencontré la modification que la traduction de la Septante, bien antérieure à la naissance du Christ, a fait subir au texte hébreu, en passant de « jeune femme » à « vierge »[1]. Le narrateur évangélique quant à lui va de l'événement à la prophétie : il lit dans le second l'accomplissement de tout un axe de la tradition prophétique de l'Ancien Testament. Désormais, avec Jésus de Nazareth, Dieu est avec nous ; Dieu nous sauve. Ce récit, dans sa manière de résumer l'identité et la mission de Jésus a une valeur kérygmatique. Tout le sens de l'existence de Jésus est déjà exprimé. Quant à Joseph il obéit, à la manière d'Abraham, de l'obéissance de la foi.

Le salut des païens : les mages (Mt 2, 1-12)

La visite des mages est l'évangile d'une évangélisation. C'est déjà le kérygme annoncé aux païens. Il s'agit bien d'une « épiphanie », d'une manifestation glorieuse et divine, qui fait contraste avec la petitesse de la naissance et manifeste d'entrée de jeu l'universalité du salut qu'il apporte. Un signe céleste, reçu dans la foi, a manifesté la naissance de Jésus bien au delà des limites de son peuple, à ces étrangers venus de l'Orient qui s'intéressaient à l'attente messianique d'Israël. Après avoir demandé leur route à Jérusalem en haut lieu, et une fois renseignés par le témoignage de la prophétie de Michée, ces mages se dirigent vers l'endroit où était Jésus et, pour exprimer l'intensité de leur joie, le texte se livre à une expression deux fois pléonastique : « Ils se réjouirent d'une

1. Cf. ci dessus, pp. 121-122.

grande joie très fort » (« *Ekharèsan kharan megalèn sphodra* » Mt 2, 10).

A leur arrivée dans la maison, ils « virent l'enfant avec Marie sa mère » (Mt 2, 11), dans l'attitude qui sera celle de tant d'icônes orientales et de peinture ou de statues d'Occident : Marie est celle qui porte et présente aux hommes Jésus enfant dans un geste de don qui incarne en toute simplicité son rôle dans l'économie du salut. Les mages se prosternent dans un mouvement qui traduit la « dévotion » de l'Eglise primitive envers son Seigneur et expriment leur hommage par des dons dont le symbolisme a été souligné par toute la tradition : de l'or comme à un roi, de l'encens comme à un Dieu, de la myrrhe comme à un homme marqué pour la mort. En la personne des mages se préfigure la conversion des païens qui ont accueilli le Sauveur et le salut.

Mais le récit est également lourd de menace. Le trouble d'Hérode et de « tout Jérusalem avec lui » (Mt 2, 3) contraste avec la joie des mages. Dès sa naissance Jésus est ainsi méconnu par son peuple et reconnu par des païens. Or Hérode est un jaloux maladif et un homme sanguinaire. Le premier, il va concevoir et mettre à exécution un projet de mort contre Jésus. La « récalcitrance » humaine au don que Dieu fait de lui-même en Jésus est à l'œuvre de manière originelle. Le drame du massacre des innocents et de la fuite en Egypte est la première passion de Jésus. Le Messie connaîtra à sa manière ce que fut l'exode de son peuple : comme lui, il sera libéré d'Egypte et échappera à la mort. Tout le destin de Jésus est ainsi brièvement situé par rapport au passé du dessein de Dieu en même temps qu'esquissé quant à son avenir personnel.

2. LES RÉCITS DE L'ENFANCE SELON LUC

L'annonce à Marie (Lc 1, 26-38)

Le récit de l'annonce à Marie est par hypothèse celui d'un message, un message qui vient de Dieu par le relais d'un ange, pour faire connaître la naissance d'un sauveur. Son genre littéraire relève à la fois de l'annonce d'une naissance merveilleuse et du récit de vocation. C'est d'abord un message de joie : « Réjouis-toi, *Khairé* », qui s'adresse à Marie comme à la Fille de Sion (cf. So 3, 14-17), personnification du peuple de Dieu. Car c'est le message de la grâce : Marie est dite « comblée de grâce », d'une grâce qui consiste dans la présence et le don de Dieu : « Le Seigneur est avec toi » (Lc 1, 28). En ces quelques mots, le salut se résume à la fois dans sa forme et son contenu, qui n'est rien d'autre que la communication que Dieu fait de lui-même à l'humanité.

Cette salutation inaugurale s'explicite dans une annonce en deux temps. Le premier temps reprend largement les termes de la promesse de Natan à David : « Il sera grand et sera appelé fils du Très-Haut. Le Seigneur lui donnera le trône de David son père ; il régnera pour toujours sur la famille de Jacob, et son règne n'aura pas de fin » (Lc 1, 32-33 ; cf. 2 S 7, 12-16). Le sens est typiquement messianique. Mais la question de Marie sur le *comment* de cette naissance amène le second temps du message, qui contient une révélation plus haute encore : « L'Esprit Saint viendra sur toi et la puissance du Très-Haut te couvrira de son ombre ; c'est pourquoi celui qui naîtra sera saint et sera appelé Fils de Dieu » (Lc 1, 35). Ainsi l'Esprit qui planait sur les eaux de la création (Gn 1,2), la nuée divine qui couvrait de son ombre la tente du Tabernacle (cf. Ex 40, 35), lieu de la présence divine, se posera sur Marie pour faire d'elle le Tabernacle nouveau, la nouvelle arche d'alliance. Toutes ces expressions disent la nature proprement divine de l'enfant à naître : il sera saint, de la sainteté divine de l'Esprit ; il sera appelé « Fils de Dieu », puisqu'il aura Dieu lui-même pour Père. Il ne sera pas seulement le Messie promis ; il sera bien plus encore, le propre Fils de Dieu. En cet enfant Dieu se donne lui-même aux hommes. Telle est l'initiative parfaitement gratuite et toute divine du salut, annoncée par la voix céleste de l'ange Gabriel : Dieu visite son peuple. Ce message est une communication et il est le message de « l'auto-communication » de Dieu. Tel est le sens de la conception virginale de Jésus.

Devant ce message la réaction de Marie est triple : d'abord elle est troublée ; elle cherche ensuite à s'informer sur le comment de sa future maternité ; la Fille de Sion enfin, celle en qui se récapitule le premier peuple de Dieu et en qui s'anticipe l'Eglise, accueille de toute son âme : « Je suis la servante du Seigneur. Qu'il m'advienne selon ta parole » (Lc 1, 38). C'est la libre réponse de la foi et de l'obéissance de la foi. Une communication n'a pas vraiment lieu, s'il n'y a personne pour recevoir et accepter ce qui est communiqué. Même l'auto-communication de Dieu se trouve dans le besoin du consentement d'un libre destinataire. Tel est l'enjeu du *Fiat* de Marie : son oui représente l'accord du partenaire humain. Ce oui inaugural, donné dans la grâce, est le fondement de la coopération de Marie à l'œuvre du salut. Une telle coopération ne s'ajoute évidemment pas à l'œuvre de Dieu. Elle ne se situe pas au plan de l'initiative divine : du côté de l'humanité coopérer, c'est toujours répondre.

Le parallèle avec l'annonce à Joseph est frappant : dans les deux cas le message de révélation et de grâce aboutit à une proposition concrète d'action, qui s'adresse à l'intelligence et à la liberté ; dans les deux cas il suscite l'obéissance et la foi. Marie, la Vierge, et Joseph, le Juste, sont les premiers bénéficiaires de la justification par la grâce moyennant la foi.

La contagion du salut : la visitation (Lc 1, 39-56)

Marie, première destinataire du message du salut, s'en fait à son tour la messagère. Elle s'en va « en hâte » vers la maison de sa cousine Elisabeth dans le pays de Juda. La visite de Dieu se propage à travers une visite humaine. De même que l'arche de Yahvé avait été transférée par David en grande liesse de Baala jusqu'à Jérusalem (2 S 6, 1-23), de même qu'elle avait séjourné trois mois chez Obed-Edom (2 S

6, 11), de même Marie, arche de la nouvelle alliance, vient communiquer la présence de l'enfant qu'elle porte, afin de répandre l'Esprit qu'elle a reçu, au cours d'un séjour de trois mois auprès de sa cousine.

Par sa simple présence elle annonce la bonne Nouvelle. Tout se passe dans un climat de louange et dans l'exultation de la joie. L'enfant d'Elisabeth, rempli de l'Esprit Saint, bondit dans son sein. Dès ce moment le futur Jean Baptiste est le bénéficiaire du salut. Quant à sa mère, elle fait une véritable confession de foi, puisqu'elle reconnaît en Marie, la mère de son Seigneur. Elle adresse à sa cousine la première de toutes les béatitudes, celle de la foi : « Bienheureuse celle qui a cru » (Lc 1, 45). Les deux femmes échangent des paroles de bénédiction, de louange et de joie. Elisabeth, reprenant les termes de la bénédiction ancienne adressée à Judith (Jdt 13, 18), proclame Marie « bénie entre toutes les femmes » et « béni le fruit de son sein » (Lc 1, 42). Marie ne demeure pas en reste, elle dit son *Magnificat,* inspiré du cantique d'Anne pour la naissance de Samuel (1 S 2, 1-10) et d'une multitude d'expressions venues des psaumes, faisant ainsi de sa louange la récapitulation des bénédictions que tout un peuple a adressées à Dieu. Elle se montre en cela la Fille de Sion. Si dans ces récits l'annonce du salut se fait par des voix célestes qui « manifestent l'initiative, la prévenance et la puissance divines, ... si tout est reconnu venir de Dieu, en particulier le Sauveur, ce bienfait par excellence, dont la promesse avait maintenu un peuple entier dans l'espérance, *tout doit également remonter à Dieu,* par les voix humaines »[1]. La louange et la joie non seulement accompagnent le salut, mais sont encore le signe et le moyen de sa contagion. A la naissance de Jean, quand Zacharie sera à son tour rempli de l'Esprit par la même contagion, il dira : « Béni soit le Seigneur, le Dieu d'Israël, parce qu'il a visité et délivré son peuple » (Lc 1, 68).

---

1. J.N. Aletti, *ibid.,* p. 73.

Le premier « kérygme » du salut : la nativité (Lc 2, 1-21)

Le récit de la nativité de Jésus commence par faire mémoire de l'événement : le recensement de César Auguste, qui inscrit la naissance de Jésus dans l'histoire universelle, la nécessité qu'un fils de David naisse à Bethléem, les circonstances qui évoquent discrètement le refus des hommes. Il donne enfin ce qui deviendra le signe de reconnaissance de Jésus, trois fois répété dans le texte : « Elle enfanta son fils premier-né, l'emmaillotta et le déposa dans une mangeoire » (Lc 2, 7 ; cf. v. 12 et 16).

Tout à coup le récit change de ton : il racontait un événement tout humain ; il passe à la théophanie céleste. Comme au tombeau de Jésus, c'est un ange, porteur de « la gloire du Seigneur enveloppant de lumière » (Lc 2, 9) les bergers, qui annonce le salut. L'annonce de la résurrection s'anticipe dans celle de la nativité de Jésus. Le caractère « kérygmatique » du message est semblable de part et d'autre. L'ange annonce une bonne nouvelle, littéralement il « évangélise » (Lc 2, 10), pour la joie de tout le peuple. « Aujourd'hui, dans la cité de David, il vous est né un Sauveur qui est le Christ Seigneur ; et voici le signe qui vous est donné : vous trouverez un nouveau-né emmailloté et couché dans une mangeoire » (Lc 2, 11-12). C'est déjà l'aujourd'hui du salut. Celui qui sera « fait Seigneur et Christ » (Ac 2, 36) par sa résurrection est déjà nommé de son titre de « Christ Seigneur » : il est proclamé selon son identité messianique et divine *(Kurios)* dans un raccourci qui reconduit au jour de sa naissance l'effectivité de tout l'événement du salut. L'humble nouveau-né est déjà glorifié et le signe donné de son identité glorieuse est celui de la « kénose » d'un enfant couché dans une mangeoire : ce sont les deux faces d'une révélation unique, comme le seront la croix et la résurrection.

La théophanie s'épanouit alors en un cantique céleste qui chante à la fois la gloire de Dieu et la paix aux hommes. Désormais, en effet, tout est changé entre Dieu et les hommes : cette naissance est une déclaration de paix du ciel à la terre, au sens que l'on donne à son triste contraire, la déclaration de guerre. Le salut est paix et réconciliation. C'est le don de cette même paix que *l'épître aux Éphésiens* développera en l'attribuant à la croix du Christ : « C'est lui, en effet, qui est notre paix... Il a voulu à partir du Juif et du païen, créer en lui un seul homme nouveau, en établissant la paix, et les réconcilier avec Dieu tous les deux en un seul corps, au moyen de la croix ; là, il a tué la haine » (Ep 2, 14-16). Le lecteur est invité à confesser dans la foi la pleine identité de Jésus.

Les bergers de Bethléem, héritiers du berger David, obéissent à leur tour à l'invitation d'aller voir. Ils reconnaissent Jésus, fils de David et pasteur de son peuple. Comme plus tard les apôtres, ils deviennent les premiers messagers de l'événement de salut, ils le font connaître autour d'eux en « chantant la gloire et les louanges de Dieu » (Lc 2, 20). La contagion du message continue dans un étonnement émerveillé.

« Chez mon Père » (Lc 2, 22-52)

La présentation de Jésus au Temple conduit le Fils chez son Père, « le Christ du Seigneur » (Lc 2, 26) auprès du Seigneur. La venue de l'enfant s'accompagne d'une nouvelle effusion de l'Esprit sur les partenaires de la scène et est l'occasion d'une nouvelle contagion du salut. C'est une première Pentecôte. Comme dans la tragédie antique où le chœur commente dans des chants de joie ou de lamentation le sens de l'événement qui se joue, de saints personnages viennent orchestrer et souligner la portée de l'arrivée du sauveur dans la maison de Dieu. En la personne de Syméon et d'Anne, qui représentent par leur grand âge tout le passé d'Israël, c'est l'Ancien Testament qui vient au devant du Nouveau et « prophétise » la Bonne Nouvelle.

Le vieillard Syméon commence par bénir Dieu : « Mes yeux ont vu ton salut, que tu as préparé à la face de tous les peuples, lumière pour la révélation aux païens et gloire d'Israël ton peuple » (Lc 2, 30-32). Jésus est donc à la fois le sauveur et le salut : les deux se concentrent en sa personne. Dès le commencement, l'accueil du salut ne se produit pas sans la création d'un lien personnel avec le sauveur, un lien non seulement de reconnaissance mais aussi d'amour. Dès le départ aussi, ce salut est proclamé comme universel : il est destiné à tous les peuples, au cœur desquels Israël tient sa place d'élection. Car tout le groupe présent attend « la délivrance de Jérusalem » (Lc 2, 38).

Mais Syméon se fait aussi prophète de la contradiction que rencontrera cet enfant : devant lui les cœurs devront se décider et se dévoileront. Cela n'ira pas sans une souffrance qui atteindra Marie sa mère. L'image du glaive qui transpercera son âme est impressionnante. Certainement Marie sera déchirée par le drame de la division qui traversera Israël devant Jésus. Mais, s'il est permis de mettre ici en rapport les récits lucanien et johannique, on peut penser que le même glaive qui transpercera le corps de Jésus à la croix transpercera aussi l'âme de sa mère. Ainsi ce climat de gloire et de joie fait-il place à la souffrance et à la croix.

Le récit de Jésus perdu et retrouvé au Temple présente lui aussi une annonce voilée du mystère pascal : il s'agit d'une montée à Jérusalem et de la fête de la Pâque. Jésus s'y manifeste comme le maître qui enseigne et témoigne déjà de la conscience de sa mission. L'évangéliste recueille sa première parole : « Pourquoi me cherchiez-vous ? Ne saviez-vous pas qu'il me faut être chez mon Père ? » (Lc 2, 49). A ses parents qui l'ont cherché dans l'angoisse pendant trois jours — la tradition chrétienne rapprochera ce triduum de celui de la passion — Jésus s'adresse comme l'ange de la résurrection : « Pourquoi cherchez-vous parmi les morts celui qui est vivant ? » (Lc 24, 5). Il exprime par un premier « il faut » ce que doit être sa mission : dès aujourd'hui celui qui doit passer au Père doit être chez son Père. Son « mon Père » répond à la parole de Marie « ton père et moi ». De même que les disciples ne comprendront pas l'annonce de la passion

(Lc 9, 45), ses parents ne comprirent pas ce qu'il leur disait. Marie et Joseph sont invités au dépassement de la foi.

Le salut tout entier figuré à son aurore

La correspondance entre les récits de l'enfance et ceux de la résurrection est remarquable. Dans les deux cas la totalité du salut est récapitulée, sous la forme du déjà-là, dans la simple présence de Jésus vivant. Don mystérieux d'un enfant, symbole de la tendresse de Dieu, don du ressuscité passé par la mort et qui vient consoler les siens. De part et d'autre, on trouve le même climat de joie et de gloire, la même anticipation de l'eschatologie. Dans l'instant sauveur le temps suspend son vol et fait entrer de plain-pied les partenaires dans la communion à la vie de Dieu, comme si la fin des temps était déjà-là. De même que le ressuscité porte toujours sur son corps les traces indélébiles de sa passion, de même la gloire de la nativité fait place à l'annonce de la souffrance : c'est le projet de mort conçu par Hérode, l'absence de place à l'hôtellerie, le signe de contradiction et l'annonce du glaive. D'un côté comme de l'autre enfin l'œuvre du salut est trinitaire : c'est Dieu qui envoie son Fils dans la puissance de son Esprit. La fin et le commencement se répondent donc et communient dans la même révélation. La fin résume à elle-seule l'existence de Jésus ; le commencement l'anticipe et la fonde. Ceci ne doit pas nous conduire à isoler ce premier moment du salut, comme si en lui seul tout était déjà accompli. Mais la figure du salut qu'il nous propose est déjà complète.

Quant au contenu du salut, nous avons vu qu'il réside dans l'auto-communication de Dieu en la personne de son Fils. Sa simple présence crée entre lui et ceux qui l'accueillent une situation totalement nouvelle, une libération du péché, une communion de vie dans la lumière et la joie. Quant au *comment* du salut, il passe par un double message, céleste et terrestre, divin et humain, un message de révélation divine et un témoignage de foi rendu dans la louange. A partir de là tout est affaire de contagion. Les partenaires successifs sont comme « séduits » par l'événement : la grâce d'un enfant devient en vérité pour eux l'expression de la grâce de Dieu. Ce message et cette présence sont également porteurs d'une force qui transforme les cœurs. A la lumière du Fils qui se manifeste à l'extérieur correspond le don de l'Esprit qui agit dans les cœurs et les ouvre aux merveilles de Dieu. L'initiative gratuite de Dieu fait tout. Pourtant, elle ne dispense pas de la libre réponse de la foi, tellement soulignée dans les personnes de Marie, de Joseph et d'Elisabeth, mais qui est aussi celle des bergers, des mages, de Syméon et d'Anne. En contre-point s'esquissent le refus d'Hérode, l'émotion craintive de Jérusalem et la fermeture de l'hôtellerie. Le salut dont témoignent les récits de l'enfance est donc un salut donné par grâce moyennant la foi. Le lecteur est invité à entrer à son tour dans la chaîne de cette contagion et à devenir l'un de ces personnages. Enfin ce salut se concentre dans la personne même de Jésus : le salut, c'est le sauveur. Le nouveau-né couché dans la mangeoire est à la fois signe et réalité du salut, reconnu par Syméon au moment où il le reçoit dans ses bras. L'Eglise primitive y exprime toute sa « dévotion » à la personne de Jésus. Etre sauvé, c'est accueillir Jésus, c'est l'aimer et le suivre.

Conclusion : des récits aux catégories

Au cours de ce double parcours de l'Ancien et du Nouveau Testament, j'ai essayé de recueillir les « effets de sens » propres à chaque récit en ce qui concerne le salut. Au terme de chaque section j'ai voulu en ressaisir l'essentiel sous la forme d'une réflexion provisoire et partielle. Le chapitre consacré à l'Ancien Testament a donné lieu à une conclusion plus globale, indiquant les catégories principales qui permettent de rendre compte de la longue suite des initiatives de Dieu venant chercher son peuple et le sauver : l'élection, l'alliance, le don et le pardon, le salut par la foi, la montée du thème de la résurrection et de la vie, les figures d'une médiation qui se cherchent, le tout culminant dans une logique de l'amour capable de convaincre par sa propre séduction. Le mouvement qui va des récits aux catégories se retrouve évidemment dans le Nouveau Testament. Il s'agit maintenant, non seulement d'en rendre compte pour lui-même, mais de totaliser le résultat du double parcours en proposant une thématisation articulée du mystère chrétien du salut.

Une objection se présente ici : la considération du Nouveau Testament n'a retenu que les récits évangéliques ; elle n'a pas abordé l'apport des *Actes des Apôtres* et des nombreuses épîtres apostoliques où l'on constate déjà une forte formalisation conceptuelle des récits de l'événement Jésus-Christ. En fait, le dossier scripturaire de chacune des grandes catégories sous lesquelles le Nouveau Testament a compris et interprété le salut a été traité dans le 1° tome de cet ouvrage. Il n'y a donc pas lieu d'y revenir. Ce qui était dit alors demeure. Par contre, il est un point qu'il faut souligner à la lumière des récits évangéliques : les « kérygmes » des Actes et les confessions de foi qui nous présentent un résumé bref du contenu du mystère du salut se présentent soit sous la forme d'un récit stylisé, matrice des futurs Symboles, soit sous la forme de la proclamation d'une titulature qui est une conclusion directement tirée du récit. Il en va de même des grandes hymnes christologiques des épîtres de la tradition paulinienne : dans le ton — parfois liturgique — de la bénédiction ou de la louange, elles structurent et synthétisent les éléments primordiaux du récit de Jésus, principalement de sa mort et de sa glorification. On y surprend en direct, si l'on peut dire, le mouvement qui va des récits aux catégories. Les interprétations conceptuelles se greffent toujours sur la trame originelle du récit : elles le présupposent et le commentent, (même si dans leur état actuel les récits évangéliques sont plus récents que les premières lettres pauliniennes). Les catégories employées sont issues des images véhiculées par tel ou tel aspect plus prégnant des récits. D'autre part, ces interprétations construisent à leur tour un nouveau récit, qui situe la particularité de l'événement de Jésus dans l'universalité de l'histoire du salut. Tout l'Ancien Testament est appelé alors à témoigner et le mystère pascal devient ainsi le centre et le sommet qui récapitule dans la personne de Jésus la totalité de l'histoire.

Il est à remarquer enfin que même dans les résumés qui apparaissent les plus conceptuels le cordon matriciel qui les relie aux récits n'est jamais coupé. C'est le couple récit-catégorie comme tel qui fait sens, au nom de la complémentarité qui a été dite ci-dessus[1]. Cet enseignement est à retenir : il y a toujours un plus dans le récit que dans l'interprétation théologique conceptuelle, car seul le récit est capable d'exprimer certains « effets de sens » et d'agir sur la foi du lecteur. Les catégories ne peuvent donc jamais remplacer le récit. Au moment de faire ressortir les catégories majeures qui rendent compte du centre de gravité des récits, il importe donc de tenir le plus grand compte de la manière dont le Nouveau Testament a lui-même opéré ce passage.

Deux points majeurs seront abordés dans cette conclusion : d'abord le constat que cette longue lecture des récits bibliques nous oblige à opérer un substantiel déplacement des catégories dominantes dans la théologie classique ; logiquement, ensuite, la proposition de quelques catégories nouvelles et, plus encore, d'une articulation neuve de ces catégories qui restent satellisées autour de l'unique médiation du Christ.

1. LE DÉPLACEMENT DES CATÉGORIES CLASSIQUES

Le retour circonstancié aux récits bibliques nous a permis de recueillir tout un ensemble d'« effets de sens » quant à la

1. Cf. ci-dessus, pp. 33-34.

compréhension de la nature du salut chrétien. Quel choc produisent ces effets de sens quand on les confronte à la sotériologie « classique », en particulier celle qui s'est révélée de plus en plus prépondérante au cours du deuxième millénaire ?

La dominance des catégories descendantes

Une donnée massive s'impose : les catégories descendantes du salut dominent nettement les catégories ascendantes, au point de les éclipser souvent. Le salut est d'abord et avant tout une œuvre de Dieu qui s'engage dans notre histoire à travers toutes les initiatives de l'Ancien Testament, et enfin de manière définitive et irréversible dans l'envoi de son Fils, Jésus, le Christ. Le salut est un don gratuit de Dieu qui n'exige en l'homme aucun préalable. Il est bien plutôt, par le fait de l'incarnation, le mouvement par lequel Dieu se sert de l'homme pour sauver l'homme. Dans ce salut Dieu vient de lui-même à la rencontre de l'homme : il le cherche ; il donne et se donne. C'est ce que disent l'élection, l'alliance, le pardon ouvrant à la réconciliation, la grâce et la foi, et ce que confirme le don du médiateur de la nouvelle alliance aimant les siens jusqu'au bout. Cette donnée massive peut s'illustrer facilement à partir des catégories descendantes retenues dans le 1° tome.

Le salut par révélation prend dans les récits une importance infiniment plus grande que ce que la tradition théologique a retenu : l'acte de révélation est en lui-même un acte de salut. Dieu sauve en se montrant tel qu'il est et en nous montrant qui nous sommes à ses yeux. La communication du don de Dieu est impensable sans la connaissance. Dieu se fait dans notre histoire la cause exemplaire du salut. Dans le salut révélation et réalisation progressent de pair. L'homme est un être de connaissance et d'amour : il ne peut accueillir le salut qu'en découvrant qui est Dieu pour lui et qu'en étant personnellement atteint par une initiative d'amour qui le séduit en même temps qu'elle le transforme. Plus il connaît

Dieu, plus il se tourne vers lui en l'aimant. La catégorie du salut par révélation mérite donc de devenir aujourd'hui un paradigme de référence pour toute la doctrine du salut.

Le combat du Dieu de l'Ancien Testament avec la récalcitrance humaine le montre capable de vaincre l'infidélité de l'homme par sa propre fidélité, capable de faire triompher selon une forme nouvelle une initiative d'alliance perpétuellement rompue. De même, le combat de Jésus avec les puissances du mal, le péché des hommes et la mort est au premier plan des récits évangéliques. Il accompagne l'existence de Jésus depuis sa naissance, à travers toute sa vie publique, pour culminer dans l'épreuve de la passion, épreuve déjà victorieuse en elle-même avant de se changer en manifestation de la gloire de Dieu. Ce combat est mené « pour nous » : il est à la fois « rédempteur », en tant qu'il nous arrache à la servitude du péché, et « libérateur », en tant qu'il nous ouvre à une vie nouvelle, nous rend à nous-mêmes et nous permet de réaliser notre propre liberté. La sainteté de ce combat est un aspect de la révélation de Dieu-pour-nous. Si le schème « rédempteur » risque encore d'éveiller aujourd'hui — bien à tort — des idées de prix à payer, le thème positif d'une libération de notre propre liberté, en tant que celle-ci est en nous la capacité de l'éternel, a de quoi combler, en la dépassant, l'espérance humaine la plus forte.

Dans la même ligne, car ces catégories communiquent entre elles, nous avons rencontré l'attitude de pardon, qui est déjà celle de Dieu dans l'Ancien Testament et que de nombreuses pages des évangiles attestent dans la vie de Jésus, jusqu'à la croix inclusivement. Le pardon est, dans la bouche de Jésus, à la fois l'objet d'une déclaration souveraine, d'une offrande toujours présente et d'une prière. Il suffit de l'accueillir dans la foi pour qu'il se transforme en réconciliation effective. Nous retrouvons ici le paradoxe d'une alliance où, d'une part, tout vient de Dieu et qui, d'autre part, ne peut exister sans une réciprocité humaine. D'une part, le pardon est déjà tellement gros de la réconciliation que Paul interprète l'événement de la croix comme un acte de réconciliation déjà accompli (2 Co 5, 18-21). Jésus est dans sa personne notre réconciliation et notre paix (cf. Ep 2, 14-17) ; mais, d'autre part, le même Paul exhorte : « Au nom du Christ, nous vous en supplions, laissez-vous réconcilier avec Dieu » (2 Co 5, 20).

Le don de la vie de Dieu, c'est-à-dire de l'adoption filiale et de la divinisation, selon le langage reçu dans le Nouveau Testament lui-même, — certains voudraient dire de la « filialisation » [1] — est aussi un trait dominant de l'existence nouvelle donnée par le salut. Il est immanent à l'existence donnée de Jésus, tant dans la prédication du Royaume chez les synoptiques que dans le sens donné par Jésus à sa passion dans l'institution de l'eucharistie : sous les symboles de son corps et de son sang, c'est sa propre vie qui est donnée, pour devenir notre vie. Le récit johannique est encore plus explicite à ce sujet. Jésus est venu apporter « la vie éternelle », comme arrhes dès ici bas et comme accomplissement dans le Royaume. Il nous faire participer à la relation filiale qui l'unit au Père. La résurrection nous propose son corps glorieux, « divinisé », comme le modèle exemplaire d'une divinisation, qui, bien loin d'absorber ou de volatiliser notre fragile humanité, lui confère son être définitif.

Enfin le témoignage de Jésus dans sa parole et son agir, dans sa passion et sa résurrection, opère par la foi, et par la foi convertit et justifie. Sa vie et sa passion sont un long affrontement dialogal entre la liberté aimante de Dieu et la liberté récalcitrante des hommes. Cette dernière est d'abord délibérément hostile et braquée dans une attitude de refus et de condamnation. Mais, à la vue de la mort du juste, le cœur des témoins est transpercé, car ceux-ci découvrent leur propre injustice. Ils se repentent, se convertissent et croient. De même, les disciples reconnaissent le ressuscité dans la foi. La foi est la réponse qui convient au don de Dieu, don libre qui s'inscrit dans la relation de personne à personne, don à

---

1. Ainsi B. Rey dans son compte-rendu du 1° tome de cet ouvrage, *R.S.P.T.*, 73, (1989), p. 526. Mais, dans ce 1° tome, l'emploi du terme de divinisation entendait rendre compte d'une catégorie traditionnelle dont le vocabulaire s'imposait.

la fois visible et invisible, transcendant et immanent, objet d'expérience mais toujours insaisissable. La foi situe le salut du côté du libre sujet. Elle ne permet pas de le réduire à une chose ou à une réalité juridique [1]. Selon la même logique, les récits que nous avons parcourus sont à leur tour des témoignages de la foi des rédacteurs. Les témoins apostoliques tirent leur autorité à parler de ce qu'ils ont vu et entendu, du fait qu'ils ont vécu eux-mêmes ce mouvement de conversion et de foi. Ils se savent pécheurs pardonnés : ils avouent leur péché et proclament leur pardon. S'ils écrivent, c'est pour que d'autres à leur tour entrent dans la trame du récit comme authentiques partenaires de Jésus et parcourent le même itinéraire qui les conduira à la foi : « Jésus, dit l'évangéliste johannique, a opéré sous les yeux de ses disciples bien d'autres signes qui ne sont pas consignés dans ce livre. Ceux-ci l'ont été pour que vous croyiez que Jésus est le Christ, le Fils de Dieu, et pour que, en croyant, vous ayez la vie en son nom » (Jn 20, 30-31). Le salut progresse ainsi de la foi à la foi.

Les récits ne nous demandent de rien renier de toutes ces catégories, mais bien plutôt de leur en ajouter d'autres qui aillent dans le même sens et les complètent selon des harmoniques propres.

Une causalité descendante

A la question sans cesse posée à la sotériologie : « Comment le Christ nous sauve-t-il ? », le parcours accompli permet déjà de donner une réponse nette. Des théologies ontologiques ou juridiques du passé ont élaboré diverses théories qui se ramènent toutes à l'idée que le Christ nous sauve par l'action qu'il exerce sur Dieu. Devant le sacrifice de Jésus en croix, Dieu, apaisé dans sa colère, n'est plus irrité contre nous ; il nous pardonne et nous rend son amour. L'efficacité du salut

---

1. En reprenant un vocabulaire emprunté à Heidegger, K. Rahner distingue ainsi les catégories « ontiques », qui sont du domaine de l'objectivité de l'étant, et les catégories « ontologiques », qui sont à la fois de l'ordre de l'être et de la conscience.

est ainsi attribuée avant tout à une certaine conception de la médiation ascendante. Ces théories tombent sous le coup d'une double objection : la rédemption est ici « mécomprise de façon mythologique, comme une action exercée sur Dieu pour infléchir son attitude »[1] ; d'autre part, la dimension proprement divine du sacrifice du Christ est retenue comme seule source de son efficacité infinie. Le salut est compris comme un règlement de comptes entre Dieu et Dieu, dont les hommes ne reçoivent le bénéfice que par manière de conséquence, sous la forme de grâces invisibles. La médiation exercée par l'humanité de Jésus se trouve donc occultée. Il y a là une double erreur et sur l'orientation de la causalité salvifique du mystère du Christ et sur le destinataire de cette causalité.

Mais si l'on admet que Dieu nous a envoyé son Fils, parce qu'il nous aimait et non parce qu'il était irrité contre nous, selon la doctrine augustinienne la plus claire[2], on ne peut comprendre que la causalité de la passion et de la résurrection s'exerce à l'égard de Dieu. Rien dans les évangiles et le Nouveau Testament n'autorise une telle interprétation. La causalité du Christ s'exerce vis-à-vis des hommes, c'est une causalité descendante.

Sans doute cette causalité a-t-elle une dimension infinie parce que le Christ est Fils de Dieu et Dieu. Mais cette dimension divine de la causalité ne doit pas être comprise comme fonctionnant à côté ou à part de l'acte humain posé par le Verbe incarné dans les conditions de notre existence. Ce serait un nestorianisme sotériologique. La dimension divine du salut se donne à voir dans et par sa dimension humaine, selon la loi qui vaut de toute l'incarnation. Si nous cherchons à comprendre le mode de causalité, il nous faut interroger ce qui est signifié dans la croix. Si le Christ a été appelé à juste titre le sacrement de Dieu, il faut lui appliquer l'adage qui vaut des sacrements, *significando causant*. C'est

---

1. K. Rahner, *Traité fondamental de la foi, op. cit.*, p. 240.
2. Cf. le texte cité au t. I, p. 64.

donc à partir des effets de sens des différents récits et de leur centre de gravité qu'il faut chercher à comprendre l'exercice de cette causalité, et pas ailleurs. Puisqu'il s'agit d'une causalité qui s'exerce humainement d'un homme vers d'autres hommes, elle appartient à l'ordre des libertés. Elle ne peut être que l'invitation pleine d'efficacité qu'une liberté adresse à d'autres libertés. Il n'y a là aucune réduction subjectiviste de l'efficacité du salut ; il s'agit d'une donnée d'onto-logie proprement dite [1], d'une ontologie qui considère l'être comme esprit et sait que les relations de liberté se nouent dans l'histoire. Les évangiles sont les témoins de cette action de la liberté de Jésus sur ceux qui l'ont rencontré.

Cette action, qui s'exprime à travers la visibilité de la passion et de la résurrection et engendre l'immense mouvement de conversion et de foi au Christ qui va traverser l'histoire, ne se réduit pas au simple appel d'homme à homme. Parce qu'il est divin, cet extérieur a un intérieur. Il agit en lien avec le don invisible de l'Esprit qui en est solidaire au plus profond des consciences et vient susciter la liberté et la convertir.

Une révision critique des catégories ascendantes

Parmi les catégories ascendantes, nous l'avons vu, deux sont scripturaires, le sacrifice et l'expiation-propitiation, deux viennent de la tradition ecclésiale, depuis le Moyen-Age et les temps modernes, la satisfaction et la substitution. C'est à leur sujet que le mouvement de dérive et de déconversion majeur s'est produit. Le retour au récit fait éclater avec force l'opposition entre le témoignage biblique et évangélique et l'usage qui a été longtemps fait de ces catégories en théologie. Il récuse en particulier a priori la tendance qui a conduit à voir dans le mouvement ascendant le centre de référence de la sotériologie chrétienne. Non pas que ce mouvement soit

---

1. Cette affirmation repose sur la différence entre « ontologique » et « ontique », cf. p. 267, note 1.

nié selon la nécessaire dynamique où il reconduit l'homme à Dieu. Mais il prend un tout autre sens, celui qui a été exprimé dans les analyses concernant le sacrifice et l'expiation-propitiation [1]. Il n'est pas inutile de revenir maintenant, à la lumière des récits, sur l'origine ultime de la « déconversion » qui s'est produite dans la théologie à ce sujet.

Le conflit des images de Dieu

La source de cette déconversion vient en définitive de la déconversion de l'image de Dieu lui-même. Tout le parcours accompli nous a révélé un Dieu qui se situe au delà des oppositions simples que nous pouvons lui attribuer. Lui, qui est absolument transcendant et à ce titre infiniment loin de l'homme, se fait proche ; lui, qui est la sainteté même et a en horreur le péché, n'hésite pas à venir chercher le pécheur sur son propre terrain ; lui, qui est la justice infinie, se manifeste en même temps comme justice justifiante et miséricorde infinie ; lui, qui est le Tout-Puissant, sait manifester sa toute-puissance sous la forme de la suprême faiblesse de la croix. Il est ainsi parce qu'il est amour, tendresse et pitié. Il est le Dieu qui aime l'homme, « philanthrope » au sens que les Pères de l'Eglise donnaient à ce mot, celui pour qui l'homme existe en vérité, cet homme pour lequel il est capable d'aller jusqu'au bout de lui-même. Tel est le Dieu de nos récits. C'est toute la révélation de l'Ancien et du Nouveau Testament qui a patiemment éduqué l'homme à cette image nouvelle de Dieu, une image qui contredit ses conceptions pécheresses de Dieu et transfigur tout ce qu'il pressentait de plus juste.

Or une scission contradictoire s'est progressivement instaurée entre les deux côtés de cette image, qu'il fallait tenir ensemble dans leur tension dialectique et paradoxale : l'image du Dieu maître, Tout-Puissant, législateur suprême, qui exige l'obéissance de sa créature, d'une part, et l'image du Dieu

1. Cf. t. I, pp. 257-326.

aimant et miséricordieux, dont la grâce justifie gratuitement, qui ne veut pas la mort du pécheur, mais qu'il se convertisse et qu'il vive, d'autre part. Une forme de cette scission s'est exprimée au Moyen-Age avec le thème du combat en Dieu de la justice et de la miséricorde. Cette scission ruineuse s'est finalement produite au bénéfice de l'image du Dieu Maître, Tout-Puissant, Justicier, et au détriment du Dieu de l'amour, de la proximité et de la miséricorde. Dans une telle séparation la miséricorde devait inévitablement mourir en un sacrifice offert à la justice justicière. C'est ce qui s'est produit. C'était le moyen simple et rapide de réduire la bouleversante révélation de Dieu dans la passion de Jésus aux prétendues « exigences de la justice divine » qui n'étaient en fait que la projection d'archétypes humains. C'est pourquoi tant de théologies ont dit : la grâce, le pardon, la miséricorde, oui, mais *à condition que* et *après que* la justice divine ait été d'abord satisfaite. On a donc progressivement construit cet édifice doctrinal surprenant où, à l'opposé du massif témoignage des Ecritures, Dieu lui-même exige la mort de son Fils pour satisfaire à sa propre justice.

L'erreur profonde, qui a amené une régression de l'image de Dieu en tant de consciences chrétiennes, vient de cette extraposition des deux images de Dieu. On a tout simplement oublié que tout le mouvement de la révélation biblique, dès l'Ancien Testament, mais plus encore dans le Nouveau, consiste à ramener la première image sous la seconde pour en manifester la vérité. Oui, Dieu est Maître et Seigneur, mais il l'est tellement qu'il est capable de se manifester comme Serviteur et d'exercer une Seigneurie irrésistible au cœur de l'homme dans l'acte même où il se met à ses pieds pour les lui laver, parce qu'il a fait de toute sa vie un service. Oui, Dieu est Tout-Puissant, mais il ne manifeste jamais plus ni mieux sa toute-puissance que dans la toute-faiblesse de ses deux bras étendus sur la croix. Oui, Dieu est suprême législateur, mais sa loi se résume en définitive à un unique commandement : « Aimez-vous les uns les autres, comme je vous ai aimés ». Oui, Dieu est souverain juge des vivants et des morts, mais sa justice n'est pas justicière mais justifiante. Ce n'est pas une justice qui condamne le pécheur, ni qui veut sa souffrance, c'est une justice qui le justifie et le sanctifie, en ne lui demandant rien d'autre que le repentir et la foi. Il fallait donc comprendre la toute-puissance et la justice à la lumière de l'amour et de la miséricorde ; on a trop souvent fait le contraire, on a compris la miséricorde et l'amour à l'ombre d'une toute-puissance et d'une justice impitoyables. On ne dira jamais assez les ravages pour la foi et pour l'Eglise dans la société des temps modernes de l'usage intempérant d'une telle image de Dieu.

Car à cette image du Dieu Maître et Tout-Puissant correspond inévitablement celle de l'homme soumis et obéissant. Puisque la relation de Dieu à l'homme est proposée de manière dominante comme un rapport de deux volontés, la part de l'homme n'est plus que de se soumettre. Mais une soumission qui éclipse la communion risque fort de n'être qu'une contrainte intériorisée, un nouvel enfermement de la liberté. L'homme, trop heureux d'être sauvé, ne doit pas chercher à comprendre, mais se contenter d'obéir à la loi et de « payer pour » ses péchés. Un tel schéma a besoin d'être radicalement converti et d'être subsumé sous le rapport essentiel de la communication où Dieu se révèle et libère l'homme en mettant toutes les ressources de sa puissance de Seigneur et de maître au service d'un don d'amour qui est en même temps un appel à aimer. L'homme est pour lui ce partenaire bien-aimé qu'il a créé à son image et à sa ressemblance « pour avoir quelqu'un en qui déposer ses bienfaits »[1]. Ce qui est demandé à l'homme, c'est simplement d'accueillir le don d'amour dont il est l'objet, un don qui se fait par-don.

---

1. Irénée, *Contre les hérésies,* IV, 14, 1 ; trad. A. Rousseau, Paris, Cerf 1984, p. 446.

Le sacrifice du Christ : sacrifice du martyr

Les récits du Nouveau Testament nous conduisent en effet à une vérité éclatante. Ils font un usage particulièrement discret du vocabulaire sacrificiel [1]. Ils ne l'utilisent pas au moment de la passion, mais ce sont les paroles de l'institution de l'eucharistie qui ont une portée sacrificielle. Or ces paroles inscrivent le sacrifice de Jésus dans une intention complètement nouvelle. Paradoxalement, puisque le sacrifice est de soi une catégorie ascendante, le sacrifice de Jésus est vécu selon le mouvement descendant qui le pousse à accepter sa mort en croix pour le salut de la multitude de ses frères. L'obéissance de Jésus au Père, que l'on peut considérer à bon droit comme un aspect central de son sacrifice, est inscrite par l'hymne de *Philippiens* 2 comme le point extrême de son abaissement (v. 8). Si l'on veut aller jusqu'au bout de ce paradoxe, on doit dire que le sacrifice de Jésus est d'abord et avant tout un sacrifice que Dieu fait à l'homme, avant de et afin de pouvoir devenir un sacrifice que l'homme fait à Dieu. C'est parce que Dieu « se sacrifie » en faveur de l'homme, que ce sacrifice est sanglant. Ce que Dieu n'a pas voulu exiger d'Abraham, c'est-à-dire la mort d'Isaac, les hommes pécheurs l'ont exigé de Dieu en crucifiant son Fils.

Ce sacrifice que Dieu fait de lui-même à l'homme a pour contenu immédiat le sacrifice de l'existence d'un homme à ses frères, à la vie et à la mort. En Jésus le sacrifice « descendant » de Dieu devient un sacrifice inscrit dans l'horizon de l'amour fraternel. Jésus, « qui avait aimé les siens qui étaient dans le monde, les aima jusqu'à l'extrême » (Jn 13, 1). Son sacrifice est celui de la pro-existence et du service. C'est ce contenu concret qui a valeur de sacrifice offert au Père dans l'obéissance et dans l'amour. Jésus exprime dans sa propre chair l'unité des deux commandements. Il vérifie à l'avance la formule d'Augustin disant que « les vrais sacrifices sont les œuvres de miséricorde soit envers

1. Cf. t. I, p. 265.

nous-mêmes soit envers le prochain que nous rapportons à Dieu »[1]. Le récit de la Cène le dit en clair : le sang de Jésus sera versé pour la multitude ; son corps sera brisé pour nous.

La même chose peut être dite dans le langage de la communication. Tout sacrifice est en définitive une autocommunication : notre sacrifice est l'autocommunication que nous faisons de nous-mêmes aux autres et à Dieu, à Dieu par la médiation des autres. De son côté, l'autocommunication de Dieu aux hommes s'accomplit par l'autocommunication de l'homme Jésus à ses frères : cette autocommunication de Jésus aux hommes est identiquement son sacrifice à Dieu. L'acte par lequel Jésus se donne à nous au nom de son Père est identiquement l'acte d'obéissance et d'amour par lequel le Fils se donne au Père, et donne aux hommes la possibilité de se donner à leur tour au Père.

La figure de ce sacrifice dans l'histoire de la révélation a un nom : elle s'appelle le martyre. Jésus est celui « qui a rendu témoignage *(marturèsantos)* devant Ponce Pilate dans une belle profession de foi » (1 Tm 6, 13). Jésus, à l'instar du serviteur souffrant d'Isaïe, a rencontré la contradiction suprême. Il est devenu le martyr de son peuple coalisé avec les païens pour le mettre à mort. Jésus a donné sa vie pour rendre témoignage à la vérité, à la justice et à l'amour. Déjà l'Ancien Testament proposait le témoignage des martyrs et sa fécondité. Tel était le destin ordinaire des prophètes. Tel sera le destin d'Etienne et de nombre d'apôtres.

Le témoignage de Jésus dans sa mort est éminemment celui du martyr et il en a la fécondité[2]. Le terme de martyre traduit exactement la forme qu'a prise son sacrifice libre et volontaire. L'évangile de Luc accumule, par exemple, les notations qui marquent dans la passion le destin du martyre : le réconfort de l'ange au moment de l'agonie (Lc 22, 43), le silence devant les accusations et les outrages (Lc 23, 9), la

1. Augustin, *La cité de Dieu,* X, VI ; trad. G. Combès, *B.A.* 34, Paris, D.D.B. 1959, p. 447.
2. Cf. ci-dessus, pp. 211-213.

reconnaissance de l'innocence de Jésus par Pilate et Hérode (Lc 23, 4. 14-22), l'oubli de ses propres souffrances (Lc 23, 28), le pardon accordé au larron, à Pierre et aux bourreaux [1]. Luc est aussi celui qui souligne le plus la fécondité propre de ce témoignage pour la conversion : une liberté qui va jusqu'au bout d'elle-même provoque inévitablement les autres libertés. Il est clair enfin que Dieu se tient du côté du martyr et le sauve, alors que sa souffrance et sa mort sont le fait des ennemis pécheurs en faveur desquels il donne sa vie.

De ce sacrifice le Père est le vivant partenaire, d'abord en étant celui qui rend possible son offrande, avant d'être celui qui le reçoit. Le Père livre le Fils, dans l'attitude même où le Fils se livre et avec le même amour. Le Père n'est pas le bourreau du Fils, même par personnes interposées ; il n'est pas celui qui, selon Bossuet et Bourdaloue, pouvait seul apporter un châtiment à la mesure du péché [2]. De même, le pardon du Fils est celui du Père. La prière d'intercession du Fils pour ses bourreaux est la vérité même de Dieu. Elle entre dans le dialogue du Fils et du Père, dont Jésus a pu dire : « Je savais bien que tu m'exauces toujours » (Jn 11, 42).

Tel est le sens paradoxal du sacrifice de Jésus qui accomplit dans sa personne le passage de l'humanité en Dieu. Tel est le foyer de lumière à partir duquel il faut comprendre le langage de l'expiation-propitiation. Dire cela, c'est affirmer que toutes les catégories ascendantes doivent être subsumées sous les catégories descendantes, à l'inverse de ce que le second millénaire a cherché de plus en plus à faire.

1. Cf. Ch. Augrain, *Vocabulaire de théologie biblique,* Paris, Cerf 1970, art. « martyr », p. 723.

2. Cf. t. I, pp. 71-73. — Il n'est pas non plus, comme le voudrait Moltmann, l'ennemi « théiste » et dialectique du Fils qui a besoin de la croix pour convertir son être de Dieu impassible en une communion trinitaire. Dieu est capable d'assumer en lui tout le poids de la souffrance humaine : tel est l'élément de vérité de la thèse de Moltmann. Mais c'est la générosité gratuite de son amour qui le pousse à le faire. Moltmann, au contraire, projette en Dieu lui-même la conversion de l'image de Dieu dont nous avons besoin. Dieu est du côté du Fils et avec son Fils dans tout ce qui se passe à la croix.

2. UNE PROPOSITION DE CATÉGORIES NOUVELLES

Depuis l'époque ancienne l'Eglise n'a jamais pu ni voulu proposer une formule simple et unique du salut, comme elle a pu le faire pour la Trinité ou l'identité humano-divine du Christ. J'ai dit pourquoi [1] il en était ainsi et il n'y a pas davantage lieu aujourd'hui de vouloir proposer une formule unique de ce genre. Aussi bien, n'est-ce pas ce à quoi la lecture des récits nous invite. Leur riche complexité empêche plutôt d'agir ainsi. Le propos de ce livre va dans un tout autre sens.

Cependant, la lecture des récits a conduit à employer de manière récurrente des mots qui n'appartiennent pas au vocabulaire biblique ou traditionnel. Ces termes ne prétendent pas « remplacer » les anciens. Mais ils sont à recueillir, car ils peuvent esquisser un nouveau registre de compréhension du mystère, à la fois aussi proche que possible du texte biblique, et particulièrement adapté aux besoins et à la sensibilité de notre époque.

Le paradigme de la révélation et de la communication

Le registre catégoriel le plus englobant, pour permettre une articulation neuve des concepts concernant le salut, est celui de la relation et de la communication. La communication suppose la révélation et conduit à la communion. Le salut est en effet une affaire qui se passe entre personnes intelligentes, aimantes et libres. Il est donc essentiellement une affaire de connaissance mutuelle et de relation à renouer, une relation vitale pour l'homme. K. Rahner évoquait naguère la nécessité de construire une « christologie existentielle » à côté de la

---

1. Cf. t. I, p. 54.

christologie classique[1]. Il semble que la même tâche soit à prolonger avec une « sotériologie existentielle ».

Le service et le martyre de Jésus sont la révélation absolue et pure de Dieu. Dieu est donc celui qui aime l'homme jusqu'à l'invoquer en lui proposant d'accueillir le Royaume, jusqu'à se mettre à ses pieds dans l'attitude de l'esclave, jusqu'à mourir pour lui afin de vaincre sa résistance. Cette révélation est à l'évidence ordonnée à la communication que Dieu veut lui faire de lui-même. Révéler à quelqu'un le mystère de sa personne, c'est déjà se communiquer à lui. Nous n'aurions que faire de savoir qui est Dieu, si ce n'était pour entrer en communion concrète avec lui. Mais comment communier avec Dieu, si l'on ne sait pas du tout qui il est ? Puisque nous sommes des êtres d'intelligence et de liberté, la communication entre Dieu et nous passe donc par la connaissance et l'amour. L'une et l'autre s'interpénètrent d'ailleurs de telle sorte qu'il n'y a pas de connaissance sans un minimum d'amour, ni d'amour sans une certaine connaissance. La connaissance conduit à l'amour, tandis que l'amour veut connaître toujours plus. Or la révélation que Dieu nous fait de lui-même, de son mystère trinitaire comme de son dessein sur l'homme, est une révélation amoureuse dans son origine et dans son terme. Elle a la séduction propre à l'amour. C'est pourquoi elle a pouvoir de susciter une réponse d'amour. Le salut vient pour l'homme de la découverte, profondément attendue et pourtant toujours surprenante, au delà de toute espérance, que Dieu se donne effectivement à nous, qu'il nous libère de nos chaînes et qu'il met son bonheur à devenir le nôtre. Entre découvrir cela et y adhérer il n'y a qu'un pas, à la fois minime et gigantesque, minime parce qu'il va comme de soi, pourvu que nous nous laissions faire, gigantesque et redoutable, car c'est là que gît le mystère du oui ou du non qui habite secrètement notre

---

1. K. Rahner, « Problèmes actuels de christologie », *Ecrits théologiques*, t. I, Paris, D.D.B. 1959, p. 140. Rahner parle de christologie « ontique ».

existence. Pour nous, être sauvés, c'est d'abord accepter d'être aimés.

La révélation de Dieu sur lui-même ne fait donc qu'un avec l'acte par lequel il se communique à l'homme de manière absolument gratuite, d'une communication capable d'atteindre l'homme pécheur au cœur de sa récalcitrance. Le don s'y fait par-don et réconciliation. On sait que K. Rahner voyait le spécifique chrétien dans l'affirmation de l'autocommunication de Dieu, au point de définir l'homme comme l'événement de cette autocommunication libre et pardonnante [1]. Le langage biblique de la réconciliation, remis en honneur aujourd'hui, donne le meilleur fondement révélé à cette catégorie de la communication.

Le paradigme de la révélation et de la communication enveloppe bien évidemment celui du commandement et de l'obéissance. Mais il en convertit le sens et la représentation, toujours prête à se déconvertir, jusque dans la prédication chrétienne, du fait de nos archétypes marqués par le péché. Car il ne s'agit pas d'une obéissance due à un maître exigeant, commandant « sans cœur », toujours prêt à punir et nourrissant l'exercice de sa justice de la multitude de nos infractions. L'obéissance en cause est celle de la foi, c'est-à-dire aussi bien l'obéissance de la confiance et de l'amour. C'est l'obéissance qui est devenue la nourriture de Jésus (cf. Jn 4, 34), désireux de faire toujours ce qui plaît au Père ; car l'amour veut « faire plaisir ». C'est l'obéissance de Marie au jour de l'annonciation. L'obéissance chrétienne, c'est le réalisme d'un amour qui se fait acte et fidélité : « Si vous m'aimez, vous vous appliquerez à garder mes commande-ments« (Jn 14, 15). En définitive le seul commandement donné par Jésus aux siens est d'aimer. Tel est le sens de l'obéissance de Jésus jusqu'à la mort de la croix : non pas soumission du puni, mais réponse aimante du Fils au Père qui l'aime.

---

1. Cf. K. Rahner, *Traité fondamental de la foi, op. cit.,* titre de la 4° étape, p. 139-162.

Révélation, communication et liberté

Révélation et communication sont des actes de la liberté divine qui s'adresse à des libertés humaines en devenir, afin de leur donner de se réaliser elles-mêmes dans un accueil positif. L'exemplarité d'une liberté aimante est un appel à la conversion des autres libertés. La causalité du salut, nous l'avons vu, ne peut donc être qu'une causalité libre. La théologie a trop cherché à rendre compte du salut selon un ordre de causalité objective, alors que son registre propre est celui des catégories du sujet.

Notre salut a été accompli par un homme agissant en toute liberté. Selon la loi de l'incarnation, l'humanité libre de Jésus a assuré la médiation de notre salut. Cette liberté de Jésus s'est réalisée selon les lois de la condition humaine, à travers une série de choix situés dans le temps et dans l'espace, comme les récits de tentation le montrent, et constituant un mouvement orienté vers le Père et vers les hommes. Elle nous révèle en même temps qu'elle accomplit devant nous la vérité de la liberté humaine. En Jésus la liberté de l'homme a pris corps dans notre histoire. Cette liberté est originellement convertie vers Dieu : elle n'a donc pas besoin de « se convertir ». Parce qu'elle est ainsi convertie, elle est aussi convertissante. Les récits évangéliques nous montrent que la liberté de Jésus agit par contagion, qu'elle invite par elle-même à la conversion et que donc elle est grâce. Ici encore la révélation est don et grâce. L'homme ne savait pas ce que c'est qu'être libre. Jésus le lui révèle et du même coup lui donne la possibilité de le devenir. C'est à partir de cette force de contagion qui vient s'opposer à la contagion des libertés pécheresses, que Jésus peut assumer en lui la conversion de toute l'humanité. De même que nous faisons l'expérience de la fécondité de l'exemple du saint, de même l'exemple du Christ, le Saint par excellence, absolument Saint comme Dieu seul est Saint, aussi Saint qu'un homme puisse l'être, a une puissance de conversion absolue. Cette sainteté, qui a pris visage humain, exerce sa fécondité par le canal des transmissions humaines. C'est grâce au témoignage rendu à Jésus par les disciples convertis, martyrs à leur tour, que nous croyons. En eux s'inaugure le rôle de l'Eglise, afin que l'Evangile soit annoncé à toute créature.

A cette lumière il est possible de répondre à deux objections apparemment contradictoires. D'une part, si Jésus a accompli un salut définitif et irréversible par son mystère pascal, quel rôle peut encore rester à la liberté des hommes ? Le salut n'est-il pas un coup de force ? Mais aussi, d'autre part, que signifie l'affirmation d'un salut déjà donné, alors que le tragique de l'histoire humaine continue son cours sans paraître en être beaucoup affecté ? Ces paradoxes sont ceux-là même de la liberté. Le salut est irréversible, parce que, dans la personne de Jésus, c'est une liberté humaine qui a définitivement et irréversiblement dit oui à Dieu. Nous l'avons vu, c'est le propre du sacrifice[1]. Cette liberté humaine n'est pas isolée ; elle s'inscrit dans l'ordre de solidarité des libertés[2]. De plus elle n'est pas simplement l'une parmi d'autres : elle est la liberté du nouvel Adam, du chef de l'humanité, de celui qui vient libérer celle-ci de la lèpre qui paralyse l'exercice de sa propre liberté. C'est une liberté absolue et pure de tout retour d'orgueil et d'égoïsme. Une liberté aussi absolue est donc plus puissante que toutes les libertés pécheresses, à la fois au regard de Dieu et au regard des hommes. Une telle liberté, celle du fils incarné s'exerçant selon toutes les lois de la condition humaine, est capable d'instaurer une situation nouvelle et irréversible en réconciliant l'humanité à Dieu.

S'il en est ainsi, la causalité exercée par la liberté de Jésus ne peut s'exercer que dans le respect des autres libertés. Par définition une liberté ne peut être forgée ou donnée de l'extérieur ; elle ne peut pas non plus être convertie de l'extérieur. L'homme créé naît libre sous la forme d'avoir à le devenir ; l'homme pécheur est libre sous la forme d'avoir à le redevenir. Le salut requiert donc de la part de chaque

---

1. Cf. t. I, pp. 257-291 ; ci-dessus pp. 273-276.
2. Cf. t. I, pp. 194-195.

homme en particulier un acte d'appropriation libre par conversion de lui-même. Un salut qui dispenserait l'homme de cette tâche ne serait que magie ou usine de marionnettes. Bien loin de dispenser les hommes d'exercer leur liberté, le salut en Jésus-Christ leur donne le pouvoir de réaliser celle-ci selon la justice et la sainteté. Cette entrée des libertés humaines dans l'ordre du salut ne peut donc se faire qu'au cours de l'histoire dans une dure genèse dont le tragique reproduit en quelque sorte celui de la passion de Jésus jusqu'à la fin des temps. Dans ce combat le refus et donc la perte de telle ou telle liberté est toujours possible et pensable. Car le destin de Jésus nous présente « en raccourci », comme disait Irénée, l'histoire de toute l'humanité, comme l'histoire de chacun d'entre nous. Le salut accompli une fois pour toutes en Jésus, le Christ, demeure en cours de réalisation jusqu'à la fin des temps.

Alliance et médiation

Le terme biblique de la communication est non seulement celui de réconciliation, mais plus encore celui d'alliance. L'alliance était la catégorie majeure du salut dans l'Ancien Testament. Il en va de même dans l'événement qui accomplit la nouvelle et définitive alliance entre Dieu et les hommes. L'Ancien Testament était sans cesse à la recherche d'une médiation parfaite. Le médiateur est désormais donné en la personne de Jésus. Médiation et alliance ne font plus qu'un.

Jésus est médiateur parce qu'il est le Verbe fait chair ; il ne l'est pas en tant qu'il est seulement le Verbe ; il ne le serait pas s'il n'était qu'un homme pris d'entre les hommes. Son humanité, en termes bibliques sa chair ou son corps en tant que symboles de son être-homme, est le lieu d'exercice de sa médiation. On n'y peut séparer, même si on doit distinguer, sa constitution ontologique, telle que les conciles d'Ephèse et de Chalcédoine l'ont définie, de son agir histori-que : car l'une est ordonnée à la vérité de l'autre. Un relatif oubli des « mystères de la chair du Christ » dans la considération théologique des temps modernes a pu conduire à une conception abstraite, purement objective et instrumentale, de la nature humaine de Jésus[1]. La relecture des récits évangéliques manifeste à l'envi cette insuffisance. La médiation de Jésus s'exerce à travers tout l'agir autonome d'un homme vraiment libre. S'il n'en avait pas été ainsi, à quoi bon remplir quatre livrets de ce que Jésus a dit et fait pendant son passage parmi nous ? Ces récits nous permettent précisément de regarder l'agir et d'entendre la parole de Jésus, c'est-à-dire de nous exposer à sa contagion et d'entrer à notre tour dans le monde symbolique qu'il crée. Le salut est une œuvre accomplie par l'humanité de Jésus engageant concrètement son existence devant Dieu et devant ses frères. C'est ce que le parcours des récits vient de montrer. L'analyse du mode de causalité du salut ne peut donc pas faire abstraction de cette donnée.

Une médiation et une causalité sacramentelles

Comment Jésus nous sauve-t-il ? En exerçant une causalité descendante et libre, qui est de l'ordre de la révélation et de la communication, une causalité de l'amour. Un terme traditionnel, mais non biblique, déjà rencontré dans le 1e tome de cet ouvrage[2] est revenu souvent au cours de ce chapitre, celui de « sacrement ». Il permet de synthétiser les divers paramètres en cause ; il n'est donc pas inutile de le reprendre de manière plus systématique. Le terme de sacrement traduit en latin, depuis Tertullien, le terme grec de mystère. Le Christ a pu ainsi être appelé « sacrement de Dieu »[3] selon des expressions plus ou moins directes. La

---

1. Cf. K. Rahner, art. cit., p. 127.
2. Cf. t. I, pp. 96-98.
3. L'application de la catégorie de « sacrement » au Christ, selon des modalités diverses, remonte à saint Augustin. Cf. les textes cités au t. I, p. 97, où Augustin met lui-même en rapport le sacrement et l'exemple. De son côté Saint Thomas exprime volontiers l'analogie (« proportio », « conformatio » ou « similitudo ») entre les sacrements et la structure du Verbe incarné, puisque dans les sacrements une action divine s'effectue sous des signes visibles, à l'image du Christ qui était Dieu dans une

catégorie de sacrement communique avec celle de médiateur, selon le témoignage de saint Augustin, et se trouve reprise dans la théologie contemporaine catholique.

La causalité salvifique de Jésus peut être définie comme une causalité sacramentelle. Dans sa personne incarnée, dans son corps parlant, ce qui inclut la totalité de son existence terrestre, sa mort et sa résurrection, Jésus a été le *sacrement du salut*. Si nous prenons la définition la plus élémentaire du sacrement, nous trouvons qu'il est à la fois signe et cause, et qu'il est cause en tant que signe : « *significando causant* », « *efficiunt quod figurant* », dit saint Thomas [1]. Il effectue ce qu'il manifeste, ce qui se signifie à travers les paroles prononcées et les gestes accomplis se réalise effectivement au regard même de Dieu et dans la vérité du cœur de l'homme. La catégorie moderne de symbole rend bien compte de ce lien du signe et de la cause : le sacrement est symbole en

manifestation humaine (cf. *Contra Gentes,* IV, 56, 2°). Sa christologie met en relief le rôle de l'humanité du Christ, « instrument » de la divinité (*Somme théologique* III° Q. 64, a. 3, in corp.). Dans cette perspective les « mysteria carnis Christi » — ceux qui font l'objet des récits évangéliques — sont considérés comme des « sacramenta » (*Ibid.* III° Prologue) ; ils constituent les sacrements originels de notre salut : « la passion du Christ est appelée sacrement » (*In Sent.* IV, dist. 1, Q. 1, art. 1, sol. 1.) ; l'humanité du Christ est « sacrement de la rédemption des hommes » (*Opuscule* LIII, art. 3) ; la transfiguration est appelée « sacrement de la seconde régénération » (*S.Th.* III° Q. 45, a. 4, ad 2m) ; quant au mystère pascal, « la mort du Christ est la cause de la rémission de notre péché, *effectiva instrumentalis* et *exemplaris sacramentalis et meritoria*. Quant à la résurrection, elle fut la cause de notre résurrection *effectiva quidem instrumentaliter* et *exemplaris sacramentaliter,* non autem meritoria » (*Comp. Theol.* ch. 239). Le lien exprimé entre l'exemplarité et le caractère sacramentel est à souligner : nous sommes bien ici « in genere signi », à l'intérieur duquel St Thomas définit le sacrement cultuel. Cette théologie qui affleure dans la considération des mystères de la vie du Christ est reprise à propos des sacrements eux-mêmes ; mais cette sotériologie descendante ne semble pas complètement accordée à la sotériologie ascendante par ailleurs développée par St Thomas (cf. t. I, pp. 345-350).
— Parler du Christ sacrement et mettre en valeur son exemplarité n'est donc pas une nouveauté en théologie ; ce qui l'est peut-être davantage, c'est de proposer la catégorie de sacrement comme référence principale de la causalité du salut chrétien selon une perspective descendante.

1. Saint Thomas, *Somme théologique,* IIIa, Q. 62, a. 1, ad 1m.

tant qu'il est à la fois le signe signifiant et la chose signifiée, même s'il lui appartient de renvoyer toujours à un au delà de lui-même, à un absolu eschatologique qui ne sera réalisé que dans la vision de Dieu.

L'efficacité du salut accompli par l'unique médiateur est bien de cet ordre. « Vie et mort de Jésus, écrit K. Rahner, ... possèdent ... une causalité de type quasi sacramentel, symbolique-réel, dans laquelle le signifié (ici : la volonté salvifique de Dieu) pose le signe (la mort de Jésus avec sa résurrection) et par lui se réalise lui-même »[1]. Le monde symbolique créé par Jésus avec la prédication du Royaume est un signe qui a déjà une réalité. Plus encore, la passion et la résurrection accomplissent ce qu'elles révèlent. Il n'y a pas à chercher ailleurs une efficacité exclusivement divine qui s'exercerait ontologiquement en dehors de ce qu'a vécu l'humanité souffrante et glorieuse de Jésus. Il n'y a ni contrat juridique, ni opération cachée à nos yeux qui changerait la situation des hommes pécheurs devant Dieu. Certes, l'efficacité de l'événement du salut vient bien de ce que Jésus est à titre personnel le Fils de Dieu. A ce titre, ce qu'il accomplit dans l'histoire a valeur « transhistorique », c'est-à-dire tout autant eschatologique que « protologique » et capable de s'actualiser tout au long de l'histoire. Mais cette efficacité s'exerce par et dans l'incarnation. On doit chercher à la comprendre à la lumière de l'agir visible de Jésus. On doit comprendre son universalité à partir de cette singularité même. Son efficacité est celle de la révélation qui s'accomplit. C'est pourquoi il est si important de revenir aux récits évangéliques, qui demandent de regarder et d'écouter, avant de suivre. Nous retrouvons ici la solidarité du dire et du faire : Jésus dit ce qu'il fait et fait ce qu'il dit. C'est ainsi qu'il accomplit notre salut, à travers une figure de révélation. L'efficacité de la croix et de la résurrection est donc à chercher en cela même qu'elles nous disent de Dieu et de

---

1. K. Rahner, *Traité fondamental de la foi, op. cit.,* p. 319.

l'homme, en cela même qu'elles sont capables de changer dans les croyants.

Le prisme de la causalité sacramentelle

La causalité sacramentelle s'articule donc sur le rapport du signe et de la réalité efficace. Selon les termes classiques de la grille des causes, on peut parler de *cause exemplaire* et de *cause efficiente*. A ce couple fondamental il faut ajouter la catégorie de *cause finale,* qui peut aider à rendre compte de l'universalité du salut dans le Christ. Mais ces différentes causes entretiennent entre elles une dialectique subtile, selon laquelle elles se conditionnent et passent l'une dans l'autre par une sorte de circumincession. Ce sont les faces multiples d'une unique causalité. En l'occurrence la cause exemplaire est en elle-même la cause efficiente ; le mode d'efficacité de cette dernière est l'exemplarité, restant bien admis que cette efficacité a une face visible et une face invisible ; toutes deux, qui ne font qu'un, constituent l'être sacramentel ou « symbolique » de Jésus.

La causalité exemplaire de l'événement de Jésus transparaît à toutes les pages des récits évangéliques. Cette exemplarité apparaît immédiatement efficiente, puisque c'est elle qui change les cœurs et les amène à la conversion. On ne saurait donc objecter à cette catégorie de retomber dans les erreurs passées des théories de type pélagien qui ramenaient l'effectivité de la rédemption à la grandeur morale de l'exemple du Christ, que les croyants imiteraient de l'extérieur [1]. La causalité exemplaire et « symbolique » de l'événement de Jésus est d'un tout autre ordre.

La parole de Jésus est exemplaire et fait choc sur les cœurs. Elle opère par sa propre force la vérité dans les consciences qu'elle révèle à elles-mêmes. Plus exemplaire encore est l'accord parfait entre sa parole et son agir. Ceci apparaît dès les récits de tentation et dans la lutte qu'il mène contre les

1. Cf. t. I, p. 139.

forces du péché coalisées contre lui. Face à l'hostilité comme aux pièges qui lui sont perpétuellement tendus, Jésus demeure le Saint et le Juste. Mais précisément, parce qu'il est le Saint et le Juste, sans aucune compromission avec le péché, il peut être l'ami des pécheurs, celui qui les approche, mange avec eux et leur annonce le pardon de Dieu. Sa miséricorde et son pardon sont une force de conversion. La victoire rédemptrice remportée par Jésus sur les forces du mal et du péché est le fait de cette causalité exemplaire et symbolique.

Cette causalité ne peut s'exercer que dans le présupposé d'une solidarité totale assumée avec ceux que Jésus vient sauver. En dehors d'elle, la contagion libératrice entre les libertés ne peut se produire. Aussi la valeur exemplaire de la conduite de Jésus atteint-elle son sommet dans la passion et la mort en croix. Nous l'avons vu, c'est l'exemplarité du serviteur humilié et souffrant, l'exemplarité du martyr aimant, qui provoquent la conversion des témoins. La solidarité exemplaire de Jésus avec nous va jusqu'à assumer la souf-france innocente : elle lui rend justice, lui confère la fécondité de l'amour et lui donne enfin sens. L'adage ancien s'applique ici : Jésus sauve ce qu'il assume. Il a « sauvé » la souffrance innocente par sa manière de l'assumer. Il ne la sacralise pas pour autant : il en convertit le maléfice et la stérilité, dans un dynamique qui vise à la supprimer.

Si l'évangile de Jean peut présenter une image déjà glorieuse de l'homme élevé sur la croix, c'est parce qu'il regarde celui qui a été transpercé avec un cœur converti et croyant, et qu'au delà de l'horreur il discerne la beauté irrésistible de l'amour qui va jusqu'au bout de lui-même. Déjà l'Ancien Testament nous révélait le salut par la séduction de l'amour. Nous la retrouvons ici en son sommet : la séduction de la gloire de Dieu se fait grâce, elle opère à travers un amour kénotique.

L'exemplarité symbolique des récits de la résurrection est à la fois analogue et autre. La vision du ressuscité, dont sont bénéficiaires les disciples qui l'avaient suivi dans les « jours de sa chair » et pouvaient donc lire en cette expérience nouvelle la signature d'une existence, est elle aussi un facteur de conversion à la foi. Le langage n'est plus celui de l'existence humaine, mais celui de la gloire divine : le second vient authentifier et confirmer le premier. Le ressuscité mérite toujours le nom de crucifié. Avec la résurrection, le cycle de la séduction de l'amour s'achève. Mais aussi l'exemplarité de la résurrection est nouvelle en ce qu'elle manifeste dans le registre de la plénitude de la vie la réalité du salut. Jésus ressuscité accomplit en son corps, c'est-à-dire en sa personne humanisée, notre salut. La causalité salvifique de la résurrection, souvent oubliée par la théologie, est pourtant d'une évidence aveuglante : elle est encore une fois de l'ordre du sacrement, puisqu'elle est signe et cause : ce qu'elle accomplit en Jésus est signe et réalité de ce que le salut accomplit déjà et doit manifester un jour en nous. Jésus est pour nous à la fois l'homme sauveur et l'exemple de l'homme sauvé. Dans sa résurrection il achève selon le mouvement ascendant ce qu'il a accompli selon le mouvement descendant de sa kénose obéissante et aimante : il reconduit l'homme à Dieu [1]. C'est parce que cette exemplarité est grâce qu'elle opère la justification par la foi.

La causalité de l'événement du salut doit rester sacramentelle pour ceux qui n'ont pas été les témoins oculaires de

1. Cette réflexion sur les causes n'a pas mentionné la « cause méritoire », liée à l'idée de satisfaction, qui a pu résumer dans le passé la théologie de la rédemption et fait partie des causes énumérées par le concile de Trente dans son décret sur la justification (cf. t. I, p. 245). Mon intention n'est pas de la récuser, mais de la convertir de ses développements ambigus. Le propre d'une telle cause est de s'exercer *librement*. Le mérite est la qualité qui s'attache à des actes libres. Il a donc été implicitement traité dans tout ce qui a été dit précédemment sur le caractère libre de la causalité exercée par l'agir de Jésus. On rencontre ici l'analogue de ce qui a été dit sur le sacrifice. Le mérite de Jésus s'adresse d'abord et directement à nous : il est un aspect de son exemplarité et il en partage l'efficacité. Parce que nous sommes sensibles à la valeur méritoire du comportement de Jésus, nous nous laissons convertir par lui. De son côté, le Père contemple l'amour tout-puissant de Jésus à l'égard de ses frères, un amour qui vient de lui, qui le réjouit et qu'il ne peut que récompenser. Tel est le mérite réconciliateur de Jésus, plus puissant au regard du Père que tous les péchés du monde.

Jésus. C'est pourquoi l'événement se fait immédiatement message et témoignage, afin de devenir geste de don et de pardon. Les récits de l'enfance communient sur ce point avec les récits de la résurrection. Le salut commence par la séduction ; il se continue par la contagion. Il se fait proclamation (kérygme). Selon la même logique l'annonce du salut se développera en récits. Le tout est emporté dans le mouvement qui va de la foi à la foi. L'Eglise sera l'institution ordonnée à la perpétuation de cette chaîne du témoignage, du don et du pardon, une institution issue de l'événement et signe à son tour levé pour la réconciliation et le rassemblement.

Causalité visible et invisible : le don de l'Esprit

Une causalité sacramentelle enfin articule en elle le moment du visible et celui de l'invisible. Le sacrement agit selon sa propre visibilité ; d'autre part, il porte en lui la réalité invisible d'un déjà-là de la fin des temps ; mais aussi il fait émerger dans notre actualité visible quelque chose de cet invisible par le renouvellement qu'il opère. Il en va éminemment ainsi de la visibilité sacramentelle du Christ. Jésus, sur lequel l'Esprit du Père repose, est l'unité du visible et de l'invisible que toute son action fait transparaître.

Le don de Dieu dans le Christ a pris une forme visible, afin de nous parvenir selon les conditions humaines de la communication et la loi de la représentation. Jésus lui-même est représentation humaine du mystère de Dieu ; dans son être de médiateur nous voyons l'invisible : « Philippe, qui m'a vu a vu le Père » (Jn 14, 9). Mais la relation transcendante du Dieu invisible à l'homme ne peut pas s'enfermer dans les limites de la visibilité humaine. La causalité de l'événement du Christ comporte donc le moment de l'invisible. Dans l'Ecriture ce moment est attribué au don de l'Esprit, remis au Père par Jésus expirant, soufflé de sa poitrine sur ses disciples et envoyé sur la communauté de la Pentecôte sous la forme théophanique des langues de feu. Toute l'économie du salut chrétien est ainsi trinitairement structurée sous la double modalité de la mission visible du Fils et de la mission invisible de l'Esprit. Ces deux missions sont solidaires et articulées entre elles : il appartient au médiateur de faire transparaître dans l'actualité visible de nos existences la présence et le don invisibles de l'Esprit.

La causalité du salut doit donc se comprendre selon cette action conjointe où le don visible de l'amour de Dieu en Jésus s'accompagne, au cœur même du mouvement de conversion qu'il provoque, du don invisible de l'amour par l'Esprit de Dieu répandu dans les cœurs (cf. Rm 5, 5). L'amour est ici le synonyme du terme biblique et traditionnel de grâce. L'amour manifesté par le crucifié est grâce et donne invisiblement la grâce de l'amour.

Car la grâce n'est pas chose : elle est de l'ordre de la communication vivante entre les personnes. Comme l'amour, la grâce évoque la bienveillance, la faveur, le don, le bienfait. Personne ne peut vivre sans être aimé ; nous avons tous besoin d'« être en grâce » avec quelqu'un. La grâce de l'amour, entendue ici au plan humain, est indispensable à la vie. L'adoption d'un enfant sans famille est un geste de grâce au sens le plus fort du mot, un amour créateur, une grâce de vie et de renaissance. Nous savons tous que l'enfant a un besoin vital de l'amour de ses parents pour grandir dans son autonomie personnelle, se trouver en vérité, devenir lui-même. Cette analogie anthropologique peut nous faire comprendre comment fonctionne en notre cœur la grâce invisible de l'Esprit qui en changeant notre relation à Dieu nous transforme nous-mêmes. Cette transformation a une portée onto-logique, au sens d'une ontologie de la personne et de la liberté. Nous pouvons comprendre comment la réponse libre de l'homme à la grâce est elle-même portée par la grâce.

Cause finale et causalité universelle

« Il n'y a pas d'autre nom sous le ciel par lequel nous devions être sauvés » (Ac 4, 12). Comment rendre compte de la portée universelle de cette action salvifique ? Si l'événe-

ment de Jésus est absolu en tant que divin, il a valeur
universelle. Cette affirmation, pour nécessaire qu'elle soit,
ne suffit pas. Il faut que l'universalité du salut se signifie
dans l'événement humain qu'il constitue et se donne à
percevoir dans l'histoire. A ce plan on peut déjà dire que
l'amour du juste et de l'innocent, humainement exprimé par
Jésus allant jusqu'à la mort, a valeur absolue et donc
universelle. C'est ce qu'avait compris le centurion. L'universel
peut se manifester dans le particulier. Une instance demeure
cependant possible, car Jésus n'est pas le seul homme à avoir
donné sa vie pour la justice. Il faut donc ajouter que Jésus
est le seul homme dont le témoignage donné dans la mort
est en accord complet avec le témoignage de la vie, de sa vie
antérieure comme de sa vie ressuscitée. Jésus est le juste par
excellence. Il n'y a en lui nulle compromission avec le péché
universel des hommes. En lui le combat entre justice et
injustice ne comporte aucun tort partagé. Bien au contraire,
il a donné une totale effectivité à la prétention qu'élevait
Jésus d'être au regard de Dieu « le Fils ». Il a enfin débouché
sur la plénitude de vie que lui apporte sa résurrection. Cette
première réponse repose sur la solidarité des libertés dans le
monde et dans l'histoire : « Compte tenu de l'unité du monde
et de l'histoire du côté de Dieu et de celui du monde, un tel
destin "singulier" a une signification "exemplaire" pour le
monde en général »[1].

Pour être tout à fait valable, cette réponse doit encore
être complétée par le témoignage de l'histoire. Il faut
que l'événement singulier rejoigne dans et par l'histoire
l'universalité des hommes. C'est pourquoi l'universalité de
l'événement du Christ ne peut être comprise, en amont,
indépendamment de ses préparations au cœur de l'histoire
des hommes depuis la création, et en particulier au cours de
l'histoire du peuple élu. Elle ne peut être comprise, en aval,
indépendamment de l'Eglise dont la mission est de maintenir

1. K. Rahner, *Traité fondamental de la foi, op. cit.*, p. 240. — Cf. t. I,
pp. 373-375.

vivante la mémoire et la réalité de la portée exemplaire du mystère pascal, en l'annonçant à toutes les nations. Dans l'Eglise le particulier vise l'universel. Des libertés converties et témoignantes y continuent la chaîne de la contagion de la foi. L'expansion du christianisme aux premiers siècles le manifeste à l'évidence.

Mais le passage à l'universalité ne peut se comprendre seulement à partir de l'expansion historique de l'Eglise. Pour en rendre compte, il faut faire intervenir la dimension eschatologique du mystère pascal. C'est ici que le lien de la cause efficiente et de la cause finale peut aider. En tant qu'il est absolu, l'événement de Jésus est aussi définitif. En lui la fin des temps est arrivée sous la forme d'ouvrir le temps de la fin. Par rapport à l'histoire de l'humanité il a valeur de but. La résurrection de Jésus ne sera achevée que lorsque tous les hommes seront ressuscités avec lui et en lui. Alors seulement toutes choses seront récapitulées en lui. Ainsi l'événement de Jésus fonctionne-t-il de manière universelle selon l'efficacité propre à la cause finale, qui attire tout vers elle. Nous aurons à revenir sur cette perspective, ainsi que sur l'articulation entre l'événement du Christ et le don de l'Esprit, dans le chapitre sur l'Eglise [1].

Jésus le salut « en raccourci »

Au terme de cette réflexion sur la causalité du salut, il est nécessaire de revenir sur la personne même du Sauveur. L'identité du Sauveur et du salut, souvent affirmée dans cet ouvrage, peut être illustrée par le mot d'Irénée affirmant que le Verbe incarné « nous a procuré le salut en raccourci » [2]. Son événement récapitule toute l'histoire du salut. Sa propre personne lui donne corps. L'analyse de l'être symbolique de Jésus confirme cette identité. Car c'est sa personne qui exerce l'attraction propre à la séduction de l'amour et donc à la

1. Cf. infra, pp. 348-350.
2. Irénée, *Contre les hérésies,* III, 18, 1.

conversion. C'est elle qui est exemplaire. La causalité exemplaire et symbolique, ou sacramentelle, a pour effet propre de ramener la considération sur la personne du Sauveur.

En effet, la médiation salvifique effectuée par l'unique médiateur n'est ni transitive ni transitoire : elle ne conduit pas au delà d'elle-même et elle demeure éternellement au sein du mouvement trinitaire dans lequel elle introduit l'humanité. Le propre de la médiation du Christ est de mettre en communion immédiate l'homme et Dieu. Mais puisque le Christ est en personne homme et Dieu, le résultat de la médiation ne peut jamais le laisser derrière lui. C'est dans et par l'humanité de Jésus, dispensatrice du don de l'Esprit, que notre humanité, en devenant le corps du Christ, entre en communion avec le Fils et est conduite au Père. La personne du Sauveur reste pour l'éternité l'organe médiateur du salut.

En d'autres termes il faut affirmer en Jésus l'identité et l'unité de l'événement et de la personne. On ne peut séparer en lui l'ontologique et le fonctionnel. Son agir est son être manifesté dans les conditions de notre existence ; son être est la récapitulation de son agir. L'exemplarité efficace qui a été diagnostiquée dans les récits de sa vie est fondée dans l'exemplarité inscrite au cœur de sa constitution humano-divine de Verbe fait chair. Aussi bien son agir ne se dépose-t-il pas en une réalité qui soit autre que lui-même : l'humanité sauvée devient progressivement le corps du Christ.

Telle est la raison pour laquelle le salut passe par une relation personnelle avec le Christ, une relation de connaissance et d'amour. Les récits évangéliques l'attestent à l'envi. Croire en Jésus, c'est aussi le suivre, plus encore c'est entrer dans son mystère, reproduire en soi la réalité de sa mort et de sa résurrection. Mourir avec le Christ, c'est recevoir le don de la vie éternelle, c'est déjà ressusciter avec lui. Telle est la réalité du baptême. Communier à son corps et à son sang dans l'eucharistie, c'est devenir ce qu'il est lui-même ; tel est le don de l'eucharistie. Dans les sacrements, en effet, se signifie et s'accomplit en nous et pour nous l'agir salvifique de Jésus, en même temps qu'il nous incorpore à sa personne.

Mais ce don des sacrements, actualité de l'agir transhistorique de Jésus pour les siens, ne peut avoir de sens que si lui répond une vie de foi et d'amour qui se nourrit de la contemplation des récits de la vie de Jésus et de l'écoute de sa parole. Telle est la raison de toutes les formes de lecture de l'Ecriture dans l'Eglise : lecture liturgique, homélie et prédication, catéchèse, lectio divina, exercices spirituels, exégèse et théologie. A travers toutes ces formes de mémoire de l'événement, le croyant de tous les temps et de tous les lieux devient à son tour un témoin converti. Tel le fondement de la dévotion à Jésus [1].

---

1. Cf. K. Rahner, *Aimer Jésus,* Paris, Desclée 1985.

CHAPITRE XVIII

Les récits de l'Eglise

Il n'est pas possible de traiter du salut chrétien sans parler de l'Eglise. Car si notre salut a bien été accompli par le Christ, il ne l'a pas été en dehors du rapport concret vécu par celui-ci avec son peuple et ses disciples. Jésus n'est jamais seul[1]. Un salut sans témoins est aussi impensable qu'un salut sans bénéficiaires. Le montre à l'envi tout ce que nous avons pu discerner du mode de causalité d'un salut qui s'exerce par la séduction de l'amour convertissant les libertés. Nous avons vu également que pour saint Luc l'annonce de l'Evangile aux nations appartient à l'événement du salut, dans la suite de la passion et de la résurrection[2]. L'Eglise fait corps avec le salut dont elle est à la fois le témoin et le don présent et actif.

Pour parler de l'Eglise, la trame du récit demeure une fois encore féconde, bien qu'elle demande à être utilisée de manière différente. En effet, jusqu'à présent l'événement raconté du salut appartenait tout entier à l'élément du dire.

1. Cf. *Jésus-Christ dans la tradition de l'Eglise, op. cit.*, p. 44-50.
2. Cf. ci-dessus, p. 247.

Avec l'Eglise, nous sommes en présence d'une institution effective qui a son objectivité et sa résistance, et échappe pour une part à cet élément du dire. Le point de vue retenu constituera donc une approche partielle ; mais il aura l'avantage de faire saillir des éléments originaux. Le sujet sera traité en tenant compte de cette spécificité et en faisant le plus possible appel à des catégories historiques, c'est-à-dire qui rendent davantage compte de l'événement que de l'institution.

Au sujet de l'Eglise, nous disposons tout d'abord de récits fondateurs, en particulier celui des *Actes des Apôtres,* essentiels pour nous dire l'événement de son origine. De plus, l'Eglise vit essentiellement de la mémoire de l'événement de Jésus auquel elle rend témoignage par l'annonce de la parole et la célébration des sacrements. Le témoignage de son peuple rassemblé s'inscrit enfin dans une histoire qui induit de nouveaux récits dans lesquels entre le récit de l'itinéraire de foi de chaque croyant. Tel est l'ensemble selon lequel se trouveront successivement articulés les grands récits qui font l'Eglise.

Une difficulté œcuménique

Une difficulté œcuménique se présente ici. Jusqu'à présent un lecteur protestant n'aura pas eu de peine à suivre l'énoncé biblique d'un salut qui s'inscrit rigoureusement dans la structure de la justification par la foi. Peut-être aura-t-il eu à opérer une conversion de mentalité par rapport à certaines interprétations du sacrifice, de l'expiation ou de la satisfaction. Mais une conversion du même ordre est demandée à un lecteur catholique. C'est maintenant que les voies risquent de diverger. Une dogmatique protestante n'intégrerait pas de la même façon l'Eglise dans le thème du salut. En effet, sa compréhension des conséquences de la justification par la foi dans les hommes ne lui permet pas de concevoir l'Eglise comme un instrument positif de salut. Sans doute pouvons-nous dire ensemble que « le mystère pascal, pleinement achevé à la Pentecôte, est fondement de l'Eglise : en lui l'Eglise naît comme *événement* créé par le salut »[1]. Sans doute l'Eglise est-elle une réalité historique s'originant dans le Christ, un instrument nécessaire de l'annonce de la Parole et de l'administration des sacrements. Mais ce sont là des activités essentiellement humaines, qui demeurent extérieures à l'œuvre divine du salut. L'Eglise annonce et atteste le don de Dieu, mais sa réceptivité à son égard est purement passive et vierge de toute coopération. Aussi bien la fidélité de Dieu à son égard ne se traduit pas par son indéfectibilité. Si l'Eglise peut être appelée en ce sens réduit « signe et instrument », elle n'est pas en vérité « sacrement du salut »[2]. Telle est la source de la difficulté redoutable concernant la nature des ministères dans l'Eglise.

Il n'en va pas de même pour une dogmatique catholique. Pour elle aussi l'Eglise est d'abord et avant tout le fruit visible du salut opéré par le Christ. Mais, à la suite des disciples librement convertis par la vue de Jésus pour devenir de libres témoins et des intendants du don de Dieu, l'Eglise devient le sujet libre « de l'agir sauveur de Dieu en Jésus-Christ ». Elle est « le lieu où s'exerce l'unique médiation du Christ »[3] et la réalité historique qui, à travers un devenir laborieux, permet à ce salut d'opérer de manière vivante dans la trame de notre espace et de notre temps. Dans la grâce qui lui est faite et par la réponse de sa foi elle coopère à l'œuvre de ce salut. A son niveau et sans rien ajouter à la causalité première du Christ, elle exerce une causalité seconde, que saint Thomas appelait « instrumentale » et qui est à la fois une grâce et une tâche ; car elle doit se faire transparente à la causalité exemplaire et symbolique de son Seigneur. C'est en ce sens qu'elle est appelée de plus en plus de nos jours « sacrement ». L'exposé qui suit exprimera cette visée en essayant de tracer une voie aussi attentive que possible à ce

1. Comité mixte catholique-protestant en France, *Consensus oecuménique et différence fondamentale,* Paris, Centurion 1987, n° 8.
2. Cf. *ibid.* nos 10 et 13.
3. *Ibid.,* nos 12 et 9.

qu'il y a de légitime dans les rappels et les mises en garde de
la Réforme.

I. Les récits de l'événement fondateur

De Jésus au don de l'Esprit

Le récit de l'événement du salut chrétien contient celui de
l'origine et de la naissance de l'Eglise. Au récit des évangiles
fait suite un autre récit, celui des *Actes des Apôtres*. L'auteur
en est un évangéliste, Luc, qui articule fermement ce second
livre au premier, comme la seconde partie d'une œuvre
unique. Nous devons donc également retenir la rupture et la
continuité : rupture, puisqu'il y a deux livres et que désormais
il ne s'agit plus des dits et faits de Jésus, mais de ceux de ses
disciples. A strictement parler, les *Actes* ne sont plus un
« évangile », bien qu'ils soient faits de l'annonce et des
progrès de l'Evangile. Mais continuité aussi, puisque la
manifestation et l'extension de l'œuvre du salut appartiennent
aussi à celui-ci et entrent dans son récit. Il est capital que le
Nouveau Testament ne s'arrête pas aux évangiles, comme s'il
n'y avait de récit salvifique que de Jésus-Christ. La fondation
et la vie de l'Eglise sont la suite du même récit. Les « magnalia
Dei » dans l'Eglise sont aussi l'objet du récit du salut.

En vérité, le récit de l'origine de l'Eglise est à cheval sur les
évangiles et les *Actes des Apôtres*. On peut distinguer en elle le
temps de la *conception* et le temps de la *naissance*. Le temps de
la conception est coextensif à toute la vie de Jésus. « Toute
l'action et toute la destinée de Jésus constituent d'une certaine
manière la racine et le fondement de l'Eglise. L'Eglise est
comme le fruit de toute la vie de Jésus. La fondation de l'Eglise
présuppose l'ensemble de l'action salutaire de Jésus dans sa

mort et sa résurrection ainsi que la mission de l'Esprit »[1]. Le lien de l'Eglise à Jésus est un lien d'origine. C'est en ce sens qu'il faut comprendre l'affirmation doctrinale classique selon laquelle Jésus a fondé ou institué l'Eglise. Car il n'a pas mis en route un processus institutionnel proprement dit. Mais il est possible de recueillir la progression des différents gestes de Jésus qui attestent son intention de susciter un nouveau peuple de Dieu[2]. Leur centre de gravité se situe dans l'institution des Douze. Plus encore, il faut retenir le fait que Jésus se constitue lui-même fondement de l'Eglise par son mystère pascal de mort et de résurrection (cf. 1 Co 3, 11), qui a rendu possible l'envoi de l'Esprit sur les siens. Sur la base de cette lente gestation s'accomplit l'« accouchement » douloureux et glorieux de l'Eglise, nouvelle Eve tirée du côté du nouvel Adam endormi dans le sommeil de la mort avant de ressusciter pour une vie qui ne meurt plus. La croix est le moment de la naissance « mystique » de l'Eglise.

En retournant au Père, Jésus laisse les Onze derrière lui. Avant de les quitter, il leur donne la consigne d'attendre la venue de l'Esprit et leur indique la portée universelle de leur mission. Désormais, c'est à eux de jouer. Pendant cette attente, ceux-ci, sous la direction de Pierre, qui désormais tient la place occupée par Jésus, posent des gestes de grande importance. C'est l'autre face de la naissance de l'Eglise et déjà la mise en route d'un premier processus institutionnel. Les apôtres se rassemblent dans la chambre haute. « Tous, unanimes, étaient assidus à la prière, avec quelques femmes dont Marie la mère de Jésus, et avec les frères de Jésus » (Ac 1, 14). Dans la prière, la communauté — dont le nombre des membres monte jusqu'à cent-vingt personnes — prend conscience d'elle-même et s'approprie l'intelligence des Ecritu-

---

1. Commission théologique internationale, *L'unique Eglise du Christ*, Paris, Centurion 1985, p. 11.
2. Cf. *ibid.* p. 12-14 où le document fait l'inventaire des différents gestes posés par Jésus en vue de l'Eglise (rédaction de Mgr Lehmann). Inventaire analogue chez K. Rahner, *Traité fondamental de la foi, op. cit.* pp. 372-375.

res. C'est ce qu'atteste le discours de Pierre montrant la nécessité de recomposer le groupe des apôtres pour lui redonner son chiffre symbolique de Douze. « C'est ce groupe qui porte le destin de l'Evangile et de Jésus. Mais il est blessé dans son identité, blessé à mort, il faut le dire, car ce qui manque n'est pas l'élément d'une quantité mais d'une structure. Dans le cas, Onze n'est pas Douze moins un. Ce n'est plus rien. De ce rien, le groupe va sortir, nouvellement, non plus par le fait de Jésus, mais par l'intelligence des Ecritures et de la situation, incarnée en Pierre et ceux qui sont avec lui »[1]. Les conditions posées pour les candidats au remplacement de Judas récapitulent tout le mouvement historique où s'origine l'Eglise : « Il y a des hommes qui nous ont accompagnés durant tout le temps où le Seigneur Jésus a marché à notre tête, à commencer par le baptême de Jean jusqu'au jour où il nous a été enlevé : il faut donc que l'un d'entre eux devienne avec nous témoin de sa résurrection » (Ac 1, 21-22). Il est d'ailleurs remarquable que Luc parle désormais de « Onze plus Un » : Matthias est adjoint au groupe des Onze ; le jour de la Pentecôte, Pierre parlera debout au milieu des Onze.

Telle est la communauté rassemblée, à nouveau structurée par le rapport des Douze et des cent-vingt, sur lequel tombera de manière spectaculaire l'Esprit de la Pentecôte. L'Eglise naissante peut alors sortir au grand jour du monde et inaugurer sa mission. Théophanie glorieuse du vent violent et des langues de feu, le don de l'Esprit transforme les croyants unis dans la prière, en fait des hommes nouveaux, dépourvus de toute crainte et capables d'annoncer en toute franchise le récit du salut.

Le récit de Pierre (Ac 2, 14-36)

« Ils sont pleins de vin doux » (Ac 2, 13), s'esclaffaient certains devant le spectacle de la prédication en langues des

1. E. Pousset, *Origine et commencements de l'Eglise*, I. *Lectures d'Ecriture*, Paris, Médiasèvres 1990, p. 82. Je m'inspire de cette analyse dans mon exposé.

disciples. C'est pour répondre à cette accusation que Pierre, au milieu des Onze, prend solennellement la parole pour expliquer ce qui vient d'arriver. Comme il s'adresse à des Israélites, il se sert des prophéties pour authentifier le caractère divin de l'événement. Oui, dans ce qui vient de se passer, il s'agit bien du don de l'Esprit annoncé par le prophète Joël, l'Esprit répandu sur toute chair pour rendre prophètes les fils et les filles d'Israël (Ac 2, 16-21). Mais ce don de l'Esprit n'est pas inopiné : il est l'accomplissement de la promesse faite par Jésus de Nazareth. C'est pourquoi Pierre fait le récit abrégé de l'itinéraire de Jésus, accrédité par Dieu, livré par les Juifs et crucifié par les païens, ressuscité par la puissance de Dieu. « Ce que l'homme a tranché de façon homicide, Dieu le lui rend comme source de liberté », commente E. Haulotte [1]. Ce bref « curriculum vitae » de Jésus est la matrice de nos récits évangéliques.

Le « héraut », c'est-à-dire l'annonceur du « kérygme », s'attarde à la résurrection qu'il éclaire à l'aide du *Psaume* 16, 8-11 (dans sa version grecque) : car, le patriarche David, le psalmiste, avait vu d'avance la résurrection de Jésus dont la « chair n'a pas connu la décomposition » (Ac 2, 31). A cette correspondance donnée par l'Ecriture Pierre ajoute la force du témoignage personnel : « Ce Jésus, Dieu l'a ressuscité, nous tous en sommes témoins. Exalté par la droite de Dieu, il a donc reçu du Père l'Esprit saint promis et il l'a répandu, comme vous le voyez et l'entendez... Dieu l'a fait Seigneur et Christ, ce Jésus que, vous, vous aviez crucifié » (Ac 2, 32-36). Ce dont sont témoins les Israélites de tous les pays rassemblés à la Pentecôte, c'est d'une « épiphanie du ressuscité » [2].

Ainsi la boucle est-elle bouclée : partant du don actuel de l'Esprit, Pierre est remonté à Jésus, puis au Père qui l'a envoyé ; de là il voit le mouvement par lequel le Père a ressuscité le Fils et lui a confié l'Esprit pour qu'il le répande.

---

1. E. Haulotte, *Actes des Apôtres. Un guide de lecture,* Supplément à *Vie chrétienne* n° 212, 1977, p. 47.
2. *Ibid.* p. 49.

Ce cercle a permis de rejoindre l'événement présent à l'événement passé, qui accomplit lui-même la promesse et le dessein bien arrêté de Dieu. A travers cette annonce « kérygmatique » le récit de Jésus devient le récit de Pierre et des Onze, c'est-à-dire le récit de ce qui leur est arrivé à eux, les témoins de Jésus et les bénéficiaires du don de l'Esprit. Ils sont l'Eglise naissante. Ce récit fait entrer l'Eglise dans l'événement de Jésus qui la fonde et la constitue.

Ce récit constitue un refrain de la première partie des *Actes*. Il scande les progrès de la Parole auprès du peuple. Chaque fois qu'un événement de salut se produit ou que des comptes sont demandés aux apôtres, Pierre et même une fois Paul reprennent le même fonds avec quelques variantes. Il s'agit au sens propre d'un récit fondateur.

Le récit de la communauté

Le récit provoque la même réaction que la réalité : les auditeurs ont le cœur transpercé et demandent ce qu'ils doivent faire (Ac 2,37). Le discours ouvre à un dialogue qui comporte questions et réponses. De même que Jésus appelait à la conversion et à la foi en l'Evangile, il leur est répondu : « Convertissez-vous ; que chacun de vous reçoive le baptême au nom de Jésus Christ pour le pardon de ses péchés et vous recevrez le don du saint-Esprit » (Ac 2, 38). La foi en l'Evangile se concrétise par le baptême dans l'eau et l'Esprit Saint qui fait participer le croyant au mystère de la mort et de la résurrection de Jésus. La contagion du témoignage est commencée : les témoins convertis deviennent des témoins apôtres. La Parole du récit a conduit au sacrement de la foi et a rassemblé la communauté : l'Eglise est née.

Le récit se fait alors « sommaire » (Ac 2, 42-47 ; 4, 32-35 ; 5, 12-16) pour résumer les traits caractéristiques de la vie de la communauté primitive : rassemblement et union des cœurs, unanimité, enseignement des apôtres, fraction du pain, terme technique pour désigner l'eucharistie, prières, mise en commun des biens, repas partagés, allégresse et louange de Dieu, prodiges, signes et guérisons ; mais surtout le témoignage rendu par les apôtres à la résurrection du Seigneur révèle une puissance de contagion virulente. Cette communauté naissante trouve « un accueil favorable auprès du peuple entier » (Ac 2, 47). « Des multitudes de plus en plus nombreuses d'hommes et de femmes se ralliaient par la foi au Seigneur » (Ac 5, 14).

Sans doute faut-il faire la part d'un récit qui a tendance à enjoliver les origines. D'ailleurs l'épisode d'Ananie et Saphire remet les choses au point : tous ces convertis n'étaient pas encore des saints accomplis. D'autre part, cette communauté connaît vite la contradiction et les menaces, puis la persécution. La mort du premier martyr, Etienne, ne tardera pas, lapidé par ceux qui avaient déposé leurs vêtements aux pieds d'un jeune homme appelé Saoul. Le comportement d'Etienne imite alors celui de Jésus : il témoigne comme son maître devant le Sanhédrin ; comme lui il pardonne à ses bourreaux (Ac 7). Puis la communauté elle-même est obligée de se disperser (Ac 8, 1-4). Le témoignage qu'elle donne dans une conjoncture souffrante est aussi à prendre en compte. La dispersion elle-même devient une explosion missionnaire.

La multiplication rapide de ces cellules germinales de l'Eglise nous dit une chose essentielle : l'annonce du ressuscité est portée par un peuple qui en témoigne dans une vie elle-même ressuscitée. L'accord du dire et du faire en Jésus se retrouve ici dans la correspondance entre la parole du récit et son fruit dans des êtres de chair et de sang. La communauté a hérité du pouvoir de séduction de son maître. Elle révèle les cœurs à eux-mêmes, elle les conduit à la vérité, elle les initie à l'amour. La causalité du salut s'exerce dans ce relais primordial de la même façon que lors de la vie, de la mort et de la résurrection de Jésus. L'Eglise ne doit jamais l'oublier : la parole démentie par la conduite n'a aucune efficacité. Bien au contraire, l'existence de la communauté primitive a en elle-même une portée sacramentelle. Car celle-ci est un signe efficace de ce qu'elle signifie. C'est dans cette matrice que les sacrements du baptême et de l'eucharistie prennent leur figure institutionnelle.

Le récit de Paul

Le récit de Paul, nous le trouvons d'une part dans les *Actes des Apôtres* et d'autre part dans ses épîtres. Sans mélanger ces sources, il est permis de les éclairer les unes par les autres. Car tout le ministère de l'apôtre des gentils est fondé sur l'expérience qu'il a faite personnellement de la foi au Christ Jésus. Chez lui comme chez les Douze le salut gratuitement accueilli est devenu exigence d'évangélisation ; le témoignage reçu s'est transformé en témoignage rendu. Le salut est par excellence le fruit d'une communication de Dieu aux hommes : il ne peut être reçu sans conduire à la communication entre les hommes.

Le récit de la conversion de Paul tient une grande place dans *Les Actes des Apôtres :* il est repris trois fois (Ac 9, 1-19 ; 22, 4-21 et 26, 9-18) et mis deux fois dans la propre bouche de l'intéressé. Ces trois versions comportent des variantes, elles se font de plus en plus brèves, mais elles convergent sur l'essentiel. Cette insistance et ces répétitions ont un sens. Le chemin de Damas est pour Paul l'événement fondateur de son existence d'apôtre. Le récit entend montrer que celui-ci a reçu la même investiture pour la mission que les apôtres, même si Luc répugne à lui donner ce titre. Comme les apôtres, en effet, Paul a vu le Seigneur, c'est-à-dire qu'il a été le bénéficiaire d'une apparition du ressuscité. Du chemin de Damas à l'imposition des mains et au baptême reçu d'Ananie, il a accompli en raccourci tout l'itinéraire qui a conduit les disciples de Jésus à la résurrection et à la Pentecôte.

La manière dont le salut a été donné à Paul est évidemment exceptionnelle, puisqu'elle prend la forme d'une théophanie glorieuse du ressuscité. Sa conversion est aussi spectaculaire qu'instantanée. On n'y retrouve pas le cheminement de compagnonnage humain qui a conduit les Douze à la foi.

Mais on y rencontre les éléments de la même structure essentielle : Paul a été saisi par la vision du Christ ; après avoir vu, il a cru et ce qu'il a vu le fait vivre.

Le persécuteur de l'Eglise est donc parti exercer sa triste besogne d'arrestations jusqu'à Damas. Mais voici qu'il est soudain enveloppé d'une lumière aveuglante et qu'il entend une voix. La lumière et la voix sont les deux caractéristiques de cette théophanie[1], et la voix engage aussitôt un dialogue : « — Saoul, Saoul, pourquoi me persécuter ? — Qui es-tu, Seigneur ? — Je suis Jésus, c'est moi que tu persécutes » (Ac 9, 4-5). La voix est celle du ressuscité qui se manifeste à Paul comme il l'a fait en faveur des autres disciples. L'événement de Damas est donc fermement relié à l'événement de Jésus. Cette déclaration d'identité, commune aux trois récits, résume en une phrase le contenu du kérygme : « Je suis Jésus, c'est moi que tu persécutes » (9, 5 ; 22, 8 ; 26, 15). Ce Jésus ressuscité s'adresse au jeune Saoul comme le Jésus de la passion le faisait devant les pécheurs qui le mettaient à mort. Saoul en effet reproduit leur attitude en prolongeant sa passion au sein de son Eglise. Cette simple phrase aura une puissance de conversion totale. De même que le spectacle de la croix avait converti le centurion, de même que les apparitions pascales avaient conduit les disciples à la foi définitive, de même le cœur de Saoul est libéré du poids de sa haine et de sa violence. Il dit aussitôt : « Que dois-je faire, Seigneur ? » (Ac 22, 9), il obéit et il se lève. Il est un être nouveau. Le terme de séduction, employé par Jérémie, s'impose ici : Paul a été séduit par Jésus et retourné au plus profond de son être.

Ce récit de conversion est d'un même mouvement récit de vocation. Les trois versions du même récit convergent sur ce point : Paul sera l'apôtre des « nations païennes, des rois et des Israélites » (Ac 9, 15). « Voici pourquoi je te suis apparu : je t'ai destiné d'avance à être serviteur et témoin de la vision où tu viens de me voir » (Ac 26, 16). Cette dernière formule

1. Cf. *ibid.*, p. 80.

traduit bien le mouvement qui va de l'expérience faite au
témoignage entendu comme un service. Il est remarquable
qu'il soit dit à Paul, non pas qu'il sera directement le témoin
de ce qui est arrivé à Jésus, mais de ce qui lui est arrivé à
lui, Paul, par le fait du Christ. Ici encore le récit de Jésus
devient le récit de Paul. De fait, c'est par deux fois à
l'occasion des contradictions rencontrées dans son ministère
que Paul raconte le récit de sa conversion et de sa vocation.
Ce récit est devenu son propre kérygme. Il fonctionne dans
sa bouche de la même façon que le kérygme concernant Jésus
de Nazareth. Paul est ainsi le témoin du passage de Jésus à
l'Eglise, selon la loi de la séduction et de la contagion. Lui
aussi, bien que de manière différente des autres apôtres, il
témoigne de ce qu'il a vu et entendu. Sa mission institutionnelle d'apôtre se fonde sur l'expérience reçue.

La référence à l'événement de Damas est sous-jacente à
bien des passages des épîtres pauliniennes. L'épître *aux
Galates* évoque explicitement ses circonstances et ses suites.
Une confidence particulièrement émouvante montre comment
Paul a intériorisé l'expérience du salut qui lui a été donnée.
Tout y est dit dans le registre du « je », si présent dans ses
écrits : « Avec le Christ, je suis un crucifié ; je vis, mais ce
n'est plus moi, c'est le Christ qui vit en moi. Car ma vie
présente dans la chair, je la vis dans la foi au Fils de Dieu
qui m'a aimé et s'est livré pour moi » (Ga 2, 19-20). Paul
est désormais un amoureux du Christ qui l'a séduit par son
amour et lui a donné la vie en l'assimilant à sa propre vie.
Le pharisien qu'il était, fier de sa justice selon la Loi, a
accepté de tout perdre pour tout retrouver dans le Christ,
dont la connaissance dépasse désormais pour lui tout bien
(cf. Ph 3). Il est devenu maintenant le théologien de la
justification par la foi. Ce faisant, c'est de sa propre
expérience de converti qu'il rend compte. En raison de cette
rencontre exceptionnelle avec le Christ, il revendique son
identité d'apôtre au nom d'une vocation divine (1 Co 1,1 ; 2
Co 1,1 ; Ga 1, 1). Il s'inscrit lui-même dans la liste des
bénéficiaires des apparitions du ressuscité : « En dernier lieu,

il m'est aussi apparu, à moi l'avorton. Car je suis le plus
petit des apôtres, moi qui ne suis pas digne d'être appelé
apôtre parce que j'ai persécuté l'Eglise de Dieu » (1 Co 15,
8-9). Le récit de Jésus est vraiment devenu son récit. Paul
est un excellent témoin de la manière dont le salut donné en
Jésus-Christ parvient à un croyant et se propage à partir de
lui.

Le récit de l'expansion de l'Evangile : des Juifs aux païens

« Vous serez mes témoins à Jérusalem, dans toute la Judée
et la Samarie et jusqu'aux extrémités de la terre » (Ac 1, 8).
Tel est le programme apostolique donné par Jésus à ses
disciples au début des *Actes*. Tel est bien le programme dont
le livre nous fait le récit, puisqu'il commence à Jérusalem et
s'achève avec l'arrivée de Paul à Rome, centre de la terre
habitée. Le mouvement du livre, dans lequel la mission de
Paul vers les païens joue un rôle essentiel, peut être ainsi
résumé : l'annonce de l'Evangile va des Juifs d'abord aux
gentils ensuite. Il reproduit le mouvement déjà immanent à
la prédication de Jésus [1].

De fait, la communauté primitive des Actes, immédiatement
avant et après la Pentecôte est une communauté purement
juive. Elle se réunit dans la chambre haute et continue à
fréquenter le Temple. L'événement de la Pentecôte s'accomplit
sur elle, mais a pour témoins non seulement les Juifs de
Jérusalem, mais aussi ceux de la diaspora et des prosélytes
(Ac 2,11) parlant toutes sortes de langues. Ces premiers
auditeurs de la parole apparaissent déjà comme les témoins
et les partenaires d'un événement à portée universelle. Sans
doute seront-ils des médiateurs de la diffusion de l'Evangile
entre Juifs et païens. Le « kérygme » de Pierre s'adresse à
des croyants juifs : il annonce le mystère de Jésus fait
Seigneur à ceux qui croient au Dieu unique et à la prophétie

---

1. Cf. ci-dessus, pp. 184-185.

du don de l'Esprit, à ceux qui sont capables d'être touchés par une argumentation à partir des psaumes.

Dans cette communauté tout entière juive on voit déjà naître un clivage entre hellénistes et hébreux (Ac 6,1). Il est difficile de préciser ce que recouvre cette distinction : sans doute à la fois l'origine (la Palestine ou la diaspora juive), la langue (l'hébreu ou le grec), l'usage de la Bible hébraïque ou de la Septante, deux manières enfin de vivre la relation avec les païens, plus séparée chez les hébreux, plus « ouverte » chez les hellénistes. En tout cas ce clivage, réplique vraisemblable de la composition multiforme du groupe des témoins de la Pentecôte, apparaît déjà comme l'esquisse d'une autre dualité, celle dans l'Eglise des Juifs et des païens.

Jusqu'à présent tout se passe à Jérusalem. Mais bien vite la parole de Dieu essaime en Samarie, selon l'ordre donné par Jésus avant de quitter les siens. On peut penser que l'eunuque de la reine d'Ethiopie, baptisé par Philippe, était au moins un prosélyte, puisqu'il lisait le texte d'Isaïe.

La conversion de Saoul marque à l'évidence un tournant et un seuil franchi. Le nouvel apôtre Paul commence à agir au moment où Pierre « qui se déplaçait continuellement » (Ac 9, 32) se trouve confronté à la demande de conversion du premier païen authentique, Corneille. Une vision l'invite à lui donner l'hospitalité et à partager avec lui son repas. Pierre constate la venue de l'Esprit sur les païens, qui constitue une réplique au milieu des nations du don de la Pentecôte : dans les deux cas ce don conduit au baptême (Ac 10, 44-48). S'il est juste d'appeler Paul l'apôtre des païens, selon la répartition des tâches exprimée en Ga 2, 7-9 entre Pierre et Paul, il convient de ne pas oublier que Pierre est le premier à avoir pratiqué l'ouverture de la foi aux païens. Dès lors, les choses vont très vite, avec la fondation de l'Eglise d'Antioche et l'envoi de Paul et de Barnabas en mission en pays païen.

Dans l'accomplissement de sa propre mission Paul reproduit le même mouvement : partout où il va, il s'adresse d'abord aux Juifs dans la synagogue, par exemple à Antioche de

Pisidie, où il redit un kérygme aux Juifs (Ac 13, 16-41). Ensuite il se tourne vers les païens (Ac 13, 44-52). Même chose à Iconium (où les non-juifs sont appelés « Grecs » Ac 14, 1), et plus tard à Thessalonique (Ac 17,1), à Bérée (Ac 17,10), à Corinthe (Ac 18, 1-5), à Ephèse (Ac 19, 8-10). Paul fait des disciples du Christ dans les deux groupes. Si l'on regarde la chose sur un plan tactique, on a l'impression que Paul s'adresse d'emblée à ses frères de religion juive pour s'appuyer sur eux comme sur un tremplin, afin d'annoncer l'Evangile aux païens. Les difficultés qu'il rencontre avec eux le poussent dans le même sens.

Cet accueil des païens dans l'Eglise posa le premier grand problème à la vie des communautés. Les païens devaient-ils respecter dans le christianisme toutes les observances de la Loi juive, et en particulier la circoncision ? C'est une assemblée constituée de Juifs qui prit la décision célèbre — et combien audacieuse au regard des mentalités — que l'on connaît, avec toute sa portée théologique. Cette décision comporte d'ailleurs la liberté pour les chrétiens d'origine juive de continuer à se faire circoncire. Elle est la transposition institutionnelle dans la pratique de l'Eglise de l'attitude de Jésus à l'égard de la Loi. Elle appartient aux actes fondateurs de l'Eglise, car elle accomplit le passage de la Loi à l'Evangile. Elle est une décision de liberté et de vie. Elle ouvre théologiquement la voie à deux figures également légitimes et complémentaires du christianisme : un judéo-christianisme et un pagano-christianisme. Le principe de la différence dans la communion de la même foi est posé dans la constitution même de l'Eglise.

Le livre des *Actes* donne par son long récit tout son poids doctrinal au mouvement qui va des Juifs aux païens. Comme il en allait de la prédication de Jésus, le *d'abord* et l'*ensuite* ne sont pas à comprendre en un sens platement chronologique. Si le *d'abord* traduit une priorité, l'*ensuite* exprime une finalité, celle de l'universel. La priorité donnée aux Juifs ne dit pas que les païens ne sont que des destinataires de raccroc du salut ; la finalité qui va aux païens ne signifie pas que les

Juifs sont désormais laissés pour compte. Le véritable univer-sel est fait de l'articulation des uns et des autres. La pénétration du salut chrétien dans le monde des hommes respecte les structures historiques mises en place par l'histoire de la révélation, qui s'adapte elle-même à l'histoire des hommes.

II. L'annonce de la Parole, ou la mémoire vivante du salut

Le récit et la mémoire

Tout ce qui vient d'être dit des récits de Pierre et de Paul (et le récit de ce dernier englobe toutes ses épîtres) fonde la portée de l'annonce de la Parole dans l'Eglise. S'il est vrai de dire que tous les livres de la Bible n'appartiennent pas formellement en genre du récit, force est cependant de reconnaître que la narration en constitue la trame de fond. Le christianisme n'est pas d'abord une doctrine, mais une histoire. Il ne se vit donc pas d'abord dans la réflexion spéculative sur le mystère des choses, mais dans l'acte de faire mémoire. L'identité chrétienne d'hier, d'aujourd'hui et de demain ne peut vivre que par l'actualisation incessante de cette mémoire. Actualiser, ce n'est pas simplement raconter pour aujourd'hui ce qui fut autrefois, c'est faire du récit d'autrefois le récit des croyants d'aujourd'hui. C'est montrer que le récit ne s'arrêtera qu'à la fin des temps, quand tous auront pu y prendre place, comme dans leur propre histoire.

Telle est la raison d'être de la lecture sans cesse reprise de l'Ecriture dans l'Eglise : lecture liturgique, inscrite dans un cycle annuel, lecture spirituelle ou « lectio divina » qui nourrit quotidiennement la foi des chrétiens ; lecture catéchétique, qui fait reprendre au néophyte le mouvement du récit ; lecture

« exercitante » des divers types d'*Exercices spirituels* ordonnés à la conversion de la liberté de ceux qui se font les témoins contemplatifs des mystères de la vie de Jésus ; lectures de groupes, fondatrices d'une expérience partagée et d'un vivre ensemble dans la foi ; lecture exégétique qui explore toutes les connaissances nécessaires pour comprendre en vérité ce long récit ; lecture théologique qui en approfondit le sens ... On comprend que E. Jüngel ait pu dire « qu'il existe dans l'Eglise *chrétienne* ... une *institution de la narration ;* car l'Eglise elle-même ... ne se maintient qu'en maintenant ce récit »[1]. Comme toute mémoire, celle-ci est constitutive de l'identité de l'Eglise, selon l'adage : « Raconte-moi ton histoire et je te dirai qui tu es »[2].

Le récit dans la célébration liturgique

Au cœur de cette institution de la narration, il y a le récit solennellement proclamé et célébré dans la liturgie. L'Eglise lit publiquement dans ses assemblées le récit des Ecritures, elle le commente dans ses homélies, c'est-à-dire qu'elle montre comment le récit s'adresse aux croyants ici et maintenant rassemblés, afin qu'ils puissent en devenir à leur tour les partenaires. On sait que les récits évangéliques eux-mêmes ont été écrits en tenant compte des besoins des Eglises apostoliques : autrement dit l'homélie primitive se trouve incorporée au texte lui-même. Nous ne pouvons jamais rejoindre un récit sur Jésus qui ne soit déjà aussi un récit de l'Eglise sur elle-même. Sans cesse à travers les âges, l'Eglise est invitée à dire au monde, comme Pierre au matin de la Pentecôte : voici ce qui nous est arrivé.

L'annonce de ce récit du salut dans la liturgie devient un acte communautaire de célébration. Après avoir pris corps dans l'événement du Verbe fait chair et dans la relation que

---

1. E. Jüngel, *Dieu mystère du monde. Fondement de la théologie du Crucifié dans le débat entre théisme et athéisme,* t. II, Paris, Cerf 1983, p. 140.
2. *Ibid.,* p. 128.

celui-ci a nouée avec les premiers disciples, le salut prend corps à nouveau dans le peuple rassemblé *(Ecclesia),* devenu le corps du Christ. Après avoir été célébré dans l'existence humaine de Jésus, le salut est désormais célébré dans la communauté des croyants. C'est la célébration d'un don donné une fois pour toutes, mais qui n'a jamais fini d'être reçu tant qu'il y a des hommes à vivre. Elle prend des formes rituelles où la répétition et la récurrence tiennent une place essentielle. Les raisons en viennent à la fois du côté de l'homme temporel qui reçoit, et du côté du salut dont l'événement donne lieu à un récit, et à un récit de récits inscrits dans le temps. L'une fois pour toutes de l'événement devient dans la liturgie un *toujours* qui vit de la remémorisation régulière du grand œuvre du salut.

Dans la célébration liturgique le récit du salut devient au sens propre un acte et un don de salut. Il est un événement et il a un but pratique : il veut convertir, communiquer une expérience et la faire partager. Il cherche donc à obtenir quelque chose de ses auditeurs. « Le récit est lui-même événement, écrit Martin Buber, il porte la consécration d'une action sainte... Il est davantage qu'un miroir : l'essence sainte qu'il atteste continue de vivre en lui. Le miracle raconté redevient efficace »[1]. Le récit est une pièce maîtresse de la transmission du salut.

La liturgie chrétienne, dit-on souvent, n'est pas la célébration des grandes forces cosmiques de l'univers ; elle est la célébration des gestes de salut posés par Dieu dans notre histoire. Elle est la mise en œuvre d'un « souviens-toi » de

---

1. M. Buber, *Werke,* III, Munich 1963, p. 71. Cité par J.B. Metz, *La foi dans l'histoire et dans la société. Essai de théologie fondamentale pratique,* Paris, Cerf 1979, p. 233. Buber illustre son propos par une histoire hassidique. Le grand-père du conteur avait été élève de Baalschem : « Mon grand-père était paralysé. On le pria une fois de raconter une histoire devant son maître. Il raconta alors comment le saint Baalschem avait coutume de sauter et de danser en priant. Mon grand-père se leva et raconta, et il fut tellement pris par le récit qu'il ne put s'empêcher de montrer en sautant et dansant comment le maître avait fait. A l'heure même, il fut guéri. Voilà comment on doit raconter les histoires. »

l'événement fondateur. Ce « souviens-toi » est la tâche propre de l'homme, mais, par une audace typique du dialogue entre l'homme et Dieu instauré dans la liturgie, il devient, au cœur de la prière eucharistique, un appel de l'homme à Dieu. L'homme, toujours tenté d'oublier, ose dire à Dieu, toujours présent à son œuvre et aux siens, « souviens-toi » dans un esprit de réciprocité. En réalité le souvenir de l'homme répond au souvenir de Dieu et l'appel au souvenir de Dieu est une prière par laquelle l'homme demande à Dieu de ne pas le laisser oublier.

Le récit habite et structure notre temps, c'est pourquoi le récit du salut s'exprime selon différents rythmes, courts ou longs, adaptés aux rythmes de notre existence. Chaque unité de célébration liturgique connote à sa manière la totalité du récit du salut. Mais celui-ci s'inscrit aussi dans le grand rythme de l'année liturgique où ses différents moments se déploient, comme dans les évangiles eux-mêmes. Tel est le sens du cycle qui nous fait reparcourir le temps de l'attente, de l'espérance et du désir (Avent), celui de la naissance et de l'aurore du salut, le temps du mystère pascal et pentécostal qui occupe la place centrale, le temps du ministère de Jésus qui l'encadre (entre l'épiphanie et le carême et après la Pentecôte dans la longue série des dimanches ordinaires) et ouvre au temps de l'Eglise accomplissant sa mission dans le monde dans l'attente du retour du Seigneur. La liturgie de l'Eglise est ainsi la mise en œuvre multiforme du récit du salut dans un grand *mémorial* qui ravive sa mémoire, ramène dans son actualité ce qui risquerait d'être voué à un passé oublié et lui rappelle que ce récit est aussi celui de son avenir.

Le récit, appel à la conversion

Cette mémoire tient toujours l'Eglise en son jugement. Elle fonctionne comme un appel et un rappel à ce qu'elle est en tant que don de Dieu et à ce qu'elle doit être comme témoin de ce don. Le récit est une invitation constante à la conversion dont il répercute le message multiforme. Cet appel s'adresse à chaque croyant, mais aussi à la communauté instituée elle-même, qui demeure dans son pèlerinage terrestre toujours en devenir de conversion.

Jean-Baptiste Metz, et Eberhard Jüngel après lui, ont utilement vulgarisé le thème du « souvenir dangereux » : « L'Eglise, écrit le premier, doit se définir et s'attester comme celle qui témoigne et transmet publiquement un souvenir dangereux de liberté »[1]. Ce souvenir est dangereux pour celui qui le raconte, comme l'événement lui-même a été dangereux pour ceux qui l'ont vécu. D'un côté comme de l'autre, le témoin peut devenir martyr. Ce souvenir est également dangereux pour tous les systèmes sociaux qui ont partie liée avec l'injustice, parce que c'est un souvenir libérant. C'est pourquoi ce souvenir a fait ombrage à tant de pouvoirs et a rencontré périodiquement la contradiction et la persécution. « La foi chrétienne peut et doit, écrit encore J.B. Metz, être considérée comme une telle *memoria* subversive, et, dans une certaine mesure, l'Eglise lui donne son caractère public »[2].

Le récit destiné à ceux du dehors : la mission

Au cours de l'apparition de Jésus aux Onze, Luc, avons-nous vu, met cette parole dans la bouche de Jésus : « C'est comme il a été écrit : le Christ souffrira et ressuscitera des morts le troisième jour, *et on prêchera en son nom la conversion et le pardon des péchés à toutes les nations, à commencer par Jérusalem* » (Lc 24,47)[3]. Le récit de l'événement de Jésus comporte donc de plein droit celui de l'annonce de l'Evangile à tous les hommes, c'est-à-dire l'annonce ecclésiale. C'est à partir de cette solidarité entre passion, résurrection et annonce de l'Evangile que l'on doit penser l'universalité de l'événement du Christ. Selon l'économie même de l'incarnation, l'universalité du salut doit se signifier

1. J.B. Metz, *ibid.,* p. 109.
2. *Ibid.,* p. 110.
3. Cf. ci-dessus, p. 247.

et se réaliser dans l'histoire des hommes. C'est à ce prix que le salut chrétien est « catholique ». Tel est le fondement christologique de l'exigence de la mission dans l'Eglise. L'envoi en mission auprès de toute créature est un ordre exprès du Christ aux siens (Mt 28, 16-20 ; Mc 16, 15) et est donc constitutif de l'Eglise. « Eglise missionnaire, Eglise catholique, c'est tout un, a écrit H. de Lubac. ... La catholicité... est avant tout un fait de conscience. C'est une idée et c'est une force. C'est une ambition et c'est une exigence. L'Eglise est catholique parce que, se sachant en droit universelle, elle veut le devenir en fait. Sa catholicité est sa vocation, qui se confond avec son être »[1]. Renoncer à la mission, c'est-à-dire à l'annonce de son récit sauveur à toutes les nations serait pour elle tomber dans une contradiction existentielle, mieux dans la prévarication du contre témoignage. Elle doit se redire la parole de Paul : « Malheur à moi si je n'annonce pas l'Evangile » (1 Co 9, 16). Il faut annoncer l'Evangile aux pauvres. Ce point doit être affirmé avec force, avant toute réflexion sur le salut de ceux qui ne connaissent pas encore le Christ.

Annoncer le récit du salut fait inévitablement entrer l'Eglise en dialogue avec le récit des autres. La prédication des *Actes* en donne un double exemple, tant vis-à-vis des Juifs que des païens. Pierre greffe son récit sur celui du dessein de Dieu dans l'Ancien Testament. Il s'adresse à la mémoire et à l'identité des Israélites qui l'écoutent. Paul fait de même à l'aréopage d'Athènes devant les païens. Il s'adresse à ce qu'il y a de plus profond dans la conscience religieuse de ses auditeurs. Il prend appui sur leur sens du mystère divin exprimé dans l'inscription : « Au Dieu inconnu » (Ac 17, 23) et sur la tradition de leurs poètes. Il entend leur annoncer celui qu'ils vénèrent sans le connaître encore, c'est-à-dire le Dieu créateur, Seigneur du ciel et de la terre, celui qui nous donne l'être et à la race duquel nous appartenons. C'est dans le contexte de cette longue prédication

---

1. H. de Lubac, *Le fondement théologique des missions,* Paris, Seuil 1946, p. 30.

sur la bienveillance de Dieu envers les hommes qu'il insinue prudemment l'annonce de Jésus et de sa résurrection. L'échec de Paul à Athènes ne doit pas masquer la signification paradigmatique de son annonce. Son récit va à la rencontre du récit de ses partenaires. De soi il ouvre à un dialogue et cherche à susciter un autre récit.

Vaut ici cette réflexion sur le rôle du récit dans la communication entre les cultures : « La série de singularités appelée récit fait de l'universel et elle seule peut le faire. Mais elle ne le fera jamais toute seule. Il faut non seulement une bouche et une oreille mais deux bouches. Il faut l'assemblage de deux récits. Il se produit lorsqu'une première série suscite chez le destinataire sa propre série, son récit à lui. Un récit est fait non seulement pour être écouté mais pour en susciter un autre. ... Donc le récit biblique est fait non seulement pour rencontrer un récit déjà fait, mais pour susciter le récit des peuples. Puisqu'il est une relecture dramatique de l'Ancien Testament par le Nouveau, il provoquera nécessairement une confrontation dramatique du récit nouveau qu'il suscite dans les peuples avec leur récit ancien » (P. Beauchamp) [1]. C'est dans ce jeu de la confrontation et de l'interpénétration des récits que peut se jouer la conversion à la foi et l'accueil du salut.

III. Le sacrement, ou le récit se faisant mémorial

Du récit au sacrement

La liturgie, qui porte en son cœur la célébration des sept sacrements, peut être considérée globalement comme d'essence sacramentelle. C'est pourquoi le terme de *mémorial* est déjà

1. P. Beauchamp, « Récit biblique et rencontre interculturelle », *Lumière et Vie* n° 168, (1984), p. 12.

intervenu à son sujet. Ce qui vient d'être dit sur le rôle du récit comme événement de salut se vérifie de manière éminente dans la célébration des sacrements, puisqu'en eux le récit se fait pleinement acte. Le récit a déjà en lui-même le caractère d'un signe efficace, puisqu'il opère par son effet de sens et qu'à travers lui il se passe quelque chose entre le narrateur et l'auditeur. Quand il s'agit du récit de l'œuvre du salut, qui répond à l'ordre de raconter venu de Jésus lui-même, l'efficacité propre à la Parole de Dieu vient habiter la fécondité intrinsèque à tout récit. Ne dit-on pas de même, dans la théologie la plus classique, que les sacrements sont causes en tant que signes, c'est-à-dire qu'ils agissent eux aussi par leur effet de sens ? La structure essentielle est la même des deux côtés : si le récit a une dimension sacramentelle, les sacrements proprement dits sont des récits gestués.

Plus encore, le récit habite le sacrement de manière intrinsèque : « On peut facilement montrer dans le signe sacramentel une "activité du langage" où l'unité entre le récit comme parole efficace et efficacité pratique est exprimée dans le même processus de parole ... Les formules de l'administration des sacrements ne sont pas seulement exemplaires de ce que les linguistes définissent comme "performatif", mais encore ... elles racontent quelque chose — ainsi dans la prière eucharistique : "La nuit même où il fut livré..." — ou du moins elles sont intégrées dans le cadre plus vaste d'une action narrative — comme dans le sacrement de pénitence »[1]. Le récit joue donc un rôle essentiel de médiation entre l'événement originel et la célébration sacramentelle et donne au sacrement de devenir médiation. Il fait mémoire de l'événement passé au moment où cet événement est rendu présent hic et nunc au cours d'une action symbolique où les partenaires vivent entre eux cela même qui s'est passé entre Jésus et les siens. Entre les deux il y a identité et différence, identité de fond, car il n'y a qu'un événement de salut accompli une fois pour toutes ; différence dans la forme,

1. J.B. Metz, *op. cit.*, pp. 234-235.

puisque l'être-là de l'événement est désormais symbolique et sacramentel. Grâce à l'« action narrative » l'agir sauveur du Christ est actualisé dans une relation nouvelle qui se noue entre la liberté salvifique de Jésus et la liberté sauvée du croyant. La rencontre de la séduction aimante de Jésus y provoque l'adhésion de la foi, aujourd'hui comme jadis. La causalité du sacrement s'exerce de la même manière que celle de l'événement. Ce qui s'est passé chez les convertis du Golgotha, ce qui s'est passé après le discours de Pierre à la Pentecôte, quand le récit de l'événement de Jésus conduisait au baptême, se passe à nouveau dans l'Eglise lors de la célébration des sacrements. En eux le récit se fait drame, action, c'est-à-dire que l'événement raconté devient un événement présent et agissant. C'est pourquoi la catégorie de sacrement a été utilisée pour rendre compte de la causalité salvifique de la passion et de la résurrection de Jésus. Selon la logique de l'incarnation il existe une réciprocité entre l'événement et le sacrement : l'événement est déjà sacrement ; le sacrement est vraiment événement.

Actualité d'un événement passé

Dans une œuvre de jeunesse K. Rahner demandait l'élaboration d'« une ontologie générale de l'actualité d'un événement humain pour un temps ultérieur » et l'application d'une telle ontologie « à l'actualité des événements de la vie de Jésus pour la vie du chrétien »[1]. Une telle ontologie pourrait éclairer « la question de savoir pourquoi le chrétien ne doit pas simplement forger sa vie d'après les normes générales du dogme et de la morale..., mais au contraire doit façonner sa vie d'après la vie concrète individuelle de Jésus »[2]. L'anthropologie du récit et de la mémoire peut apporter une contribution précieuse à la réalisation de cette requête dans

1. K. Rahner, *E latere Christi,* thèse inédite, Innsbruck 1936, p. 114 du manuscrit conservé aux archives K. Rahner d'Innsbruck, trad. E. Maurice.
2. *Ibid.,* p. 115.

une perspective très rahnérienne. Si la mémoire et le récit appartiennent à l'identité de l'homme, ce qui l'atteint par la médiation de la mémoire et du récit devient événement réel dans sa vie d'aujourd'hui. Une telle perspective anthropologique n'enlève rien au rôle propre de la grâce du Christ, capable de rendre présent toujours et partout l'événement à la fois historique et transhistorique qu'il a vécu. Elle nous dit seulement *comment* cet événement devient présent pour nous.

Le mémorial sacramentel

Nous rejoignons par ce biais l'affirmation fondamentale selon laquelle tout sacrement est *anamnèse* ou *mémorial*. La notion de mémorial *(zikkaron)* est biblique : elle apparaît avec l'ordre de la célébration annuelle de la Pâque en mémoire de la libération d'Egypte. « Ce jour-là vous servira de mémorial ; vous le fêterez comme fête de Yahvé dans la suite de vos générations ; selon un rite imprescriptible vous le fêterez » (Ex 12, 14). Quand donc le peuple se rassemble annuellement pour entendre la narration de la sortie d'Egypte, manger l'agneau pascal et expliquer à ses enfants le sens et le pourquoi de ce qu'il accomplit, il revit en récit et en acte l'événement de la libération d'Egypte ; et, comme il obéit à un ordre du Seigneur qui est aussi un don, il en reçoit dans son présent l'effet de salut : c'est chaque génération qui, dans l'aujourd'hui de sa propre existence, quitte l'Egypte et traverse la mer rouge. C'est chaque génération qui est entretenue dans l'espérance du salut eschatologique.

C'est dans le même esprit que Jésus dit aux siens après l'institution de la Cène : « Vous ferez ceci en mémoire de moi » (Lc 22,19 ; 1 Co 11, 24-25). Mais le mémorial de Jésus a tout le poids nouveau que lui donne son incarnation, sa vie, sa mort et sa résurrection.

La tradition a appliqué le terme biblique de mémorial à l'eucharistie, sommet de l'organisme sacramentel. L'eucharistie est en effet le mémorial par excellence de la vie, de la mort et de la résurrection de Jésus. Le sacrement qui fait l'Eglise comporte une double anamnèse : celle de la parole, au cours de laquelle, selon les alternances liturgiques, on fait mémoire des différents événements du salut ; celle du sacrement, qui comporte en son cœur le « récit de l'institution », celui où Jésus s'engage irrévocablement dans sa passion et exprime le sens salvifique qu'il veut donner à sa mort en partageant le pain et le vin devenus son corps et son sang. A ce bref récit de ce qu'a fait le Seigneur l'Eglise répond dans un écho dialogal en disant : « En faisant mémoire de ton Fils, de sa passion qui nous sauve, de sa glorieuse résurrection, et de son ascension dans le ciel, alors que nous attendons son dernier avènement, ... ». A chaque célébration de l'eucharistie nous est ainsi présentée le récit récapitulatif de tout le mystère du salut. Mais ce récit est gestué au moment même où il évoqué : il s'accomplit autour de la coupe et du pain, qui seront partagés entre les membres de l'assemblée selon l'ordre du Seigneur. Le récit se fait action et drame : ce qu'il dit et annonce se réalise maintenant. Aujourd'hui Jésus associe les siens à son mystère de mort et de résurrection, aujourd'hui il accomplit notre rédemption, aujourd'hui il fait de nous son corps vivant en nous nourrissant de son corps ressuscité. C'est ainsi que le salut en Jésus-Christ nous atteint à travers l'espace et le temps.

Baptême et mémorial

Mais le terme de mémorial mérite d'être appliqué analogiquement à chaque sacrement. La chose est évidente pour le baptême, si l'on en croit la doctrine paulinienne. La célébration baptismale fait vivre au néophyte de manière symbolique par son immersion, suivie de sa remontée de l'eau, l'événement de mort et de résurrection de Jésus (Rm 6, 1-11). Ce geste a pour but de le faire participer à cet événement sauveur en le reproduisant en quelque sorte sur lui : il est véritablement mort au péché pour vivre avec Jésus. Il s'agit d'une reproduction du baptême de Jésus, en tant que celui-ci est déjà un engagement à son baptême de sang. Le baptisé est ainsi assimilé dans la foi à cet événement de mort et de résurrection. Il y a bien actualisation pour lui de l'événement passé et donc mémorial. Le baptême libère donc du péché en faisant vivre au néophyte une conversion. Le mouvement contraire à celui du péché d'Adam est celui du Christ dans la désappropriation de lui-même et la « kénose » qui le conduit à la mort de la croix. Ce mouvement de descente se renverse dans le mouvement de remontée où la vie même du Christ lui est donnée.

La célébration du baptême est une illustration exemplaire du récit qui se fait action. Le dialogue baptismal comporte les trois questions fondamentales, celles qui étaient ponctuées dans l'Eglise ancienne par la triple immersion et constituaient la formule sacramentelle :

« — *Croyez- vous en Dieu le Père tout-puissant, créateur du ciel et de la terre ?*

— *Je crois.*

— *Croyez-vous en Jésus-Christ, son Fils unique, notre Seigneur, qui est né de la Vierge Marie a souffert sous Ponce Pilate, est mort a été enseveli, est ressuscité des morts, est monté aux cieux, est assis à la droite du Père d'où il viendra juger les vivants et les morts ?*

— *Je crois.*

— *Croyez vous au Saint-Esprit, à la sainte Eglise catholique, à la communion des saints, à la rémission des péchés, à la résurrection de la chair, à la vie éternelle ?*

— *Je crois* ».

Il est inutile d'insister sur la structure narrative du Credo : Il ne comporte pas d'énoncés des attributs essentiels de Dieu, objet de notre foi, mais il raconte les actes que les trois personnes ont accomplis dans l'histoire pour notre salut : le dessein créateur du Père, l'événement de Jésus son Fils, l'action de l'Esprit dans l'Eglise. Ce récit est la transposition sous forme stylisée et ritualisée de ce que comportait le discours de Pierre à la Pentecôte. Mais ce récit, structuré autour des trois noms divins, est proposé sous forme interrogative. Il est l'élément d'un dialogue, auquel le néophyte répond par trois fois : — Je crois. Ce dialogue met en relief l'initiative gratuite de Dieu et l'accueil de la foi chez le baptisé. Celui-ci redit et refait ce que les auditeurs au cœur bouleversé du kérygme de Pierre se disposaient à faire. Car ce dialogue n'est pas un simple échange de paroles : à chaque interrogation, le néophyte est plongé dans l'eau et reçoit une triple ablution qui symbolise son entrée dans le mystère de mort et de résurrection de Jésus. De même que Jésus est descendu dans le Jourdain, anticipant sa descente dans les eaux de la mort et son séjour au tombeau, de même que Jésus est remonté vivant des eaux et s'est relevé vivant du séjour de la mort, de même le baptisé d'aujourd'hui, faisant mémoire de ces événements, les fait siens par son engagement dans la foi. Il revit à son tour le mouvement de mort et de résurrection de Jésus, afin d'en faire la charte de son existence. Car le salut qui lui est donné est un salut dont il aura à vivre jusqu'à l'achèvement de sa vie terrestre. Le salut en Jésus-Christ nous parvient à travers le récit gestué de son existence. La fécondité du récit demeure la même aujourd'hui qu'aux origines.

Dans le baptême la justification par la foi est manifestée par la référence au récit qui la fonde. Le sacrement est en quelque sorte la mise en scène ecclésiale de la justification, c'est-à-dire de l'autocommunication libre et pardonnante de Dieu, reçue dans un acte de foi qui est lui aussi don de grâce. Car la foi comporte le « croire de cœur » et le « confesser de bouche » (Rm 10, 9-10), en réponse à la prédication entendue. Cette profession est publique : elle a lieu au sein de la communauté rassemblée au moyen d'une parole qui prend corps et se fait événement. La célébration reproduit donc visiblement la structure de la justification par la grâce moyennant la foi. Le croyant y proclame devant ses frères qu'il n'est pas capable de trouver son salut dans ses propres œuvres, mais qu'il a besoin de recevoir ce salut d'un Autre, Dieu qui a envoyé son Fils et répandu son Esprit[1].

1. Cf. B. Sesboüé, *Pour une théologie oecuménique. Eglise et sacrements. Eucharistie et ministères. La Vierge Marie*, Paris, Cerf 1990, le ch. intitulé « Les sacrements de la foi. L'économie sacramentelle, célébration ecclésiale de la justification par la foi », p. 91-125.

Le mémorial dans les autres sacrements

La confirmation est par rapport au baptême dans la même situation que la Pentecôte par rapport au mystère pascal. Dans les deux cas, il y a deux événements et deux sacrements pour une réalité continue et unique. La confirmation est le mémorial du don de l'Esprit, qui vient de Jésus lui-même comme conséquence de sa mort et de sa résurrection. Les trois sacrements de l'initiation chrétienne sont donc fermement unis comme les harmoniques d'un même mémorial.

La même réflexion peut être appliquée au sacrement de réconciliation, nouveau baptême, actualisation du mystère de mort et de résurrection du Christ adaptée au cas du péché de celui qui est déjà baptisé. La nouvelle formule liturgique l'exprime parfaitement :

« Que Dieu notre Père vous fasse miséricorde,
par la mort et la résurrection de son Fils il a réconcilié
le monde avec lui
et il a envoyé l'Esprit Saint pour la rémission des
péchés ;
par le ministère de l'Eglise qu'il vous donne le pardon
et la paix.
Et moi, au nom du Père et du Fils et du Saint-Esprit,
je vous pardonne tous vos péchés. »

L'onction des malades est un don du Saint-Esprit, confirmation de l'épreuve de la maladie qui met l'existence en péril. Elle fait mémoire des onctions d'huile que Jésus ordonnait à ses disciples de faire sur les malades (Mc 6, 13) et que pratiquait la première communauté palestinienne (Jc 4, 14) ; elle fait aussi mémoire du parfum dont Jésus fut deux fois le bénéficiaire de la part d'une femme (Lc 7, 38-46 ; Mt 26, 6-13). Avant sa passion Jésus donne à cet acte une signification prophétique à l'égard de sa mort et de sa sépulture (Jn 12, 7). En définitive le chrétien tire son nom du Christ, c'est-à-dire de celui qui a reçu l'onction de l'Esprit Saint (Lc 4, 18 ; Ac 10, 36). L'onction des malades « christianise » une fois encore celui qui a revêtu le mystère du Christ.

Le sacrement de l'Ordre confère le ministère officiel qui symbolise ce que le Christ fait pour son Eglise ; il est lui aussi le mémorial de l'envoi en mission par le ressuscité des disciples qu'il a associés à l'institution de l'eucharistie et de leur investiture par leur consécration dans l'Esprit Saint. Le mariage est une expression symbolique tout à fait originale de l'union d'amour qui relie le Christ à son Eglise (Ep 5, 21-33). Ainsi tous les sacrements se trouvent-ils fondés, chacun à sa manière, dans le récit de l'événement de Jésus dont ils actualisent telle ou telle facette.

Le mémorial immanent aux divers sacrements ne peut être célébré que grâce au don de l'Esprit de la Pentecôte, invoqué sous la forme de l'épiclèse. Car tout sacrement est célébré au sein de la prière de l'Eglise ; tout sacrement est prière, mais une prière qui a la certitude d'être exaucée, parce qu'elle s'appuie sur la promesse même que le Christ a faite de se rendre présent et agissant chaque fois que l'Eglise obéit à son ordre. Ce lien entre mémorial et épiclèse s'enracine dans la logique du récit. L'épiclèse est toujours une référence au récit de la Pentecôte.

IV. Le récit du peuple rassemblé

L'annonce du salut rassemble un peuple, le peuple de Dieu, l'Eglise. Ce peuple n'est pas une pâle collection d'individus : il comporte un vivre ensemble, il est structuré par un ministère de la parole, des sacrements et de la conduite des communautés. Dans ce peuple, à qui les promesses de la vie éternelle ont été faites, l'événement du salut se fait institution de salut. Par ce terme d'institution il ne faut pas entendre seulement l'ensemble de la structure ministérielle de l'Eglise, mais aussi l'existence concrète du peuple rassemblé dans une communauté et appelé à porter un témoignage efficace au salut de l'humanité.

Dans ce peuple le langage de l'existence doit en effet répondre au langage de la Parole et de la célébration, de même que dans la vie de Jésus l'agir allait toujours de pair avec le dire. Si le récit du salut devenait par malheur une incantation collective sans commune mesure avec la vie réelle des croyants, il perdrait sa puissance d'appel et de contagion et les sacrements leur valeur de signe efficace. L'Eglise ne peut prétendre être un signe de salut levé parmi les nations, si d'une part ses membres ne rendent pas témoignage au salut qu'ils ont reçu par leur manière de vivre à l'exemple de leur Seigneur, et si d'autre part le fonctionnement de la structure institutionnelle constitue un langage de fait qui contredit le message annoncé et l'exigence posée par Jésus : « Les chefs des nations les tiennent sous leur pouvoir et les grands sous leur domination. Il n'en est pas ainsi parmi vous. Au contraire, si quelqu'un veut être grand parmi vous, qu'il soit votre serviteur. Et si quelqu'un veut être le premier parmi vous, qu'il soit l'esclave de tous » (Mc 10, 42-44). L'Eglise n'est pas le Royaume accompli ; mais le Royaume en genèse doit se symboliser en elle de manière concrète et convaincante.

Il ne s'agit pas ici d'une simple conséquence « morale » de tout ce qui précède. Il y va de la réalité même du don de Dieu. L'ordre du Seigneur : « Faites ceci en mémoire de moi » ne peut se cantonner à la réitération de la célébration de l'eucharistie. Il signifie en son fond : vivez et mourez en mémoire de moi, à la suite de moi, comme moi-même j'ai vécu et suis mort ; aimez-vous les uns les autres en mémoire de l'amour que j'ai manifesté pour vous. Pour qu'il vous soit donné de le faire, refaites les gestes que j'ai faits et par lesquels je resterai présent parmi vous. La formule du Pontifical des ordinations : « Imitez ce que vous pratiquez liturgiquement » *(Imitamini quod tractatis)* vaut de toute l'Eglise : elle doit imiter ce qu'elle est invitée à célébrer. La célébration eucharistique serait inopérante si son existence n'était pas eucharistique.

La même chose peut être dite à partir de la tradition dont le récit constitue la mémoire de l'Eglise. La tradition de l'Eglise s'enracine dans la tradition apostolique, elle-même reçue du Seigneur. Mais la tradition chez Jésus a été d'abord une livraison de soi. De même que le Père nous a aimés jusqu'à nous livrer son Fils, de même le Fils nous a aimés jusqu'à se livrer lui-même. Au cœur de la tradition, considérée comme récit transmis de la foi, il y a une tradition existentielle de soi-même. Jusqu'à la fin des temps, les témoins chrétiens doivent se livrer eux-mêmes dans le témoignage qu'ils rendent au Christ, éventuellement jusqu'à la mort du martyre.

Mais ici s'inscrit la différence fondamentale entre le Christ et l'Eglise. Celui-ci était sans péché ; celle-là est faite de pécheurs convertis, plus exactement de pécheurs en devenir de conversion. L'unique médiateur était d'abord le réconciliateur de l'humanité au nom du Père ; l'Eglise est d'abord la grande réconciliée, qui ne peut asseoir son témoignage et son agir en vue de la réconciliation que sur le fondement de cette reconnaissance. L'Eglise vit ainsi sur un paradoxe : car d'un côté elle est le témoin de la victoire irréversible du salut accompli par le Christ et il lui a été dit que les portes de l'enfer ne prévaudront pas contre elle (cf. Mt 16, 18) ; le Christ l'a voulue fondamentalement indéfectible dans la foi ; mais de l'autre elle est faite d'hommes dont les libertés en devenir peuvent toujours défaillir soit dans l'ordre de la vérité soit dans celui de l'amour. Elle est de ce fait sujette à toutes les vicissitudes pécheresses de l'histoire. Cette donnée est incontournable pour la raison très simple que le salut procède par conversion des libertés et que cette conversion ne peut intervenir une fois pour toutes de manière magique, mais doit s'inscrire dans le devenir de ces mêmes libertés au cours de l'histoire. L'Eglise ne peut donc témoigner du salut en Jésus-Christ que dans la reconnaissance du pardon reçu, demandé et toujours à recevoir. Tout triomphalisme lui est donc interdit a priori et sa parole ne devient crédible que sur le fond d'une très grande humilité.

Le récit de l'amour

Dans le témoignage de l'amour le récit des croyants s'articule en vérité sur le récit de Jésus. Peu importe ici la proportion dans laquelle interviennent la parole et l'action : l'essentiel est dans le fait que la puissance de conversion du témoignage de l'amour est rapportée à Jésus-Christ.

Prenons un exemple entre mille, dont j'ai été le témoin. Aumônier de la prison de Fresnes pendant un été, j'avais la charge de visiter les malades de l'infirmerie. Une sœur des prisons était chargée de la salle de soins et j'avais remarqué l'ascendant discret qu'elle exerçait de manière très silencieuse sur les prisonniers qui respectaient à la lettre ce qu'elle leur demandait. Elle me dit un jour : — « Un tel demande à vous voir ». Je me rendis dans la cellule et y trouvais un vieil homme qui me tint le discours suivant : — « J'ai soixante-dix-huit ans ; je dois faire encore trois ans de prison et je ne suis pas sûr de vivre jusqu'à ma libération. J'en ai fait de toutes les couleurs dans ma vie et j'ai toujours pensé que, si Dieu existait, il ne pouvait pas me pardonner. Et puis, j'ai appris l'autre jour que la sœur de la salle de soins est prisonnière volontaire pour nous depuis quinze ans. Cela n'est pas simplement humain. Cela veut dire que Dieu peut me pardonner. Je voudrais recevoir le baptême ». Cette femme était religieuse : le témoignage de son amour et de son service était donné au nom de Dieu et renvoyait au témoignage de Jésus. La pro-existence de Jésus avait informé sa propre pro-existence ; le récit de Jésus était devenu dans sa vie son propre récit. Elle avait posé un signe du Royaume de Dieu. Son attitude a exercé le même pouvoir de contagion que l'attitude de Jésus guérissant les malades, allant manger avec les pécheurs et donnant sa vie pour ses frères. Le détenu a été séduit et converti : il pouvait bien avoir encore besoin de catéchèse, l'essentiel était fait.

Je ne prends ce petit récit dans sa discrète simplicité que pour la parabole d'une réalité à l'amplitude immense. Bien d'autres pourraient être faits, plus probants ou plus spectaculaires. A travers lui nous rencontrons le mode concret de la progression du salut à partir de la puissance convertissante de la sainteté, c'est-à-dire d'une foi qui transforme la vie. Il suffit parfois d'un témoignage de vie authentiquement évangélique pour convertir toute une communauté. Combien de chrétiens répondent à la question sur l'origine de leur foi en citant le témoignage donné soit par leurs parents, soit par un éducateur, soit par un prêtre ou une personnalité qui les a marqués. La vie des saints, des hommes et des femmes évangéliques — canonisés ou non — en donne de multiples exemples. Un trait général chez eux est leur capacité d'attirer tout naturellement des hommes de bonne volonté qui veulent vivre avec eux et comme eux. Tel est le point de départ de la plupart des fondations religieuses, qu'elles s'adonnent à la vie contemplative ou à la vie active. Ceci peut être le fait de tout chrétien baptisé.

Nous savons aussi ce que constitue dans une paroisse le témoignage d'un prêtre vraiment évangélique, chez qui la parole jaillit de l'expérience même de la vie. Grâce à lui l'Evangile prend figure et sens, les sacrements deviennent vraiment ce qu'ils sont : des gestes du Christ accomplis dans la puissance de l'Esprit. Il ne s'agit pas bien entendu d'attribuer à la sainteté du ministre ce qui est le propre du don de Dieu dans le sacrement. Mais ce don n'est pas magique : il passe concrètement, selon l'économie même de l'incarnation, par sa valeur de signe. Or un signe n'est pas un simple objet, il suppose pour fonctionner un réseau de communication vivant. C'est tout le réseau des communications ecclésiales qui peut — ou non — être porteur du signe de l'amour, du pardon et du salut.

Le témoignage de la sainteté a été et demeure multiforme dans l'Eglise, dans la multiplicité des vocations et des services rendus. Il faudrait reprendre ici la longue litanie des saints et des saintes qui tout au long de l'histoire de l'Eglise ont témoigné par leur parole, leur enseignement, leur charité multiforme, leur esprit d'initiative : saint Irénée de Lyon et saint Basile de Césarée ; saint Augustin ; saint Benoît et saint

Bernard ; saint François et saint Dominique ; saint Ignace et saint François Xavier ; saint Jean de la Croix et sainte Thérèse d'Avila ; saint Vincent de Paul et saint Jean-Marie Vianney, parmi tant d'autres. Les grands fondateurs d'ordre ou de spiritualité sont des foyers de rassemblement d'hommes et de femmes qui diffusent un esprit chrétien adapté à chaque siècle. Une Eglise qui n'engendrerait plus de saints ne serait plus l'Eglise de Jésus-Christ. Car l'Eglise ne peut se reposer sur le charisme de la sainteté du don de Dieu sans le faire fructifier de manière visible dans des témoignages vivants et crédibles.

Notre temps connaît aussi ses témoins et ses saints, même si tous ne sont pas canonisés : sainte Thérèse de l'Enfant Jésus, le Père de Foucauld, Dom Helder Camara, Mère Theresa, l'Abbé Pierre, et combien d'autres connus ou inconnus. Le témoignage et le « récit » de la sainteté dans l'Eglise ne constituent pas, aujourd'hui comme hier, une plus-value secondaire à côté de l'apostolat institutionnel de l'Eglise : ils en sont un élément essentiel et indispensable, celui qui leste de son poids d'existence le ministère de la Parole à l'exemple même de Jésus.

Le récit du vivre ensemble

Le témoignage de la sainteté passe par des personnalités dont le charisme est particulièrement attractif. Mais il doit être aussi celui du vivre ensemble des communautés. Rappelons-nous les sommaires des *Actes* sur la vie de la première communauté chrétienne : « La multitude de ceux qui étaient devenus croyants n'avait qu'un cœur et qu'une âme » (Ac 4, 32) et la réflexion des contemporains de l'Eglise ancienne : « Voyez comme ils s'aiment ». Le Nouveau Testament n'a qu'un seul terme pour dire communauté et communion *(koinônia)*. C'est sur la base de ce témoignage que le christianisme s'est rapidement répandu dans le bassin méditerranéen : « L'action missionnaire, sans mandat particulier, par le seul dynamisme de la foi baptismale, part habituellement de chrétiens pris dans le rang. Nous rencontrons des prêtres, mais les laïcs sont le grand nombre. Le christianisme fait tâche d'huile, il se répand dans le réseau de la famille, du travail, des fréquentations. Prédication modeste, qui ne se faisait pas au grand jour, publiquement sur les places et les marchés, mais sans bruit, à l'oreille, par des paroles échangées à voix basse, à l'ombre du foyer domestique »[1]. Ce n'est pas à tort que Tacite et Pline ont parlé de « contagion »[2]. Ces chrétiens étaient porteurs d'une certaine manière de vivre, décrite ainsi par l'*Epître à Diognète :*

> « *Car les chrétiens ne se distinguent des autres hommes ni par le pays, ni par le langage, ni par les vêtements. Ils n'habitent pas de villes qui leur soient propres, ils ne se servent pas de quelque dialecte extraordinaire, leur genre de vie n'a rien de singulier... Ils résident chacun dans sa propre patrie, mais comme des étrangers domiciliés. Ils s'acquittent de tous leurs devoirs de citoyens, et supportent toutes les charges comme des étrangers. Toute terre étrangère leur est une patrie et toute patrie une terre étrangère. ...Châtiés, ils sont dans la joie comme s'ils naissaient à la vie. Les Juifs leur font la guerre comme à des étrangers ; ils sont persécutés par les Grecs et ceux qui les détestent ne sauraient dire la cause de leur haine. En un mot, ce que l'âme est dans le corps, les chrétiens le sont dans le monde »*[3].

La communauté ne peut en effet annoncer le message de la réconciliation donnée par Dieu dans le Christ, sans témoigner d'une vie fraternelle réconciliée. Elle se doit de symboliser la possibilité pour les hommes de vivre ensemble dans la paix et la communion fraternelle. En ce domaine les communautés religieuses, contemplatives ou actives, de même

1. A. Hamman, *La vie quotidienne des premiers chrétiens,* Paris, Hachette 1971, p. 76.
2. Cf. Pline le Jeune, *Lettres,* 97, 7-10.
3. *Epître à Diognète,* V, 1-VI, 1 ; trad. H.I. Marrou, *S.C.* 33 bis, pp. 63-65.

que les formes nouvelles de communautés, jouent un rôle essentiel. Mais le témoignage du vivre ensemble ne saurait être la spécialité de quelques uns. Toute l'Eglise est attendue aujourd'hui à cette pierre de touche : le vivre ensemble apparaît comme le lieu de vérification de la parole. Il constitue une proclamation vécue.

Un tel vivre ensemble ne peut évidemment se fermer sur lui-même. Une ouverture de service au monde dans l'esprit de Mt 25 en est un aspect essentiel, comportant le souci des pauvres et des exclus, des malades et des étrangers, des prisonniers et des isolés, ainsi que le désir du partage. Le récit de l'Eglise est là pour attester qu'elle n'a jamais annoncé un Evangile exclusivement spirituel qui se désintéresserait des besoins les plus urgents et des détresses les plus graves. Basile de Césarée a joué un rôle décisif dans la naissance et le développement de l'institution hospitalière. Il a organisé la collecte et la conservation des grains en temps de famine, afin de distribuer aux affamés quelque chose qui ressemblait à leur plat national. On sait le rôle joué par l'Eglise au Moyen-Age dans le développement de l'éducation et de l'instruction. Les grands essors missionnaires du XVI° et du XIX° siècle se sont accompagnés de la création de soins médicaux, de léproseries, de dispensaires et d'écoles. L'évangélisation a toujours été menée de pair avec une œuvre d'humanisation. Dans les temps modernes on a assisté à la création d'un grand nombre d'œuvres sociales, anticipant généralement sur les législations par leurs initiatives. Aujourd'hui encore, l'appel des plus pauvres retentit vigoureusement dans la conscience chrétienne et mobilise les énergies vers l'établissement de plus de justice [1].

Cette exigence du vivre ensemble pose aussi le problème des relations dans l'Eglise, de la qualité de la communication qui s'y exerce et du partage des responsabilités. Le salut est libre autocommunication de Dieu : il passe par les

1. Cf. *Jésus-Christ dans la tradition de l'Eglise, op. cit.* pp. 202-205 : « Libération des hommes et salut en Jésus-Christ ».

communications et les relations libérées et converties qui se nouent fraternellement entre chrétiens, entre prêtres et laïcs, entre évêques et prêtres, entre évêques et laïcs, comme entre les évêques entre eux et les évêques et le pape. Ces communications comportent une large part de ce dialogue mis en honneur par Paul VI [1]. Ce modèle de la communication et de la relation doit même aujourd'hui envelopper et vivifier celui de l'autorité et de l'obéissance, s'il veut correspondre à la figure actuelle de la conscience. Le rappel nu d'une obligation de foi ou de morale apparaît inopérant, si le témoignage convaincant n'est pas en même temps donné de sa vérité et de son bienfait. Pour ne prendre qu'un exemple, il ne suffit pas de dire : — Il faut se confesser. Il importe avant tout de faire naître le désir du sacrement de réconciliation et de lui donner la figure attirante d'un dialogue sacramentel où le poids d'une existence peut se dire en vérité et le croyant vivre une grâce de conversion. N'est-ce pas, soit dit en passant, parce que l'aveu sacramentel s'est vidé du « récit » du pénitent que le sacrement a perdu de sa substance ?

La puissance d'attraction de la communication se constate partout où dans l'Eglise se reconstitue, à partir de groupes divers, un tissu ecclésial vivant, fraternel, chaleureux, où l'échange et la participation sont vécus dans la simplicité évangélique. A un niveau plus large certains synodes diocésains ont pu faire faire une expérience de ce genre. On sait aussi que certaines sectes bâtissent leur succès sur la contrefaçon dangereuse de ce modèle de communauté chaleureuse et donnent une fausse réponse à ce besoin fortement ressenti de communication et de communauté.

Le témoignage du vivre ensemble dans l'Eglise comporte donc celui du fonctionnement global de son institution. Une institution est toujours un langage. Si les effets de sens du langage vécu en venaient à contredire ceux du langage parlé,

---

1. Dans sa première encyclique, *Ecclesiam suam,* du 6 août 1964, dans laquelle il consacre une partie entière à la théologie du dialogue de l'Eglise avec le monde.

l'Eglise deviendrait comme un royaume divisé contre lui-même.

Le récit de la contradiction et du martyre

Dès le début de son ministère Jésus s'est heurté à la contradiction et au projet de mort dirigé contre lui. Toute sa vie a été un combat contre la violence du péché, un combat mené jusqu'à la victoire dans la mort de la croix. La « kénose » a été ainsi la loi de son existence : la vocation de l'Eglise est de reproduire au cours de son pèlerinage terrestre le mystère de mort et de résurrection qu'elle célèbre et qu'elle s'approprie.

L'Eglise vit la mort du Christ à travers la nombreuse série des contradictions qu'elle rencontre au cours de son histoire : persécutions dans leur forme ancienne ou récente, sacrifice des martyrs, échec de sa prédication, extinction pratique de communautés autrefois florissantes en Asie mineure et en Afrique du nord, disparition de figures institutionnelles signifiantes, conflits liés à l'annonce de l'Evangile avec les cultures et les nations, etc. Ce trop sec résumé correspond à combien de chapitres du récit de l'Eglise au cours de ses deux millénaires.

On peut même avancer que l'Eglise vivra eschatologiquement la mort du Christ dans sa propre mort. On ne peut rien dire de la forme empirique de cette mort de l'Eglise : elle sera un signe de la fin des temps et sera ordonnée à la résurrection. Comme celui du monde, le temps de l'Eglise aura une fin. La tâche de l'Eglise, quand elle est confrontée à un projet de mort, est toujours de s'interroger sur son sens, de se demander si elle n'y a pas donné lieu par sa propre faute et de faire de cette contradiction une mort dans le Christ, une mort pour le salut.

Les premiers chrétiens ont été vite l'objet de la persécution de la part d'un empire romain dans lequel la religion était une affaire d'Etat. Devant cette persécution, nombre d'entre eux allèrent jusqu'au bout de leur témoignage, c'est-à-dire

devinrent martyrs. Ils avaient conscience de revivre la situation
du Christ lui-même « qui a rendu témoignage devant Ponce
Pilate dans une belle profession de foi » (1 Tm 6, 13). Leur
manière même de mourir dans la sérénité, parfois dans la
joie, était un témoignage extrêmement frappant et contagieux
pour les témoins. Ils faisaient leur le mot de saint Paul :
« Ce qui manque aux souffrances du Christ, je l'achève dans
ma chair » (Col 1, 24). Le sacrifice du martyr est un sacrifice
existentiel : don de la grâce du Christ, il exerce sa fécondité
pour le salut de la même manière que celui du Christ. Un
Ignace d'Antioche voyait dans le fait d'être la pâture des
bêtes le plein accomplissement de sa vocation chrétienne et
l'achèvement d'un existence eucharistique : « Je suis le fro-
ment de Dieu, et je suis moulu par la dent des bêtes, pour
être trouvé un pur pain du Christ »[1]. Le récit qui a conduit
Jésus de la fraction du pain à la brisure de son corps en
croix est devenu son propre récit.

Le temps des martyrs est sans doute discontinu dans
l'Eglise. Il ne faudrait pas cependant croire qu'il s'est achevé
avec la conversion de Constantin. Il est revenu par vagues tant
dans l'Occident chrétien, que dans les missions d'Amérique,
d'Afrique ou d'Asie, tant au Moyen-Age que dans les temps
modernes. Notre époque contemporaine vient de le connaître
encore, de l'Eglise du silence — où il a pris des formes
particulièrement raffinées cherchant à détruire les libertés —
jusqu'en Amérique latine. Il n'est pas achevé, de sanglants
assassinats tout récents nous le rappellent. Il a commencé
avec les contradictions apostoliques et les martyres de Pierre
et de Paul : il durera aussi longtemps que l'Eglise. A travers
le martyre, forme extrême de la contradiction évangélique, le
salut chrétien se heurte à la « violence continuée »[2] dans
l'histoire. Car le salut accompli dans l'histoire et toujours

---

1. Ignace d'Antioche, *Lettre aux Romains,* IV, 1 ; trad. P.-Th. Camelot,
S.C. 10, p. 131.
2. Thème évoqué par Ch. Duquoc, *Messianisme de Jésus et discrétion
de Dieu. Essai sur la limite de la christologie,* Genève, Labor et Fides
1984.

présent par le don de l'Esprit demeure contredit par la permanence d'un mensonge et d'une violence qui, à vues humaines, ne semble guère reculer. Mais si l'annonce biblique de la paix et de la justice reste une espérance eschatologique, cette espérance anime le combat historique de l'Eglise contre toutes les formes d'injustice et de violence. Nombre de récits de la vie de l'Eglise en font foi.

Le témoignage de la persévérance dans la contradiction et le martyre est un élément essentiel de l'avancée du salut dans l'histoire du monde. Le mot de Tertullien, déjà cité [1], demeure vrai : « Le sang des chrétiens est une semence ». C'est là que l'Eglise imite et reproduit en quelque sorte par grâce le martyre sauveur de son Seigneur. C'est là qu'elle donne le témoignage ultime d'une parole qui engage l'existence. Le récit unanime de l'Eglise est là pour attester la puissance de conversion qui est attachée à la générosité des martyrs. Chaque Eglise particulière n'honore-t-elle pas d'une manière ou d'une autre des martyrs fondateurs ? Certes, un tel « moyen » ne peut être recherché par lui-même au nom d'une stratégie missionnaire. Il en va du martyre comme de la croix du Christ : il est à la croisée des libertés humaines pécheresses et du don de Dieu ; il tire le bien de l'excès du mal.

Du récit du péché à celui de la conversion

Tout ce qui vient d'être dit risquerait d'être gravement faussé, sinon perverti, si l'on n'évoquait en même temps le récit du péché dans l'Eglise. L'Eglise, nous l'avons vu, est d'abord la grande réconciliée, la grande pardonnée de Dieu. Elle vit chaque jour, sur le fondement de ce pardon le combat en elle du péché et de la grâce. Car sa conversion n'est jamais achevée : celle qui appelle tous les hommes à la conversion le fait à partir de sa propre conversion ; elle doit donc le faire en portant l'humble témoignage d'une conversion en devenir. La formule célèbre selon laquelle « l'Eglise est

1. Cf. ci-dessus, p. 213.

toujours à réformer » *(Ecclesia semper reformanda),* ne vise rien d'autre que cette exigence constante d'une conversion qui ne concerne pas seulement chaque chrétien dans l'Eglise, mais l'Eglise comme corps, dans sa structure et ses institutions[1].

Mais ne confessons-nous pas d'abord et avant tout que l'Eglise est sainte ? L'Eglise est sainte, parce que le don de Dieu qu'elle porte en elle est absolument saint : c'est ce don qui s'exerce à travers les sacrements et tout le ministère de sanctification qui lui est confié. On peut parler ici de « sainteté sanctifiante » ayant sa source dans la présence et le don du Christ qui « veut se la présenter à lui-même splendide, sans tache ni ride, ni aucun défaut » (Ep 5, 27). Mais la puissance de conversion de cette sainteté sanctifiante n'est pas instantanée, puisqu'elle parvient à des libertés situées dans le temps ; elle ne se traduit pas aussitôt par une « sainteté sanctifiée »[2]. Elle entre en combat avec le péché qui habite le cœur de l'homme et qui n'a pas disparu du cœur des chrétiens. Aussi bien l'expression « les saints », qui désigne couramment dans le Nouveau Testament les croyants des premières Eglises, exprime-t-elle ce don de salut qui les a changés radicalement de situation à l'égard du Dieu saint, du fait de leur foi et de leur baptême. Elle ne désigne pas une perfection déjà réalisée dans l'ordre de l'éthique et de la charité. D'ailleurs un trait caractéristique du véritable saint, de celui dont l'amour adhère le plus profondément à Dieu, est paradoxalement de se reconnaître d'autant plus pécheur qu'il est plus saint, parce que sa sainteté même lui fait prendre conscience de tout ce qui en lui s'oppose encore à l'unique Sainteté de Dieu. Le plus grand saint reste toujours un converti et en devenir de conversion.

Le témoignage de l'Ecriture est sans complaisance sur la sainteté des hommes, car Dieu seul est Saint. Le prophète

---

1. Cf. Groupe des Dombes, *Pour la conversion des Eglises. Identité et changement dans la dynamique de communion,* Paris, Centurion 1991.

2. J'emprunte ces expressions à M. Sales, « Sainteté et péché dans l'Eglise » dans *Le corps de l'Eglise,* Paris, Fayard 1989, pp. 231-236.

Isaïe, lors de sa vision de la gloire de Dieu au Temple, s'écrie : « Malheur à moi ! Je suis perdu, car je suis un homme aux lèvres impures, j'habite au milieu d'un peuple aux lèvres impures » (Is 6, 5). Le Nouveau Testament ne cherche nullement à biaiser avec le péché des apôtres de Jésus. Pierre qui a été solennellement appelé par son maître le roc sur lequel l'Eglise sera bâtie (cf. Mt 16, 18) ne peut accepter la perspective de la passion et se fait tout aussitôt traiter de Satan, « occasion de chute » ou pierre de scandale dont les vues ne sont pas celles de Dieu (cf. Mt 18,23). La portée ecclésiologique de l'investiture de Pierre, très soulignée par la tradition, ne permet pas d'exclure d'un revers de main la signification pour la vie de l'Eglise de l'incident qui la suit aussitôt [1]. Lors de l'agonie les trois disciples invités à veiller et à prier avec Jésus s'endorment. Après l'arrestation du Christ Pierre reniera son maître, tandis que les autres disciples s'enfuiront, pour ne pas parler de la trahison de Judas. Lors de l'envoi en mission de Pierre, raconté dans la finale de l'évangile de Jean, Jésus, par sa triple interrogation : « Pierre, m'aimes-tu ? », fait une discrète allusion au reniement. C'est l'amour d'un pécheur converti qui motive son investiture. Paul est lui aussi un converti, qui garde la conscience d'avoir persécuté l'Eglise de Dieu (cf. 1 Co 15, 9). De son côté, il n'hésitera pas à s'opposer à Pierre, quand il estimera que celui-ci ne « marche pas droit selon la vérité de l'Evangile » (Ga 2, 14).

Ainsi le péché demeure-t-il toujours présent dans une Eglise faite d'hommes. La liturgie le reconnaît si bien qu'elle comporte toujours, en particulier au seuil de la célébration de l'eucharistie, le moment de l'aveu des péchés et de la demande de pardon. Dans le cycle liturgique des périodes pénitentielles sont indiquées. Malheureusement, la parole pastorale ne correspond pas tout à fait sur ce point à la parole liturgique. Si l'Eglise n'a pas de mal à reconnaître que ses membres sont pécheurs, elle est beaucoup plus

---

1. Cf. Groupes des Dombes, *op. cit.* n° 174.

réticente à admettre que le péché affecte aussi sa structure, ses institutions et ses ministères, sa manière d'annoncer l'Evangile et d'en vivre, ainsi que son comportement dans le monde. Or il appartient à son mystère que le don de Dieu soit confié à des vases d'argile. Ce don, plus fort que tout péché, ne permet pas que l'Eglise ne défaille fondamentalement dans son annonce de la révélation et sa mission de salut. Mais ce don respecte le jeu des libertés humaines et il consent à être freiné par la résistance du péché qui demeure en elles.

Toute conversion comporte le moment de la confession ou de l'aveu, non pas d'un aveu masochiste, mais de l'aveu qui jaillit de la confession des miséricordes du Seigneur. De très belles paroles d'aveu ont été dites par le pape Adrien VI, reconnaissant que les malheurs de l'Eglise au XVIᵉ siècle avaient pour cause le péché « des hommes et particulièrement des prêtres et des prélats » et les nombreuses abominations commises au Saint-Siège [1]. En écho à cette parole, le pape Paul VI a demandé pardon à nos frères chrétiens encore séparés, lors du dernier concile, de toutes les fautes de l'Eglise catholique au moment des séparations [2].

Il reste que ces paroles d'aveu, ou ce récit du péché dans l'histoire de l'Eglise, demeurent trop rares, comme si l'on craignait qu'une telle reconnaissance porte atteinte au visage de l'Eglise, alors qu'au contraire elle le rendrait plus attirant et ouvrirait la voie à la purification des mémoires et à un échange de récits réconciliateurs. Sans entrer dans des dossiers complexes, pensons à la responsabilité chrétienne dans la persécution des Juifs au cours de l'histoire, aux interventions abusives de l'Eglise à l'égard des pouvoirs temporels aussi bien qu'à sa complicité avec la puissance politique, à des formes d'évangélisation qui ne respectaient pas la liberté

---

1. Voir le texte cité, *ibid.*, n° 89.
2. Voir le texte cité, *ibid.*, n° 137

religieuse des personnes[1], aux abus séculaires, financiers et moraux, qui ont amené la crise du XVIᵉ siècle. L'histoire des schismes dans l'Eglise doit en particulier inviter à une révision, tant sur ce qui a pu les provoquer que sur leur signification. On pourrait évoquer sans doute bien d'autres dossiers, comme par exemple la manière dont les personnes ont été traitées dans les crises doctrinales du siècle écoulé.

Ces réflexions n'ont nullement l'intention de faire le procès de l'Eglise. Elles partent de la conviction que l'annonce du salut et l'invitation à la conversion portent un témoignage d'autant plus convaincant et attirant qu'elles jaillissent de la conscience d'une Eglise humble, reconnaissant qu'elle a à mettre en œuvre elle-même et pour elle-même ce à quoi elle invite les autres. Le récit du péché n'a de valeur que s'il est aussi le récit d'une conversion. Car la conversion est contagieuse.

V. Le récit du salut au défi de l'universel

Le salut chrétien s'est accompli dans l'histoire et donne lieu à un ensemble de récits que s'approprient ceux qui ont mis en lui leur foi. Par hypothèse un récit est toujours particulier et il entre en dialogue et en échange avec les récits des autres. Or le récit chrétien est habité par la visée de l'universalité. Il prétend non seulement s'adresser à tous les hommes, mais les concerner tous pour le meilleur ou pour le pire, pour la vie ou pour la mort. Il proclame qu'il n'y a pas de salut ailleurs que dans le Christ : « Car il n'y a sous le ciel aucun autre nom offert aux hommes qui soit nécessaire

1. Même la déclaration *Dignitatis humanae* de Vatican II sur la liberté religieuse, n° 12, oppose un peu facilement la rectitude de l'enseignement de l'Eglise à ce sujet aux écarts contraires à l'esprit de l'Evangile qui se sont produits « dans la vie du peuple de Dieu ».

à notre salut » (Ac 4,12). Le texte qui sert d'exergue à cet ouvrage annonce le Christ comme « l'unique médiateur entre Dieu et les hommes ». Or il est introduit par l'affirmation solennelle que Dieu « veut que tous les hommes soient sauvés et parviennent à la connaissance de la vérité » (1 Tm 2, 4-5). A cette affirmation il sert d'illustration sinon de preuve. Le lien ainsi posé entre la volonté divine de salut universel et la médiation unique de Jésus-Christ, accomplie en un point de l'histoire, exprime la tension extrême et le défi paradoxal qui habite la prétention chrétienne concernant le salut.

Cette portée universelle du salut en Jésus-Christ n'est pas à comprendre de manière seulement synchronique, comme visant tous les hommes d'aujourd'hui ; elle a une portée diachronique et concerne toute l'histoire de l'humanité de son commencement à sa fin. Il n'est pas inutile de s'arrêter pour considérer la violence d'une telle affirmation et son apparence totalitaire, qui d'une part semblent refuser toute validité aux autres récits de salut, donc aux autres religions et aux diverses manières selon lesquelles les hommes ont cherché un salut, et d'autre part apparaissent démenties, tant par une réflexion de la raison que par les faits de l'histoire.

L'universalité du salut en Jésus-Christ se heurte en effet à bien des contradictions. Ce salut a été manifesté et accompli par un homme situé, et donc en quelque sorte « perdu » dans la longue histoire des hommes. D'entrée de jeu, le problème se pose du salut de tous ceux qui l'ont précédé. On sait que telle était la grande question des Pères de l'Eglise : comment le Christ, venu si tard dans l'histoire de l'humanité, a-t-il pu sauver la multitude des hommes qui l'ont précédé[1] ? L'annonce de ce salut, en principe destinée à toute créature, se répand elle aussi dans l'histoire, à travers la mission de l'Eglise, selon les lois de la transmission humaine et de la solidarité des libertés. De ce fait, l'Eglise apparaît comme un phylum religieux, l'un des plus importants sans doute et

---

1. Cf. l'argumentation d'Irénée sur ce point dans son livre *Contre les hérésies* III, 22, 4 ; trad. A. Rousseau, Paris, Cerf 1984, p. 385-386.

dominant en Occident, mais qui demeure minoritaire au regard de la totalité des autres dans l'histoire de l'humanité. D'immenses régions de la terre demeurent sous la mouvance d'autres phylums religieux. L'Eglise a beau réaliser sa mission en s'implantant dans toutes les cultures, sa prétention à atteindre effectivement tous les hommes apparaît de plus en plus comme une utopie. Bien plus, son expansion apparaît aujourd'hui plus lente que le développement démographique du globe. La proportion des chrétiens au milieu des hommes va donc diminuant [1]. D'autre part, on sait que les statistiques enregistrent comme catholique tout baptisé, quelle que soit sa foi réelle. Ceux qui vivent effectivement de l'Evangile sont beaucoup moins nombreux.

Ces réflexions quantitatives, liées à l'histoire et à la géographie, ne sont encore qu'un aspect extérieur des choses. La question plus radicale est celle de savoir si l'historicité du christianisme est finalement compatible avec sa prétention à l'universalité et à l'absolu, ou si ce caractère historique ne le condamne pas irrémédiablement à la particularité. « Comment cette historicité du christianisme, écrit K. Rahner, que de lui-même il affirme comme une caractéristique radicalement essentielle, est-elle conciliable avec la prétention à l'absolu, avec son envoi missionnaire à tous, avec sa prétention à l'universalité ? » Cette question ne laisse-t-elle pas place à l'objection : « Ce qui est historique ne peut pas être Dieu, et ce que Dieu est ne peut pas être historique » [2].

Enfin, l'insistance mise sur la visibilité historique du salut ne rend-elle pas impossible a priori la mise en œuvre d'une

1. Cf. Y. Congar, *Vaste monde ma paroisse,* Paris, Foi vivante 1968, p. 12 et 19, les statistiques d'il y a 20 ans ; plus récemment Cl. Geffré : « Qu'il suffise de rappeler que, sur une population mondiale évaluée aujourd'hui à 4 milliards 800.000 hommes (selon l'estimation de la Banque mondiale), les chrétiens représentent 31,4 % (selon l'*Annuaire statistique* du Vatican en 1981), soit 3 % de moins qu'en 1907. Ce sont donc environ 3 milliards d'hommes qui n'ont pas encore été touchés de près ou de loin par le message évangélique. Il y a vingt ans, *Ad gentes* parlait de 2 milliards », « La théologie des religions non chrétiennes vingt ans après Vatican II » *Islamochristiana* 11 (1985) p. 117.
2. Karl Rahner, *Traité fondamental de la foi, op.cit.,* p. 164.

causalité purement secrète et intérieure ? Une des intentions de ce livre a été de souligner que la communication puis l'expansion du salut respectent les moyens ordinaires et historiques de la communication humaine ; elle a mis en valeur en particulier le rôle de l'exemplarité symbolique de Jésus dans la causalité de la conversion des libertés et le même rôle joué par son récit actualisé dans l'Eglise. Comment dès lors comprendre l'exercice de cette causalité symbolique quand et là où le symbole ne fonctionne pas ?

Le propos retenu

Face à une question aussi vaste le but de cette section est limité et modeste. Le problème ici posé n'est ni celui dit du « salut des infidèles »[1], ni la manière dont on peut comprendre aujourd'hui l'adage venu d'Origène et de Cyprien : « Hors de l'Eglise pas de salut »[2], qui a été trop longtemps absolutisé de manière dangereuse et sans lien avec son intention originelle. La possibilité du salut de ceux qui se trouvent en dehors de l'Eglise est reconnue par toute la théologie contemporaine et proclamée par Vatican II :

> « Car ceux qui, sans faute de leur part, ignorent
> l'Evangile du Christ et son Eglise, et cependant
> cherchent Dieu d'un cœur sincère, et s'efforcent, sous
> l'influence de la grâce, d'accomplir dans leurs œuvres
> la volonté de Dieu qu'ils connaissent par la voix de
> leur conscience, ceux-là peuvent obtenir le salut
> éternel. La divine Providence ne refuse pas les secours
> nécessaires pour leur salut à ceux qui sans faute de leur
> part ne sont pas encore parvenus à une connaissance

---

1. L'ouvrage ancien, mais qui demeure classique sur le sujet, est celui de Louis Capéran, *Le problème du salut des infidèles. I. Essai historique, II. Essai théologique*, Nelle éd. Toulouse, Grand séminaire 1934 ; plus récemment, N. Nys, *Le salut sans l'Evangile*, Paris, Cerf, 1966 ; Cl. Geffré, *Le christianisme au risque de l'interprétation*, Paris, Cerf 1983.
2. Cf. Origène, *Homélies sur Josué*, III, 5 et Cyprien, *De l'unité de l'Eglise catholique*, n° 6 ; sur l'histoire de cette formule, cf. J. Ratzinger, *Le nouveau peuple de Dieu*, Paris, Aubier 1971, 145-171.

explicite de Dieu, et s'efforcent, non sans le secours de la grâce, de mener une vie droite. Tout ce qui se trouve en eux de bon et de vrai, l'Eglise l'estime comme une préparation à l'Evangile, donnée par celui qui illumine tout homme pour qu'il ait enfin la vie » [1]. L'intention n'est pas non plus d'esquisser une théologie des religions non chrétiennes, problème repris à frais nouveaux depuis Vatican II dans un esprit de dialogue et qu'un ouvrage de cette collection vient de traiter tout récemment avec une grande compétence [2]. Même si les propositions qui suivent présupposent une compréhension théologique aussi respectueuse et bienveillante que possible du rôle des autres religions au regard de l'histoire du salut, ce n'est que de manière très indirecte que la question de leur valeur sera évoquée.

Le propos ici retenu est de montrer comment la médiation unique de Jésus-Christ peut effectivement s'exercer à l'égard de tous les hommes. Il est aussi, plus difficilement encore, de montrer en quoi l'Eglise peut jouer un rôle dans le salut de tous ceux qui ne lui appartiennent pas visiblement. Déjà dans le premier tome de cet ouvrage, un certain nombre de réflexions ont été proposées qui ne seront pas reprises : le rôle de la solidarité humainement assumée par le Christ avec toute l'humanité ; la dialectique du rapport de tous à un seul, résumée dans l'expression du Christ « universel concret » ; enfin l'extension analogique de cette dialectique au rôle de l'Eglise où le petit groupe de « quelques-uns » est au service du salut de la « multitude » [3]. Peut-être la perspective du récit permettra-t-elle d'apporter à ce problème sa propre lumière.

---

1. *Lumen Gentium* n° 16 ; ce texte reprend sur le fond les thèses de l'encyclique *Mystici Corporis* de Pie XII et les déclarations de la lettre du Saint-Office à l'archevêque de Boston de 1949 (*D.S.* 3866-3873).
2. Cf. J. Dupuis, *Jésus-Christ à la rencontre des religions,* Paris, Desclée 1989.
3. Cf. t. I, p. 371-377.

Le Christ, Sauveur universel

Pour rendre compte de l'universalité du salut dans le Christ, il importe de se référer à la totalité de l'histoire du salut qui s'origine à la création et ne trouve son terme que dans la fin des temps. La foi chrétienne confesse le Christ comme Alpha et Oméga de l'univers (cf. Ap 22, 13). Celui qui s'est manifesté dans le temps comme l'unique médiateur du salut est en fait présent à cette histoire de son commencement à sa fin. C'est en cela qu'il mérite le nom de « récapitulateur »[1]. De ce fait, l'événement pascal du Verbe incarné influe en aval et reflue en amont sur toute la durée de l'histoire qu'il convient de lire à sa lumière. Le récit chrétien du salut est donc un « récit total ». Ce qui concerne son commencement et sa fin sera l'objet du prochain chapitre. Dès maintenant, cette perspective diachronique nous permet de discerner trois temps de la présence et de l'action du Christ dans l'histoire.

1. Premier temps : de la création par le Verbe à l'incarnation du Verbe

Le premier temps est celui de la création de toutes choses par le Verbe, qui est déjà ordonnée à l'incarnation du Christ et ouvre la durée qui prépare à sa venue. Car il y a une identité concrète entre le Verbe créateur et le Christ incarné. Le prologue de l'évangile de Jean nous montre le Verbe présent au commencement auprès de Dieu, le Verbe « par qui tout fut ». L'épître *aux Colossiens* attribue cette création au Fils devenu le Christ « premier-né de toute créature » (Col. 1, 15). L'épître *aux Ephésiens* nous dit que nous sommes élus dans le Christ « dès avant la fondation du monde » (Ep 1,4). Car le Verbe est éternellement dans le dessein de Dieu celui qui doit s'incarner. Réciproquement, l'événement historique de son incarnation l'atteint de manière éternelle.

---

1. Cf. *Jésus-Christ dans la tradition de l'Eglise*, pp. 286-315.

C'est à cette lumière que les premiers Pères ont compris les théophanies de l'Ancien Testament comme des manifestations anticipatrices du Verbe, celui qui devait s'incarner. Puisqu'Abraham a vu le jour de Jésus et « s'est réjoui » (Jn 8, 56), puisqu'Abraham a cru et que sa foi lui fut imputée à justice (Rm 4, 3), Irénée en conclut qu'« Abraham a suivi le Verbe de Dieu »[1] en quittant sa parenté terrestre, au même titre que les apôtres ont suivi Jésus en laissant là leur barque et leur père ; il a cru au Verbe à venir comme ceux-ci croiront au Verbe venu. Ainsi tout l'Ancien Testament apparaît-il finalisé par le don à venir du Verbe.

Mais cette présence du Verbe de Dieu ne se limite pas au peuple élu. Selon Justin le Logos créateur est « répandu partout »[2] avec ses « semences de vérité »[3] ; « la semence du Verbe est innée dans tout le genre humain »[4] ; ce que les philosophes et les législateurs ont découvert de juste, ils le doivent « à ce qu'ils ont trouvé et contemplé partiellement du Verbe »[5], tandis que les chrétiens l'ont connu entièrement. Justin ose même affirmer : « Ceux qui ont vécu selon le Verbe sont chrétiens »[6] ; ou encore « le Christ, que Socrate connut en partie (car il était le Verbe et il est celui qui est en tout, qui prédit l'avenir par les prophètes et qui prit personnellement notre nature pour enseigner ces choses), le Christ fut cru non seulement des philosophes et des lettrés, mais même des artisans et des ignorants en général, qui méprisèrent pour lui et l'opinion et la crainte et la mort »[7].

De même Irénée, qui répète à l'envi que Dieu a tout créé par ses deux mains que sont son Verbe et son Esprit, voit le Verbe créateur imprimé en forme de croix dans l'univers

1. Irénée, *Contre les hérésies*, IV, 5, 4 ; trad. A. Rousseau, p. 417.
2. Justin, II° *Apol.* 8,3 ; trad. L. Pautigny, Paris, Picard 1904, p. 167.
3. Justin, I° *Apol.*, 44, 10 ; p. 91.
4. Justin II° *Apol.* 8,1 ; p. 165.
5. *Ibid.*, 10, 2 ; p. 169.
6. Justin, I° *Apol.*, 46, 3 ; p. 95.
7. Justin II° *Apol.* 10,8 ; p. 171.

entier [1] ; le Verbe qui « existait auprès de Dieu, par qui tout
a été fait, et qui était toujours présent dans le genre humain » [2]
est aussi « inhérent aux intelligences » [3]. Irénée distingue
également quatre alliances entre Dieu et les hommes : l'alliance
avec Noé après le déluge, alliance à portée cosmique et
universelle, l'alliance avec Abraham, sous le signe de la
circoncision, l'alliance avec Moïse, sous le signe de la Loi,
enfin l'alliance selon l'Evangile qui renouvelle et récapitule
en elle les précédentes [4]. Clément d'Alexandrie a développé
de son côté le thème de la « préparation évangélique » : la
philosophie grecque, et même les philosophies non grecques
ont constitué une propédeutique à la « philosophie du
Christ » [5].

On sait que Vatican II a repris à son compte plusieurs
fois cette théologie des « semences du Verbe » et de la
« préparation évangélique » [6], en vue de reconnaître non
seulement la possibilité de salut de ceux qui ne connaissent
pas le Christ, mais encore les éléments de grâce et de salut
existant dans les diverses traditions religieuses.

Le salut, justification par la foi

Peut-être la théologie contemporaine est-elle portée à une
interprétation trop vite christologique de ces points de vue
des Pères des II° et III° siècles, dont certains gardaient encore
une conception stoïcienne du Verbe. L'identification du Verbe

1. Irénée, *Contre les hérésies,* V, 18, 3 ; trad. A. Rousseau *op. cit.*
p. 625.
2. *Ibid.,* III, 18,1 ; p. 360.
3. *Ibid.,* II, 6, 1 ; p. 153.
4. *Ibid.,* III, 11, 8 selon le fragment grec ; p. 315. La traduction latine
mentionne Adam, Noé et Moïse et ne parle pas d'Abraham.
5. Cf. J. Dupuis, *op. cit.,* p. 173. Mais le texte du *Contre les hérésies,*
III, 4, 2, est invoqué à tort : car les peuples barbares qui croient au Christ
« écrit sans papier ni encre par l'Esprit dans leurs cœurs » sont, aux yeux
d'Irénée, ceux qui ont reçu la tradition de la foi au Père et au Christ sans
savoir lire.
6. En particulier *Ad gentes* 11 et 15 ; Cf. J. Dupuis, *op. cit.,* pp. 176-
180.

et du Christ est pourtant chez eux assez spontanée. Il est éclairant d'y faire appel dans la perspective qui est ici la nôtre : en quel sens peut-on dire que tout homme, quelle que soit sa situation personnelle par rapport à l'histoire du salut, est sauvé par le Christ ?

Pour qu'il en soit ainsi, il faut d'abord que la modalité selon laquelle le salut atteint tout homme s'inscrive dans la structure de la justification par la foi. Affirmer que ceux qui ne connaissent pas explicitement le Christ sont justifiés en raison de leur bonne volonté reviendrait à dire qu'ils sont justifiés par leurs œuvres, ce qui contredit expressément la doctrine paulinienne de la justification par la grâce moyennant la foi. Mais en rigueur de terme, la foi, aussi implicite qu'on la voudra, ne peut être qu'une réponse à Dieu qui se révèle et se donne. J'ai souligné souvent le lien entre révélation et salut : un salut privé de la moindre révélation est impensable. Or les Pères nous autorisent à parler de l'offre d'une révélation surnaturelle située au cœur de tout homme, du simple fait de sa création et de son entrée dans la famille humaine à laquelle Dieu veut se révéler et se donner. Parler de « semences du Verbe », c'est affirmer une première forme de révélation, même si celle-ci reste incomplète en l'attente de la manifestation de Jésus et demeure inévitablement reçue à travers les interférences du péché [1]. Cette révélation venant de Dieu est d'abord et avant tout une lumière intérieure invitant à l'amour, un pressentiment de Dieu et de sa justice, une espérance de le voir se communiquer à l'homme, qui chez le plus grand nombre ne viendront pas à une conscience tout à fait claire et ne s'exprimeront que dans un langage élémentaire. Chez certains philosophes, ou sages, ou « prophètes » de mouvements religieux, cette révélation pourra alors se concrétiser dans le corps d'un message ou d'une doctrine articulée, plus ou moins dégagée de la gangue pécheresse qui s'y joint inévitablement. Cette révélation est un don authentique de l'Esprit de Dieu, un don de la grâce qui

---

1. Cf. K. Rahner, *Traité fondamental de la foi, op. cit.*, pp. 179-184.

suscite la foi. Il va sans dire qu'il n'est pas question de se prononcer ici sur la manière dont cette grâce est positivement reçue ou refusée. Ceci est le secret de Dieu [1].

Le salut par la grâce du Christ

Cette interprétation spécifiquement chrétienne de la manière dont le salut parvient à tout homme suffit-elle à affirmer que cette grâce est proprement celle du Christ ? Est-ce que le don de l'Esprit que constitue ce salut peut être appelé en vérité l'Esprit du Christ ? On n'oubliera pas que par hypothèse en ce premier temps de l'histoire du salut le Christ n'est pas incarné et que cette grâce est d'abord une grâce du Verbe. D'autre part, la fécondité de conversion propre à la manifestation de Jésus (exemplarité symbolique) ne peut évidemment pas s'exercer de manière rétroactive. Quelle causalité peut donc exercer le Christ, considéré dans son humanité ?

A cette question on peut répondre que ce temps est celui de la lente genèse du Christ. Toute révélation, que ce soit la révélation « officielle » faite au peuple élu et consignée dans l'Ancien Testament, ou les éléments plus enfouis de révélation proposées à tous les hommes depuis la création, est d'une certaine manière révélation du Christ à venir. Elle a son sens et sa raison d'être dans ce grand mouvement par lequel Dieu se prépare à donner son Fils aux hommes. Toute foi authentique à cette révélation est également, à l'instar de la foi d'Abraham, une foi au Christ à venir. Et l'Esprit qui est donné est celui qui prépare la venue du Christ. Le Christ apparaît ici comme la cause finale de tout le processus.

« *Nous ne venons à bout de ces perplexités, écrit avec justesse K. Rahner, ... que si nous voyons*

---

1. C'est dans le souci de montrer que le salut de ceux qui ne sont pas chrétiens conserve la structure de la justification par la foi, même implicite, au Christ que K. Rahner a développé sa théologie des « chrétiens anonymes ». Sur cette théologie, dans le débat de laquelle je n'ai pas à entrer ici, cf. B. Sesboüé, « Karl Rahner et les ''chrétiens anonymes'' », *Etudes,* nov. 1984 (361/5), p. 521-535.

l'incarnation et la croix comme 'cause finale' ... de l'autocommunication universelle de Dieu au monde (on l'appelle l'Esprit Saint) qui découle de la volonté salvifique ... et si, en ce *sens, nous considérons l'incarnation et la croix comme cause de la communication de l'Esprit Saint toujours et partout dans le monde ... Dans la mesure où l'efficacité universelle de l'Esprit est d'entrée de jeu orientée vers le point culminant de sa médiation historique, où, en d'autres termes, l'événement-Christ est la cause finale de la communication de l'Esprit au monde, l'on peut dire en toute vérité que cet Esprit, d'emblée et partout, est l'Esprit de* Jésus *Christ, le Logos de Dieu devenu homme »* [1].

Autrement dit, de même que l'Esprit intervient dans la conception virginale de Jésus, de même il intervient dans la longue gestation historique qui permettra sa venue. Puisqu'il est l'Esprit du Christ, ce qu'il révèle et inspire inchoativement aux hommes, à travers une lente pédagogie, c'est une attitude de foi et d'amour qui s'accorde fondamentalement avec celle du Christ à venir, c'est l'attitude du Royaume de Dieu, c'est le véritable sacrifice de l'existence dans le oui à Dieu et le oui aux frères. Ce que l'Esprit inspire déjà est ce que Jésus manifestera en plénitude. Car cette attitude s'extériorise à la mesure de l'accueil de la grâce, non seulement dans l'ordre des vérités notionnelles, mais aussi dans celui de la vérité qui se fait. Aussi la séduction propre au comportement de Jésus peut-elle s'anticiper à travers tous ceux qui suivent le Verbe du plus profond de leur cœur et donne dans leur vie un exemple de sainteté. Cet exemple ne peut pas ne pas exercer une force de conversion et de contagion. Dans la préparation de la venue du Christ, toute la puissance de salut qui s'exerce à partir de lui reflue en amont, remonte les générations pour reprendre l'expression imagée d'Irénée méditant sur la

---

1. K. Rahner, *op. cit.*, p. 355

généalogie « ascendante » de Jésus en saint Luc [1]. Selon cette visée le cas de l'Ancien Testament est unique, puisque le peuple élu est porteur de la révélation officielle qui prépare la venue du Christ, mais il a aussi valeur de parabole de ce qui se passe aussi dans toute l'humanité, au salut de laquelle il est ordonné.

2. Deuxième temps : de l'événement pascal au don de l'Esprit

L'événement de Jésus marque une césure radicale dans l'histoire du salut. De par l'incarnation Dieu a assumé en son Fils une solidarité nouvelle avec la totalité de l'humanité. Il ne s'agit pas de la simple solidarité qui vient de la nature des choses entre les membres d'un groupe. Pensons bien plutôt à la libre décision de quelqu'un qui, venant d'une autre origine, entend partager le destin et la condition d'un peuple pauvre, malade ou opprimé, pour le meilleur ou pour le pire, c'est-à-dire en prenant sur lui-même le pire pour l'aider à cheminer vers le meilleur. Par un tel engagement d'amour celui qui accomplit ce geste contracte une solidarité tout à fait originale avec tous les membres du peuple ou de la communauté qu'il rejoint. Cette analogie nous permet de comprendre la solidarité universelle assumée par l'humanité du Christ avec tout homme venant en ce monde, en raison de son incarnation, c'est-à-dire non seulement en raison de son statut de Dieu fait homme, mais aussi en raison de sa manière de vivre et de mourir. Car cette solidarité, inscrite dans la structure de son être, a pris corps et contenu à travers le réseau des solidarités humaines assumées dans sa condition d'homme jusqu'à la mort inclusivement. Dans la mort Jésus exprime envers l'humanité une solidarité absolue et universelle dont il devient le symbole. Désormais, la dignité de tout homme comme fils de Dieu s'enrichit de celle de frère du Christ.

1. Cf. Irénée, *Contre les hérésies,* III, 22, 4 ; *op. cit.* p. 385-386.

C'est sur le fond de cette solidarité, nous l'avons vu, que s'accomplit le mystère pascal, mystère de salut et de réconciliation, accompli de manière définitive et irrévocable du côté du Christ, inauguré du côté des hommes par la chaîne de ceux qui croient. Désormais, la solidarité assumée par le Christ a engendré une nouvelle solidarité des libertés converties qui est en marche dans l'histoire. Désormais aussi, la situation de tout homme est au regard de Dieu irréversiblement changée, en ce sens que Dieu ne regarde plus chacun qu'à travers le visage de son Christ. Pour chaque être humain son frère est le frère du Christ, celui pour lequel le Christ est mort : il mérite de ce fait un don absolu. Cette solidarité salvifique a une portée universelle : elle atteint secrètement tous ceux qui l'ignorent ; elle prend figure concrète auprès de tous ceux qui accueillent au cours des temps le récit de Jésus.

Le mystère pascal du Christ s'achève par le don de l'Esprit, répandu à la fois sur les Juifs le jour de la Pentecôte et sur les païens devant l'étonnement de Pierre (Ac 10, 44-48). Ce don renouvelle la présence antérieure de l'Esprit dans le monde au temps de la préparation de la venue du Christ au cœur d'Israël et plus secrètement parmi les nations. Ce don visible de l'Esprit sur les croyants rassemblés signifie aussi son don secret au cœur de tous les hommes. Au plan visible de l'annonce de l'Evangile le don de l'Esprit prend sa figure propre à mesure qu'il gagne au Christ de nouveaux croyants. Mais de même qu'il s'accompagne pour ceux-ci du don intérieur de la grâce et de la justification, de même est-il désormais proposé à tous les hommes de bonne volonté au niveau le plus profond de leur conscience et de leur liberté. Ce qui était dit des temps qui ont précédé le Christ se vérifie donc de manière nouvelle en raison de la réalité du salut et de la présence de son signe dans l'histoire. Ici encore il est permis d'appeler cet Esprit l'Esprit du Christ, parce que son don est relié à l'événement salvifique de Jésus et parce qu'il conduit fondamentalement au Christ. Nous retrouvons le rôle de la cause finale. Une nouvelle gestation du Christ dans l'humanité est à l'œuvre jusqu'à la fin des temps.

Il est désormais plus aisé de rendre compte du salut de tout homme comme sa justification par la grâce moyennant la foi au Christ. Car la foi est déjà une foi au Christ, dans la mesure où elle anime une vie qui donne à manger à celui a faim, à boire à celui a soif, qui accueille l'étranger, habille celui qui est nu, visite le malade et le prisonnier (cf. Mt 25). Car si Jésus pousse la solidarité jusqu'à s'identifier personnellement avec tout homme dans le besoin, alors celui qui a reconnu l'absolu de l'appel que constitue son frère a déjà reconnu le Christ, même s'il ne l'a pas encore rencontré dans la personne de Jésus de Nazareth. La « christopraxie », qui lui vient de l'Esprit du Christ, lui tient alors lieu de « christologie ».

3. Troisième temps : le retour du Christ à la fin des temps

Si la perspective de la cause finale est ce qui sous-tend la double gestation de la manifestation du Christ, l'unique médiateur, avant et après l'événement pascal, alors le retour du Christ, « point Oméga » vers lequel tend la douloureuse genèse de l'humanité et venu pour « tout récapituler » (Ep 1, 10), prend la valeur du rendez-vous eschatologique de toute l'humanité. Le rendez-vous de la fin des temps sera un rendez-vous christologique. Alors on comprendra de quoi l'événement de Jésus-Christ a été le « sacrement », c'est-à-dire, le symbole réel. Le terme de sacrement suppose le voile de la représentation en même temps que la transparence du symbolisé dans le symbole : il n'y a nulle commune mesure entre ce qui est visiblement signifié et ce qui est réellement accompli. Cette démesure de l'effectivité par rapport à son signe, qui est aussi sa cause, vaut aussi de la croix du Christ et même de sa résurrection. Le mystérieux contenu de l'affirmation selon laquelle le Christ est « l'universel concret »[1] sera dévoilé. Le rôle du Christ dans le salut de tous sera alors visiblement manifesté dans des registres que nous ne pouvons pas soupçonner. La dimension secrètement christologique des autres religions sera mise au jour, dans le plein respect des rôles que celles-ci auront pu jouer.

Le rôle de l'Eglise dans le salut de tous

Jésus n'est jamais seul. Le salut qu'il accomplit est originellement lié à la relation qu'il institue avec ses disciples et au témoignage que ceux-ci lui rendent. Le salut par Jésus-Christ est impensable sans l'Eglise. La solidarité entre le Christ et son Eglise est de toujours à toujours. C'est par l'Eglise que l'universalité et la « catholicité » du salut reçoivent une figure et une réalité concrète. Dès lors le « christocentrisme » vigoureusement affirmé ci-dessus doit-il se traduire par un « ecclésiocentrisme » équivalent ? Devant une telle perspective les objections ne jaillissent-elles pas aussitôt ?

L'Eglise, corps et épouse du Christ, n'est en effet pas le Christ. L'Eglise n'est pas le Royaume, même si en elle le Royaume est en authentique genèse. Sa raison d'être est de constituer la présence permanente, visible et active de l'événement de Jésus, d'en entretenir la « mémoire » par le récit de la Parole et des sacrements, et d'être le vecteur de sa contagion. Dans l'Eglise la transmission continue du message parvient aux diverses générations de l'humanité. L'Eglise, au service de l'unique médiateur, est le « corps du salut » dans l'histoire. Mais doit-on penser qu'elle en est le milieu unique au même titre que le Christ en est l'unique médiateur ? La théologie contemporaine, depuis Vatican II en particulier, n'hésite plus à reconnaître dans les diverses traditions religieuses de l'humanité un rôle positif dans le cheminement des peuples vers le salut[2].

1. Cf. t. I, p. 375.
2. Cf. J. Dupuis, *op. cit.,* p. 180-195 ; et C. Geffré, *art. cit.*.

Ce point étant considéré comme acquis, la question qui nous occupe ici est de rendre compte du rôle que peut jouer l'Eglise dans le salut des hommes qui ne la connaissent pas ou, la connaissant, ne lui appartiennent pas. Si la visibilité historique est essentielle à la mission de celle qui se présente comme le signe vivant du salut dans le monde, est-il raisonnable d'invoquer pour elle un rôle invisible ? D'un autre côté l'universalité du salut en Jésus-Christ peut-elle être comprise en dehors d'elle ?

Pour répondre à ces questions, il importe de considérer le mystère de l'Eglise dans la totalité de l'histoire du salut, depuis son origine et même sa « préexistence » avant le Christ jusqu'au jour où elle fera place au Royaume de Dieu définitivement instauré. Ici encore la perspective diachronique permet de comprendre les problèmes synchroniques. Ce qui vient d'être dit du Christ trace la voie de la compréhension du rôle de l'Eglise, toujours solidaire avec lui.

Toute une tradition des Pères, dans son désir de répondre à l'objection des païens : « Pourquoi le Christ est-il venu si tard ? », a pensé à une « préexistence » de l'Eglise avant le Christ. « L'Eglise ancienne s'est comprise elle-même comme une réalité supra-temporelle et dont les origines, antérieures au fait historique de l'incarnation, coïncidaient avec celles du monde ou tout au moins de l'humanité »[1]. Cette affirmation concerne d'abord le peuple d'Israël, premier « peuple de Dieu » et peuple de l'alliance, peuple ordonné à la venue de Jésus et donc à la réalisation du salut. En lui s'anticipe le mystère de l'Eglise elle-même. Les justes de l'Ancien Testament appartenaient donc au Christ et à la même Eglise que nous[2]. Mais la réflexion va plus loin ; à partir des différentes alliances relatées par l'Ancien Testament, remontant à Noé et même à Adam, les Pères affirment l'existence de l'Eglise présente dans le dessein de Dieu dès le début de l'humanité.

---

1. Y. Congar, « Ecclesia ab Abel », *Abhandlungen über Theologie und Kirche. Festschrift für Karl Adam,* Düsseldorf, Patmos-Verlag 1952, p. 80.
2. *Ibid.,* p. 81.

Pour Augustin, non seulement tous ceux qui sont sauvés le sont par le Christ unique médiateur, et « chef » de tous les justes, mais encore « tous les justes, même ceux de l'Ancien Testament, même ceux du paganisme, appartiennent à un seul peuple, à une même cité, à un même corps : l'Eglise »[1]. Ceux qui ont cru au Christ à venir et sont sauvés par le Christ appartiennent au corps du Christ. Dans les vingt dernières années de son activité, Augustin concrétise ce thème par l'expression de l'« Eglise depuis Abel le juste » *(Ecclesia a justo Abel).*

> *« Le corps de cette tête (= le Christ) est l'Eglise, non pas celle qui est ici, mais celle qui est ici et à travers tout le globe terrestre ; non pas celle qui est maintenant, mais celle qui vient d'Abel lui-même et embrasse ceux qui naîtront jusqu'à la fin du monde et croiront dans le Christ. C'est le peuple tout entier des saints qui appartiennent à une seule cité. Cette cité est le corps du Christ, dont la tête est le Christ »*[2].

Abel le juste est ainsi un type de la Cité de Dieu s'opposant à Caïn, type de la cité du monde pécheur. Cette théologie sera reprise comme un bien commun par le Moyen-Age. Elle sera quelque peu oubliée quand, dans les temps modernes, l'ecclésiologie insistera de plus en plus sur les aspects institutionnels et juridiques de l'appartenance à l'Eglise. Elle nous propose une visée à la fois spirituelle et dynamique de l'Eglise, corps du Christ, dont le mystère dépasse sa face empirique comme la partie immergée d'un iceberg est bien plus grande que sa partie visible. Elle nous permet d'affirmer un lien personnel à l'Eglise de tous ceux qui reçoivent le salut du Christ, après comme avant sa venue.

Ce n'est qu'après la venue du Christ que l'Eglise prend visiblement corps dans l'histoire. Ce qui vient d'être dit sur l'appartenance au mystère de l'Eglise des justes d'avant le

---

1. *Ibid.,* p. 83.
2. Augustin, *Commentaires sur les Psaumes,* 90, c. 9, n. 11 ; *P.L.* 39, 1499-1500 ; cité par Y. Congar, *art. cit.* p. 84.

Christ vaut a fortiori de tous ceux qui viennent après lui : ils sont membres de son corps. Mais sur le plan de la réalité empirique, l'Eglise demeure particulière et minoritaire dans l'histoire religieuse de l'humanité. Nous avons vu qu'à ce niveau elle ne peut revendiquer de jouer un rôle concret dans le salut de tous les hommes. Le salut en Jésus-Christ agit bien au delà de ses frontières au nom de la souveraine liberté de la grâce divine. L'Eglise se doit de le reconnaître avec une humilité fraternelle à l'égard de tous les hommes de bonne volonté, d'autant plus que ce plan de la visibilité empirique est aussi celui où le péché continue à demeurer en elle et à contredire sa mission. Pour ne prendre qu'un exemple, pensons aux séparations qui la déchirent encore et contredisent son message de réconciliation et d'unité.

Cependant cette Eglise visible a reçu une mission universelle. Elle est « catholique », en ce sens qu'elle est envoyée à tous les hommes et qu'elle concerne le tout de l'homme. Cette dimension de catholicité n'est pas d'abord géographique ; elle est une note de solidarité universelle qui est présente à chaque communauté locale. Rien de ce qui est humain n'est étranger à l'Eglise. C'est pourquoi elle s'intéresse par vocation congénitale à tout ce qui se vit à l'extérieur d'elle-même. La dynamique missionnaire qui l'habite n'est pas seulement quantitative, elle est qualitative. Là où la conversion à l'Evangile n'est pas possible, l'Eglise a néanmoins son rôle à jouer de témoin de l'Evangile dans le dialogue avec les religions et les cultures[1].

L'être et la finalité catholiques de l'Eglise sont au service du salut de tous. Ils sont la dimension visible du don de l'Esprit et de la grâce à tous les hommes. Dans l'Eglise le mystère invisible et le rassemblement institutionnel et visible ne doivent jamais être séparés : « ils ne forment qu'une seule réalité complexe »[2]. Mais ils ne doivent pas non plus être

---

1. Cf. *Lumen Gentium*, 16 où l'Eglise souligne son lien historique aux Juifs et aux Musulmans.
2. *Lumen Gentium*, 8.

confondus : ils ne sont pas coextensifs et leur coïncidence parfaite sera eschatologique, c'est-à-dire qu'elle ne sera accomplie que lorsque l'Eglise ne vivra plus le temps de la gestation militante du salut, mais fera place au Royaume. Car il appartient à l'Eglise visible de conduire au delà d'elle-même. La cause finale qui la travaille de l'intérieur, c'est le rassemblement eschatologique de tous dans le Christ. Le don de l'Esprit qui l'habite est ordonné à cette seconde genèse du Christ total. Nous retrouvons ici la dialectique déjà évoquée du petit nombre au service de la multitude [1].

Dans l'Eglise le signe et la réalité ne sont pas séparables. Cependant la nature du signe est d'être dans sa matérialité dérisoire par rapport à la réalité qu'il engage. C'est pourquoi la catégorie de sacrement mérite justement d'être appliquée à l'Eglise à la fois pour sauvegarder en elle l'unité de l'institution et du don de Dieu, et pour maintenir, comme en tout sacrement, la transcendance absolue de ce don par rapport au signe visible. Aussi bien cette catégorie peut-elle récapituler ce que l'approche du mystère de l'Eglise par le récit nous a fait percevoir.

Le récit chrétien du salut : une récupération totalitaire ?

Tel est le récit que l'Eglise peut tenir sur l'histoire du salut en Jésus-Christ et finalement sur elle-même. Un tel récit chrétien du salut, structuré en fonction des trois initiatives du Christ en faveur des hommes de l'Alpha à l'Oméga de l'histoire et porté par l'Eglise, est-il « avouable » à un non chrétien, sans être récupérateur ? Ce récit est délibérément *inclusif,* c'est-à-dire qu'il entend affirmer que nul homme n'est exclu de sa visée. Une telle prétention n'est-elle pas en définitive totalitaire et porteuse d'une violence d'autant plus grande qu'elle se nie elle-même ?

1. Cf. Y. Congar, *Vaste monde ma paroisse, op. cit.,* p. 20-27 ; cf. t. I, p. 376-377.

A ces questions il faut répondre sans hésiter que l'affirmation christocentrique de l'unique médiateur n'est ni violente ni récupératrice. Elle est au contraire un facteur indispensable de crédibilité par son ouverture radicale aux autres et à tous. Que dirait-on de l'annonce d'un salut qui ne vaudrait que pour la petite troupe des élus bien comptés et abandonnerait tranquillement les autres aux ténèbres extérieures ? Faisons en effet la contre-épreuve : si je dialogue avec le croyant d'une autre religion, il m'importe souverainement de savoir comment il conçoit la possibilité de mon propre salut. C'est même dans la mesure où son récit religieux tient compte de ma situation qu'un dialogue sera possible. Comment dialoguer, en effet, avec quelqu'un qui vous rejette d'entrée de jeu au regard de l'Absolu ? Bien loin de me sentir « récupéré » par lui, je me sentirai honoré à la mesure de sa bienveillance et des critères selon lesquels il pense mon salut. C'est alors que nos récits pourront s'échanger sans violence. De même, si je lui dis que, selon ma foi, tout le bien dont il vit lui vient du Christ et de son Esprit, je ne l'annexe nullement, je lui exprime ma conception de son lien avec le Tout-Autre qui nous transcende lui et moi. Je lui dis que j'ai besoin de lui pour que le salut soit vraiment le salut, que, si j'estime devoir témoigner en toute franchise de ma foi et lui transmettre la bonne nouvelle de l'Evangile, j'ai aussi à recevoir de lui le témoignage de la grâce qu'il a reçue et peut-être la révélation d'une face de l'Evangile qui m'est encore cachée. Je ne considère nullement l'Esprit qui travaille en lui comme un espion qui prépare ma victoire, mais comme celui qui à travers nous dialogue en quelque sorte avec lui-même, afin de nous réconcilier comme des fils du même Père.

Mais le chrétien est évidemment menacé d'un dérapage en raison de la violence et du péché qui l'habitent toujours. L'élan missionnaire peut dégénérer en volonté de puissance, comme le souci de la conversion en des dragonnades qui peuvent être aussi culturelles. L'Eglise risque d'intervertir l'ordre des valeurs et viser davantage la conversion à elle-même que la conversion au Christ et au Royaume. C'est pourquoi plus grande est la « prétention » que comporte le rôle qu'elle dit jouer dans l'histoire du salut, plus grandes aussi doivent être l'humilité et la modestie avec laquelle elle en parle. Le triomphalisme, justement reconnu à Vatican II, n'est pas un travers bénin. Il contredit gravement la mission de l'Eglise en récupérant pour elle ce qui n'appartient qu'au Christ. Le récit chrétien du salut est ordonné à la réconciliation des récits de tous : s'il veut être entendu et ouvrir l'espace nécessaire au récit du partenaire, il doit comporter une part d'aveu et renoncer à toutes les formes de la violence, même les plus subtiles. Comme les récits de Jésus et d'Etienne, il doit au contraire s'exposer à la violence des autres dans le désir de la convertir. C'est ce que Jésus a réussi avec le centurion, et dans une certaine mesure Etienne avec le jeune Saoul qui deviendra l'apôtre Paul.

Conclusion
Des récits aux catégories : l'Eglise sacrement

Dans la conclusion du chapitre précédent la considération du Christ comme « sacrement du salut » avait fourni une catégorie essentielle permettant de comprendre les modalités propres à la causalité de ce salut. Le récit de l'Eglise et des manières dont elle remplit sa mission de salut nous invite à reprendre à son sujet la catégorie de sacrement, qui met en lumière la continuité et la cohérence d'un même mystère en ses différentes phases. Sans doute, les seuils de la discontinuité doivent-ils être également soulignés, afin d'éviter toute assimilation indue du rôle de l'Eglise à celui du Christ. Mais il est légitime de dire que le salut nous parvient dans l'Eglise selon une économie analogue à celle de son accomplissement par le Christ.

Ce faisant, je rejoins ici ce qui est un bien presque commun de l'ecclésiologie catholique contemporaine. Depuis le milieu de ce siècle en France et en Allemagne (où la formule avait été lancée une première fois par Scheeben au XIX° siècle), il est devenu courant de parler de l'Eglise comme sacrement[1]. Le Concile de Vatican II a officialisé l'expression, en présentant l'Eglise « comme un sacrement, c'est-à-dire un signe et un instrument de l'union intime avec Dieu et de l'unité de tout le genre humain »[2] ou « comme un sacrement universel de salut »[3].

L'Eglise sacrement : une double analogie

A vrai dire l'emploi de cette expression demande un certain nombre de précautions, car elle est doublement *analogique*. Il s'agit d'abord de l'application analogique d'un terme technique, qui vise en rigueur les sept rites fondamentaux, correspondant aux gestes essentiels que le Christ accomplit dans la puissance de son Esprit pour « faire » l'Eglise à travers le temps. « Sacrement » fut historiquement la traduction latine — due à Tertullien — du terme grec de « mystère ». Ce mot avait déjà connu une évolution sémantique depuis son sens biblique, qui désignait le dessein global de salut de Dieu et dans ce cadre la relation entre le Christ et l'Eglise (Ep 5,32), jusqu'au sens patristique où les *mysteria* chrétiens visaient avant tout les rites nouveaux du baptême et de l'eucharistie. Le terme latin de sacrement, assez large au départ dans son usage chez un saint Augustin par exemple, connaîtra à son tour une lente évolution sémantique, jusqu'à se restreindre au septénaire au XII° siècle. L'Eglise n'est

1. Cf. Otto Semmelroth, *L'Eglise sacrement de la rédemption,* Paris, Ed. St-Paul 1963, et Karl Rahner, *Eglise et sacrements,* Paris, D.D.B. 1970, en Allemagne ; Yves Congar, *Esquisses du mystère de l'Eglise,* Paris, Cerf 1953, et Henri de Lubac, *Méditation sur l'Eglise,* Paris, Aubier 1953, en France entre autres.
2. *Lumen Gentium* 1 ; *Gaudium et Spes* 42 ; cf. *L.G.* 9 et *Sacrosanctum Concilium* 26.
3. *L.G.* 48 ; *G.S.* 45 ; cf. *Ad gentes* 5.

évidemment pas un rite, mais un événement-institution dont l'être et l'agir global sont appelés analogiquement sacrement. Cet usage du terme de sacrement à propos de l'Eglise ne fait, d'autre part, son chemin dans le dialogue oecuménique qu'avec réticence et difficulté, en raison même de l'application traditionnelle de ce terme au Christ. Il importe en effet de bien maintenir la différence qui existe entre le Christ sacrement et l'Eglise sacrement. Luther disait « Les Saintes Lettres ne connaissent qu'un seul sacrement, qui est le Christ Seigneur lui-même »[1]. Dans le même esprit, K. Barth parle du « seul "sacrement" » que constituent l'histoire de Jésus-Christ, sa résurrection, l'effusion du Saint-Esprit »[2], mais au point d'affirmer que le baptême d'eau n'est pas un sacrement. E. Jüngel, dans une étude très nuancée sur le sujet, souligne la différence radicale entre le Christ sacrement « analogant », c'est-à-dire source et référence originelles, et l'Eglise sacrement « analogué », c'est-à-dire dérivé. En d'autres termes, le Christ est et demeure l'unique sacrement fondateur, tandis que l'Eglise dans sa totalité complexe est le grand sacrement fondé. Ces remarques doivent être entendues[3]. Entre temps, du côté catholique, l'expression de sacrement originel *(Ursakrament)* a été abandonnée au sujet de l'Eglise et réservée au Christ. L'Eglise est désormais appelée « sacrement fondamental » *(Grundsakrament),* c'est-à-dire la matrice sacramentelle du don des sacrements du salut.

Tout langage sur la sacramentalité de l'Eglise doit en effet respecter la Seigneurie absolue du Christ sur l'Eglise et les sacrements. Le Christ est le sacrement primordial, constitué tel en vertu de l'incarnation du Verbe, l'unique puissance active, manifestée visiblement en notre monde, de toute l'économie du salut. L'Eglise n'est pour sa part qu'un

---

1. *Disputatio de fide infusa et acquisita* de 1520, 18 ; éd. Weimar 6, p.86.
2. K. Barth, *Dogmatique,* Vol. 4, t. 4 : *Le baptême, fondement de la vie chrétienne,* Genève, Labor et Fides 1969, 26, p. 107.
3. E. Jüngel, « Die Kirche als Sakrament ? », *ZTK* 80, (1982) p. 432-457.

sacrement « reçu » du Christ et de l'Esprit, c'est-à-dire que
son être et son agir sacramentels sont le fruit d'un don
gratuit, qui lui demeure radicalement transcendant, tout en
lui étant confié comme la source de sa vie .

Ces nuances, précisions et précautions disent en même
temps l'intérêt de cette appellation donnée à l'Eglise. Si le
Christ est le sacrement de Dieu, l'Eglise est à son tour le
sacrement du Christ. A ce titre, et à ce titre seul, elle est, si
on la considère par rapport à son origine, le sacrement de la
grâce trinitaire et en ce sens le sacrement de Dieu, Père, Fils
et Esprit. Si on la regarde par rapport à sa vocation et à sa
mission, elle est le sacrement du Royaume, le sacrement du
salut et le sacrement de l'unité du genre humain.

Du récit au sacrement

Cette catégorie d'Eglise sacrement correspond bien à l'intention d'une théologie du récit. Car le sacrement est à la fois
signe et cause ou instrument. En tant que signe il est aussi
récit, nous l'avons vu. Si donc il est cause en tant que signe,
il est aussi cause en tant que récit. Le Christ sacrement est
un événement qui donne lieu à un récit dont la fécondité
salvatrice s'exerce selon une causalité de type symbolique,
manifestant sa propre contagion par la conversion des libertés.
L'Eglise sacrement est à son tour l'institution fondée sur cet
événement, dont la tâche propre est de l'annoncer et de le
rendre présent dans tous les temps et tous les lieux. L'Eglise
a été établie comme le signe et l'instrument visible de l'unique
médiation du Christ. Car *il faut* que le don irréversible de
Dieu en Jésus ait présence et visibilité toujours et partout.
L'Eglise est un instrument entre les mains du Christ, parce
qu'elle exerce la prédication de la Parole, le ministère des
sacrements et celui de la conduite des communautés. Elle est
établie sur le récit qui la fonde, et à son tour elle porte ce
récit. Elle ne cesse de le raconter, en paroles et en actes. Sa
propre histoire donne lieu à un nouveau récit, celui par lequel
elle fait sien le récit de son Seigneur.

Ainsi l'Eglise porteuse de la Parole qui raconte le récit de Jésus, porteuse et ministre des sacrements institués par Jésus, est-elle aussi posée, de par le témoignage de ses communautés et de ses membres, comme un signe efficace du salut. On ne peut pas séparer les éléments de ce triple office et de cette triple mission. La Parole de Dieu qui ne va pas jusqu'au bout d'elle-même dans le sacrement reste incomplète. L'accord du dire et du faire dans l'Eglise repose fondamentalement sur l'accord de la Parole et des sacrements, c'est-à-dire sur celui du dire et du faire de Jésus. Mais cet accord doit devenir en elle existentiel, c'est-à-dire que son agir et donc son propre récit soient en accord avec la Parole qu'elle annonce et les sacrements qu'elle célèbre. Le récit existentiel de l'Eglise a lui aussi une valeur sacramentelle.

Une telle affirmation n'a rien de pélagien : elle n'institue pas l'Eglise comme une seconde source du salut et ne fait pas reposer l'efficacité propre aux sacrements sur la sainteté des ministres ou de la communauté. Elle dit seulement que le don de la grâce et du salut apporté en Jésus-Christ exerce son efficacité en ceux qui sont appelés à en devenir les témoins et les prophètes. Ce don est attesté par la conversion de leurs libertés. Mais nous savons que dans l'ordre des libertés en devenir la grâce est toujours une tâche. Le don se traduit alors en exigence et en devoir-être, selon une dialectique nécessaire. Car seul Celui qui est sans péché et parfaitement saint peut inviter de manière crédible à la conversion ; celle qui reste formée d'hommes pécheurs ne peut le faire en vérité que sur le fondement d'une conversion qui comporte le moment de l'aveu.

C'est en ce sens que l'Eglise peut être appelée sacrement global, signe et instrument du salut. Tout en elle, en tant qu'elle est le corps du Christ, participe, à la mesure de sa propre conversion, de l'efficacité de l'événement de Jésus. Par sa propre pro-existence elle est le sacrement de la pro-existence absolue de Jésus.

L'Eglise sacrement et symbole

Tout sacrement est signe visible de la grâce invisible. Tout sacrement est la visibilité d'un événement invisible qui le dépasse radicalement. Ceci se vérifie éminemment dans la liturgie eucharistique où le visible et le signifiant (rassemblement, parole, prière eucharistique, fraction du pain et communion) sont sans commune mesure avec l'invisible et le signifié (mémorial sacramentel du sacrifice de Jésus et en dernier lieu constitution du peuple de Dieu comme corps du Christ). Comme grand sacrement du salut, au sens précisé plus haut, l'Eglise renvoie elle aussi à une réalité qui la dépasse infiniment. Car les sacrements « recouvrent... cette réalité mystérieuse où le même Dieu qui est intervenu dans l'histoire des hommes vient à eux, sous le voile et dans la transparence des signes, pour attester sa présence et vivre avec et en eux comme leur allié »[1]. A la fois voile et transparence, tel est le propre du sacrement. Voile toujours épais au regard de la réalité, transparence ténue et fragile qui lui garde son caractère de signe et sauve le lien de l'efficience. Car « le *signe* sacramentel exprime à la fois une distance et un lien effectif entre l'expression visible et la réalité invisible espérée »[2]. Ou encore, « parler de signe vivant à propos de l'Eglise », et bien entendu de sacrement, « c'est la décrire à la fois comme le lieu de la *présence* et celui de la *distance*. Cette tension se résoudra dans le face à face du Royaume achevé où il n'y aura ni Temple, ni signe (cf. Ap 21, 22). Dans l'Eglise au contraire il y a distance entre le corps et la Tête, c'est-à-dire le Christ qui est son juge ; il y a distance entre l'Eglise et l'Evangile qui reste sa norme, entre l'Eglise et le Royaume qui est son terme. La distance demeure, malgré le don réel de l'Esprit à l'Eglise »[3]. L'attribution du terme de sacrement

---

1. Groupe des Dombes, *L'Esprit Saint, l'Eglise et les Sacrements,* Presses de Taizé 1979, n° 25.
2. *Ibid.,* n° 22.
3. *Ibid.,* n° 85.

à l'Eglise peut contribuer à la mettre à l'abri de la tentation de s'identifier au Christ.

Tout cela est sans doute plus compréhensible aujourd'hui à partir de la nouvelle acception du terme de *symbole*. Naguère la catégorie de symbole avait un sens tellement exténué (ce qui est symbolique, c'est ce qui n'a pas de réalité !) que son emploi en théologie créait un malaise immédiat. Il peut en aller autrement aujourd'hui que la réflexion, tant philosophique que théologique, lui a redonné ses lettres de noblesse. Le symbole est éminemment réel : « Le symbole dit plus que le signe et il rejoint la visée de l'ancien terme de mystère. Le propre des interventions de Dieu dans l'Alliance qu'il instaure avec son peuple est de lui donner de vivre dans des événements visibles de notre monde sa présence transcendante et son action de salut. Il y a donc symbole, puisqu'un pont est jeté entre la face visible de la création et le dessein de Dieu accompli dans l'Alliance »[1]. Il est donc parfaitement légitime de parler de causalité symbolique à propos des sacrements. La catégorie de symbole permet aussi de comprendre quelque chose du rôle de l'Eglise au regard du salut universel de l'humanité.

L'Eglise sacrement de la communication

Le salut est fondamentalement l'autocommunication amoureuse de Dieu à l'homme, requérant de la part de celui-ci la communication de lui-même à Dieu, c'est-à-dire son sacrifice. Le salut a pris visage dans la communication que Dieu nous a faite de son Verbe et dans la « pro-existence » de celui-ci jusqu'à la mort. En Jésus, le Verbe incarné, la Parole de communication est acte. La révélation de Dieu se fait histoire et son identité passe par le récit. Le sacrifice du Christ, comme don absolu de lui-même à Dieu, avons-nous vu, s'inscrit lui-même dans le mouvement descendant par lequel Jésus se donne à ses frères.

1. *Ibid.,* n° 23.

La même structure de communication habite l'être de l'Eglise et lui indique sa vocation. La même logique d'une sotériologie descendante s'exerce tant dans l'économie sacramentelle que dans la sacramentalité globale de l'Eglise. Le modèle originel de toute causalité sacramentelle est celui de la croix de Jésus, sacrement du sacrifice de l'humanité[1]. L'Eglise est le sacrement fondé, ou le signe vivant du don de Dieu aux hommes, et c'est sur la base de ce don qu'elle peut vivre le sacrifice existentiel qui la fait retourner de tout son être à Dieu. Elle est le sacrement contagieux de la conversion des libertés, par la communication de la Parole et des sacrements, mais aussi à la mesure de l'amour qui l'anime et la rend « communicante » avec tous les hommes de bonne volonté. Le salut est pour elle une affaire de communication et de contagion. C'est non seulement sur le récit du Christ, mais aussi sur son propre récit que le monde l'attend.

A ce titre l'Eglise a pu être légitimement appelée par Vatican II sacrement de l'unité de toute l'humanité. Sa vocation la pousse toujours au delà d'elle-même. Elle ne saurait se considérer comme son propre but. Réconciliée par le Christ et en devenir de réconciliation, elle est au service de la réconciliation de tous les hommes, nécessaire dimension de leur salut. C'est pourquoi la grande tâche de l'unité de tous les chrétiens n'est pas une simple affaire d'Eglise : elle est indispensable au service du monde[2].

---

1. Cf. Y. de Montcheuil, *Mélanges théologiques,* Paris, Aubier 1946, p. 53.
2. Le rôle de l'Eglise est donc celui d'une libre coopération au salut, à la fois rendue possible et demandée par la grâce. C'est selon cette logique qu'il faut comprendre la coopération de Marie au salut, qui, si elle est parfaitement originale quant à sa mission, ne fait pas exception au principe chrétien de la justification par la foi. C'est parce qu'elle a été « comblée de grâce » (Lc 1, 28) que Marie a pu répondre de toute sa foi à ce qui lui était demandé. « Séduite » par la proposition qui lui était faite dès le commencement de l'événement du Christ, Marie est entrée dans le récit de Jésus pour en faire son propre récit. Cf. B. Sesboüé, *Pour une théologie oecuménique,* Paris, Cerf 1990, p. 377-404.

CHAPITRE XIX

Le récit total : de l'origine à la fin

Vers l'Alpha et l'Omega des temps

Tout récit a un commencement et une fin. Mais nos récits demeurent inscrits dans la trame d'un récit plus large qui les englobe. Dans nos histoires il y a toujours un avant et un après. Quand il s'agit d'un salut dont on affirme à la fois le caractère absolu et universel, le récit doit remonter aux origines et conduire à l'eschatologie : il doit rejoindre un « avant sans avant » et un « après sans après »[1]. A partir des récits du salut venus du milieu de notre histoire, il nous faut maintenant opérer le double mouvement vers l'Alpha et l'Omega de notre temps, c'est-à-dire le moment inaugural et le moment de l'accomplissement ultime.

« Le thème de la création, aussi bien là où l'on assiste aux commencements que là où il est question des cieux nouveaux et de la nouvelle terre, est développé dans la forme narrative des histoires... "Origine" et "fin" : on ne peut en parler

---

1. Cf. G. Fessard, « L'histoire et ses trois niveaux d'historicité », *Sciences ecclésiastiques*, XVIII (1966), p. 329-357.

qu'en les racontant ou en les racontant d'abord », écrit J.B.
Metz [1]. Le récit relève ici du genre « mythique », au sens
positif de ce terme, pour la simple raison que l'origine en
tant qu'origine et la fin en tant que fin échappent à toute
prise d'une histoire historienne. On peut même tenir la thèse
que « *tout commencement demeure insaisissable comme tel,
qu'il soit absolu ou relatif* » [2]. Pas plus que chacun d'entre
nous, l'humanité n'est contemporaine ni de son commencement ni de sa fin, c'est-à-dire qu'elle a pris conscience d'elle-
même une fois qu'elle était déjà là et qu'au plan empirique
elle ne sera plus là pour raconter sa fin. C'est dans la sphère
de la transcendance que le commencement et la fin pleinement
advenue seront un éternel présent : leur récit éternel deviendra
une louange perpétuelle dont les psaumes peuvent nous
donner une image anticipatrice.

Mais les récits dont nous parlons ont leur origine dans le
temps et nous atteignent dans le temps. Quand l'événement
religieux raconté se situe aux limites de notre histoire et
concerne ce qui la fonde et ce qui l'accomplit en la supprimant,
nous ne disposons d'aucun support ni historique ni cosmique.
Le récit de l'avant ne s'appuie sur aucun souvenir ; a fortiori
celui de l'après ne peut être qu'une anticipation. Ces récits
ont donc valeur de révélation sous une forme à la fois
symbolique et mythique. Ils s'expriment dans un genre
littéraire original, où le commencement absolu est en quelque
sorte « reconstitué » ou « déduit » [3] à partir de l'expérience
des choses et de la vie. C'est pourquoi on les appelle des
récits « étiologiques », c'est-à-dire des récits qui ont pour but
de nous dire pourquoi les choses sont ce qu'elles sont et quel
sens elles peuvent avoir. C'est selon cette logique qu'elles
expriment une vérité qui est de l'ordre de la transcendance et
qui reste inaccessible à un autre discours.

1. J.B. Metz, *La foi dans l'histoire et dans la société. Essai de théologie
fondamentale pratique,* Paris, Cerf 1979, p. 232.
2. P. Gibert, *Bible, mythes et récits de commencement,* Paris, Seuil
1986, p. 29.
3. *Ibid.,* p. 46-48.

On dit souvent que les extrêmes se touchent. Il existe en effet une correspondance et un renvoi perpétuel entre l'Alpha et l'Omega du récit du salut. Ce qui est projet et dessein à l'origine est accomplissement à la fin. La fin s'anticipe donc dans les récits du début et Irénée avait une intuition profonde en disant au sujet du 1° chapitre de la *Genèse* : « Ceci est à la fois un récit du passé, tel qu'il se déroula, et une prophétie de l'avenir » [1]. Réciproquement, l'origine se révèle en plénitude au terme de l'histoire dont elle reçoit la lumière. Cette correspondance est riche de toute une dialectique de la création et du salut. La création est déjà un acte de salut et le salut à son tour est une re-création ou une création nouvelle. La genèse de cette nouvelle création a déjà valeur eschatologique, puisqu'avec l'événement de Jésus la fin des temps est déjà présente. L'eschatologie pleinement accomplie enfin nous est présentée selon les images des cieux nouveaux et de la terre nouvelle (cf. Ap 21).

I. Les récits de la création

La création au regard de la Bible et de la science

Notre époque est passionnée par les récentes découvertes de l'astro-physique qui renouvelle et élargit radicalement les connaissances que nous pouvions avoir de la genèse de notre cosmos. L'univers nous apparaît selon une immensité vertigineuse dans l'espace et dans le temps. A cette échelle il semble de plus en plus étranger à l'homme, perdu dans une région infime, tandis que ce même homme lui demeure étranger. On a pu dire que l'homme est un tzigane en marge de la nature. Toutes ces données, qui marquent une grande distance avec la visée biblique de la foi, demandent que soit

1. Irénée, *Contre les hérésies*, V, 28, 3 ; *trad. cit.*, p. 654.

bien précisé le créneau de pertinence des affirmations de celle-ci.

A propos de l'univers le monde scientifique et les médias qui répercutent leurs découvertes emploient volontiers le mot de création. Mais ils le font en prenant le terme en un sens tout différent de celui de la Bible et de la foi. La création au sens scientifique est ce que vise la connaissance du *commencement* temporel ou de la genèse du cosmos, de la structure de ses éléments, ainsi que des origines de la vie et de l'émergence de l'homme. La création au sens de la Bible et de la foi est la *révélation de l'origine et de la fin* selon leur sens. Elle nous situe d'emblée au niveau du commencement absolu qui est celui de Dieu, de cet « avant sans avant » de l'éternité divine : « Au commencement Dieu créa le ciel et la terre » (Gn 1,1), auquel répond le prologue de Jean : « Au commencement était le Verbe » (Jn 1,1). La création, prise en ce sens, est une notion liée à un événement de révélation. La philosophie grecque n'y était pas parvenue, puisqu'elle voyait le cosmos comme le résultat d'une émanation plus ou moins nécessaire et dégradée de principes premiers. Après coup, la réflexion philosophique, celle de saint Thomas par exemple, construira cette idée en concept rationnel. Dans son sens révélé, le terme de création nous dit que ce monde a un auteur, Dieu, qui l'a posé librement à partir de rien, en vue de l'homme auquel il voulait se communiquer lui-même comme à un libre partenaire. Il nous apprend que ce monde a un commencement et une fin et qu'il est le théâtre d'une histoire. La création ne vise pas seulement l'instant premier du cosmos, mais l'origine constante de l'univers perpétuellement dépendant de l'initiative créatrice de Dieu.

Il est donc urgent de lever une confusion qui règne trop généralement dans les esprits entre les deux sens du terme de création. Il ne s'agit pas pour autant de tomber dans un dualisme commode, en posant une distinction simple entre récits à valeur exclusivement religieuse et recherche à portée exclusivement scientifique. Cette conception des champs du savoir est bien postérieure aux écrits bibliques. En leur temps, ceux-ci se servaient de toutes les ressources de leur connaissance du monde pour rendre compte de l'origine. Ils exprimaient une recherche d'« unité et de cohérence » qui avait une « prétention totalisante »[1]. De son côté, la science moderne, habitée elle aussi par une recherche d'unité et de cohérence, ne peut pas ne pas se confronter à des problèmes qui constituent pour elle des passages à la limite. Elle aussi procède par déduction. Dans l'ordre de la représentation elle ne peut non plus échapper totalement au genre du récit pour dire ce qui « s'est passé » au commencement. Cependant le centre de gravité de chaque propos n'est pas le même. L'esprit scientifique proprement dit est né à partir du moment où on est passé des questions globales du « pourquoi ? » aux questions circonscrites du « comment ? ». Mais alors une grave confusion est née de l'usage indu que l'on a fait des récits bibliques en leur demandant de répondre à des questions qu'ils ne s'étaient pas posés et de boucher le trou de la connaissance scientifique. Plus alors celle-ci se développait, plus la contradiction apparaissait irréductible entre visée scientifique et visée biblique du monde. Une telle requête reposait sur un anachronisme culturel qui ne pouvait que conduire à de faux antagonismes ou a de mauvais concordismes.

Aujourd'hui les deux termes de création visent sans doute la même réalité, et s'adressent aux mêmes hommes, mais selon des points de vue originaux qui ne se rejoignent pas de manière immédiate, pour la simple raison que la connaissance de foi ne peut s'additionner simplement à la connaissance scientifique. La première engage l'homme en tant qu'homme, qui cherche et reçoit le sens de sa propre existence dans le

---

1. P. Gibert, *ibid.*, p. 84, dont je m'inspire. — Le même auteur souligne, d'autre part, les nombreuses différences qui distinguent l'économie — ou les scénarios — des deux récits de création (ordre de production des créatures, climat de la rédaction, etc.). Le premier souligne davantage l'harmonie originelle ; le second est d'entrée de jeu plus dramatique et fait corps avec le récit du péché.

monde ; elle sollicite l'accueil de sa liberté et sa foi, puisqu'elle lui parle de Dieu et de son action transcendante.

La seconde est le fait du savant en tant que savant, qui met en œuvre des procédures rigoureuses définissant un objet et une méthode dont il sait les limites. Par hypothèse une telle connaissance ne saurait rencontrer Dieu. L'astrologie est devenue astronomie, à partir du moment où la science naissante a cessé de faire intervenir Dieu pour colmater les brèches d'hypothèses encore insatisfaisantes. La science essaie de comprendre le cosmos tel qu'il nous apparaît aujourd'hui, tel qu'il se présente à la fois merveilleux mais étranger et même et hostile à l'homme, tel aussi que l'homme est capable de l'abîmer. Mais ses procédures ne lui permettent pas de dire pourquoi en dernier ressort il en est ainsi et quelles sont la place et le sens de l'homme au sein de l'univers.

Cependant, le savant est un homme qui, en tant qu'homme se pose les questions dernières, de même que le croyant est inévitablement marqué par l'esprit de son temps qui le pousse à chercher une cohérence entre connaissance scientifique et visée biblique.

La Bible de son côté nous propose la révélation du dessein de Dieu sur l'homme et le monde : elle nous dit que la création, en tant qu'elle est sortie des mains de Dieu, est bonne et harmonieuse. Mais le péché est venu rompre cette harmonie et a atteint non seulement la relation de l'homme à Dieu, aux autres et à lui-même, mais aussi sa relation au cosmos. C'est dans le cadre de cette relation blessée, dont nous ne pouvons pas plus sortir que de notre ombre, que nous avons aujourd'hui pouvoir de connaissance et d'action sur le monde pour le conduire à sa fin. « La création attend avec impatience la révélation des fils de Dieu, écrit saint Paul : livrée au pouvoir du néant — non de son propre gré, mais par l'autorité de celui qui l'y a livrée —, elle garde l'espérance, car elle aussi sera libérée de l'esclavage de la corruption, pour avoir part à la liberté et à la gloire des enfants de Dieu » (Rm 8, 20-21).

Les deux sections de la Genèse

Une césure très nette sépare deux sections bien différentes dans le livre de la Genèse. Les onze premiers chapitres, qui parlent des origines de l'humanité n'appartiennent pas au même genre littéraire que les récits des patriarches. Les deux sections sont suturées à l'aide d'une généalogie qui va de Sem, fils de Noé à Abraham. Cette construction a sens. Abraham, l'homme de la promesse, celui par lequel j'ai commencé le récit de l'Ancien Testament, le père du peuple élu d'Israël, est lui aussi un fils d'Adam. Par lui l'histoire de l'élection est située au sein de l'histoire universelle. « Tous les fils d'Adam ne sont pas fils d'Abraham, mais tous les fils d'Abraham sont fils d'Adam. Le premier juif est un païen choisi : sa propre biographie est coupée selon les deux segments de la Genèse, auxquels elle tient de part et d'autre... L'élection est conçue comme une différence où l'élu fait face à l'universel. Et il le sait » [1]. L'élection des fils d'Abraham est au service du salut des fils d'Adam. Ces réflexions jettent une lumière à la fois sur l'aval des récits des patriarches, avec lesquels commence l'histoire sainte de l'initiative salvifique de Dieu auprès des hommes et en amont sur la création universelle. Elle reporte aux origines, au bénéfice de toute l'humanité, le dessein divin du salut, déjà inscrit dans l'acte de la création de l'homme.

Le premier récit de création (Gn 1)

« Les cieux racontent la gloire de Dieu, le firmament publie l'œuvre de ses mains. Le jour au jour en transmet le *récit* et la nuit à la nuit en donne connaissance » (Ps. 19 2-3). Pour le psalmiste le déploiement du cosmos est en lui-même un récit qui chante la gloire de Dieu. Aussi n'est-il pas étonnant que le premier récit de l'origine du monde — celui qui, de

---

1. P. Beauchamp, *Le récit, la lettre et le corps. Essais bibliques,* Paris, Cerf 1982, p. 205.

source sacerdotale, sert de portique au grand livre de la Bible - soit lui aussi un poème à la louange du créateur. Il nous décrit la création dans une suite de strophes rythmées comme l'œuvre belle et bonne menée par Dieu en six jours de « travail » et se conclut par la consécration du septième jour comme jour de repos.

Comment Dieu crée-t-il ? En mettant de l'ordre et donc du sens dans un chaos initial. Pour ce faire, Dieu d'abord sépare[1] : il sépare la lumière des ténèbres (opération répétée une seconde fois à propos de la création des astres et des deux grands luminaires), les eaux d'en haut et les eaux d'en bas, puis celles-ci de l'élément sec, la terre. Sur cet horizon aux repères désormais fermes et stables, Dieu crée la vie selon l'échelle des êtres : l'ordre végétal, dont chaque espèce est bien distincte des autres dans son originalité, puis l'ordre animal, oiseaux, poissons, bétail, reptiles et bêtes sauvages selon la même distinction des espèces. Puis, pour couronner le tout, Dieu crée l'homme, mâle et femelle, en lui donnant pouvoir de « régenter » les animaux de l'univers et mission de remplir et de dominer la terre. L'œuvre s'achève enfin par une nouvelle séparation, celle des six jours ordinaires ou « ouvrables » et le jour saint du sabbat, consacré par le repos.

Les strophes du poème sont scandées par un refrain répété avec la mention de chacun des jours : « Il y eût un soir et il y eût un matin ». Ce refrain est associé à un constat admiratif plusieurs fois répété : « Et Dieu vit que cela était bon ». Au soir du sixième jour Dieu dit même que c'était « très bon » ou « splendide ». L'œuvre de la création est donc celle d'un Dieu bon, qui par un acte personnel et libre a créé un monde tout à fait bon et l'a donné à l'homme. Dans cette œuvre il n'y a nulle place pour le désordre, le mal ou la violence. C'est ailleurs qu'il faudra chercher l'origine du mal et des disharmonies dont nous faisons l'expérience. « Au commence-

---

1. Cf. P. Beauchamp, *Création et séparation. Etude exégétique du chapitre 1° de la Genèse,* Paris, Aubier/Le Cerf 1969.

ment il n'en était pas ainsi » (Mt 19, 8), peut-on dire à ce propos comme Jésus le dit de l'indissolubilité conjugale[1].

Un schème traverse toute la composition : l'œuvre de Dieu est la victoire de sa toute-puissance sur le non-sens du chaos originel, symbolisé ici par ce qui est désert, informe et vide, et dans les psaumes par l'existence des monstres marins. Cette représentation imagée des choses nous propose déjà la création comme un combat et annonce à sa manière que le salut et la nouvelle création seront aussi le fruit d'un combat. Celui qui sépare les eaux d'en haut et les eaux d'en bas, puis sépare les eaux de la terre est aussi celui qui fendra la mer rouge pour faire apparaître le sec en son milieu, afin de libérer son peuple. Il est déjà celui qui s'engage pour l'homme par le don de la simple stabilité des choses, car il a fondé la terre et elle tient. Il est déjà le Sauveur[2].

La création est aussi une œuvre de Sagesse. Dieu dispose tout avec art pour le bien de l'homme : « Yahvé, par la Sagesse, a fondé la terre ; il a établi les cieux par l'intelligence. C'est par sa science que furent creusés les abîmes, que les nues distillent la rosée » (Pr 3, 19-20). Les livres sapientiels personnifieront même cette présence de la Sagesse à côté de Dieu quand il crée : « J'étais à ses côtés comme le maître d'œuvre, faisant ses délices, jour après jour, m'ébattant tout le temps en sa présence, m'ébattant sur la surface de la terre et mettant mes délices à fréquenter les enfants des hommes » (Pr 8, 30-31). La tradition chrétienne verra dans cette Sagesse personnifiée la préfiguration du Verbe. Tout n'a-t-il pas été créé par la Parole de Dieu, puisqu'« au commencement Dieu dit... » ? Cette œuvre comporte déjà un élément de Loi : Dieu donne à l'homme les plantes en nourriture, tout l'ordre végétal, mais non les animaux ; elle invite également l'homme à ressembler à Dieu en respectant le sabbat[3].

---

1. Cf. P. Beauchamp, « La création, acte personnel d'un Dieu qui se nomme », *Unité des chrétiens,* 75, juillet 1989, p. 16.
2. Cf. P. Beauchamp, *ibid.,* p. 15, dont je m'inspire ici.
3. Cf. *ibid.,* pp. 17.

La création de l'homme et de la femme est mise en un relief particulier par rapport au reste de l'univers. Ici l'ordre simple ne suffit plus : Dieu délibère en quelque sorte avec lui-même en disant : « Faisons l'homme... ». De plus, trait unique parmi tous les êtres créés, l'homme est créé à l'image et selon la ressemblance de Dieu. Ce parallélisme biblique des deux expressions a donné lieu à de nombreuses spécula-tions chez les Pères de l'Eglise, les uns identifiant et les autres distinguant image et ressemblance [1]. Quoi qu'il en soit, nous sommes ici devant le fondement de toute anthropologie chrétienne. Car il appartient à l'être même de l'homme d'être fait à l'image de Dieu. Par son être il touche au divin, il participe au mystère de Dieu. Ce caractère divin inscrit dans l'homme une vocation à connaître, à aimer et finalement à voir Dieu. A l'autre bout de la Bible saint Jean fait écho à cette déclaration initiale : « Nous lui serons semblables, puisque nous le verrons tel qu'il est » (1 Jn 3,2). La création est ainsi la prophétie de l'accomplissement ultime. L'origine de l'homme indique sa fin. De même, l'homme reçoit de Dieu la garde de la création, c'est une capacité qui le marque comme image du Dieu créateur et tout-puissant. Il reçoit une autorité réelle sur les autres vivants et sur la terre, mais cette autorité est une gérance, un gardiennage, et non une souveraineté. Autrement dit, cette gestion engage une responsabilité dont il devra rendre compte en fonction de sa vocation.

Même si la création de l'homme est le sommet et le couronnement de l'œuvre des six jours, le récit ne s'arrête pas au sixième jour. Le septième jour Dieu s'arrête. Il bénit et consacre ce jour, c'est-à-dire qu'il demande à l'homme de chômer lui aussi. Car le travail de Dieu et le travail de l'homme ne sont pas des fins en soi. La création est ordonnée à autre chose qu'elle-même, à la présence de Dieu à l'homme et de l'homme à Dieu. Le sommet de toute vie d'amour ne consiste-t-il pas dans la présence mutuelle ? La fin de la

---

1. Cf. t. I, pp. 204-207.

création est contemplative. Sa fin ultime n'est ni l'homme, ni le travail de l'homme, mais la gloire de Dieu célébrée dans le sabbat avec l'homme. « L'accomplissement de la création est le repos, écrit J. Moltmann, l'accomplissement de l'action est l'existence. La création est l'œuvre de Dieu, mais le sabbat est l'existence présente de Dieu. Dans ses œuvres s'exprime la volonté de Dieu, mais dans le sabbat se manifeste l'essence divine. ... Le sabbat n'est pas un jour de la création, mais le "jour du Seigneur" »[1]. Autrement dit, le sabbat, selon R. Marlé, « c'est l'institution de la grâce : d'un ordre de gratuité et de liberté dans la participation à la vie même, intime, de Dieu »[2]. Pour cette raison le sabbat, à l'instar de l'exode, est un archétype de la libération : « *L'exode* de l'esclavage vers le pays de la liberté est le symbole efficace de la liberté extérieure. Le *sabbat* est le symbole tranquille de la liberté intérieure »[3].

Le second récit de création : l'homme et la femme (Gn 2, 5-24)

Le second récit de création, d'origine yahviste et plus ancien que le premier, concentre son attention sur la création de l'homme et de la femme. Dieu se fait ici potier : il « travaille » la poussière du sol pour la modeler et lui donner forme ; il lui insuffle ensuite le souffle de la vie. L'haleine de vie qui anime l'homme est donc une première communication de la vie même de Dieu. Se référant à ce texte, Irénée aimera parler de l'homme avec toute la tendresse qu'il prête à Dieu envers « l'œuvre par lui modelée » *(plasmatio)*. Mais surtout il met en parallèle la naissance du premier Adam et celui du nouveau, en discernant la correspondance symbolique entre Adam, modelé par la main de Dieu à partir d'une terre

---

1. J. Moltmann, *Dieu dans la création. Traité écologique de la création*, Paris, Cerf 1988, p. 356-357.
2. R. Marlé, « La création, doctrine de salut », *Catéchèse*, 106, janvier 1987, p. 24.
3. J. Moltmann, *op. cit.*, p. 365.

vierge et Jésus conçu dans le sein d'une vierge par l'action
du Saint-Esprit [1]. Autrement dit la création de l'homme est
une prophétie de l'incarnation. Dieu crée Adam, « l'homme
psychique », en vue de le sauver par le Christ « l'homme
spirituel » : « En effet, puisqu'existait déjà celui qui sauverait,
il fallait que ce qui serait sauvé vînt aussi à l'existence, afin
que ce Sauveur ne fût pas sans raison d'être » [2]. Toute
l'économie du salut est intentionnellement présente à l'acte
inaugural de la création. Quant à Tertullien, méditant sur le
mystère indiqué par l'étrange travail de Dieu qui, au lieu de
donner simplement un ordre, semble mettre son tablier et
retrousser ses manches, il fait une réflexion qui se termine
par un mot fulgurant :

> « Si grande était l'entreprise que cette matière était
> l'objet d'un travail. Elle est en effet d'autant plus
> honorée que la main de Dieu la prend, la touche, la
> pétrit, l'effile et la façonne. Représente-toi Dieu tout
> entier occupé à donner figure à l'œuvre de sa main :
> il y applique son intelligence, son action, son conseil,
> sa sagesse et sa providence, et avant tout son affection.
> Car tout ce qui était imprimé dans ce limon, c'était
> la pensée du Christ, l'homme à venir, le Verbe fait
> chair, ce qui n'était alors que limon et terre » [3].

Peut-être pensera-t-on que de telles exégèses vont infiniment
plus loin que le texte. Cependant, ce n'est pas Irénée qui a
inventé le parallèle entre Adam et le Christ : il exploite la
visée paulinienne qui construit une histoire du salut à
partir des deux figures têtes de l'humanité. L'interprétation
prophétique de l'Ancien Testament par le Nouveau remonte
jusqu'à l'origine du monde et de l'homme.

Après avoir créé Adam, Dieu plante pour lui un jardin en
Eden, avec mission de le cultiver, de le garder et pouvoir de

---

1. Cf. Irénée, *Contre les hérésies,* III, 18, 7 ; p. 367 ; III, 21, 10 ; p.
382.
2. *Ibid.,* III, 22, 3 ; p. 385.
3. Tertullien, *De la résurrection de la chair,* VI ; *P.L.* 2, 802 ; trad. J.
Moingt.

se nourrir de tout fruit de l'enclos, à l'exception de l'arbre du bien et du mal. Ce jardin riche en eaux, en plantes, en oiseaux du ciel et en bêtes des champs, comme en pierres précieuses n'appartient pas à notre espace-temps. Il n'est pas localisable sur notre terre. Il n'y a pas à se demander où, quand et combien de temps cet état de paradis a duré. C'est un passage à la limite des merveilles de la création, une super-nature dépourvue des côtés hostiles que nous lui connaissons. C'est un « paradis », c'est-à-dire un monde d'harmonie, de bonheur et de transparence, de communion spontanée, où l'homme pourra rencontrer dans l'amour non seulement la femme, mais encore Dieu, qui s'y promène sur la brise du soir. Ce paradis terrestre est lui aussi une prophétie, celle du paradis eschatologique. Sa description exprime en image un dessein de Dieu, un dessein qu'il faut situer dès l'origine, même si ce qu'il raconte ne prendra effectivité qu'à la fin des temps. Selon son dessein, Dieu donne l'homme à lui-même, afin de pouvoir se communiquer à lui. Le véritable paradis qui prendra le nom de cieux nouveaux et de terre nouvelle sera l'achèvement de ce qu'inaugure la création première de l'homme au jardin de l'Eden.

Puisque l'homme a vocation à être personne, il ne peut rester seul. Il lui faut une partenaire valable et assortie. Or aucun des animaux que Dieu fait défiler devant Adam, afin qu'il exerce sur eux son autorité en les nommant, n'est capable de devenir l'aide accordée à son désir. Dieu fait alors tomber un profond sommeil sur l'homme, prend une de ses côtes et la façonne en forme de femme pour la lui présenter. Et l'homme, dans un cri de joie, la reconnaît comme sa semblable et lui donne le beau nom d'épouse. Adam est émerveillé devant ce jeu mystérieux de l'identité et de l'altérité : celle qui lui est absolument semblable reste absolu-ment différente, et c'est cette différence qui leur permet de ne faire qu'un. Dès la création, l'institution du mariage apparaît comme une réalité d'amour. Ceux qui viennent de la même chair sont appelés à ne devenir qu'une seule chair. Cette relation renvoie symboliquement et pédagogiquement à la relation que Dieu désire nouer avec l'homme, où l'image et la ressemblance s'inscrivent de même au sein de la différence absolue entre l'être créé et son créateur. Récit prophétique, une fois encore, puisque Yahvé cherchera à faire du peuple qu'il a choisi son épouse et puisque du côté ouvert de Jésus, le nouvel Adam endormi sur la croix, jailliront le sang et l'eau qui donneront vie à l'Eglise. Ce récit est plus intimiste que le premier. Il souligne le rôle paternel du créateur, soucieux de donner à l'homme tout ce dont il a besoin, après lui avoir transmis son propre souffle, et de l'appeler à la vocation de l'amour.

Les effets de sens des récits de la création

Quels sont les « effets de sens » de ces récits ? Ce sont des récits « étiologiques », c'est-à-dire qu'ils ont pour but de nous dire la cause et la raison de notre existence en même temps que le pourquoi du monde. Ils ont aussi valeur d'« anamnèse » : ils veulent rendre présent à notre mémoire ce qui dépasse tout souvenir possible. Le but est avant tout religieux ; même s'ils ont une portée métaphysique, ils ne nous livrent aucune spéculation abstraite. Ils nous disent une chose très simple : « Le monde est le rendez-vous de l'homme et de Dieu »[1].

Car la création n'est pas une simple chose, un objet brut, une nature neutre laissée à l'arbitraire de l'homme. Elle est un cadeau, un don gratuit fait par Dieu à l'humanité. Elle est le fruit d'un acte personnel et libre de bienveillance. Fruit d'une parole, elle demeure parole, invitation et message. Toute parole s'adresse à quelqu'un : ce quelqu'un, c'est l'homme, posé dans sa vocation à être personne, partenaire de ce don personnel. La création est aussi promesse de stabilité, d'ordre et de sens. Du côté de l'homme elle est vocation et programme, non seulement parce que son travail

---

1. P. Beauchamp, *Parler d'Ecritures saintes,* Paris, Seuil 1987, p. 89.

doit l'humaniser, mais encore parce qu'à travers elle il doit entrer en relation de connaissance et d'amour avec Dieu.

Autant dire que la création a déjà tous les caractères d'une alliance. Le projet de Dieu est un projet de don et de communication. En donnant son propre souffle à l'homme, il se donne lui-même déjà. La création de l'homme est le premier temps du don que Dieu fait de lui-même à l'homme. Elle porte déjà en elle toute la structure du salut dont elle n'est que le premier temps. C'est pourquoi le Nouveau Testament et après lui les Pères de l'Eglise en feront une lecture de plus en plus formellement trinitaire. Dieu n'a-t-il pas tout créé par son Verbe et son Esprit ?

II. Les récits du péché

Nous avons vu que le salut chrétien est en même temps délivrance du mal et plénitude de vie [1], libération et divinisation. L'expérience douloureuse du mal nous renvoie à la fois à notre finitude et au mystère du péché qui est la lèpre de notre liberté. Aussi n'est-il pas possible de développer une théologie du salut sans se confronter avec le problème du péché. Encore est-il important de respecter le mouvement doctrinal, qui correspond d'ailleurs au mouvement de la révélation biblique, en allant du salut au péché et non du péché au salut. Ce dernier itinéraire a trop longtemps marqué la théologie, la prédication et la catéchèse. Il a souvent changé le message de la Bonne Nouvelle en l'annonce d'un enfermement général et a priori de l'humanité dans le malheur et la condamnation. Or ce n'est pas le péché qui nous révèle le salut, c'est le salut qui nous révèle le péché dont il nous sauve. Ce n'est qu'à la lumière du salut que nous pouvons ne pas perdre cœur devant le péché. C'est pourquoi la

1. Cf. t. I, pp. 17-27.

réflexion sur le péché vient en fin de cet ouvrage. Le mystère du salut, quand il remonte vers l'origine des choses et franchit les limites de notre histoire actuelle, nous révèle d'abord la profondeur et la bonté du dessein créateur de Dieu et ensuite le sérieux du péché qui atteint l'homme.

Avant même qu'il ne se passe quoi que ce soit d'autre que la geste créatrice de Dieu sur l'homme et sur la femme, le récit des origines nous raconte la chute d'Adam et d'Eve, qui vient rompre l'harmonie originelle du paradis. Cette transgression première inaugure une série de péchés qui jalonnent l'histoire commençante de l'humanité : c'est le meurtre d'Abel par Caïn, la généralisation du péché sur la surface de la terre qui amène le déluge et enfin le projet prométhéen de la construction de la tour de Babel. Même si le récit de la manducation du fruit de l'arbre par Adam et Eve a depuis toujours symbolisé le « péché originel »[1], parce qu'il est le premier de la série et qu'il amène le changement de statut de l'homme par rapport à Dieu et à la création, tous les autres nous décrivent aussi divers aspects du péché qui habite l'homme depuis les origines. Tous ces récits ont une intention étiologique et se servent du mythe dans une visée sapientielle. Ils veulent répondre aux grandes énigmes de l'existence en nous expliquant pourquoi le monde, créé bon par Dieu, se présente à nous sous l'aspect contrasté de bien et de mal, de beauté et d'horreur. Ces récits opèrent, comme l'a bien montré P. Ricœur, un dédoublement de l'origine :

> « *Le mythe étiologique d'Adam est la tentative la plus extrême pour* dédoubler *l'origine du mal et du bien ; l'intention de ce mythe est de donner consistance à une origine* radicale *du mal distincte de l'origine plus* originaire *de l'être-bon des choses ; quelles que soient les difficultés proprement philoso-*

---

1. Une étude complète de la doctrine du péché originel et du difficile problème du mal — mystère d'opacité par excellence — dépasse évidemment l'intention de ce livre. Je ne vise ces récits que dans la mesure où ils nous proposent les présuppositions du mystère du salut.

phiques de cette tentative, cette distinction du radical et de l'originaire est essentielle au caractère anthropologique du mythe adamique ; c'est elle qui fait de l'homme un commencement *du mal au sein d'une création qui a déjà son* commencement *absolu dans l'acte créateur de Dieu.*

*...*Parce que *"Yahvé règne par sa Parole", parce que "Dieu est Saint", il faut que le mal entre dans le monde par une sorte de catastrophe du créé, catastrophe que le nouveau mythe tentera de ramasser dans un événement et dans une histoire où la méchanceté originelle se dissocie de la bonté originaire »* [1].

A l'origine du bien qui est le fait de Dieu lui-même vient donc répondre l'origine du mal qui dans le monde est le fait de l'homme. Autrement dit, le mal est moins originaire que le bien : il est induit.

Adam et Eve (Gn 3, 1-23)

Dans le jardin Dieu avait tout donné à l'homme, mais avec une mise en garde : « De tout fruit de l'enclos tu pourras manger ; mais de l'arbre de la science du bien et du mal : le jour où tu en mangeras, tu mourras certainement » (Gn 2, 16-17). Cette science est celle du discernement absolu des choses et des valeurs, qui est le propre de Dieu. Comprenons bien : l'interdit n'est nullement arbitraire ; le fruit est défendu parce qu'il est mortel. En manger, c'est mourir, puisque c'est refuser que la vie soit un don reçu de Dieu. Le don porte en lui une logique intrinsèque qui va normalement de soi : le bénéficiaire reconnaît le donateur dans le don et noue une relation avec lui. Mais il y a deux manières de refuser un don : ne pas le prendre ou l'arracher des mains de celui qui donne, afin de se l'approprier comme si on l'avait gagné ou produit par ses propres moyens. Si donc le bénéficiaire

---

1. P. Ricœur, *Finitude et culpabilité.* II. *La Symbolique du mal,* Paris, Aubier 1960, p. 219.

oubliait le donateur pour disposer du don à sa guise, alors cette logique du don surgirait en forme de loi. C'est cette hypothèse qu'évoque l'interdiction de manger du fruit de l'arbre de la science du bien et du mal.

Le serpent fait une lecture déjà pécheresse du commandement. Il transforme la parole de Dieu, qui est d'abord un don, en ce qui est d'abord un interdit. Dieu n'a pas dit : « Vous ne mangerez pas... » (Gn 3,1) ; il a dit : « Tu pourras manger de tout, sauf... » (Gn 2, 16-17). Dieu est d'abord celui qui donne la nourriture pour la vie. Le serpent entraîne alors la femme dans ce type d'interprétation : elle surenchérit sur le « Vous n'en mangerez pas », en ajoutant « Vous n'y toucherez pas » (Gn 3, 3). Profitant de cet avantage, le serpent, menteur dès l'origine, ose accuser Dieu de mensonge : « Non vous ne mourrez pas, mais Dieu sait que... vous serez comme des dieux » (Gn 3, 4-5). Il donne à entendre que ce fruit n'est déclaré mortel que parce qu'il est défendu, ou plus exactement qu'il ne serait mortel que pour un Dieu égoïste et jaloux qui refuse de « partager » sa divinité. Dieu veut se protéger de l'homme, comme si celui-ci était une menace pour lui. Le schème de rivalité entre l'homme et Dieu, ressort récurrent de l'athéisme, est d'entrée de jeu attribué à Dieu lui même. Ruse et mensonge au plus haut point : Dieu est par excellence celui qui veut donner et se communiquer. Dieu est amour. Le serpent suscite enfin chez la femme le désir à travers le regard.

La présence d'un être tentateur déjà orienté vers le mal dans cette création purement bonne est une énigme. Elle nous dit que le péché vient mystérieusement d'au delà de l'homme, que lui-même, malgré toute sa responsabilité propre, n'est qu'un maillon dans une chaîne qui a commencé avant lui. Son péché n'est pas une initiative absolue. Il est le fait de céder à une tentation qui vient de l'extérieur. « Le péché dépasse le bloc humain lui-même, écrit P. Beauchamp. Il a une cause extra-humaine : sans le serpent, il n'y eût pas eu de péché, ce qui n'est pas un détail du texte, comme le prouve la malédiction du serpent. Le texte dépossède l'homme de son propre péché ! »[1]. L'homme est à la fois victime et coupable, victime d'un accident, en même temps que responsable d'un mal. Toute l'énigme de l'origine du mal se concentre dans le serpent, ou démon, ou « diable »[2]. Celui-ci appartient à la création, il n'est donc pas un principe absolu du mal (perspective dualiste) ; mais il est déjà une liberté révoltée et pervertie.

La femme mange du fruit et en donne à manger à son mari. Les conséquences sont immédiates : c'est la rupture en chaîne de toutes les harmonies qui les faisaient vivre. Ils font l'expérience d'un désordre intérieur, prennent conscience de leur nudité. Ils se cachent devant Yahvé, car ils ont peur de celui qu'ils ont traité en rival. La transparence de leur relation à Dieu est perdue. Et pourtant Dieu inaugure sans plus attendre la quête de l'homme qu'il maintiendra jusqu'à la fin des temps : Adam, « où es-tu ? » (Gn 3,9). Dans le dialogue qui suit l'homme accuse la femme « que tu m'as donnée » (Gn 3, 12) et la femme accuse le serpent. La dysharmonie s'est inscrite dans le couple conjugal.

La sentence divine la plus sévère vise le serpent : il sera maudit. C'est en effet lui le plus grand coupable. Vis-à-vis de l'homme et de la femme Dieu confirme les ruptures d'harmonie qui viennent de se produire : la transmission de la vie sera pour celle-ci occasion de souffrance. Le désordre et la violence affecteront les relations conjugales. La nature devenue hostile ne produira d'elle-même que ronces et épines ; le travail deviendra pénible à l'homme qui devra gagner son pain à la sueur de son front, avant de retourner en poussière, c'est-à-dire de mourir[3]. Le couple est enfin symboliquement chassé du paradis, c'est-à-dire du lieu et de l'état d'harmonie.

---

1. P. Beauchamp, *Etudes sur la Genèse : l'Eden, les sept jours, les patriarches,* cours ad instar manuscripti, Lyon-Fourvière 1971, p. 42.
2. Cf. M. Neusch, *Le mal,* Paris, Centurion/Ed. Paulines 1990, p. 48.
3. La mort ici entendue n'est pas seulement la mort biologique, mais l'expérience souffrante de son propre anéantissement que l'homme fait dans la mort.

Le texte s'achève par une énigme en mettant dans la bouche de Dieu l'interprétation mensongère que le serpent avait donnée de la loi : « Puis le Seigneur Dieu dit : "Voilà que l'homme est devenu comme l'un de nous, pour connaître le bien et le mal ! Qu'il n'étende pas maintenant la main, ne cueille aussi de l'arbre de vie, n'en mange et ne vive pour toujours !" » (Gn 3,22). Cette parole ne jette-t-elle pas à bas toute l'interprétation précédente ? « Hardiesse du texte, répond P. Beauchamp : quel meilleur moyen Dieu a-t-il d'être proche du pécheur, que d'être encore présent au pécheur jusque sous l'image que son péché a formée de Dieu ? ... Dieu ... reste avec l'homme jaloux, parle son langage... Ce faisant, Dieu s'engage à transformer cette humanité qu'il épouse déjà, et ce sera le ressort du récit »[1]. Dieu prend le pécheur au mot : il ne veut pas que celui-ci cherche à ravir de force l'arbre de vie, dans un nouveau contre-sens mortel sur lui-même, au lieu d'accepter de recevoir de Dieu cette vie. Mais Dieu continue de lui promettre la vie. C'est le sens du protévangile. En même temps la femme reçoit son nom d'Eve, car elle est la mère des vivants. Dieu n'est pas « Harpagon » (*harpagmon,* Ph. 2, 6) : son Fils saura se « vider de lui-même » jusqu'à l'obéissance de la croix, et donner sa vie pour donner la vie.

Les effets de sens du récit

L'histoire d'Adam nous raconte sous forme de parabole ce qui est l'histoire de tous les hommes et de chacun. « Tout homme est Adam à son tour », disait déjà saint Augustin[2]. En chacun le péché d'Adam recommence, c'est-à-dire commence à son tour. C'est pourquoi la tradition pénitentielle, tant juive que chrétienne, fait remonter l'aveu du péché

1. P. Beauchamp, *Le récit..., op. cit.,* p. 207.
2. Augustin, *Commentaires sur les psaumes,* Sur le Ps. 132, 10 ; *P.L.* 37, 1735.

jusqu'à Adam [1]. En ce sens Adam est le héros « éponyme » de toute l'humanité ; selon la manière sémitique de penser il est une « personnalité corporative » [2]. De même que tout Israël est fils d'Abraham, de même tous les hommes sont fils d'Adam et en quelque sorte un en Adam. Le péché d'Adam symbolise donc l'universalité du péché. L'universalité ne peut s'exprimer sans recourir à l'origine. Si le péché est universel, il doit remonter au commencement des choses. Le mythe du péché d'Adam a pour but d'exprimer à la fois l'origine et le commencement de l'histoire du péché : c'est un récit inaugural. « Le péché d'Adam devient tout ensemble la figure du drame humain dans sa généralité et la représentation symbolique de l'événement originaire qui en constitue le point de départ » [3]. Mais c'est un événement second qui vient se poser après et en contraste avec l'événement premier de la création. C'est pourquoi c'est à lui que sont rapportées les dissociations constitutives de l'histoire des hommes. « Il faut garder l'idée d'événement comme symbole de la rupture entre deux régions ontologiques », écrit P. Ricœur [4]. Comme un tel événement originel de liberté est irreprésentable en soi et que nous ne pouvons en parler qu'avec des représentations, il ne peut se dire qu'à travers une expression symbolique qui doit être comprise comme symbolique.

Quel est le sens du péché d'Adam au regard du dessein de Dieu et de la vocation de l'homme ? Peu de textes ont donné lieu à autant d'interrogations théologiques. Irénée et Augustin représentent deux pôles d'interprétation extrêmement différents, entre lesquels il est possible de tracer la bonne voie. Le premier semble avoir visé juste quant à la gravité de ce péché ; le second met davantage le doigt sur sa nature et sur

1. Cf. Les *Exercices spirituels* de Saint Ignace dans la méditation sur le triple péché (n°s 45-54).
2. Cf. J.A.T. Robinson, *Le corps. Etude sur la théologie de saint Paul,* Lyon, Chalet 1966.
3. P. Grelot, *Péché originel et rédemption à partir de l'épître aux Romains. Essai théologique,* Paris, Desclée 1973, p. 147.
4. P. Ricœur, *op. cit.,* p. 221, note 1.

ce dont il est gros pour l'histoire des hommes. Pour Irénée, il s'agit du péché de faiblesse d'un homme encore enfant, encore « incapable de recevoir la perfection »[1], la véritable responsabilité revenant au serpent maudit. Le repentir d'Adam et d'Eve, aussitôt manifesté par le cilice que constitue la ceinture en feuilles de figuier, provoque la miséricorde de Dieu : « Dieu eut de la haine pour celui qui avait séduit l'homme, tandis que, pour l'homme qui avait été séduit, il éprouva peu à peu de la pitié »[2]. Cette interprétation est reprise par plusieurs modernes : la transgression d'Adam est une faute de faiblesse et de sottise[3].

Augustin, tant par sa tournure d'esprit qu'en raison de son expérience, lit dans le péché d'Adam une approximation du péché pur et absolu, du péché luciférien. Adam et Eve ont voulu devenir comme des dieux. C'est le péché d'orgueil par excellence : la créature qui tient tout de Dieu veut être soi par soi. Dans une « perverse imitation de Dieu »[4] elle pervertit sa vocation en tentation.

Augustin joint à l'orgueil l'idée de l'avarice spirituelle qui convoite et veut posséder toutes choses dans une appropriation exclusive. L'exégèse contemporaine rejoint ce point de vue dans un autre langage, en mettant en relief le ressort de la jalousie, effet du mimétisme anthropologique analysé par R. Girard[5] : le désir de chacun est médiatisé par le désir de l'autre. Je désire donc pour moi ce que l'autre aime et possède. Comme je suis malheureux et jaloux de ne pas en disposer, je veux arracher l'objet de mon désir aux mains de l'autre pour le faire mien. Le premier péché est ainsi le récit de la jalousie de l'homme vis-à-vis de Dieu : l'homme y préfère un savoir qui soit à lui à l'amour qui vient d'un Autre et le fait être. Mais ce savoir mène à la mort. Le livre

1. Irénée, *Contre les hérésies,* IV, 38, 1 ; p. 451.
2. *Ibid.,* III, 23, 5 ; p. 391.
3. Cf. P. Beauchamp, *cours cité,* p. 31.
4. Augustin, *De la Genèse au sens littéral,* XIII, 14, 31 ; *B.A.* 49. p. 55.
5. Cf. R. Girard, *Des choses cachées depuis la fondation du monde,* Paris, Grasset 1978.

de la Sagesse attribue ainsi l'entrée de la mort dans le monde à la jalousie du diable (Sg 2, 24). La jalousie ouvre la porte à la violence comme la suite du récit le montrera.

Quoi qu'il en soit de la gravité du péché d'Adam, les deux données de l'orgueil et de la jalousie sont bien présentes dans le récit. Elles communiquent d'ailleurs avec d'autres déterminations du péché. Celui-ci est lui-même induit par le péché de mensonge, qui dépasse l'homme, puisqu'il vient du serpent, c'est-à-dire d'au delà de lui. Mais la foi en la parole mensongère du serpent est un acte d'incrédulité à l'égard de la parole toujours tenue de Dieu. De plus, par voie de conséquence, ce péché engendre la transgression du commandement divin et donc la désobéissance, comme le soulignera Paul (Rm 5, 12-19). Dans une logique de communication aimante l'obéissance reste implicite. C'est la désobéissance qui fait surgir le commandement, non plus comme ce qui fait vivre, mais comme un interdit. En tout cas, il faut écarter toute idée de péché sexuel, induite pour certains par les allusions à la nudité, parce qu'il ne cohère nullement avec la trame du récit.

En synthétisant tous ces aspects, on peut dire que le péché est un acte de refus de la communication : orgueil, avarice et jalousie, incrédulité, transgression, disent également la rupture de la relation. Ce qui fait la gravité de fond du péché, selon K. Rahner, — même si celle-ci est voilée au départ par l'état d'enfance de l'humanité -, ce n'est pas d'abord la désobéissance en tant que telle, mais une décision libre de refus du don de Dieu, de son auto-communication [1], déjà présente et symbolisée dans tous les aspects du dessein créateur. L'homme dit non à Dieu, refuse de se recevoir de lui et de le recevoir. Il refuse la proposition même de la vie qui ne peut venir que de Dieu. Il se condamne donc à la mort. En d'autres termes, c'est le refus du dessein de salut :

---

1. K. Rahner, *Traité fondamental de la foi,* Paris, Centurion 1983, p. 134-135.

la création était déjà une alliance entre Dieu et l'homme. Le péché est une déchirure d'alliance.

Le protévangile

Il est remarquable que ce sombre récit ne se conclut pas sans un éclair d'espérance, que la tradition a appelé le « protévangile ». Une première annonce du salut vient relativiser les sévères sentences dont sont l'objet l'homme et la femme. Ainsi tout n'est pas dit avec ce refus originel opposé par l'homme au don de Dieu. L'histoire ne fait que commencer. Elle sera marquée par une inimitié de race entre la descendance du serpent et celle de la femme. Le salut s'annonce sous la forme d'un combat difficile. Mais finalement la descendance de la femme aura la victoire en écrasant la tête du serpent (cf. Gn 3, 15). Ainsi Dieu ne renie pas son projet sur l'homme : son don reste toujours offert. Il sera son allié dans le combat contre l'adversaire maudit.

La transmission de ce texte donnera lieu à bien des relectures. La traduction grecque de la Septante favorisera l'interprétation messianique de ce verset en parlant de la descendance au masculin singulier, ce qui permet d'y lire une annonce de la croix du Christ. La vulgate emploie le féminin mettant ainsi en relief le rôle de la femme elle-même : Marie, la nouvelle Eve, contribuera à cette victoire en mettant au monde le Messie. Dans les deux cas c'est la revanche victorieuse de l'humanité qui est annoncée sur l'adversaire, menteur dès l'origine. De même, selon Irénée, si l'homme est chassé du paradis et soumis à la loi de la mort, c'est pour que le mal ne soit pas « sans fin ni incurable ». Cette mort est ordonnée à la mort du péché, « afin que l'homme, cessant enfin de vivre au péché et mourant à ce péché, commençât à vivre pour Dieu » [1].

---

1. Irénée, *Contre les hérésies*, III, 23, 6 ; p. 391.

Caïn et Abel (Gn 4, 1-16)

La jalousie avait eu sa part dans le péché d'Adam et d'Eve : elle est aussi à l'origine de celui de Caïn. Mais le péché d'Adam était dirigé immédiatement contre Dieu, celui de Caïn atteint Dieu à travers Abel, son propre frère, image de Dieu. La double transgression révèle a contrario la solidarité des deux premiers commandements. Le péché prend dès les origines la forme de la violence : Caïn, triste et jaloux, parce que les offrandes d'Abel sont plus agréables à Dieu que les siennes, mais aussi parce qu'il n'agit pas bien et que le péché, tapi à sa porte, le guette et le tente, se dresse contre son frère et l'égorge. Le cycle de la violence est inauguré dans l'humanité. Car le meurtre appelle le meurtre, sous prétexte de venger l'innocent. Ce qui est enclenché, c'est la loi sans fin de la vendetta galopante : Caïn risque d'être tué par le premier venu et d'être ensuite vengé sept fois. Mais Yahvé ne l'entend pas ainsi : il met un signe sur Caïn, pour qu'il ne soit pas frappé. L'errance de Caïn sera une punition suffisante. Dès l'origine Dieu condamne le cycle de la violence.

Ainsi la jalousie du serpent a-t-elle gagné le cœur du fils. Dans ce récit, que l'on peut considérer comme une nouvelle proposition du péché d'origine, ce qui a échoué dans la relation première entre l'homme et la femme échoue une nouvelle fois dans l'ordre de la relation fraternelle. Pourtant Dieu avait énergiquement conseillé à Caïn de tenir ferme devant le péché tapi à sa porte. Alors que le péché d'Adam n'était qu'un commencement, le péché de Caïn apparaît déjà comme une fin. Sa violence meurtrière anticipe sur toute l'histoire du péché de l'humanité. Elle annonce celle qui s'acharnera contre Jésus. Tous nos péchés peuvent être lus entre le commencement de celui d'Adam et la fin de celui de Caïn.

Abel est la victime innocente, la première dont le sol terrestre ait bu le sang. « Qu'as-tu fait ? dit Yahvé à Caïn. La voix du sang de ton frère crie du sol jusqu'à moi » (Gn 4, 10). Dans tout le récit Abel n'a dit mot. C'est son sang

qui crie vers Dieu pour réclamer justice. Le sang d'Abel ne
crie pas vengeance, mais il crie justice et salut pour l'innocent.
Car Abel est un juste (cf. Mt 23,35), et il est célébré par
l'épître *aux Hébreux* comme le tout premier témoin de la foi
dans la longue série des croyants, qui conduit à Jésus
« pionnier et accomplisseur de notre foi » (He 12,2) : « Par
la foi, est-il dit, Abel offrit à Dieu un sacrifice meilleur que
celui de Caïn. Grâce à elle, il reçut le témoignage qu'il était
juste et Dieu rendit témoignage à ses dons. Grâce à elle, bien
que mort, il parle encore » (He 11, 4). La « rhétorique du
sang » d'Abel traverse l'histoire. A ce cri Dieu ne peut pas
être sourd. Ce cri est plus fort que la violence des méchants.
Le cri du juste exerce un pouvoir mystérieux sur Dieu. Aussi
le sang d'Abel est-il une prophétie du sang du Christ. Car le
sang du médiateur d'une alliance nouvelle « est plus éloquent
encore que celui d'Abel » (He 12, 24). Il a valeur absolue
aux yeux de Dieu, car il est le sang du juste suprême, celui
du côté duquel Dieu se trouve nécessairement.

Cette comparaison attribue au sang d'Abel la valeur d'une
annonce de salut. En Abel, dit Irénée beaucoup plus sévère
pour Caïn que pour Adam, « Dieu a soumis le juste à
l'injuste pour que la justice du premier éclatât dans sa
passion »[1]. Car Abel, le martyr de la foi et de la justice, est
une figure du Christ. En lui le salut se symbolise : dans un
meurtre qui est tout autre chose qu'un sacrifice, dans un
meurtre condamné par Yahvé, s'annonce la toute-puissance
de la voix de l'innocent. Ce récit est une parabole voilée de
la croix du Christ. Dans l'histoire de la violence humaine le
Christ prend la place d'Abel et de tous les suppliciés innocents
dont la justice et la foi ont valeur de salut.

Noé : du déluge à l'alliance (Gn 6, 1-9,17)

Les hommes se multiplient sur la terre et avec eux la
méchanceté se met à proliférer. Yahvé se prend à regretter

1. *Ibid.*, III, 23, 4 ; p. 389.

de les avoir créés et veut les effacer de la surface du sol, afin de supprimer la violence dont la terre est remplie. « Mais Noé trouva grâce aux yeux de Yahvé », car il était « un homme juste, irréprochable, parmi ses contemporains » (Gn 6, 8-9). Il reçoit l'ordre de bâtir une arche, grand vaisseau plat où il fera entrer toutes les espèces animales, afin de les conserver à la création. Il entrera ensuite dans l'arche avec toute sa famille, au moment où Dieu fera pleuvoir quarante jours et quarante nuits, afin de recouvrir de ce déluge toute la surface de la terre. « Alors expira toute chair se mouvant sur la terre » (Gn 7, 21).

Le déluge, c'est l'inverse de la création. Tout ce qui avait été séparé et ordonné pour donner naissance à la vie retourne au chaos originel. Mais la décrue des eaux a valeur de seconde création, puisque Dieu rend à l'homme la terre à nouveau sèche et ferme, et la repeuple avec les animaux. Noé est « un nouvel Adam » : il a commandé aux animaux, afin de les sauver : « Il les rassemble dans l'arche dont il est le capitaine "seul maître à bord", à l'image de Dieu »[1]. Comme au jour de la création, l'ordre divin est donné aux animaux de proliférer. Dieu bénit Noé et lui dit la même chose, à lui et à ses fils. L'homme a pouvoir sur les animaux comme à l'origine, mais désormais, et ceci est nouveau, il pourra manger aussi la chair des animaux, mais à une condition, de n'en pas manger l'élément vital, c'est-à-dire le sang. « Cet interdit est allégorique : il a pour fonction d'enseigner, s'il est pratiqué, que "qui verse le sang de l'homme, par l'homme aura son sang versé" » (Gn 9,6), car c'est en qualité d'image que Dieu a fait les hommes[2]. La création originelle est ainsi rappelée en même temps qu'une certaine concession est faite à la violence. Car Dieu sait que « le cœur de l'homme est porté au mal dès sa jeunesse » (Gn 8, 21). L'homme sera donc l'effroi des animaux de la terre (cf. Gn 9,2). Mais cette concession, qui incorpore la violence à la structure du monde,

1. P. Beauchamp, *Parler d'Ecritures ..., op. cit.,* p. 87.
2. P. Beauchamp, *Le récit..., op. cit.,* p. 215.

est ordonnée à réguler et à contenir la violence. « Le message est donc que le Verbe de Dieu habite non seulement dans l'homme, mais dans les peuples et les cultures avec tout leur poids de mal, puisqu'il s'agit, au temps de Noé, d'une perspective universelle. C'est bien pourquoi ce texte dur est bouleversant de miséricorde »[1].

Mais au moment où Dieu fait à la violence la part du feu, il « la supprime sans mesure pour son propre compte, puisqu'il ne détruira jamais et sert, en cela, de modèle au juste. Comme il lui a servi de modèle pour le repos du septième jour »[2]. L'ordre nouveau des choses est désormais un pacte d'alliance entre Dieu et Noé, c'est-à-dire l'humanité. Cette alliance a pour objet la stabilité de la création, elle a pour signe l'arc apparaissant dans les nuées. L'alliance noachique est une alliance cosmique. Du côté de Dieu, c'est une alliance éternelle (Gn 9,16). Elle est une confirmation de l'alliance inscrite dans la création originelle. Elle est aussi déjà un acte et une propédeutique de salut qui vaut pour toute l'humanité, puisque l'histoire d'Israël n'est pas encore commencée. Ce salut est re-création, de même que la création était déjà salut.

Noé, nouvel Adam provisoire, est une figure du Christ, nouvel Adam définitif. Cette histoire de péché et de châtiment est une histoire de salut. Le péché dispersait, l'arche rassemble pour sauver. L'arche « où les animaux vivent en paix annonce de loin les peuples réconciliés »[3]. La colombe est le symbole de la paix entre les hommes. L'arche de Noé est une figure par excellence de l'Eglise, qui rassemble les nations pour leur salut.

La tour de Babel (Gn 11, 1-9)

Le récit de la tour de Babel achève la description du péché des origines de l'humanité. Une fois encore les hommes

1. *Ibid.*, p. 217.
2. *Ibid.*, p. 218.
3. P. Beauchamp, *Parler d'Ecritures...*, *op. cit.*, p. 87-88.

veulent se faire dieux, cette fois en forçant la porte du ciel, demeure de Dieu, par leurs propres moyens. En ce sens, cette histoire mythique est une reprise de la scène du paradis, mais elle se déroule au plan politique et collectif. Les humains se disent entre eux : « Construisons une ville avec une tour dont le sommet force le ciel et faisons-nous un nom, de peur que nous ne soyons dispersés sur la face de toute la terre » (Gn 11, 4). Le nom de Babel évoque la puissance politique de Babylone et le projet « totalitaire » de faire l'unité de l'humanité par des moyens de domination temporelle. Cette entreprise de type « prométhéen » est rendue possible parce que tous les hommes parlent la même langue. La réaction de Yahvé-Dieu apparaît dominée par la crainte de la réussite de ce projet et de ceux qui le suivront. Ici encore la révélation prend une forme étrangère à elle-même : elle montre un Dieu animé par des sentiments qui sont la projection de ceux que l'homme pécheur éprouve. C'est l'homme qui se fait le rival de Dieu : Dieu est alors présenté comme celui qui entrerait dans ce jeu en considérant l'homme comme son rival.

La sanction divine prend deux aspects complémentaires : la dispersion sur toute la terre et la confusion du langage. Ce sont là les deux conséquences naturelles du péché qui s'oppose à la communion et à la communication. La fausse unité projetée se paie de la dispersion des humains, signe par excellence de leur situation pécheresse. Commentant la réflexion de Caïphe sur la mort de Jésus, Jean dira plus tard : « Il fit cette prophétie qu'il fallait que Jésus meure pour la nation et non seulement pour elle, mais pour réunir dans l'unité les enfants de Dieu qui sont dispersés » (Jn 11,52). L'unité dans la communion venue de Dieu est la figure du salut, qui vient répondre à la dispersion, d'abord conséquence, puis signe et cause de l'inimitié entre les hommes.

De même, la confusion des langues s'oppose à la communication et à la communion entre les hommes. L'homme est par excellence un « corps qui parle », un corps communiquant. L'imperméabilité des langages fait obstacle à une communication vitale au regard de son être et de sa vocation. Elle est le signe de l'enfermement et de la division. Elle nous révèle en creux ce que le salut doit accomplir. Le jour de la Pentecôte, le don de l'Esprit rétablira l'unité de langage qui s'était défaite à la tour de Babel. Les apôtres sont compris par tous les hommes présents, « venus de toutes les nations qui sont sous le ciel » (Ac 2,5), dans la langue maternelle de chacun. C'est un signe de salut, et d'un salut universel. Tout au long de l'histoire la prédication des apôtres est destinée à être entendue par toutes les nations, dans la langue et la culture de chacune.

Le récit de la tour de Babel inscrit donc son message dans le schème de la communication. La construction de la tour constitue une rupture violente avec Dieu, qui engendre la rupture entre les hommes ; non seulement le salut rétablit la communication, mais il est en lui-même communication d'un Dieu dont l'être-même est communication.

Création et péché : les deux présupposés du salut

Le parcours de tous ces récits, à la lumière du salut accompli dans le Christ, nous convainc que la création du monde et de l'homme par Dieu, considérée à la fois dans son origine et dans sa réalité constante, est déjà de la part de Dieu un premier acte de salut. Elle en est le présupposé en même temps que l'inauguration. Pour se communiquer lui-même à un partenaire, Dieu avait besoin de susciter ce partenaire. Il l'a fait en fonction même de son dessein sur lui. La structure de tous ces récits est déjà celle des récits du salut accompli dans l'histoire.

Ce même parcours nous permet de situer le péché à sa vraie place. Non pas cette condamnation originelle et arbitraire, cette catastrophe qui nous atteint injustement, souvent retenue de la catéchèse classique sur le péché originel, ni simplement l'envers inévitable d'un dessein qui part de très bas pour arriver très haut, mais un acte de la liberté humaine. Le péché n'est pas un commencement absolu : la création est plus originaire que le péché. Le dédoublement des deux origines est essentiel. Ce péché n'a pas fait reculer le projet de Dieu sur l'homme : celui-ci est bel et bien maintenu, mais il devra prendre la forme d'un dur combat de libération. L'acte premier de la liberté humaine, avec toutes ses conséquences du fait de la solidarité des libertés, n'est pas définitif. Il ouvre sur une histoire qui sera celle du salut.

Ainsi pouvons-nous récapituler en trois temps cet apport des récits des origines dans la *Genèse* :

1. Dieu veut se communiquer lui-même à un partenaire qu'il crée dans ce but. Il veut faire alliance avec lui. Tel est son dessein de salut. Karl Barth a bien exprimé cette présupposition du salut dans la création, en soulignant l'originalité propre de l'apport des deux récits. Voici comment H. Bouillard résume sa compréhension du premier récit :

> « *Dieu pose un autre que lui ... pour manifester à cet être l'amour qu'il a conçu à son égard de toute éternité, pour réaliser l'intention d'amour qui constitue le décret éternel de l'alliance. La création est le présupposé de cette réalisation, qui la suivra temporellement. Elle est, à ce titre, le fondement extérieur de l'alliance. ... La création n'étant qu'une préparation, et la créature n'étant qu'une disposition à ce que Dieu fera pour elle en cette histoire. La nature de l'être créé n'est rien d'autre que son apprêt pour la grâce* »[1].

Quant au second récit, il présente le même rapport d'un point de vue tout différent. H. Bouillard présente ainsi la visée de Barth :

> « *Le récit précédent nous apprenait que la création est le fondement extérieur de l'alliance ; celui-ci nous dit que l'alliance est le fondement intérieur de la création, c'est-à-dire que d'avance elle la conditionne et détermine les contours de la créature. Le premier*

---

1. H. Bouillard, *Karl Barth*. II. *Parole de Dieu et existence humaine*, Paris, Aubier 1957, p. 188.

montrait comment la création promet, annonce, pro-
phétise l'alliance ; le second fait ressortir comment
elle la préfigure et ainsi l'anticipe. D'un côté, la
création prépare l'alliance ; de l'autre, elle en est déjà
le signe, le sacrement. Là, Jésus-Christ est terme, ici
commencement de la création » [1].

La justesse essentielle de ces affirmations demande cependant une légère correction. A entendre Barth, l'ordre du créé semble perdre toute consistance, en étant ainsi ravalé au rang d'apprêt, de prétexte ou de préalable à la grâce. Une affirmation plus nette de la réciproque, c'est-à-dire que le salut est lui aussi création, à la fois achèvement de la première création et création nouvelle, permet de respecter jusqu'au bout la valeur de l'altérité maintenue de la créature. Cela dit, la visée de K. Barth est en profonde résonnance avec le christocentrisme des épîtres pauliniennes pour lesquelles nous avons été créés et élus dès l'origine dans le Christ.

2. Cette communication de Dieu passe par l'accueil de la liberté ainsi suscitée. Elle ne peut être automatique. Or, depuis les origines, l'homme a, dans un mouvement premier, refusé l'autocommunication de Dieu. Il a redoublé ainsi son besoin de salut. De l'enjeu dramatique de son existence il a fait une tragédie. La communication de Dieu à l'homme doit désormais prendre la figure d'une libération.

3. La conjonction de ces deux données ouvre sur une histoire qui sera celle du salut, et donnera lieu à ce long récit de Dieu, se réalisant en l'homme et par l'homme, afin d'assumer et de dépasser toutes les vicissitudes du refus de l'homme. C'est ce récit du salut qui permet de comprendre en son fond le dessein créateur, comme le souligne encore H. Bouillard :

> *« Nous inclinons à croire que l'idée de création ne*
> *revêt son sens véritable et ne se maintient qu'au*
> *sein d'une conscience qui se sait engagée dans une*
> *perspective de salut. La création ...apparaît ... comme*

---

1. *Ibid.* p. 189.

*le présupposé en vertu duquel l'histoire humaine peut
avoir un sens dernier, être porteuse de salut. En fait,
l'idée chrétienne de création a surgi, au sein de
l'Ancien Testament, dans le cadre de l'alliance »* [1].
Le psaume 136 (Grand Hallel) inscrit ainsi la création au
départ des grandes œuvres de Dieu au profit de son peuple.

III. Les récits de la fin

Définitif et fin, présent et avenir

Le salut n'est vrai que s'il est définitif. Parler du salut de
l'homme, c'est parler d'une libération définitive du mal et
du péché et d'une communion définitive avec Dieu. Mais
parler du définitif, c'est déjà parler de la fin. Ce définitif est
présent tout au long de l'histoire du salut, avant d'être
pleinement donné dans l'événement de Jésus. C'est pourquoi
les récits du Nouveau Testament nous disent qu'avec la
résurrection de Jésus la fin des temps est déjà arrivée. En
langage théologique cette résurrection est un événement
« eschatologique », c'est-à-dire qu'il constitue une irruption
de la fin de l'histoire dans le cours de l'histoire
Mais, dira-t-on, la figure de ce monde continue. La fin
des temps, en effet, n'est pas encore arrivée ; nous sommes
cependant dans le temps de la fin. Cette affirmation n'a
aucune prétention chronologique : elle entend simplement
dire que nous vivons dans le dernier temps de l'histoire du
salut, celui où le définitif et l'irréversible sont désormais
accomplis.
Ceci rejoint une donnée fondamentale de l'anthropologie
chrétienne : l'homme, créé dès l'origine à l'image et à la
ressemblance de Dieu, est donné à lui-même sous la forme

---

1. *Ibid.*, p. 195.

d'une tâche à réaliser ; il est une liberté en devenir. Il est donc fondamentalement tourné vers l'avenir. Mais un avenir qui ne serait qu'un indéfini du temps ne saurait nous satisfaire : nous avons besoin que l'avenir nous apporte du définitif. Il est attente et espérance. « Nous ne pensons presque point au présent, disait Pascal ; et si nous y pensons, ce n'est que pour en prendre la lumière pour disposer de l'avenir. Le présent n'est jamais notre fin : le passé et le présent sont nos moyens ; le seul avenir est notre fin » [1]. On ne peut donc parler à l'homme de son présent sans lui dire en même temps le sens de son avenir. « Il n'y a, écrit J. Moltmann, ... qu'un seul problème réel en théologie chrétienne ... : c'est le problème de l'avenir » [2]. C'est pourquoi « l'anthropologie chrétienne est..., en vertu de l'essence de l'homme, une futurologie chrétienne, une eschatologie chrétienne » [3].

S'il en est ainsi, l'annonce du salut définitif doit éviter un double écueil, celui de s'exiler dans la transcendance d'un avenir absolu qui ne change rien à la réalité présente et celui de se réduire aux dimensions de notre immanence terrestre, qui est par excellence le temps et le lieu du provisoire. Le salut ne peut ni être complètement absent de notre monde, sous peine de se vider de toute effectivité, de toute vérification et de tout crédit, ni être complètement manifesté dans notre présent, par définition tendu vers ce qui n'est pas encore, sous peine de rendre toute foi et toute espérance illusoires.

La fin annoncée dans le présent

Ne nous étonnons donc pas si les récits du salut dans l'Ecriture sont assis sur le porte-à-faux du présent et de

---

1. B. Pascal, *Pensées*, n° 84 (éd. Lafuma).
2. J. Moltmann, *Théologie de l'espérance. Etudes sur les fondements et les conséquences d'une eschatologie chrétienne*, Paris, Cerf-Mame 1970, p. 12.
3. K. Rahner, *Traité fondamental de la foi, op. cit.*, p. 477.

l'avenir, du déjà-là et du pas-encore. Dès l'Ancien Testament ils racontent ce qui est en germination dans le présent sous la forme d'une description anticipée du monde à venir. Dans le Nouveau Testament la venue de Jésus constitue l'avènement irréversible du Royaume de Dieu parmi les hommes, elle apporte donc avec elle une nouveauté définitive et eschatologique. Plus encore, les récits de la résurrection de Jésus et de ses apparitions aux disciples ont valeur de révélation de la fin des temps.

Réciproquement, les récits de la fin ne peuvent parler de l'avenir qu'à partir du présent, à la fois de l'expérience du salut déjà reçu et de l'expérience courante que l'homme fait de son monde. « Les énoncés eschatologiques sont la transposition dans l'élément du futur de ce que l'homme, comme chrétien, vit dans la grâce comme son présent » [1].

Il faut donc nous arrêter à ces anticipations prophétiques de la fin, avant d'envisager pour eux mêmes les récits qui nous décrivent sous forme symbolique les événements de la fin des temps eux-mêmes. Nous avons ici affaire à des récits qui sont prophétiques dans les deux sens de ce mot : d'une part les rédacteurs parlent au nom de Dieu et nous livrent une parole qui a valeur pour le présent ; d'autre part ils nous annoncent notre avenir « définitif », non bien entendu sous sa forme empirique, — il ne peut s'agir d'un reportage — mais selon son sens salvifique.

Le salut achèvement de la création

« La nouvelle création est le jusqu'au bout de la création » [2]. nous avons déjà vu que le récit de la création est une prophétie de l'avenir : le jardin de l'Eden révèle un monde plein d'harmonie où l'homme se trouve d'emblée en situation de communication avec Dieu. Ce qui est indiqué à l'origine

1. *Ibid.* p. 479.
2. P. Beauchamp, « La création, acte personnel d'un Dieu qui se nomme », *Unité des chrétiens,* 75, Juillet 1989, p. 16.

est le dessein qui concerne la fin. La fin est anticipée symboliquement dans le commencement. Toute l'histoire du salut doit lui donner réalité. De même, le don de la terre promise est une anticipation du paradis. A la différence de l'Egypte qui fut une terre d'esclavage, la terre de Canaan est une terre de liberté. Elle est un don de Dieu, reçu après un exode purificateur, une grâce comprise dans l'alliance, un héritage de la fidélité divine, une terre sainte, avec en son milieu Jérusalem, résidence de Dieu parmi les siens. Elle est une terre de bénédiction, de sécurité et de prospérité, « ruisselante de lait et de miel » (Ex 3,8). Bref, elle est une prophétie des cieux nouveaux et de la terre nouvelle où Dieu habitera tant avec Israël qu'avec les nations.

Le livre d'Isaïe multiplie les prophéties du salut à valeur eschatologique. Dans le cycle de l'Emmanuel, suite d'oracles messianiques, l'état promis de la nature est décrit dans une pleine harmonie, fruit de la connaissance et de l'amour de Dieu. Ce texte, déjà rencontré, décrit le paradis retrouvé et annoncé au peuple élu : « Le loup habite avec l'agneau, la panthère se couche près du chevreau, veau et lionceau paissent ensemble sous la conduite d'un petit garçon. ... Le nourrisson s'amuse sur le trou du cobra.... On ne fait plus de mal ni de ravages sur toute ma sainte montagne, car le pays est rempli de la connaissance de Yahvé, comme les eaux comblent la mer » (Is. 11, 6-9). Dans l'ordre originel de la création, rappelons-nous, hommes et animaux étaient végétariens. Le sang n'était pas répandu. La coexistence pacifique entre les animaux, de même qu'entre les hommes et les animaux, est l'écho dans la nature de la paix retrouvée entre les hommes, puisque « le pays sera rempli de la connaissance du Seigneur ». La venue de Jésus réalisera des signes de ce genre, quand il multipliera les pains et transformera un désert en terre de rassasiement pour toute une foule. Même si elle est encore largement contredite, cette transformation du monde affleure déjà sous forme de signe à la mesure de la conversion des hommes : elle constitue une promesse de ce qui est en devenir dans notre espace-temps. Telle est l'utopie de la foi. Voilà ce vers quoi Dieu conduit son peuple, si celui-ci est fidèle à l'alliance. Le second Isaïe montre en Dieu le souverain créateur des cieux et de la terre (Is 42, 5), jamais fatigué d'intervenir dans le monde et toujours capable d'annoncer et de produire des événements nouveaux (Is 42, 9), ou des choses nouvelles « qui viennent d'être créées à l'instant » (Is 48, 7). L'action salvifique de Dieu se présente comme l'achèvement de son œuvre créatrice. La troisième partie d'Isaïe se termine sur un long chant d'exultation devant les merveilles de la nouvelle création, dont se souviendra l'*Apocalypse* : « En effet, voici que je vais créer des cieux nouveaux et une terre nouvelle ... En effet, l'exultation que je vais créer, ce sera Jérusalem et l'enthousiasme, ce sera son peuple. ... Désormais on n'y entendra plus retentir ni pleurs ni cris ... Il n'y aura plus là de nourrisson emporté en quelques jours... Il bâtiront des maisons et ils les habiteront, ils planteront des vignes et ils en mangeront les fruits ...Le loup et l'agneau habiteront ensemble... Il ne se fera ni mal ni destruction sur toute ma montagne sainte » (Is 65, 17-25). Cette description mélange comme à plaisir ce qui peut paraître le sommet d'équilibre et de réussite d'une société humaine terrestre et la transcendance d'un nouvel état de choses radicalement différent qui ne peut être le fruit que d'un don eschatologique de Dieu.

Dans ces textes, l'aspect social et cosmique de la création nouvelle apparaît comme une conséquence de la conversion du cœur de l'homme. C'est pourquoi, chez Jérémie, ce que Dieu crée de nouveau (cf. Jr 31, 22) « est l'entrée dans une nouvelle alliance » (Jr 31, 31) écrite dans les cœurs [1]. Dieu y donnera un « autre cœur » (Jr 32, 39). Car seul il est capable de « créer un cœur pur » (Ps 51, 12). De la même façon, un oracle d'Ezéchiel exprime la purification des cœurs dans un langage de recréation : « J'ôterai de votre chair le cœur de pierre et je vous donnerai un cœur de chair » (Ez 36, 26). La parabole des ossements desséchés enfin est tout autant

1. Cf. *ibid.*, p. 15.

une création nouvelle qu'une résurrection. Le Dieu créateur
est aussi le Dieu qui ressuscite les morts.

La résurrection de Jésus, prophétie de la résurrection générale

Avec l'événement de Jésus, c'est la fin des temps qui fait
irruption dans le cours du temps. L'originalité du présent de
Jésus, c'est que le définitif et l'irréversible y sont déjà
engagés. Ils s'expriment à travers la proclamation du
Royaume, l'invitation à la conversion, le pardon des péchés.
Ils prennent figure concrète dans le salut des corps que sont
les guérisons. Quand Jésus, selon l'évangile de Jean, fait de
la boue avec sa salive afin de l'appliquer sur les yeux de
l'aveugle-né (cf. Jn 9, 6), il refait le geste de la création
originelle en modelant de sa main l'organe qui ne l'avait pas
été[1]. De même, les trois résurrections opérées par Jésus
ont-elles valeur d'anticipations provisoires de la victoire
eschatologique sur la mort. Mais elles ne prennent sens que
dans le sillage de la résurrection de Jésus.

La résurrection de Jésus est en effet le symbole, c'est-à-
dire le signe et la réalité, de la résurrection générale promise
à tous les hommes. « Si Jésus est ressuscité, c'est déjà la
fin du monde »[2]. Telle était l'interprétation spontanée des
disciples, plutôt surpris, dans leur attente d'une résurrection
générale, que Jésus fût seul à être ressuscité. Les rencontres
de Jésus avec les siens après la résurrection sont empreintes
d'un climat de paix, de joie, de réconciliation, de bonheur
muet qui sont autant de traits de la vie éternelle. De même,
les repas joyeux pris par le ressuscité avec ses disciples, même
s'ils sont très simples quant à leur menu, sont des moments
de reconnaissance et de communication intense qui renvoient
à l'image du banquet éternel[3].

1. Cf. Irénée, *Contre les hérésies*, V, 15, 2 ; pp. 614-615.
2. W. Pannenberg, *Esquisse d'une christologie*, Paris, Cerf 1971, p. 73.
3. Cf. ci-dessus la section sur les récits de la résurrection, p. 236-250.

Jésus est ressuscité pour nous : sa résurrection accomplit définitivement le dessein de vie que le Dieu créateur avait conçu en faveur de l'homme. Cette certitude est celle de Paul (cf. Rm 4, 25), dont le langage oscille à ce sujet entre le présent et l'avenir : car nous sommes déjà ressuscités avec le Christ (Col 3, 1 ; 2, 12 ; Ep 2, 6), mais nous avons encore besoin d'être assimilés à sa résurrection (Rm 6,5).

Les récits apocalyptiques de la fin

La fin déjà présente nous conduit à la fin pleinement accomplie. La foi en la première nourrit notre espérance de la seconde. L'Ecriture nous parle donc aussi de la fin ultime des temps. Le plus souvent ses récits et ses descriptions appartiennent au genre apocalyptique. Ce genre littéraire apparaît à la fin de l'Ancien Testament, aux frontières des traditions prophétique et sapientielle. Le rédacteur présente une vision ou un songe d'ordre transcendant au cours desquels le ciel s'est pour lui entrouvert et il a entendu la révélation de secrets divins. Le rôle des images et du symbolisme y est dominant. Le modèle du genre dans le Nouveau Testament est l'*Apocalypse* de Jean. Le genre apocalyptique est le genre privilégié pour parler des temps de la fin. Généralement, le discours apocalyptique distingue deux moments qui entourent le point du retournement eschatologique : un avant, décrit sous la forme d'événements tragiques et d'un combat avec les forces du mal ; puis un après, présenté au contraire sous les formes d'une vie de bonheur absolu, pleinement accompli en Dieu. Comment pouvons-nous décoder de tels messages ?

Les discours de Jésus sur les derniers temps (Mt 24, 4-36)

On trouve dans les évangiles synoptiques des pages surprenantes où Jésus parle de la fin des temps en empruntant le langage apocalyptique. Je suivrai ici le récit de Matthieu (24, 4-36), mais en tenant compte de notations complémentaires de Marc. Pour bien comprendre ces discours, il importe d'abord de réaliser que Jésus, au moment où il parle des choses de la fin, est lui-même arrivé à sa propre fin. Il est allé jusqu'au bout de lui-même ; il est déjà personnellement engagé dans la série des événements qui le conduiront à la mort, et il va le manifester en se donnant lui-même comme nourriture. La destinée historique de Jésus y est donc en cause. Mais aussi, pour parler de la fin, Jésus devait choisir un événement de son propre contexte historique qui puisse supporter et déjà vérifier son discours de la fin : dans nos textes il s'agit de la ruine de Jérusalem[1]. Les paroles sur l'événement historique vérifiable et bientôt vérifié[2] produit des effets de sens applicables à la fin, grâce à l'emploi d'images et de notions disponibles dans l'histoire de celui qui parle et qui appartiennent au contexte culturel de ceux qui l'écoutent. Cet événement d'histoire est nécessaire pour médiatiser de manière historique le discours sur la fin.

Ces pages évoquent donc, comme en une surimpression cinématographique, trois événements bien distincts, la réalité des premiers fournissant le réseau d'images servant à décrire le dernier. Ce lien a un double fondement : d'une part, ces événements ont tous les trois une portée eschatologique ; de l'autre, la fin récapitule dans la figure de l'excès le combat du salut présent tout au long de l'histoire. C'est ainsi que la fin de Jérusalem se change en fin du monde. L'épreuve tragique de la prise de Jérusalem par les Romains en 70 amènera la profanation et la destruction du Temple et sera une catastrophe guerrière pour tout un peuple que l'ennemi pourchassera, au milieu de la perversion des signes religieux. Mais la catastrophe historique s'universalise, par une sorte de passage à la limite, en cataclysme cosmique, prélude au

---

1. Je m'inspire ici de réflexions qui m'ont été suggérées par E. Pousset. — Sur ces questions, cf. P. Bonnard, *L'évangile selon saint Matthieu,* Neuchâtel, Delachaux et Niestlé 1963, p. 347.
2. Je n'entre pas ici dans la question discutée de la date de la rédaction de ce texte, avant ou après la prise de Jérusalem, ni dans le discernement de telles ou telles allusions historiques.

retour du Fils de l'homme. Matthieu accentue ce côté tragique, tandis que Marc clôt le récit par une image plus sereine de la fin.

Jésus vient d'annoncer à ses disciples la destruction du Temple, quand ceux-ci lui disent : « Dis-nous quand cela arrivera, et quel sera le signe ton avènement et de la fin du monde » (Mt 24, 3). Cette question très ambiguë, Jésus la déplace. Son but n'est pas de satisfaire une curiosité ni de s'appesantir sur un scénario réaliste, mais plutôt de « calmer la fièvre apocalyptique de son milieu »[1] par une série de mises en garde sur les fausses annonces messianiques et par le conseil de ne pas s'inquiéter du « quand », puisque celui-ci est le secret du Père. Tout le texte véhicule plutôt le grand message de la vigilance et de la persévérance : l'important est de tenir bon jusqu'à la fin (Mt 24, 13).

La première séquence (Mt 24, 4-14) décrit une série de tribulations guerrières qui comporteront des persécutions pour les disciples de Jésus : fausses annonces du retour du Messie, guerres entre les nations, famines, tremblements de terre, mais aussi haine et mises à mort à cause du nom de Jésus, apparitions de faux prophètes, égarements de beaucoup, croissance de l'iniquité et refroidissement de l'amour. Tout cela est annoncé comme prélude à la fin. L'image prise est celle des douleurs de l'enfantement. Ce qui veut dire que ce temps de souffrance est ordonné à une naissance. C'est la face douloureuse de l'ultime gestation du salut : « Celui qui tiendra jusqu'à la fin, celui-là sera sauvé » (Mt 24, 13). De même, la Bonne Nouvelle sera proclamée dans le monde entier aux païens.

La seconde séquence évoque de plus près la prise de Jérusalem, considérée comme une parabole du cataclysme final : abomination de la désolation installée dans le lieu saint, c'est-à-dire profanation du Temple, et invasion militaire qui amène toute une population à prendre la fuite (« Jérusalem encerclée par les armées », dit Luc 21, 20).

1. P. Bonnard, *ibid.*, p. 349.

La catastrophe historique s'élargit alors en événement cosmique, liée à l'avènement du Fils de l'homme. Le soleil s'obscurcira, la lune ne brillera plus, les étoiles tomberont du ciel, et les puissances des cieux seront ébranlées (Mt 24, 29). En d'autres termes, la stabilité de la création promise lors de l'alliance avec Noé fait place à un retournement radical de l'univers. C'est alors qu'« apparaîtra dans le ciel le signe du Fils de l'homme ; alors toutes les tribus de la terre se frapperont la poitrine ; et elles verront le Fils de l'homme venir sur les nuées du ciel dans la plénitude de la puissance de sa gloire » (Mt 24, 30). Le Fils de l'homme, présenté sous la figure du juge, rassemblera alors par l'action de ses anges les élus, dans une grande liturgie à échelle cosmique. Mais une image printanière vient adoucir le tragique de la présentation et change les signaux avertisseurs en signes d'espérance : « Dès que les rameaux du figuier deviennent tendres et que poussent ses feuilles, vous reconnaissez que l'été est proche » (Mt 24, 32).

Quand tout cela arrivera-t-il ? Jésus répond de manière surprenante, puisque d'une part « cette génération ne passera pas que tout cela n'arrive » (Mt 24, 34), et que, d'autre part, « ce jour et cette heure, nul ne les connaît, ni les anges des cieux, ni le Fils, personne sinon le Père, et lui seul » (Mt 24, 36). Selon la première formule, à comprendre dans la perspective apocalyptique d'une fin prochaine du monde, la proximité du Royaume réalisée par la venue de Jésus se traduit en termes d'urgence immédiate. La fin des temps n'est pas un objet extérieur : notre existence actuelle y est déjà confrontée. La seconde réponse donne le message essentiel : l'important n'est pas de savoir le moment, mais de veiller, alors que le cours des choses semble continuer.

C'est ici que Matthieu fausse compagnie à Marc : il continue le thème de la vigilance sous le mode de la menace et de la crainte du jugement séparateur, en rappelant les jours de Noé avant le déluge. Marc (13, 32-36) exposait pour sa part la parabole de la maison dont le maître est parti en voyage. L'important est que chacun veille à bien accomplir la tâche qui lui a été confiée et ne se laisse pas surprendre. Mais le retour du maître est un événement heureux et attendu par toute la maison rassemblée [1].

Le juge des vivants et des morts

Le jour du retour du Seigneur sera aussi le jour du jugement. L'Ancien Testament était déjà traversé par l'annonce du Jour du Seigneur : il s'agissait d'une intervention terrible de Dieu dans les grands événements de l'histoire d'Israël, le plus souvent décrite avec des images apocalyptiques ; car ce qui se produit dans l'histoire oriente vers l'attente du dernier jour, celui du jugement final qui atteindra également Israël et les nations. Avec la venue de Jésus le jour du Seigneur devient le « Jour de notre Seigneur Jésus-Christ » (1 Co 1, 8). Car Dieu a remis à son Fils « le pouvoir d'exercer le jugement, parce qu'il est le Fils de l'homme » (Jn 5, 27). L'histoire se clôt en une fin qui est la présence totale de l'histoire à elle-même : le jugement dernier en est l'une des images.

L'évangile de Matthieu fait suivre les récits apocalyptiques d'une série de paraboles sur la vigilance et la persévérance (le serviteur fidèle, les dix vierges, les talents), avant de décrire de manière grandiose le jugement dernier donné par le Fils de l'homme revenu dans sa gloire. La scène est encore une fois la représentation apocalyptique de l'irreprésentable. Toutes les nations de tous les temps sont rassemblées devant leur juge et séparées en deux groupes : les brebis à droite et les chèvres à gauche. Le critère de cette séparation est celui de l'amour fraternel et concret, exercé envers les petits, ceux

1. La place ne me permet pas de m'engager dans la lecture des récits eschatologiques de l'*Apocalypse*. E. Corsini, *L'Apocalypse maintenant*, Paris, Seuil 1984, a proposé récemment une nouvelle interprétation du livre, en émettant l'hypothèse que pour son auteur la fin des temps est pleinement atteinte avec la mort et la résurrection de Jésus. La dramatique apocalyptique transpose à cette lumière les grands événements de l'histoire du salut. Si cette interprétation est juste, elle souligne la présence de la fin des temps dans toute l'histoire.

qui ont faim et soif, les étrangers, les malades et les prisonniers. Mais la raison qui fonde ce critère est aussi importante que le critère lui-même : « En vérité, je vous le déclare, chaque fois que vous l'avez fait à l'un de ces petits, qui sont mes frères, c'est à moi que vous l'avez fait » (Mt 25, 40). Autrement dit, par ces simples gestes d'amour fraternel, ceux qui qui sont appelés « les bénis de mon Père » ont accompli d'un seul mouvement les deux commandements de la loi : l'amour de Dieu comme celui du prochain [1]. Ils n'ont pu le faire qu'en raison de l'incarnation. La communication de Dieu en Jésus s'universalise au niveau de la moindre rencontre entre les hommes. Les justes ont paru donner et, en fait, ils ont reçu. En ne fermant pas leurs entrailles à leur propre chair, ils ont reconnu celui qui seul peut les sauver. Ils sont entrés dans le salut parce qu'ils ont tout simplement participé à la chaîne de communication, de don et de pardon, qui vient de Dieu par Jésus et retourne à Dieu par lui. Ils se sont convertis d'un même mouvement à la foi et à la charité. Ils recevront en partage « le Royaume qui a été préparé pour vous depuis la fondation du monde » (Mt 25, 34), selon l'unité du dessein de Dieu réalisé depuis la création dans toute l'histoire des hommes.

Mais cette dernière heure du salut se fait aussi jugement : elle comporte la face sombre de la condamnation. Un tel risque ne saurait être sous-estimé. Sans prétendre dire quoi que ce soit sur le nombre ni même sur l'existence de ceux qui seront envoyés au « châtiment éternel », le texte nous donne un avertissement solennel sur l'enjeu définitif des choix de notre liberté. A ceux qui auront donné à leur vie l'orientation d'un égoïsme fondamental, voilà ce qui arrivera. Il s'agit d'un futur ou plutôt d'un éventuel, qui est annoncé, parce que dans le présent tout est possible, afin d'éviter que quiconque en arrive là [2].

1. Cf. Ci-dessus, p. 274
2. Cf. sur ce point les deux derniers petits livres d'Hans Urs von Balthasar, *Espérer pour tous,* Paris, D.D.B. 1987 ; et *L'enfer. Une question,* Paris, D.D.B., 1988.

La parousie du Christ et la résurrection générale

La « parousie », c'est-à-dire le retour du Christ à la fin des temps, sera également la manifestation éclatante de la victoire définitive de celui-ci sur le péché et sur la mort. Ce retour vient sonner l'heure de la résurrection générale. Ce dernier terme récapitule tous les aspects du salut pleinement accompli. Mais, outre ce que l'évangile de Matthieu nous dit de l'apparition du Fils de l'homme et du jugement dernier, nous devons demander cette fois le récit symbolique de la résurrection finale aux épîtres pauliniennes.

> « Car lui-même, le Seigneur, au signal donné, à la voix de la trompette de Dieu, descendra du ciel : alors les morts en Christ ressusciteront d'abord ; ensuite nous, les vivants, qui serons restés, nous serons enlevés avec eux sur les nuées à la rencontre du Seigneur dans les airs, et ainsi nous serons toujours avec le Seigneur » (1 Th 4, 16-17).

Dans ce scénario de victoire eschatologique, qui emprunte beaucoup aux images cosmiques, Paul n'envisage pas la résurrection des méchants, car la résurrection est pour lui synonyme de vie et de salut. Jean au contraire nous dit clairement que tous les morts ressusciteront : ceux qui auront fait le bien pour la résurrection qui mène à la vie ; ceux qui auront fait le mal, pour la résurrection qui mène au jugement (cf. Jn 5, 29).

Pour Paul la résurrection finale sera en quelque sorte l'achèvement de la résurrection du Christ :

> « Christ est ressuscité des morts, prémices de ceux qui sont morts ... En Christ tous recevront la vie ; mais chacun à son rang : d'abord les prémices, Christ, puis ceux qui appartiennent au Christ, lors de sa venue ; ensuite viendra la fin, quand il remettra la royauté à Dieu le Père, après avoir détruit toute domination, toute autorité, toute puissance. Car il faut qu'il règne, jusqu'à ce qu'il ait mis tous ses ennemis sous ses pieds » (1 Co 15, 20-25).

Le langage demeure celui de la victoire après le combat.
Les Pères apologistes aimaient à bien distinguer les deux
parousies du Seigneur : la première où il s'est manifesté dans
la souffrance et la seconde où il apparaîtra dans la gloire[1].
La résurrection fait le lien de l'une à l'autre, en anticipant la
seconde en la personne de Jésus. Lors de sa dernière parousie
le Christ fera entrer tous les hommes dans sa propre
résurrection. Il achèvera sa médiation historique et inaugurera
sa médiation éternelle, de même qu'il vivra l'achèvement
de sa propre résurrection et l'inauguration de l'éternelle
résurrection de son corps total[2].

Cieux nouveaux et terre nouvelle

Est-il encore possible de jeter un regard sur l'après éternel
de la résurrection, sur la vie bienheureuse du Royaume de
Dieu ? Quelle que soit l'interprétation dernière qu'il faille
donner à ce texte[3], un chapitre de l'*Apocalypse* nous décrit
le monde de la résurrection sous la forme d'un ciel nouveau
et d'une terre nouvelle :

> « *Alors je vis un ciel nouveau et une terre nouvelle,
> car le premier ciel et la première terre ont disparu et
> la mer n'est plus. Et la cité sainte, la Jérusalem
> nouvelle, je la vis qui descendait du ciel d'auprès de
> Dieu, comme une épouse qui s'est parée pour son
> époux. Et j'entendis venant du trône, une voix forte
> qui disait : Voici la demeure de Dieu avec les hommes.
> Il demeurera avec eux. Ils seront ses peuples et lui
> sera le Dieu qui est avec ceux. Il essuiera toute larme
> de leurs yeux. La mort ne sera plus. Il n'y aura plus
> ni deuil, ni cri, ni souffrance, car le monde ancien a*

1. Cf. Justin, *Dialogue avec Tryphon*, 31, 1 ; 32, 1-2 ; éd. G. Archambault, Paris 1909, t. I, p. 133 et 139.
2. Sur les divers problèmes posés aujourd'hui à propos de la compréhension de la résurrection de Jésus, cf. les indications bibliographiques données p. 238, note 1.
3. Cf. E. Corsini, *op. cit,* pp. 280-281.

disparu. Et celui qui règne sur le trône dit : Voici que je fais toutes choses nouvelles » (Ap 21, 1-5).
Le texte se poursuit par une longue description de cette Jérusalem céleste. Son langage repose sur une série de passages à la limite des représentations et des expériences que nous pouvons avoir du bonheur. Il insiste sur le renversement eschatologique du monde, présenté comme une re-création du cosmos originel. Dans un vocabulaire de rupture une continuité nous est exprimée. Car la rupture du cosmos est l'écho représentatif de la véritable rupture que nous avons à accomplir pour nous convertir à la pleine vérité de l'Evangile. Notre entrée définitive dans le salut nous permettra d'accéder à ces cieux nouveaux et à cette terre nouvelle qui sont une réplique du paradis originel. Ils seront libérés de tout ce qui est actuellement en eux limite et source de maux. Ils seront le cadre de la Jérusalem céleste, nouveau Temple et demeure de Dieu parmi les hommes.

De quoi est fait ce monde réconcilié ? Il est avant tout un don de Dieu, il descend d'en haut ; il n'est pas simplement l'accomplissement de notre monde. Il est le monde de la pleine présence de Dieu à tous les peuples, dans le respect de leur universalité, et de la pleine présence des hommes à Dieu. C'est le monde de la transparence originelle retrouvée, de la vie en plénitude, du bonheur accompli, de la justice rendue, de la libération de toute souffrance et de toute mort. Il se célèbre dans un banquet festif et une liturgie communautaire. Bref, c'est la demeure commune où Dieu se promènera, tel un ami avec ses amis, comme il le faisait au jardin de l'Eden. Dieu sera alors tout en tous, c'est-à-dire l'auteur d'une communication totale.

La portée anthropologique et théologique de ce langage est si évidente, à travers ses images mêmes, qu'il apparaît bien inutile de vouloir le traduire en concepts, sous peine de l'appauvrir. Par la multiplicité convergente de ses traits, tous empruntés à notre expérience du vrai, du bien et du beau, il nous ouvre une fenêtre sur l'irreprésentable.

Les effets de sens de ces récits
1. Du définitif à l'éternel

A la condition de prendre ces récits pour ce qu'ils sont et veulent être, et quoi qu'il en soit de la distance culturelle et historique à travers laquelle ils parviennent jusqu'à nous, nous pouvons en recueillir les effets de sens.

Ils n'ont pas pour intention de satisfaire notre curiosité sur l'avenir, à la manière de ces journalistes si préoccupés de coller à l'événement qu'ils s'aventurent à nous dire même ce qui se passera demain. Ils n'ont pas non plus pour but de nous effrayer. Nous n'avons pas à phantasmer à leur propos sur la menace de catastrophes, aussi bien temporelles qu'éternelles. Ils ne nous révèlent pas le nombre des damnés, et aucun d'entre eux ne nous dit même s'il y en aura. Pas plus que les récits de création ils ne prétendent nous apporter quelque donnée scientifique que ce soit.

Leur effet de sens primordial est de nous assurer que le salut apporté par le Christ ne s'enferme pas dans les limites de notre monde, mais qu'il débouche sur l'éternel. Car « si c'est pour cette vie seulement que nous avons mis notre espoir dans le Christ, nous sommes les plus malheureux de tous les hommes » (1 Co 15, 19). Le salut est eschatologique, c'est-à-dire définitif et éternel ; pour cette raison il est aussi transhistorique. Il a donc besoin d'être dit à l'aide de représentations qui expriment l'altérité radicale du monde ressuscité par rapport au nôtre.

Mais ce caractère définitif pénètre déjà notre présent. Aussi le langage eschatologique de l'Ecriture échappe-t-il au faux dilemme d'une horizontalité, qui ramènerait tout au domaine de notre contingence terrestre, opposée à une verticalité, qui exilerait le salut dans un avenir échappant à toute prise et, de ce fait, aliéné de nous. En raison de l'unité du dessein de salut de Dieu, qui va de la création originelle à la re-création définitive, les récits eschatologiques de l'Ecriture jouent sur le mouvement incessant du déjà-là et du pas encore. C'est le présent qui est peint sous les couleurs du salut déjà réalisé ;

c'est l'avenir qui est décrit à son tour comme le passage à l'absolu de tout le bien qui demeure encore pour nous fragile, contingent et transitoire. Au cœur de ce mouvement il y a la résurrection de Jésus, promesse en acte et donc déjà tenue, de la résurrection générale.

2. De l'espérance à la vigilance

Ces récits ont aussi pour effet de nourrir notre espérance : ils nous invitent à relever la tête et à regarder devant nous, afin d'assurer notre marche dans le présent. Nous le savons : l'espérance s'attache de manière congénitale à l'existence de l'homme. Ne plus rien espérer, c'est mourir ou vouloir mourir. Le désespoir devant l'immense masse de l'absurde, du non-sens, de la souffrance et du mal aveugle dans notre monde est peut-être la grande tentation de l'homme. Or les récits de la fin nourrissent une double espérance : d'abord, une espérance pour ce monde dans lequel le salut est une réalité en marche irréversible, une espérance que le poids de la justice, de l'amour, de la liberté, de la communication et finalement du bonheur sera finalement le plus lourd ; ensuite, une espérance pour un au-delà absolu, qui bien loin de démobiliser la précédente, la fonde et la conforte. Ces deux espérances solidaires nous sont données pour le temps de la contradiction et de l'épreuve.

Ces récits sont également les messagers d'un avertissement d'importance. Le salut est un don de Dieu ; mais il ne saurait se réaliser sans la réponse de la liberté de l'homme. Nous retrouvons ici, dans sa dimension proprement eschatologique, l'enjeu de la conversion. C'est pourquoi il est légitime de parler de dramatique chrétienne. Le salut se joue entre l'initiative du don de Dieu et la réponse de l'homme. S'il a été trop longtemps abusif de fonder sur ces récits une prédication de la terreur, il est au contraire parfaitement légitime d'appuyer sur eux un appel au sérieux de l'existence humaine, dont la liberté a le privilège de faire du définitif. Cet avertissement est un appel grave et solennel à la vigilance, si présent dans les paraboles évangéliques et qui est l'une des intentions majeures du discours apocalyptique de Jésus.

3. De l'image de la séparation à la réalité du choix

Dans les récits apocalyptiques la fin est présentée sous la forme de la séparation ultime des bons et des méchants, de la vie et de la mort, de la récompense et du châtiment. Cette représentation « des grandes vérités » a été exploitée dangereusement dans la prédication de plusieurs siècles. Non seulement elle engendre un malaise dans la conscience moderne, mais elle constitue souvent un obstacle à la foi. Or la séparation est l'expression objectivée du choix historique en même temps qu'eschatologique auquel toute liberté se trouve confrontée. Il dépend de notre choix, c'est-à-dire de la conversion de tous, que la fin du monde prenne la forme de la rencontre du serviteur bon et fidèle avec son maître qui revient vers lui pour l'admettre à sa table et à la communion de sa vie. La face de la catastrophe exprime le risque auquel s'exposerait un refus qui se voudrait définitif. Il dépend de nous que la rencontre de l'absolu soit un événement de vie ou de mort. Nous n'avons pas à spéculer sur un avenir qui est encore en sursis et dont la présentation a pour but de nous inviter à la vigilance.

Mais pourquoi, dira-t-on peut-être, cette insistance sur les aspects catastrophiques de l'approche de la fin ? C'est ici que le lien entre ruine de Jérusalem et fin des temps peut nous aider à comprendre le rapport entre ce qui se passe dans l'histoire et le risque de la fin de l'histoire. L'histoire, l'histoire de notre siècle en particulier, nous a suffisamment montré à quel enfer historique pouvait aboutir le mensonge et la violence humaine. Le « calvaire de l'humanité » que furent les camps de concentration d'Auschwitz et de Treblinka, pour ne prendre que les plus sinistres exemples d'un monde aux atrocités multiples, suffisent à nous instruire de la gravité de la responsabilité humaine. De tels événements peuvent prendre la valeur d'un avertissement à portée eschatologique, en tenant en quelque sorte pour nous la place de la ruine de Jérusalem. Ils nous invitent plus que jamais à la conversion et à la réconciliation. Ils ne doivent alimenter aucune vaticination sur la fin. Ils nous demandent d'abord une décision radicale pour Dieu et pour l'homme, décision que toute l'œuvre du salut nous donne de pouvoir prendre ; ils nous suggèrent ensuite d'en rester à un discours particulièrement modeste sur les modalités de la fin. Le déchaînement du péché est toujours possible, c'est ce que nous disent nos récits, il n'est jamais fatal[1].

Conclusion : Des récits aux catégories

Création, kénose et incarnation

Il ne suffit donc pas de dire que la création est déjà un acte de salut et qu'elle constitue une prophétie du salut. Si l'on ne veut pas exténuer la consistance propre de la création, il faut aussi reconnaître que le salut est à son tour une création, à la fois création nouvelle et achèvement de la création originelle. Nous avons donc à reprendre sous ce jour la geste de la création, en cherchant à en approfondir la catégorie à la lumière de celle de salut. Le sens de cette inclusion mutuelle des deux termes est de maintenir l'altérité de l'être sauvé devant Dieu. Car le risque d'un unilatéralisme de la grâce divinisante est de volatiliser la libre consistance de l'homme créé devant Dieu et de donner à penser que, dans l'histoire du salut, Dieu ne fait finalement que jouer avec lui-même à travers l'homme.

1. En ce qui concerne les aspects personnels de l'eschatologie, cf. Bernard Sesboüé, *La résurrection et la vie. Petite catéchèse sur les choses de la fin,* Paris, D.D.B. 1990, p. 79-164.

La doctrine classique de la création, reprenant l'expression du livre des *Macchabées* « *ex nihilo* » (2 Mc 7, 28), a mis en relief l'affirmation que Dieu a créé le monde à partir de rien. Ce point souligne l'altérité radicale de l'univers créé par rapport à Dieu. Il renvoie à un acte libre et personnel et marque la différence avec les conceptions émanatistes héritées de la Grèce antique. Mais cet aspect demande à être bien situé parmi d'autres. Car en rigueur de terme le néant ne peut rien produire. L'expression « création à partir de rien » véhicule un schème représentatif où le rien joue le rôle d'une sorte de matière première de la création, une matière première niée aussitôt qu'évoquée. Avant l'acte libre de création accompli par Dieu il n'y avait précisément pas de réalité créée et celle-ci n'est pas non plus le fruit nécessaire d'une émanation d'un être supérieur.

Mais si le rien en tant que rien ne peut rien produire, il nous faut bien reconnaître que Dieu a créé et crée à partir de lui-même, à partir de ce qu'il est lui-même. La création de l'homme « à l'image et à la ressemblance de Dieu » en est l'illustration majeure. Dès lors, l'acte de création est celui par lequel Dieu décide de n'être pas à lui seul toute réalité devant laquelle il n'y a rien. Poser en dehors de lui un monde créé, c'est un acte de renoncement à lui-même. On peut prendre l'image locale à l'envers et dire que Dieu se retire en quelque sorte d'une région de lui-même pour permettre à l'autre que lui d'exister.

En vérité, si nous pouvons comprendre ainsi l'acte de création, c'est parce que nous avons la révélation de la kénose du Christ. Dans l'incarnation le Christ s'anéantit lui-même. Le fait d'assumer une nature humaine n'est pas pour lui un plus, c'est un moins. La réalité de cette donnée mystérieuse apparaît dans sa manière de vivre pour son Père et pour ses frères, dans une kénose que le péché a rendue tragique jusqu'à la mort de la croix. A partir de ce déchiffrement du mystère du Christ, Fils de Dieu, nous comprenons que notre re-création se fasse au prix d'une telle négation de soi. Mais remontant de ce sommet de la révélation de Dieu vers l'origine, nous pouvons comprendre que la création parte de la même générosité.

Seule la négation de soi peut produire une véritable altérité. Dieu ne crée pas pour s'achever lui-même ; il ne crée pas non plus par un effet de prodige. Créer, surtout quand il s'agit de l'homme, c'est donner quelqu'un à lui-même. Or on ne donne jamais en vérité sans « perdre » quelque chose de soi. Même si une telle affirmation ne prend sens à propos de Dieu qu'à travers la distance d'une radicale analogie, elle demeure vraie. En créant le monde, Dieu ébauche en quelque sorte un premier don de lui-même. Ce don comporte une première négation de lui-même et conditionne l'authentique altérité du créé. L'altérité que nous sommes par rapport à Dieu est corrélative de ce renoncement à lui-même, de la part de Dieu, dont la kénose de l'incarnation nous a révélé la radicalité.

De la kénose créatrice à la kénose trinitaire

H. Urs von Balthasar va jusqu'à dire que l'acte de création de l'homme est déjà de la part de Dieu un engagement à la kénose de l'incarnation. S'inspirant de la conception de Boulgakof pour lequel les personnes divines, en tant que pures relations, sont « désintéressement », il écrit :

> « Ce désintéressement fonde une première forme de kénose, qui se réalise dans la création (surtout celle de l'homme libre), puisque le Créateur cède ici pour ainsi dire une part de sa liberté à la créature, mais ne peut finalement risquer cette aventure qu'en vertu de la prévision et de l'acceptation de la kénose seconde et proprement dite, celle de la croix, dans laquelle le Créateur rejoint et dépasse les conséquences les plus extrêmes de la liberté créée. ... Ainsi "la croix du Christ est inscrite dans la création du monde depuis sa fondation", comme le montre la théologie johannique de "l'Agneau de Dieu" (Jn 1,29.36) qui, "égorgé depuis l'origine du monde" (Ap 13,8), se

tient devant le trône du Père (5,6), qui fait paître ceux qui ont été lavés dans son sang (7,17), qui comme Agneau-Pasteur donne sa vie pour ses brebis (Jn 10,15), mais qui devient aussi, dans la "colère de l'Agneau" (Ap 6,16), le juge des siens et du monde entier » [1].

Ainsi la croix du Christ est-elle inscrite dans la création du monde depuis sa fondation. Il va sans dire qu'aucune nécessité philosophique ne peut permettre de déduire cette kénose de Dieu. Seule la révélation peut nous ouvrir à une perspective où l'amour originel de Dieu pour l'homme est aussi « séducteur ». Selon la conviction de toute tradition chrétienne Dieu se révèle à nous tel qu'il est. Si l'acte de création est déjà une kénose paternelle, si l'envoi de son Fils s'accomplit au prix de la kénose de la croix, si le don de son Esprit aux hommes garde une discrétion toute kénotique dans le respect de leurs libertés, alors l'échange trinitaire qui constitue la vie même de Dieu est un mouvement constant de kénose permettant la pleine altérité du Père, du Fils et de l'Esprit. Mais une telle kénose est immédiatement un *plérôme* c'est-à-dire une plénitude. C'est en ce sens qu'une formule comme « le négatif palpite au cœur de l'absolu » prend sa juste valeur. Cette négation de soi est d'une absolue simplicité. « Rien de plus naturel à Dieu », pour parler comme les hommes de cœur, quand ils disent : « - Mais non, c'était bien naturel ».

Ce qui prend figure tragique et souffrante à la croix, en raison du péché et de la violence des hommes, s'origine donc dans l'être même de Dieu. Selon le désintéressement absolu qui constitue les personnes divines entre elles et à notre égard, Dieu a éternellement assumé en lui le risque vérifié du tragique. Cette remontée dans le mystère de Dieu nous fait saisir qu'il est naturel à Dieu d'être ainsi. Ne rien retenir de soi est une juste formule trinitaire. Elle livre à la fois l'être

---

1. Hans Urs von Balthasar, *La Gloire et la Croix. Les aspects esthétiques de la révélation. III. Théologie. 2. Nouvelle Alliance*, Paris, Aubier 1975, p. 185.

des trois personnes et le principe de la création. Elle dit jusqu'où peut aller la toute-puissance divine. C'est ce « ne rien retenir de soi » qui est allé jusqu'au bout de lui-même en assumant le tragique inscrit dans la liberté de l'homme.

Passion de Dieu pour l'homme et de l'homme pour Dieu

Le sérieux de la kénose créatrice de Dieu se mesure en particulier à la cession de la liberté à l'homme, même sous le mode d'une vocation et d'un devenir. Créer un être libre, c'est faire advenir une altérité qui soit elle-même jusque dans ses racines, c'est-à-dire capable de se faire soi-même, par la liberté, radicalement autonome. Mais créer un tel être, c'est le créer dans une ressemblance telle avec Dieu qu'il devient « divinisable ». Car créer librement un être de liberté, c'est aussi créer une relation de liberté à liberté. D'un côté, il y a l'être intrinsèquement divin, en offrande de lui-même sur le fond d'un anéantissement de lui-même. De l'autre, il y a notre propre être, en devenir de lui-même, divinisable, c'est-à-dire créé à la fois dans l'altérité et la ressemblance, par Dieu et pour Dieu. Nous comprendre ainsi, c'est épouser le mystère de notre être créé et le mystère de Dieu qui nous crée.

Epouser ce mystère, c'est être progressivement épris de la même passion pour l'altérité de Dieu qu'il en éprouve lui-même pour la nôtre, puisqu'il la fait être pour elle-même. En d'autres termes, c'est rejoindre l'âme du sacrifice qui est demandé à l'homme. De même que la communication que Dieu fait de lui-même à l'homme dans la création et le salut sont d'authentiques « sacrifices », de même le sacrifice fondamental qui est demandé à l'homme est-il de se donner lui-même à Dieu dans une auto-communication de retour. Il est saint selon Dieu d'être ainsi, de ne rien retenir de soi-même pour soi-même. Ce qui est juste pour Dieu deviendra la mesure suprême de notre propre justice de créatures justifiées. Autocommunication et sacrifice échangent leur déterminations, comme nous l'avons vu à propos de la croix du Christ : sommet absolu de la livraison de soi de Dieu à l'homme, la croix est tout à la fois dans son mystère unique le sacrifice de Dieu envers l'homme et le sacrifice de l'homme envers Dieu.

Alpha et Oméga : de la médiation à la récapitulation

Il n'est pas étonnant, au vu de l'intime solidarité entre la création et le salut apporté par Jésus-Christ, que le Nouveau Testament ait anticipé la médiation au moment même de la création. Le médiateur de la rédemption est le médiateur de la création [1]. Les grandes hymnes du corpus paulinien (Col 1, Ep 1, He 1) marquent autant de jalons de ce mouvement de retour à l'origine qui plonge jusque dans l'avant de la fondation du monde, éternel avant de tout avant, pour y découvrir le Christ en qui nous sommes élus (Ep 1, 4). Pour la tradition patristique, en particulier à l'époque où elle combat la gnose, il est souverainement important que le rédempteur soit le créateur en personne venant reprendre son œuvre propre. La création est ainsi la première mission du Fils et de l'Esprit, ceux qu'Irénée appelait les deux mains du Père.

Mais la même hymne *aux Ephésiens,* non contente de remonter vers l'Alpha, accomplit aussi le mouvement de descente vers l'Oméga. Dieu « nous a fait connaître le mystère de sa volonté, le dessein bienveillant qu'il avait arrêté en lui-même pour mener les temps à leur accomplissement, réunir l'univers entier sous un seul chef, le Christ (*anakephalaiôsas-thai,* récapituler), ce qui est dans les cieux et ce qui est sur la terre » (Ep 1, 9-10). La solidarité des deux mouvements est évidente : celui qui est à la fin doit aussi être au commencement, et réciproquement. Le récit historique de Jésus se trouve universalisé à travers les catégories de fin et de

---

1. Ce point a été développé dans *Jésus-Christ dans la tradition de l'Eglise, op. cit.,* p. 293-299.

commencement. Le médiateur du salut reste le médiateur de l'accomplissement de toutes choses. Il exerçait au commencement une médiation créatrice ; il exercera à la fin une médiation re-créatrice. Tout subsiste en lui, tout sera définitivement restauré, réconcilié, achevé en lui, par lui et pour lui. Le récit total du salut est un récit christocentrique. L'hymne *aux Ephésiens* lui fournit sa catégorie clé : la récapitulation, qui structurera toute la visée d'Irénée sur l'histoire du salut.

De même que le moment de l'Alpha sort de l'éternité de Dieu, le moment de l'Oméga y retourne. Dès lors une dernière question se pose : l'achèvement réconciliateur de toutes choses dans le Christ amènera-t-il la fin de sa médiation ? Pour Calvin, par exemple, le moment où le Christ triomphant remettra la royauté à son Père (cf. 1 Co 15, 24) sera celui où sa médiation cessera, parce qu'elle n'aura plus de raison d'être. Selon la même logique, l'humanité même du Christ, conçue comme un voile et un obstacle à la vision de la pure divinité, cessera d'exister. « Alors le voile étant retiré, nous verrons à découvert Dieu régnant dans sa majesté : l'humanité du Christ ne sera plus un moyen qui nous arrête dans la vue ultime de Dieu »[1]. Certains théologiens réformés contemporains (A.A. van Ruler, D. Sölle)[2] ont radicalisé cette conception : « Jésus se rend ainsi superflu. Ses fonctions médiatrices envers les hommes abandonnés cessent »[3]. Mais « une christologie seulement fonctionnelle, commente justement J. Moltmann, ne peut que s'achever en une eschatologie non chrétienne »[4].

Cette théologie fait en effet bon marché du caractère définitif de l'incarnation : « Jésus Christ est le même hier et aujourd'hui ; il le sera pour l'éternité » (He 13,8). Jésus ressuscité n'est pas moins homme que le Jésus terrestre. Il

---

1. J. Calvin, Sur 1 Co 15, 27, *J. Calvini in N.T. commentarii,* éd. A. Tholuck, p. 227, cité par J. Moltmann, *op. cit.,* p. 299.
2. Cf. J. Moltmann, *op. cit.,* p. 300-310.
3. *Ibid.,* p. 308.
4. Ibid., p. 309. La position personnelle de Moltmann, plus nuancée, n'est pas vraiment satisfaisante.

est l'homme parvenu à la pleine réalisation du dessein de Dieu. En lui c'est l'un d'entre nous qui siège à la droite du Père. Cette théologie fait également bon marché de l'être créé de l'homme dans sa relation la plus intime avec Dieu : elle donnerait raison à l'idée que la divinisation de l'homme est la perte de son être propre, au lieu d'en constituer le plein épanouissement. Bien au contraire, l'économie de la gloire gardera la structure de l'économie de la grâce. Celui qui est le médiateur de notre salut, reste l'éternel médiateur de notre filiation adoptive. C'est éternellement en lui et par lui que nous verrons Dieu. C'est la communion de notre humanité avec la sienne qui nous fera entrer dans la communion de Dieu. Bien loin d'être un obstacle ou un voile, son humanité ressuscitée restera l'éternel chemin au parcours immobile, où le terme coïncide avec le premier pas. Ce serait faire injure à l'être médiateur du Christ que de considérer celui-ci comme un intermédiaire faisant obstacle à notre relation immédiate avec le Père. K. Rahner a souligné avec force le rôle de l'humanité de Jésus dans notre vision de Dieu :

> « *Eternellement, on ne verra le Père que par lui. Et c'est justement ainsi qu'on le voit* immédiatement, *car le caractère immédiat de la vision de Dieu n'est pas la négation de la médiation éternelle du Christ comme homme. ... Nous ne réfléchissons le plus souvent que sur la médiation historique, morale, du Fils de l'homme dans sa vie sur terre. Il en résulte que, dans la conscience ordinaire que nous avons de notre foi, l'humanité du Christ devient sans importance. ... Où est donnée la connaissance claire, exprimée en concepts ontologiques, que cette vérité demeure éternellement : nul ne connaît le Père si ce n'est le Fils, et celui à qui le Fils veut bien le révéler ; qui me voit, voit le Père ?* »[1].

1. K. Rahner, « La signification éternelle de l'humanité de Jésus pour notre rapport avec Dieu », *Eléments de théologie spirituelle*, Paris, D.D.B. 1964, p. 45-47.

Jésus-Christ, l'unique médiateur de la création et du salut, reste auprès des hommes l'éternel médiateur de la gloire divine.

La fin et le commencement immanents au présent

J'ai déjà eu l'occasion de souligner l'ambivalence symbolique du terme « sauver » dans les évangiles [1] : celui-ci passe constamment de la guérison des corps au salut total de la personne. De même, la prédication de Jésus unit constamment le présent et l'avenir : elle ne s'enferme pas dans l'opposition d'un terrestre et d'un céleste. L'unique et même salut est déjà là tout entier et concerne donc, avec les corps de chacun, le corps de la société des hommes, tout en demeurant promesse eschatologique. C'est déjà de « résurrection » qu'il s'agit dans le monde symbolique créé par Jésus avec la prédication du Royaume. De même que la création originelle est toujours actuelle, le ciel est déjà présent sur la terre, de même encore que la terre sera eschatologiquement transformée. Celui qui croit a déjà « la vie éternelle ». A travers le monde symbolique créé par la présence de Jésus et le réseau de relations converties qu'il établit avec ceux qui l'écoutent, c'est vraiment un cosmos nouveau qui s'inaugure. C'est un monde où le repas eucharistique réunit tous les présents dans un échange convivial où chacun a sa part sans détriment pour autrui. Ce monde est déjà un paradis : il renvoie à la fois au paradis inaugural où Dieu conversait familièrement avec Adam et au paradis eschatologique où Dieu sera tout en tous. Il en constitue la genèse. Ce salut est non seulement la révélation de ce que Dieu veut et fait pour l'homme ; il est aussi la révélation de ce qu'est Dieu lui-même, un être de communion, proposant à l'homme, par le seul moyen de la séduction, de communier avec lui.

Cette image du salut peut sembler bien idyllique au regard du rude combat de la vie et de la mort. Notre foi et notre

1. Cf. *Jésus-Christ dans la tradition de l'Eglise, op. cit.,* p. 241-244.

espérance nous demandent de tenir ensemble la promesse irréversible du salut et le courage du combat quotidien. C'est parce que le combat est toujours là jusqu'à la fin du monde que les signes du salut ne peuvent être que fragiles, précaires et provisoires. Mais ils s'appuient sur le récit total de Jésus qui nous garde debout, le regard tourné vers l'avenir et les mains à l'œuvre pour faire lever la pâte.

CONCLUSION GÉNÉRALE

Au terme de ce long parcours en deux tomes sur la théologie de la rédemption et du salut, il n'est pas inutile de dresser un rapide bilan des enseignements majeurs qui ont été recueillis. Dans le premier tome la structure de l'unique médiation du Christ a été exposée selon l'équilibre de ses deux mouvements, descendant et ascendant, avec une interprétation aussi convertie que possible des grandes catégories traditionnelles et classiques. Le second tome, en s'attachant aux récits bibliques, a opéré un mouvement en amont vers la « sotériologie implicite » de l'Ecriture — au sens où la théologie contemporaine parle de « christologie implicite » —, qui est incluse dans la trame de ces récits et se manifeste par le jeu de la récurrence des effets de sens. Le but était d'abord de confronter le lecteur, à travers l'épaisseur des récits, à un long événement dont il demeure le partenaire et par rapport auquel il doit se situer. Il était aussi de revivre à frais nouveaux le mouvement de genèse d'une « sotériologie explicite », en passant des récits aux catégories. De ce fait, un certain nombre de mots nouveaux ont émergé, venant non pas nier les catégories anciennes, mais leur redonner sève, et éventuellement corriger celles qui avaient pris un mauvais tournant.

La catégorie de communication, et plus précisément de l'auto-communication de Dieu à sa créature, apparaît comme l'englobant du tout. Elle correspond aux catégories classiques de la divinisation et de la grâce ; elle renvoie à tout le vocabulaire scripturaire de l'élection et de l'alliance. Ce terme est un autre nom de la gratuité absolue d'un amour prévenant, à la fois créateur et recréateur, qui prend dans la Bible le nom des formes les plus hautes de l'amour humain : celui de l'époux à l'épouse, du père à son fils, de l'ami à son ami. La communication est solidaire de la révélation : il n'y a pas de communication sans connaissance. L'amour est un acte d'intelligence et de volonté. Aimer, c'est se dévoiler. Ce que le mot traduit est à la source de l'effet de séduction que Dieu exerce sur les hommes. Car l'amour est beauté. La communication renvoie enfin à la médiation qui la rend possible : Jésus-Christ, « l'unique médiateur entre Dieu et les hommes », est par excellence celui qui réalise la communication entre le premier et les seconds, selon le double sens du don de Dieu aux hommes et du retour des hommes à Dieu. Jésus-Christ est la séduction de Dieu faite chair. Il est la beauté de l'amour de Dieu pleinement manifesté.

Autour de cette catégorie s'organise tout un schème et s'exprime une forme du salut, bien différents du schème et de la forme de la subordination, trop longtemps dominante. Sans doute, le schème de la communication intègre-t-il, à sa juste place et comme un de ses éléments, celui de la subordination. Mais il le dépasse fondamentalement et le corrige radicalement. Dans son unilatéralisme et selon le mouvement de déconversion qui l'a habité, le schème dominant de l'autorité exigeant une obéissance soumise et craintive, et même réclamant justice, a gravement déformé le visage authentique de Dieu et la réalité du salut. Il a entraîné la théologie dans le langage de l'objectivité pure. On a ramené à un conflit de volontés la genèse d'un rapport de libertés. Le salut, bien au contraire, est une rencontre des libertés, une relation nouée et renouée entre des sujets, partenaires bien vivants. Il ne s'agit nullement de prétendre ramener le salut à l'ordre d'une subjectivité évanouissante, mais de prendre en compte, si l'on peut dire, le caractère objectif — dans un autre langage on dirait « ontologique » — de la relation entre des sujets. Comme souvent, ce qui apparaît nouveau n'est que la mise en relief d'une évidence de toujours. Cette étude a-t-elle fait autre chose que de montrer que la logique profonde de la rédemption *dite objective* était exactement semblable à celle de la rédemption *dite subjective* ? Ce qui commande en effet la justification par la grâce moyennant la foi, dans le cœur de chaque être humain, commande également l'événement historique du salut de toute l'humanité. C'est de la même chose qu'il s'agit dans les deux cas. Sans doute n'a-t-on pas pris garde dans le passé à la manière dont certaines théologies de la satisfaction compensatoire contredisaient l'analogie de la foi.

Du fait du péché de l'homme le don de Dieu est provoqué jusqu'au pardon. L'autocommunication se fait réconciliation, catégorie qui avait émergé au terme du premier tome. Pardon et réconciliation sont presque synonymes : leur légère différence renvoie au paradoxe d'une alliance retrouvée qui est à la fois unilatérale, puisque Dieu y a la priorité absolue et en quelque sorte fait tout, et bilatérale, puisque rien ne peut se passer tant que l'homme se refuse. Pardon et réconciliation ne vont pas sans un combat, à la fois amoureux et douloureux entre Dieu et l'homme qui demeure récalcitrant à sa propre libération (rédemption). C'est ici que l'amour se montre fort comme la mort (Ct 8, 6) et même plus fort qu'elle. C'est ici qu'un nouveau paradoxe s'exprime : le pardon, qui en bonne logique humaine, ne peut que suivre la conversion, la précède. Non seulement il la rend possible, mais en quelque sorte il l'effectue.

Communication et pardon appartiennent au mouvement descendant de la médiation du Christ. Un enseignement massif des récits bibliques réside dans la prédominance écrasante de ce mouvement sur le mouvement ascendant. De même que dans l'échange trinitaire le mouvement de génération qui va du Père au Fils est logiquement prioritaire par rapport au mouvement de filiation qui remonte du Fils vers le Père, de même, analogiquement, dans l'histoire du salut le mouvement de Dieu qui cherche l'homme précède, enveloppe et fonde le mouvement de l'homme qui cherche Dieu. Du jardin de l'Eden (« Adam, ou es-tu ? ») jusqu'à l'appel ultime de l'*Apocalypse* (« Viens, Seigneur, Jésus »), en passant par « la sortie » du Fils à la recherche des brebis perdues et des fils prodigues, c'est toujours Dieu qui se met en peine pour l'homme. Nous sommes ici au cœur de la spécificité du message chrétien. L'homme est donné à lui-même, précédé de toutes parts par la communication pardonnante de Dieu. Affirmer cela, c'est dire que le drame du salut est essentiellement un drame qui se passe entre Dieu et l'homme et non un règlement de justice qui se jouerait entre le Fils et le Père et dont nous ne serions finalement que les spectateurs.

Cette donnée massive ne supprime en rien la valeur et la nécessité du mouvement ascendant, puisque celui-ci peut seul accomplir le retour définitif de l'homme dans la pleine communion de Dieu. Mais elle permet de comprendre en vérité l'articulation de ces deux mouvements. C'est le premier qui engendre le second, à la manière d'un rayon lumineux qui rencontre une surface réfléchissante. L'humanité sainte du Christ, à travers tout l'itinéraire de son existence terrestre, entre dans le mouvement du retour éternel du Fils au Père. Nous l'avons vérifié en particulier à propos du sacrifice : le sacrifice de Jésus est un sacrifice de l'homme à Dieu, parce que d'abord il est un sacrifice de Dieu à l'homme. La sotériologie ici proposée est une sotériologie du Serviteur. Ce renversement s'opère à la croix ; nous le vivons dans l'eucharistie. Le don que Jésus nous y fait de son corps et de son sang, c'est-à-dire de sa propre personne, est identiquement l'offrande qu'il fait de lui-même à son Père. C'est parce que nous sommes les bénéficiaires de ce don que nous pouvons nous offrir à notre tour au Père par, avec et dans le Christ. Bien loin d'être une exigence justicière de Dieu à l'égard de l'homme, l'expression d'un besoin ou le désir d'une domination, le sacrifice existentiel que nous sommes invités à offrir et à célébrer dans l'eucharistie est une faveur de Dieu à notre égard, comme Irénée l'avait finement diagnostiqué : il nous dispense d'être ingrats. Le vrai sacrifice est d'abord le sacrifice de louange et d'action de grâce, deux expressions de la désappropriation dans l'amour. Ce sacrifice est aussi en Jésus intercession et propitiation pour l'homme pécheur. Mais nous savons que cette dimension, bien loin de répondre à une exigence de justice vindicative de la part de Dieu, appartient éternellement au sacrifice céleste du Christ glorifié : « C'est pourquoi il est en mesure de sauver d'une manière définitive ceux qui, par lui, s'approchent de Dieu, puisqu'il est toujours vivant pour intercéder en leur faveur » (He 7, 25). Ce qui s'est exprimé, de manière parfois bien ambiguë, sous le terme de mérite aux harmoniques quantitatives et juridiques, retrouve ici sa matrice, celle de l'amour qui s'exprime dans la générosité d'un agir irrésistible.

Le symbole du salut s'exprime essentiellement dans la résurrection : en elle le signe exemplaire donné est la chose même. Dans la résurrection se vérifie l'unité de l'exemplarité et de la causalité, qui est le fait du sacrement. La résurrection du Christ est le sacrement de la nôtre : elle en est le signe et la réalité, puisque déjà nous sommes ressuscités avec lui ; elle en est la promesse tenue, puisqu'en lui s'inaugure ce qui sera manifesté en tous ; elle la cause en tant qu'elle en est le signe, puisqu'elle nous assimile sa propre vie. La résurrection récapitule ainsi en elle toute la réalité du salut que Dieu veut donner à l'homme.

Une question fondamentale traversait ce dernier tome : si le mystère du salut accompli par le Christ est le centre du message chrétien, *comment* devons-nous concevoir la causalité de ce salut ? Tout d'abord, cette causalité ne s'exerce nullement sur Dieu, dont il ne pouvait s'agir de changer l'intention à notre égard. Cette causalité s'exerce vis-à-vis de l'homme. C'est une causalité libre qui s'adresse à une liberté invitée à l'accueillir librement. Son objectivité consiste donc à partir d'un sujet pour s'adresser à un sujet. C'est ici que nous avons rencontré le couple de la « séduction » et de

la « conversion ». Ce couple se prolonge en celui de la
« contagion » et de la « foi ». C'est la séduction exercée par
un amour « kénotique » allant jusqu'au bout de lui-même
qui provoque la conversion devant la figure de la croix et de
la résurrection, en laquelle se récapitule comme en un sommet
l'absolu du vrai, du bien et du beau. Cette séduction se fait
contagion dans l'Eglise, à travers la chaîne des témoins
chargés d'annoncer l'Evangile et d'inviter à la foi.

Pour exprimer conceptuellement cette causalité qui fonctionne par la médiation intelligente et amoureuse du signe
donné et reçu, la catégorie de sacrement est apparue comme
la plus apte. Toute une tradition théologique l'a déjà employée
à propos du Christ en qui elle voyait la source de tous les
sacrements. Elle a été utilisée ici de manière plus radicale, en
tant qu'elle est capable de rendre compte de la totalité de
l'office du médiateur selon ses deux mouvements descendant
et ascendant. Le Christ est le sacrement de la présence et de
l'action salvifiques de Dieu auprès des hommes ; il est aussi
le sacrement porteur de la réponse de foi, d'espérance et
d'amour des hommes à Dieu, car sa croix est le sacrement
du sacrifice de toute l'humanité. La catégorie de sacrement
se retrouve légitimement, bien qu'avec une portée subordon-
née, à propos de l'Eglise. Elle traduit heureusement le mystère
du rassemblement érigé en signe du salut du monde, le
mystère d'une grâce et d'une tâche, celui du don de Dieu
déjà manifesté dans la réponse des libertés humaines. Le
sacrement est en effet l'unité du visible et de l'invisible,
l'actualité de la réalité transcendante et définitive de notre
adoption filiale et de notre réconciliation, sous le voile et
dans la transparence des signes. Car le sacrement rend présent
dans l'historique de notre condition humaine le mystère de
l'absolu.

En définitive, le salut chrétien est beauté et le beau ne se
justifie par rien d'extérieur à lui-même. Ces pages ont
maladroitement cherché, à travers le récit et les catégories, à
faire percevoir quelque peu le secret de cette beauté qui se
confond avec la gloire de Dieu et du Christ. La beauté aime

à inspirer des images. Toute une sotériologie pourrait sans doute s'exprimer adéquatement à travers l'iconographie chrétienne. Je pense en ce moment à la fresque de l'Eglise du Monastère de Chora à Constantinople. Elle s'intitule « *Anastasis* », « Résurrection ». Elle représente le Christ ressuscité et glorieux, habillé d'un vêtement blanc, éclatant comme au jour de la transfiguration. Sa tête est entourée d'un nimbe d'or, toute sa personne est enveloppée de la mandorle en forme d'amande qui est un attribut du juge des vivants et des morts. De ses deux mains il arrache vigoureusement à leurs tombeaux Adam et Eve, prémices de toute l'humanité qu'il ramène à la vie. En cette image se récapitulent les trois temps de l'histoire du salut que nous venons d'analyser. L'instant décisif de la résurrection rejoint à la fois la fin et le commencement de tous les temps. Cette image, que l'on ne peut se lasser de contempler, ne nous présente-t-elle pas le salut « en raccourci » ?

BIBLIOTHÈQUE
Université du Québec à Rimouski

Index des références bibliques

(Les chiffres romains renvoient aux tomes, les chiffres arabes aux pages.)

Ancien Testament

Genèse :

1 : II.373-377.
1,1 : II.370.
1,1-5 : I.129.
1,2 : II.254.
1,26 : I.26.200.204.205.
1,26-27 : I.206.
1,27 : I.205.
2,1-4 : II.376-377.
2,5-24 : II. 377-380.
2,7 : II.248.
2,16-17 : II.383.384.
3 : I.170 II.383-386.
3,5 : I.36.200.276 ; II.157.
3,9 : I.236.
3,15 : II.390.
3,22 : II.47.
4,1-16 : II.391-392.
4,10 : I.307.
5,24 : II.98.
6,1 — 9,17 : II.392-394.
9,2-3 : II.89.
9,6 : II.90.
11,1-9 : II.394-396.
12,1-3 : II.49.
12,2 : II.51.
12,11-13 : II.109.
14,20 : II.144.
15 : II.52-56.
15,1 : II.54.
15,2 : II.53.
15,5-6 : II.53.
15,6 : II.50.
15,17-18 : II.54.
17 : II.52-56.
17,8 : II.54.

17,13 : II.54.
17,17 : II.53.
18,1-14 : II.52-56.
18,12 : II.53.
18,14 : II.53 ;.
18,16-33 : II.56-58.
18,22 : II.56.
18,26 : II.56.
19 : II.57.
22 : II.58-65. 22,1 : II.59.
22,2 : II.58.
22,7-8 : II.59.
22,8 : II.64.
22,11-15 : II.239.
22,12 : II.59.63.
22,17 : II.116.
23,4 : II.50.
27 : II.109.144.
37,9 : I.133.
37,18.20 : II.66.
37,28 : II.66.
42,21 : II.67.
42,24 : II.67.
43,30-31 : II.67.
45,2 : II.68.
45,3-8 : II.68.
49,10 : II.107.
50,19-21 : II.68.

Exode :

1,8 : I.17 ; II.70.
2,10 : II.70.
3 : II.71-75.
3,2-6 : II.239.
3,4 : II.72.
3,8 : II.402.

Sagesse :

2,12 : I.63.
2,12-20 : I.303 ; II.126.191.
2,24 : II.389.
4,7-14 : II.139.
5,4-5 : I.303.
7 : I.128.
7,26 : I.129.
16,7 : II.96.
16,20-21 : II.85-86.
18,21 : I.296.
18,23 : I.200.

Siracide (Ecclésiastique) :

4-6 : I.127.
41,1 : II.98.

Isaïe :

1,11-13 : I.270.
1,11-17 : I.264.
6,5 : II.337.
6 — 11 : II.120-124.
7,9 : II.121.
7,14 : II.72.252.
7,14-15 : II.121.
7,16 (LXX) : I.187.
8,16 : II.120.
9,1 : I.129.
9,1-6 : II.122.
10,22 : II.122.
11,1-4 : II.123.
11,6-9 : II.123.402.
25,8 : I.173.
26,14 : II.139.
30,27-33 : I.298.
38,5 : II.139.
40 — 55 : II.127-135.
40,1-2 : II.128.
40,3 : II.128.
40,9-11 : II.128.
40,12-31 : II.129.
40,18 : II.151.
41,1-20 : II.129. 41,14 : I.149.
41,21 — 42,12 : II.130.
42,1-4 : II.130-131.
42,1-7 : II.131-132.

42,5 : II.403.
42,6 : II.131.
42,9 : II.403.
42,13 : II.130.
43,1 : I.149.
43,1-5 : II.130.
43,3s : II.80.
43,4 : II.134.
43,9 : II.131.
43,11-12 : I.149 ; II.131.
43,14 : I.149.
43,15 : I.149.
43,16-19 : II.131.
43,21 : I.148.149.
43,22-25 : II.131.
44,6 : I.149.
45,8 : II.131.
45,14-16 : II.131.
45,20-25 : II.1131.
46,4 : I.149.
48,7 : II.403.
48,17 : I.149.
49,1-6 : II.132.
49,6 : II.131.
49,15 : II.134.
50,4-9 : II.132.
52,10 : II.131 ; II.135.
52,13 — 53,12 : I.265.
53 : I.164.359 ; II.171.
53,1-12 : II.132.
53,2-12 : I.299-303.
53,10 : II.135.
53,5-11 : I.69.
53,7 : II.79.
53,9 : II.58.
53,10 : I.72.
53,11 : II.58.
53,11-12 : I.69.
53,12 : II.58.
54,7-8 : I.298.
55,3-5 : II.131.
60,3 : I.129.
61,1-2 : II.163.
65,17-25 : II.403.

Jérémie :

1,8 : II.72.
3,19 : I.200.

5,1 : II.57. 6,20 : I.264.
7,21-22 : I.264.
7,23 : I.148.
9,20 : I.200.
11,19 : II.124.
11,21 : II.124-125.
15,15 : II.125.
18,18 : II.125.
20,2 : II.125.
20,7 : II.118.151.
24,7 : II.136.
25,15-38 : I.298.
26,8-9 : II.125.
26,11 : II.125.
31,9 : I.200.
31,22 : II.403.
31,29-30 : II.137.
31,31 : II.92.135-137.403.
31,31-34 : II.136.
32,39 : II.403.
37,11-14 : II.125.
38,6 : II.126.
46,10 : I.298.

Lamentations :

5,21 : II.147.

Baruch :

3 : I.127.

Ezéchiel :

16 : II.118.
16,38 : II.118.
16,60 : II.138-139.
16,60-62 : II.118.
18 : I.234.
20,33 : I.298.
22,30 : II.57.
32,8 : II.207.
34,15-16 : II.183.
34,23-24 : II.183.
36,25-27 : II.138.
36,26 : II.403.

37 : II.138.
37,9 : II.248.

Daniel :

7,13 : II.197.
12, 1-3 : II.139.

Osée :

2 : II.115-118.
2,3 : II.116.
2,4-15 : II.116.
2,9 : II.116.
2,15 : II.117.
2,16-25 : II.117.
3,1-5 : II.117.
6,6 : I.264 ; II.168.
11,1 : I.200.
13,14 : I.173.
14,5 : I. 298.

Amos :

5,21-27 : I.264.
8,9 : II.207.

Jonas :

3,9 : I.298.

Michée :

6,6-8 : I.264.

Sophonie :

3,14-17 : II.254.

Zacharie :

1,3 : II.147.
12,10 : I.128 ; II.96.23.

Malachie :

3,20 : I.129.138.

Nouveau Testament

5,7-8 : I.262.
6,19 : I.201.219.
6,20 : I.147 ;.
7,22 : I.147.148.
7,32 : I.178.
8,3 : I.131.
8,6 : I.88.89.
9,1 : I.178.
9,16 : I.139 ; II.315.
9,19 : I.178.
9,20-22 : I.367.
10,1-4 : II.83.
10,4-22 : I.266.
10,11 : II.75.84. 10,29 : I.178.
11,13 : I.281 ;
11,23-26 : I.164.
11,24 : I.117.
11,24-25 : I.266.319.
11,25 : I.384 ; II.215.
11,26 : I.267.285 ; II.27.
12,11 : I.245.
12,13 : I.178.
13,12 : I.131.
13,13 : I.131.
15 : I.214.
15,1-34 : I.20.
15,3 : I.14.119.
15,6-8 : II.242.
15,8-9 : II.307.
15,9 : II.337.
15,19 : II.414.
15,20-25 : II.411.
15,21-22 : I.369.
15,24 : II.423.
15,24-26 :I.146.
15,26-27 : I.151.
15,42-55 : I.203.
15,45 : II.248.
15,47 : I.156.
15,55 : I.173.

2 Corinthiens :

1,1 : II.306.
2,4-6 : I.130.
2,14 : I.146.
3 : II.71.
3,6 : I.238.
3,14-16 : II.47.141.

4,3-6 : I.135.
4,4 : I.131.
5,14 : I.369.374.
5,15 : I.117.118.
5,18 : I.383.
5,18-19 : I.385.
5,18-20 : I.386.
5,18-21 : II.266 ;.
5,19 : I.38.58.99.384.
5,20 : I.385.
5,21 : I.58.67.69.76.82.
91.117.118.211.308-309.
314.315.359.369.386 ;
II.203.
6,16 : I.201.
8,7 : I.131.
8,9 : I.91.99.117.118.211.369.
12,9 : I.230. 13,4 : I.91 ; II.212.
13,5 : I.219.

Galates :

1,1 : II.306.
1,3-4 : I.119.
1,14 : I.229.
2,4 : I.178.
2,7-9 : II.308.
2,14 : II.337.
2,19-20 : II.306.
2,20 : I.14.117.118.152.219.
3,6 : II.50.
3,13 : I.58.67.68.69.72.
76.91.117.118.147.308-309.
310.314.359.369 ; II.203.
3,13-14 : I.92.211.
3,14 : I.309.
3,16 : II.55.
3,17 : II.55.
3,19 : I.89 ; II.71.97.
3,24 : II.91.
3,26 : I.201.
3,28 : I.178.
4,5 : I.147.
4,6 : I.219.
4,6-7 : I.201.
4,9 : I.131.
4,19 : I.219.
4,21-31 : I.178.
4,28 : II.64.65.

Index des auteurs anciens

Abélard : I.54.127.139.346.

Adamantius (Ps.) :
Dial. de recta fide :
1,27 : I.162.

Ambroise :
Lettre 72,8 : I.328.
Sur le Ps.XXXVII :
En. 53 : I.328.

Anselme de Cantorbéry :
I.35.36.37.46.55.56.75.167.
207.329-345.346.350.352.366.
Cur Deus homo :
I,3 : I.339.
I,6 : I.330.
I,8 : I.330.331.
I,9 : I.331.344.
I,10 : I.331.
I,11 : I.332.343.
I,12 : I.333.
I,15 : I.333.
I,19 : I.333.
I,20 : I.334.
I,21 : I.343.
I,22 : I.334.
II,5 : I.334.
II,6 : I.335.
II,11 : I.335-336.
II,17 : I.344.
II,20 : I.339.

Apollinaire : I.187.212.

Aristote : I.60.105.

Athanase : I.214.216.315.
Contre les Ariens :
II,67,69,70 : I.212.

III,19 : I. 204.
Lettres à Sérapion :
I,24 : I.213.
Sur l'incarn. du Verbe :
7,5 : I.312.
8,1-9,2 : I.312.
20,1-25,5 : I.273.
21,6 : I.313.
22,3 : I.312.
54,3 : I.210.

Athénagore : I.272.
Supplique :
13 : I.270-271.

Augustin : I.36.100.108.138.
179.186.189.190.206.207.222.
233.235.236.237.248.270.279.
280.355.371 ; II.282.
Cité de Dieu :
X,5 : I.273.
X,6 : I.274-276 ; II.274.
X,20 : I.277-278.
Comm. 1 Jn :
VII,7 : I.63.315.
VIII,10 : I.160 ; II.208.
Comm. Ps. :
90,9,11 : II.355.
132,10 : II.386 ;.
Confessions :
I,1,1 : I.26.184.
I,7,11 : I.22.
I,19,30 : I.21.
VII,9,13 : I.96.
VII,17,23 : I.95.
VII,18,24 : I.95.
VII,19,25 : I.96.
VII,21,27 : I.95.
X,43,68-69 : I.97-98.

V,28,3 : II.369.
Démonstration :
34 : I.67.

Jacques (*Protév. de*) :
21,2 : I.133.

Jean Chrysostome : I.189.
Hom. sur Jn :
11,1 : I.211.
67,2 : I.161.

Jérôme : I.296.
Sur Jérémie :
23,9 : II.127.

Justin : I.133.158.
Dial. avec Tryphon :
7,3 : I.134.
8,1 : I.134.
8,3 : I.45.
10,3 : I.45.
31,1 : II.412.
32,1-2 :II.412.
39,2 : I.134.
91 : II.96.
94 : II.96.
95,2 : I.310-311.
96,1 : I.309.
112 : II.96.
117,3 : I.272.
1 Apol. :
31,7 : I.173.
44,10 : II.345.
46,3 : II.345.
60 : II.96.
60,7 : I.67.
2 Apol. :
8,1 : II.345.
8,3 : II.345.
10,2 : II.345.
10,8 : 345.
Léon le Grand :
2 Serm. sur la Rés. :
(59) 1 : I.138.

Maxime le Confesseur : I.207.

Mozar. sacr. liber :
13 : I.329.

Nestorius : I.212.313.

Nicolas de Cuse : I.364.

Origène : I.137.138.158.161.
Comm. sur Jn :
I,V,28-29 : I.11.
I,VII,38 : II.141.
VI,LV,285 : I.311.
Comm. sur Mt :
XIV,7 : I.11.
XVI,8 : I.159.
Comm. sur Rm :
2,13 : I.158.159.
3,8 : I.311.
4,11 : I.159.160.
Contre Celse :
III,28 : I.210.
Entr. avec Héraclide :
7 : I. 212.
Hom. sur Gn :
I,13 : I.206.
Hom. sur Josué : II.99.
III,5 : II.342.
Hom. sur Luc :
34 : II.179-180.
Tr. des Principes :
II,6,1 : I.94.
II,6,1 : I.206.
IV,2,8 : II.101.

Pierre Lombard : I.351.

Pline le Jeune : *Lettres :*
X, 97, 7-10 : II.330.

Plotin : I.94.

Rupert de Deutz : I.207.

Tertullien :
Tr. du Baptême :
XX,1 : I.328.
Contre Marcion :
III,18 : II.96.

Index des auteurs modernes

TABLE DES MATIÈRES

Collection
JÉSUS ET JÉSUS-CHRIST
dirigée par Joseph Doré, institut Catholique de Paris

Achevé d'imprimer en juin 1992
sur les presses de l'imprimerie Campin
Tournai — Belgique